IM SPIEGEL DER ZEIT

IM SPIEGEL DER ZEIT

Erlebtes

Erfahrenes

Erforschtes

Reader's Digest

DEUTSCHLAND · SCHWEIZ · ÖSTERREICH

Die vier Kurzfassungen in diesem Band erscheinen
mit Genehmigung der Autoren und Verleger.
Dies gilt auch für Briefe, Zitate und Dokumente, die
in leicht gekürzter Form wiedergegeben sein können.

Alle Rechte an Bearbeitung und Kurzfassung,
insbesondere das der Übersetzung, Verfilmung und
Funkbearbeitung, im In- und Ausland vorbehalten.

© 2007 Reader's Digest
– Deutschland, Schweiz, Österreich –
Verlag Das Beste GmbH,
Stuttgart, Zürich, Wien

627 / 931

Printed in Germany

ISBN Hardcover: 978-3-89915-389-7
ISBN Softcover: 978-3-89915-390-3

INHALT

6

DAS GEHEIMNIS DER ADLER

von Angelo d'Arrigo

152

DIE SCHULD,
EINE FRAU ZU SEIN

von Mukhtar Mai

250

MEIN LEBEN

von James Last

404

DER RETTENDE WEG

von Mietek Pemper

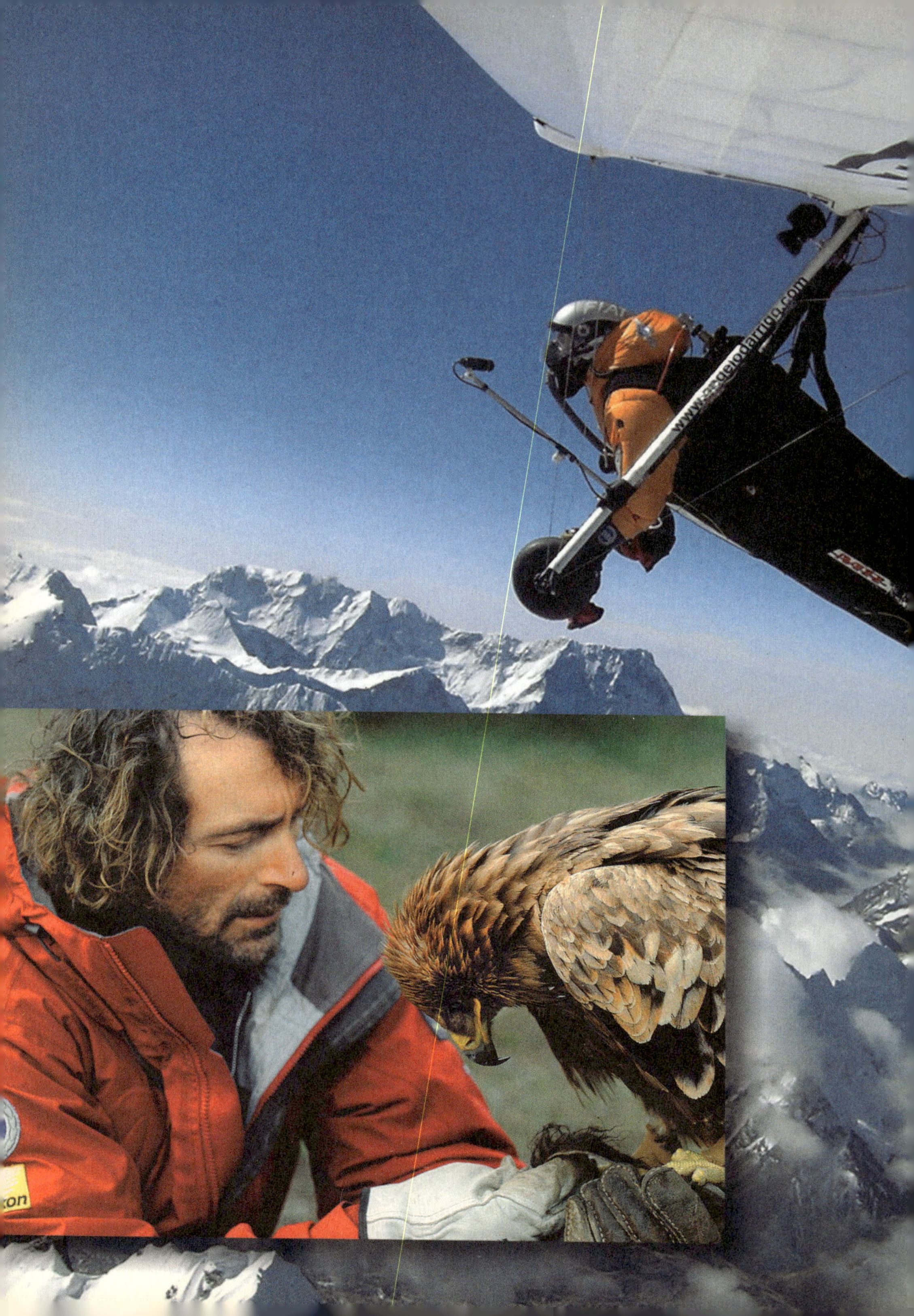

ANGELO D'ARRIGO

Das Geheimnis der Adler

Wie ich lernte, die Lüfte zu beherrschen

Je höher wir steigen, desto dunkler wird der Himmel. Das Blau ist ein wahres, über alle Maßen intensives Blau. Die Luft ist kalt und durchsichtig. In der mystischen Stille der Unendlichkeit gibt es nur mich und meinen Drachen, weiter vorn das Schleppflugzeug und noch weiter vorn das endgültige Ziel.

Angelo d'Arrigo

Prolog

Everest, 24. Mai 2004

Da liegt er vor mir. Ein felsiger Riese, fast 9000 Meter hoch. Eine dunkle Pyramide mit hellen Streifen ewigen Schnees, beschützt durch das Bollwerk der Himalajakette. Ein unverletzbares Heiligtum, das die Elemente selbst bewachen.

Der Wind treibt mich mit mehr als hundert Stundenkilometern vorwärts. Ich hänge in meinem Drachen und versuche mich, so gut ich kann, gegen die beißende Kälte zu schützen, während das Atemgerät Sauerstoff in meine Lungen pumpt. Um meine Augenlider haben sich Eiskristalle gebildet, sogar die Tränen gefrieren, aber um nichts in der Welt würde ich die Augen ausgerechnet jetzt schließen.

Endlich bin ich kurz vor dem Gipfel, wie der Adler auf dem Foto, der mir den Weg wies. Ich werde mit seinen Augen sehen können. Die Metamorphose hat begonnen.

Hier bin ich, mit meinen technischen Hilfsmitteln, und werde von einem mächtigen Aufwind emporgehoben, der mich wie einen Vogel im freien Flug über das Dach der Welt trägt.

Viele haben mir gesagt, das sei unmöglich. Sie kannten das „Hummel-Paradox" nicht: Dass die Hummel fliegt, ist immer noch ein Rätsel, mit dem sich sogar die NASA befasst hat. Die Analyse von Gewicht und Körperform im Verhältnis zur Oberfläche und zum Flügelprofil ergibt, dass die Hummel nach den Gesetzen der Aerodynamik nicht fliegen kann. Sie kann es aber, weil sie sich nicht darum kümmert.

Auf der Suche nach dem instinktiven Flug
Der Adler und der Berg

Der unmögliche Flug

Die Idee kam mir ganz zufällig. Im Jahr 2000 unterhielt ich mich eines Abends bei einem Glas Bier mit meinem Freund Hans Kammerlander, dem Bergsteiger, dem die erste Abfahrt auf Skiern vom Mount Everest gelungen ist. Während er mir von einer seiner Unternehmungen am Mount Everest erzählte, zeigte er mir ein Foto, auf dem mir ein Detail auffiel: Im Hintergrund, weniger als hundert Meter hinter Hans, war ein eigenartiger Punkt über dem Gipfel zu sehen, ein winziger Schatten, vielleicht war es auch nur ein Fleck. Hans konnte mir das nicht erklären, und eine Weile dachte ich nicht mehr daran.

Aber der „Fleck" hatte sich mir doch eingeprägt. Als ich wenig später das Foto erhielt, vergrößerte ich es und entdeckte, dass es sich weder um einen Fleck noch um einen Schatten handelte.

Es war ein Adler.

Genauer gesagt ein *Aquila nipalensis*, ein Steppenadler, der auf seiner Wanderung den Gipfel des Everest überflog. Nie hätte ich gedacht, dass ein Greifvogel in 9000 Meter Höhe fliegen kann, in einer Höhe, in der die aerodynamischen Kräfte nicht mehr wirksam sind, in der Flughöhe von Düsenflugzeugen. Ich war so fasziniert, dass eine wahnsinnige Idee in mir Gestalt anzunehmen begann. Von da an versuchte ich zu verstehen, wie und warum der Adler so hoch hinaufgekommen war, und schließlich wollte ich das selbst fertigbringen.

Ich begann zu forschen. Das Habitat des *Aquila nipalensis* ist sehr ausgedehnt. Sein Sommerrevier reicht von der Mongolei und von Tibet über die Steppen Russlands und Kasachstans bis hin nach Nord- und Osteuropa. Das Exemplar auf dem Foto kam mit einiger Sicherheit aus Tibet und war Richtung Nepal und Indien unterwegs, denn das Foto war im Herbst aufgenommen worden, wenn die Steppenadler in Richtung Süden ziehen. Das Bemerkenswerte war allerdings weniger die generelle Richtung, in der der Adler unterwegs war, sondern vielmehr die Flugroute, die er gewählt hatte. Kein Radfahrer oder Wanderer würde ein Gebirge über den Gipfel überqueren, sondern eher eine Passstraße wählen. Zumal der Himalaja ja auch keine unüberwindbare Wand von 9000 Meter Höhe ist. Der Gipfel des Mount Everest ist von Bergen umgeben, die sehr viel einfacher zu überfliegen sind. Und doch hatte der Adler den schwierigsten Weg gewählt und war über den höchsten Berg der Erde geflogen und nicht um ihn herum. Warum?

Die Antwort fand ich, als ich die Luftschichten um den Mount Everest herum genauer untersuchte. Im Herbst bildet sich im Rongbuktal, auf 5000 Meter Höhe, ein Nordnordwestwind, der auf die Nordwand des Mount Everest stößt. Durch dieses Hindernis wird der Wind umgelenkt zu den Seiten, aber teilweise auch nach oben, so wie das Wasser eines Flusses einen Stein umspült, der seine Strömung behindert. Der Teil, der nach oben drängt, bildet einen dynamischen Auftrieb. Die Zugvögel sind darauf spezialisiert, ihren Energieverbrauch zu optimieren, und nutzen diese natürliche Aufwärtsströmung als eine Art Sprungbrett, um die Himalajakette zu überwinden. In der darauffolgenden Jahreszeit, bevor der Monsun einsetzt, entsteht dieser Aufwind an der Südseite des Mount Everest im Khumbutal und bläst dann von Süden nach Norden. Die Zugvögel können mit seiner Hilfe nach Norden zurückkehren.

Doch das erklärte noch nicht, dass die Vögel lieber über den Gipfel des Mount Everest fliegen, anstatt sich auf mittleren Höhen von rund 5000 Metern von einem Luftstrom seitlich daran vorbeitragen zu lassen. Es stellte sich heraus, dass der Weg über den Gipfel tatsächlich Kräfte spart. Wenn die Adler im Aufwind je nach Jahreszeit auf der einen oder auf der anderen Seite des Berges nach oben steigen, stellen sie die Flügel gegen den Wind an und versuchen, eine Fluggeschwindigkeit einzuhalten, die der des Windes entspricht und diese aufhebt, sodass die Vögel von der Luftmasse selbst nach oben getragen werden. Wenn sie dann, 4000 Meter weiter oben, also auf 9000 Metern, den Gipfel erreicht haben, drehen sie sich durch eine Wendung um 180 Grad in Richtung des Windes und setzen zu einem langen Gleitflug an. Je höher die Strömungsgeschwindigkeit der Luft ist, die sie vorwärtstreibt, desto größer ist jeweils die Distanz, die sie ohne Flügelschlag zurücklegen können.

Und nicht nur das. Im Hochgebirge sind die Fluggeschwindigkeiten im Verhältnis zum Energieverbrauch höher, weil die Luft weniger dicht ist und alles, was sich darin befindet, auf weniger Widerstand trifft. Aus diesem Grund, nämlich um Energie zu sparen, fliegen Flugzeuge so hoch. Ich habe ausgerechnet, dass Steppenadler ab 9000 Meter Höhe mit Rückenwind eine Strecke von 500 Kilometern zurücklegen können, ohne mit den Flügeln zu schlagen. Das ist als würde man auf einer leicht abschüssigen Autobahn nach einem kurzen Start mit eingeschaltetem Motor den Motor ausschalten und mit 150 oder 200 Stundenkilometern von Mailand nach Paris fahren – durch halb Europa, ohne einen Tropfen Benzin zu verbrauchen. Deshalb war der Adler dort oben.

In Wirklichkeit hatte ich überhaupt nichts entdeckt, sondern mir lediglich Fragen gestellt und die Antworten dazu im wunderbaren, unerschöpflichen Buch der Natur gelesen. Und ich war voller Bewunderung für die Lösungen, die die Natur ihren Geschöpfen bietet – und für das Gesetz der natürlichen Auslese, das die Grundlage für die Evolution ist. Denn der Weg über den Gipfel ist nicht ungefährlich, sondern extrem anstrengend und bisweilen tödlich. Ich wusste, dass mehr als eine Expedition auf dem Südsattel des Everest, auf fast 8000 Metern, einen toten Adler gefunden hatte, der es nicht geschafft hatte.

Im Licht dieser neuen Informationen über die Flugtechniken und Strategien der Adler begann ich mich zu fragen, ob ein Versuch meinerseits mit künstlichen Flügeln mathematisch möglich wäre. Mir wurde entgegengehalten, dass bei derartigen atmosphärischen Gegebenheiten, also bei einer so geringen Luftdichte, mein Hängegleiter einen Motor haben müsste. Ich aber wollte den Flug des Tieres nachahmen, den instinktiven Flug. Dort oben war der Adler, er war wunderschön, und ich sah mich schon an seiner Stelle.

Außerdem ließ sich die Untersuchung der Flugleistungen von Zugvögeln in der Natur wunderbar mit meinem abenteuerlustigen Sportsgeist verbinden. Am Horizont zeichnete sich für mich die Möglichkeit ab, einen alten Traum zu verwirklichen, den ich schon als Junge geträumt hatte, als ich noch mit meinen Spielkameraden auf den Stadtmauern von Paris herumgeklettert war: die Eroberung des Mount Everest.

Ein Leben mit den Bergen

Der Bergsport hat mich in allen Phasen meines Lebens begleitet, und wie alle Bergsteiger habe auch ich immer heimlich die Hoffnung genährt, es einmal zu schaffen, die Spitze zu erreichen, den höchsten Gipfel der Erde, über dem es nichts anderes mehr gibt. Meine Leidenschaft für den Mount Everest gibt es schon lange: Ich war noch ein kleiner Bub, als ich mich in den Berg verliebte.

In Paris, wo ich aufgewachsen bin, war ich immer gern im Freien, auf der Straße. Es waren die frühen Siebzigerjahre, und ich ging auf eine eher unkonventionelle Schule nahe der Bastille. Jedes Jahr wurde dort ein so genannter Naturkurs angeboten, in dem die Schüler einen ganzen Monat lang ins Hochgebirge zogen, um dort zu lernen.

Mit zwölf Jahren hatte ich das Glück, einen Platz in diesem Kurs zu bekommen. Wir fuhren im Februar mit dem Zug in die Alpen. Es war meine erste Reise ohne Eltern, und ich erlebte ein völlig neues Freiheitsgefühl. Vom Zugfenster aus Nadelholzwälder, Bergbäche und die ersten schneebedeckten Berge zu sehen, war für mich eine aufregende Erfahrung. Der folgende Monat, den wir in der unglaublichen Höhe von 2000 Metern verbrachten, um die Umwelt, die Fauna, die Geologie und das Skifahren zu entdecken, wird mir immer unvergesslich bleiben.

Als ich aus den großen Weiten der Berge in die graue Großstadt zurückkehrte, fühlte ich mich wie in einem Käfig. Voller Sehnsucht nach den Bergen träumte ich davon, dort leben zu können. Ich wusste natürlich, dass das Hirngespinste waren, aber um mich den Bergen etwas näher zu fühlen, beschloss ich, ein Stadt-Bergsteiger zu werden.

Jede Stadt bietet viele Möglichkeiten zum Klettern: Häuser, Pfeiler, Gerüste, Brücken. In Paris ist der ideale Ort das Ufer der Seine. Jedes Wochenende zog ich los, um die steilen, manchmal fast senkrechten Ufermauern zu erklimmen. Sie sind mit behauenem Stein verkleidet und bieten so genug Halt. Immer wieder kletterte ich an den acht bis zehn Meter hohen Wänden hinauf und hinunter, rutschte oft ab und verschrammte mir Ellbogen und Knie. Meine Mutter sah natürlich, dass ich immer verdreckt und mit zerrissenen Hosen nach Hause kam, hatte aber keine blasse Vorstellung davon, wo ich meine Freizeit verbrachte. Und ich erzählte es ihr nicht, weil ich kein Verbot riskieren wollte. Zu meiner Ausstattung gehörten ein Paar alte Wanderstiefel, das ich für wenige Francs auf dem Flohmarkt erstanden hatte, und Bluejeans, die unterhalb des Knies abgeschnitten waren, sodass man die dicken Socken besser sehen konnte – wie bei meinen unsterblichen Helden, die in den Bergbüchern abgebildet waren. Unter dem Arm trug ich die Texte der großen Alpinisten, Gaston Rébuffat aus Marseille oder Walter Bonatti aus Bergamo, und versuchte alles, was ich las, in die Praxis umzusetzen. Nach und nach stellte ich mir Strecken zusammen, die es mir ermöglichten, Hunderte von Metern von einer Wand zur anderen zurückzulegen, ohne einmal zum Boden zurückzukehren.

Das Skifahren war meine andere Leidenschaft. Am östlichen Stadtrand von Paris wurde damals gerade eine neue Autobahn gebaut, die von Straßburg her kam. Ich hatte festgestellt, dass ich auf den verschlammten Seiten der Sandhaufen, die durch die Erdaushubarbeiten zu beiden Seiten der Baustelle entstanden waren, im Winter ganz ausgezeichnet Ski fahren konnte. Die Abhänge waren immerhin fünfzehn bis zwanzig Meter lang und ziemlich steil. Hier konnte ich wedeln üben und mich bei jedem Schwung auf die Skistöcke stützen und umspringen, wie ich es bei einigen Extremskifahrern gesehen hatte.

Auf einem Treffen des Pariser Alpenvereins lernte ich dann Franck kennen, mit dem mich eine schöne Freundschaft verbinden sollte. Zusammen begannen wir, an den Felsblöcken im Wald von Fontainebleau zu bouldern, also in Absprunghöhe ohne Seil zu klettern. Als wir das gut beherrschten, wagten wir uns an ernsthaftere Höhen – achtzig Meter, an der Falaise du Saussois.

Schließlich versuchten wir den Sprung in die Alpen. All unser mühsam erspartes Geld gaben wir für Bergsteigerausrüstung aus. Immerhin waren wir so vernünftig, eine Generalprobe zu veranstalten und die drei Stockwerke in Francks Haus hinauf- und hinunterzusteigen. Bei mir zu Hause kam das nicht infrage, denn niemand wusste von meinem Doppelleben als Alpinist, und so wurde denn auch meine gesamte Bergsteigerausrüstung bei Franck aufbewahrt. Diese Auf- und Abstiege hielten uns dazu an, das schwere Gepäck zu reduzieren, und waren nebenbei ein gutes Training.

Freitagabends trafen wir uns am Gare de Lyon und nahmen um halb neun den Zug nach Chamonix. Wie viele Nächte haben wir im Halbschlaf in einem Eisenbahnabteil verbracht, sanft geschaukelt von dem Zug, der uns in eine neue Welt brachte, in die Welt unserer Träume. Und je mehr Schwierigkeiten wir hatten und je mehr Probleme wir lösen mussten, desto mehr fühlten wir uns als echte Bergsteiger.

Einmal hatten wir uns in den Kopf gesetzt, eine Hütte unterhalb des Mont-Blanc-Gipfels zu erreichen, obwohl die Sicht sehr schlecht war. Wir wollten uns lediglich auf unseren Kompass und unsere Intuition verlassen. Alles lief glatt, bis am Nachmittag das Wetter umschlug. Wir wussten, dass wir nur noch etwa eine Stunde von der Hütte entfernt waren, aber die Wolken wurden immer dichter, und ein Sturm kam auf.

Drei Stunden später war uns klar, dass wir im Kreis gelaufen waren. In der Zwischenzeit war es dunkel geworden, also beschlossen wir, unser Notzelt aufzubauen, um die Suche am folgenden Morgen fortzusetzen. Gegen Morgen zwang mich ein dringendes Bedürfnis, den warmen

Schlafsack zu verlassen. Draußen fand ich einen klaren Tag vor, ideale Bedingungen, um unser Vorhaben zu Ende zu bringen. Als ich mich mit dem Rücken zum Wind drehte, sah ich in höchstens hundert Meter Entfernung das Dach der Hütte vor mir. Sofort weckte ich Franck. Unseren Spuren nach zu urteilen, waren wir einige Stunden wie blind um die Hütte herumgetappt. Zu unserem Glück hatte niemand das Zelt bemerkt, das wir sehr schnell abbauten, und als wir die Hütte betraten, fragte uns niemand, woher wir kamen.

Bei einem dieser abenteuerlichen Wochenendausflüge sah ich im Frühling in Val d'Isère zum ersten Mal einen Mann, der unter einer Art Drachen hing. Es war ein Hängegleiter. Ich war fünfzehn Jahre alt und hatte noch nie einen gesehen. Weil ich neugierig auf alles war, was irgendwie mit der Höhe zu tun hatte, ging ich zum Landeplatz, um mir das Gerät näher anzusehen. Dort lernte ich den weltbekannten Alpinisten Jean-Marc Boivin kennen. Es war der Anfang meiner Leidenschaft für das Drachenfliegen.

Jean-Marc flog, lief Ski und kletterte. Klettern, Skifahren, Fliegen: die drei untrennbar miteinander verbundenen Etappen, in denen sich meine Leidenschaft für all das entwickelte, was in die Höhe führt, um die Welt von oben sehen zu können. Ich hatte ein Vorbild gefunden, dem ich folgen wollte. Ich bat Jean-Marc, mir das Fliegen beizubringen. „Kauf dir einen Drachen, und ich bring's dir bei", antwortete er mir. Also arbeitete ich in Pizzerias als Kellner oder als Tellerwäscher und machte jede andere Aushilfsarbeit, die sich mir bot. Als ich das Nötigste zusammengekratzt hatte, kaufte ich das gerade noch Annehmbare zum besten Preis. Doch mein erster Flug war eine Katastrophe. Ich flog alles zu Bruch. Nichts hatte ich verstanden, gar nichts. Nur eines: Fliegen ist sehr gefährlich. Ich beschloss, rechtzeitig aufzuhören, bevor ich mir ernsthaft wehtat, baute meinen kaputten Drachen auseinander und brachte ihn an einem sicheren Ort unter, weit entfernt von meinen Eltern.

Danach wollte ich unbedingt das Eisklettern ausprobieren. Da ich keine Eiswände oder vereisten Wasserfälle zur Verfügung hatte, musste ich mich damit zufrieden geben, die Schaftzugtechnik mit Steigeisen und Eispickel an den Stämmen alter Bäume im Bois de Vincennes zu üben. An großen, hohen Bäumen wie Platanen und Kastanien konnte ich bis zu zehn, zwölf Meter aufsteigen. Um die Bäume nicht bleibend zu schädigen, beging ich jeweils verschiedene Seiten, und nach jedem Auf- und Abstieg wechselte ich den Baum. Oder ich kraxelte an den Masten der Telefonleitungen hinauf. Meine Technik funktionierte gut, und während dieser einsamen Aufstiege war ich im Geiste in gefährlichen Eisabbrüchen unterwegs.

Aber trotzdem musste ich ständig an das Fliegen denken, bis ich schließlich beschloss, es noch einmal zu probieren. Es war die Pionierzeit des Drachenfliegens, daher war die einzige Schule, die ich fand, sehr weit weg, in Mittelfrankreich. Ich schrieb mich dennoch ein. Neben der Praxis hatte ich dort auch Unterricht in Meteorologie und Aerodynamik. Ich machte so große Fortschritte, dass ich 1979 in die französische Nationalmannschaft aufgenommen wurde und an der ersten Weltmeisterschaft im freien Flug in Grenoble teilnahm, wo ich einen der ersten Plätze belegen konnte. Es war der Beginn meiner Karriere als Wettkampfpilot.

An der Universität in Paris war das Sportstudium meine natürliche Bestimmung. Während des Studiums, noch vor dem Diplom, legte ich die Prüfungen als Bergführer, Skilehrer und Fluglehrer ab. Das waren meine drei Konstanten und blieben es auch. Durch Praktika, die die Sportverbände und die Universität organisierten, um Speziallehrer auszubilden, hatte ich endlich Gelegenheit, so viel in der freien Natur zu sein, wie ich mir das immer gewünscht hatte. Gleichzeitig begann ich mit extremeren Sportarten wie dem Flug von Felswänden mit Absprung vom Gipfel oder Steilwandabfahrten auf Skiern. Meine ersten Alleinbegehungen in den Alpen fallen in diese Zeit: Mont Blanc, Matterhorn, Aiguille du Midi, Aiguille Verte …

Man gab mir den Spitznamen „Seiltänzer des Extremsports", als ich begann, über meine Abenteuer Amateurfilme in Super-8 zu drehen, die ich dann in Schulen und Kulturzentren der französischen Hauptstadt zeigte. So schuf ich mir ein kleines Publikum und verdiente gleichzeitig etwas Geld, mit dem ich neue Unternehmungen finanzieren konnte. Und ich erlangte einen gewissen Bekanntheitsgrad, dem ich einen Auftrag zu verdanken hatte, der mich nach Sizilien führte. In jenem Jahr brach der Ätna aus, und ein Fernsehproduzent schlug mir vor, mit dem Drachen über die austretende Lava zu fliegen und darüber einen Dokumentarfilm zu drehen. Ich nahm sofort an. Mir war alles recht, wenn es nur abenteuerlich genug war.

Ich flog in 4000 Meter Höhe über den schneebedeckten Gipfel des Ätnas, landete schließlich am Strand von Taormina, zog mich aus und badete im lauen Wasser des Ionischen Meeres. Der Süden gefiel mir so sehr, dass ich zusammen mit meiner Freundin Nathalie beschloss, Paris zu verlassen und mich in Sizilien anzusiedeln, um eine Flugschule aufzubauen.

ICH GAB mir ein Jahr Zeit. Bis dahin sollte die Flugschule greifbare Ergebnisse erreicht haben. Doch als der nächste Sommer kam, waren noch keine Erfolge in Sicht. Entmutigt begab ich mich in einen Ferienort im Norden Siziliens, nach Capo Calavà, und begann von einem Campingplatz aus mit einem Zweierdrachen Tandemflüge zu machen. Nach einigen Demonstrationsflügen mit Nathalie wurden die Leute neugierig. Sie hatten keine Ahnung vom Drachenfliegen, wollten es aber gern ausprobieren, und am Ende füllten die Tandemflüge die ganze Sommersaison aus. Es war noch einmal gut gegangen, denn ich hatte genug verdient, um über den Winter zu kommen, und es war mir gelungen, mit dem Drachenfliegen meinen Lebensunterhalt zu verdienen.

Wer je in den Bergen gelebt hat, kann sie nicht vergessen. Er trägt sie in sich. Durch sie habe ich das Fliegen kennen gelernt. Von den ersten kleinen Bergen bis zum Ätna habe ich mir in jedem Gipfel von Kindheit an den Everest vorgestellt. Jahre später, als ich längst erwachsen war, träumte ich immer noch von ihm. Und ein winziges Pünktchen im Hintergrund eines Fotos reichte aus, um den Traum weiterzuträumen.

Metamorphosis, Teil 1: „Following the Hawks"

Nike und ich

Als Nike das erste Mal flog, begann für mich ein großes Abenteuer. Sie saß auf meinem Unterarm, und ich lenkte mit der anderen Hand den Gleitschirm. Ihre Augen über dem fürchterlichen Hakenschnabel blickten geradewegs in die meinen, und der Blick, den wir in tausend Meter Höhe austauschten, bedeutete das schweigende Einverständnis zwischen Lehrer und Schüler. Ich erdverbundener Zweibeiner war im Begriff, einen Adler in die Geheimnisse der Lüfte einzuführen.

Das war im Winter des Jahres 2000. Wir waren beide in dasselbe Element eingetaucht – ich mit meinem künstlichen Flügel, sie mit ihren geöffneten, abgewinkelten Schwingen mit den Schwungfedern an den Enden – und befanden uns mitten in unseren „Unterrichtsstunden". Nike, ein Steppenadlerweibchen, lebte bei mir, seit sie ein Küken war, und stammte aus einer Aufzuchtstation in England. In der Nähe von Taormina hatte ich ihr auf einer Anhöhe am Ätna einen Horst aus Steinen und Zweigen gebaut, ähnlich denen, die man in der Natur finden kann. Daneben hatte ich mein Zelt aufgeschlagen und mich in meinem neuen Lebensraum eingerichtet. Jeden Tag beobachtete sie mich aufmerksam und neugierig, während ich mit meinem Drachen oder meinem Gleitschirm eine halbe Stunde flog, und wartete im Nest darauf, dass ich wiederkam. Es war äußerst wichtig, dass sie mich als „Papa" betrachtete, daher gab ich ihr, sobald ich landete, zu fressen, genau wie es ein Adlervater getan hätte.

Dann begann ich, sie zum Abflugplatz mitzunehmen, wo sie um mich herumspazierte und mich aufmerksam beobachtete, während ich den Hängegleiter zusammenbaute. Wochenlang bestimmte diese Beschäftigung meinen Tagesablauf. Ich startete, zeigte ihr mein fliegerisches Können, um ihren Instinkt anzuregen, landete und gab ihr das erwartete Futter. Irgendwann verlor sie dann die Flaumfedern und bekam ein schönes Gefieder, das sich zum Fliegen anbot. Auf der Unterseite des Flügels hatte sie einen breiten weißen Streifen. Vom Adlerküken hatte Nike sich zu einem echten Adler gemausert, und ich spürte, dass der Instinkt, der durch mein Beispiel verstärkt worden war, sie dazu drängte, ihren Körper von den Zwängen der Schwerkraft zu befreien. Oft kauerte sie am Nestrand und schlug unkoordiniert mit den Flügeln. Auf diese Art entwickelte sie die Muskeln, die es ihr später ermöglichten, sich in die Luft zu schwingen. Auch wenn ich nicht vorhersehen konnte, wann das geschehen würde, erwartete ich diesen so wichtigen Moment voller Spannung.

Er kam ohne Vorankündigung.

An jenem Morgen flog ich wie immer meine Kreise und Schleifen am Himmel, als sie plötzlich in meiner Nähe war, ihre Schwungfedern nur wenige Zentimeter von mir entfernt. Sie war mir lautlos gefolgt, um mit mir zu fliegen. Zwar wurde sie durch den Windschatten des Gleitschirms ein wenig gestört, schwebte aber mit derselben Geschwindigkeit wie ich dahin. Es war ein großer Tag. Ich erinnere mich an ihn genauso wie an den Tag, als meine Kinder die ersten Schritte laufen konnten.

Von da an schrieb ich alles auf, was passierte, und intensivierte den Unterricht. Es war ein großer Genuss, die Erfahrung des Fliegens mit derjenigen zu teilen, die von meiner Schülerin zu meiner Lehrerin werden sollte. Wir flogen jeden Tag, an dem das Wetter es gestattete. Während wir geräuschlos durch die Luft glitten, beobachtete und imitierte Nike mich, indem sie meinen Flugbahnen folgte. Wenn ich in einem Aufwind in Spiralen aufstieg, flog Nike unter mir ebenfalls Spiralen,

Mit dem Steppenadler-
weibchen Nike am Ätna
auf Sizilien

und wir stiegen zusammen nach oben. Wenn ich im Innern der Ströme enge Kreise flog, um das Zentrum des Auftriebs zu finden, machte sie es mir nach und verfeinerte ihre Fähigkeiten. Wenn ich mich von einem Aufwind zum anderen bewegte, tat sie das auch, ohne mich dabei auch nur einen Moment aus den Augen zu verlieren.

Natürlich passierten auch kleine Zwischenfälle, denn auch für einen Adler ist es nicht damit getan, mit Flügeln auf die Welt zu kommen und sich in die Lüfte zu schwingen. Es ist Aufgabe der Eltern, den Jungen beizubringen, ihre Bewegungen gut zu koordinieren. Ich versuchte, diese Rolle bei Nike auszufüllen, aber wie jedes Jungtier stellte sie jede Menge Unfug an und es passierte alles Mögliche.

Die Luft hat sehr genaue Regeln, und die Hauptschwierigkeit liegt in ihrer Transparenz. Man kann nicht sehen, wie Luft sich bewegt, wo sie Wirbel und Turbulenzen bildet; das muss man sich vorstellen und vorwegnehmen. So gibt es zum Beispiel am Berg einen Überwindbereich, in dem die Luft glatt und aufsteigend ist, also den Flug begünstigt, und es gibt eine sehr gefährliche Schicht unter Wind, in der die Luft turbulent und abfallend ist und der man auf jeden Fall aus dem Weg gehen sollte, weil sie einen brutal nach unten wirft. Als wir einmal im Überwind flogen, geschah es, dass Nike eine Wendung falsch flog und unter Wind kam, sodass sie von der Luftströmung so hart auf den Boden geworfen wurde, dass sie zerschmettert worden wäre, hätte sie nicht ihr Gefieder gehabt, das den Aufprall im wahrsten Sinne des Wortes abfederte. So war sie nur ein wenig benommen von dem Aufprall, stand wieder auf, trippelte etwas unbeholfen auf den Bergkamm hinauf und hob wieder ab.

Ein anderes Mal ließ sie sich von derart starken Abwinden erfassen, dass sie mitten in einen Wald abgetrieben wurde. Von dort konnte sie nicht mehr zum Berg aufsteigen und ich musste schnell landen, um sie zu Fuß wieder abzuholen. Es geschah auch immer wieder, dass sie die Flugbahn falsch einschätzte, direkt auf mich zuschoss und sich in den Leinen des Gleitschirms verfing. Dann befreite ich sie, und sie folgte mir wieder. So ging es weiter, sechs Monate lang. Ich schließe daraus, dass das die Durchschnittsdauer der Grundschulzeit für Adler ist.

Als die Fehler seltener wurden und ich ihre Flugfähigkeiten für ausreichend hielt, ging ich zum zweiten Stadium ihrer Erziehung über. Ich hatte ursprünglich geglaubt, dass ein Greifvogel zumindest eine Vorstellung davon hat, wie er zu seiner Beute kommt. Aber soweit ich es erkennen konnte, hatte Nike keine technischen Fertigkeiten, um sich durch Jagen ihre Nahrung zu besorgen und so in freier Wildbahn zu überleben.

Andererseits hatte sie einen angeborenen Jagdinstinkt; das konnte ich daran sehen, dass sie ein Stück Fleisch anders beäugte als einen Stein.

Ich hatte immer davon geträumt, nach Abschluss meines Auftrags als Lehrmeister Nike wieder in ihrer natürlichen Umgebung freizulassen. Also war es unbedingt notwendig, dass sie jagen lernte, sonst hatte sie keine Überlebenschance. Da ich nun einmal der Adlervater für sie war, musste ich es ihr also beibringen. Zuerst musste sie erkennen lernen, welche Beutetiere für sie angemessen waren. Ihre Waffen waren die Krallen und die Kraft, die sich aus ihrer Fluggeschwindigkeit ergab, aber ich musste ihr helfen, ihren Instinkt für deren Gebrauch weiter zu schärfen und sie wirksam einzusetzen.

Ich ging schrittweise vor. Zuerst hörte ich auf sie zu füttern und begann sie mit leichten Aufgaben an die Jagd heranzuführen. Wir flogen zusammen los und drehten ein paar Runden über dem Berg. Während der Landung ließ ich ein Stück Kaninchenfleisch fallen, an dem noch Fell war. Nike sah es, und sofort landete sie, lief wie immer ein wenig unbeholfen auf das Fleisch zu und fraß es. Sehr einfach!

Also musste ich die Schwierigkeit steigern. Während wir flogen, machte ich von oben die Stelle aus, wo mein Assistent, versteckt hinter einem Busch, ein Stück Fleisch an eine Schnur gebunden hatte. Ein paarmal setzte ich mit dem Drachen zum Sturzflug über der falschen Beute an, die anscheinend unbeweglich dalag. Nike machte es mir nach, wir landeten, und sie trappelte los, um ihren Fund zu verspeisen. Auf einmal jedoch sprang das Fleischstück vor ihrem Schnabel weg und blieb ein paar Meter weiter liegen, als wäre es lebendig. Nike war völlig verdutzt.

Wenige Schritte entfernt wartete ich auf ihre Reaktion. Nike hüpfte ihrem Fressen hinterher, das ihr mein Assistent erneut entriss. Sie hinterher. Er zog noch einmal an der Schnur. Dann endlich ließen wir sie ihre Beute fangen.

Der nächste Schritt war, ihr klarzumachen, dass sie im Flug sehr viel schneller war als am Boden. Wie üblich flogen wir gemeinsam über dem Berg und legten unsere Runden in den Strömungen zurück. In der Zwischenzeit legte mein Assistent ein Fleischstück auf dem Bergkamm ab und lief dann weg, um sich zu verstecken. Um ihr zu zeigen, dass ich die Beute lokalisiert hatte, ließ ich mich absinken, wobei Nike mir wie bei einer Jagd folgte, und nach einigen Sturzflügen landete ich. Auch sie landete. Sie näherte sich dem Happen, und diesmal entglitt er ihr so schnell, dass sie ihn noch nicht einmal flügelschlagend erreichen konnte. So ging das einige Male.

Sie beharrte darauf, ihre Beute am Boden zu verfolgen, mein Assistent war schneller als sie, und sie erreichte das Stück Fleisch nicht. Eine ganze Woche lang ging das so, und sie bekam nichts zu fressen. Auch wenn es mir in der Seele wehtat, sie so hungern zu lassen, war ich doch entschlossen, das harte Naturgesetz auf sie anzuwenden, damit sie für eine Zukunft in freier Wildbahn gerüstet war.

Dann tat sich plötzlich etwas in ihrem Kopf. Ich war in der Nähe des Fleischstücks gelandet. Als ich merkte, dass sie nicht mit mir gelandet war, sondern noch über dem Ziel flog, hielt ich die Luft an und verfolgte sie mit dem Blick. Urplötzlich beendete sie den Gleitflug, schloss die Flügel und schoss in einem atemberaubenden Sturzflug zur Erde.

Im allerletzten Moment, wenige Meter über dem Boden, breitete sie ihre Flügel aus, einen Fallschirm von mehr als zwei Meter Spannweite, der ihr eine millimetergenaue Flugbahn ermöglichte. Sie fuhr die Beine aus, die sie bis dahin in den Federn versteckt gehalten hatte, um eine perfekte aerodynamische Linie einzuhalten, packte ihre Beute mit den Krallen und erhob sich wieder in die Luft. Mein Mitarbeiter hatte zwar versucht, das Fleischstück an sich zu ziehen, doch Nike war schneller gewesen als er.

In den nun folgenden Tagen machte sie weitere Fortschritte. Ihre Geschwindigkeit im Sturzflug erreichte Durchschnittswerte von 150 Stundenkilometern mit Spitzenwerten von mehr als 180. Schritt für Schritt, Übung für Übung wurde Nike zusehends zu einem richtigen Adler. Und wenn wir an schönen Tagen zusammen ausflogen, waren wir nicht mehr die unerfahrene Schülerin und ihr manchmal etwas strenger Lehrer. Wir waren einfach zwei Gefährten, die in einem für beide wertvollen Austausch voneinander lernten und jede neue Entdeckung freudig miteinander teilten. Wenn der Wind für mich zu stark war, flog sie allein los, und vom Boden aus studierte ich jede ihrer Bewegungen, um das Geheimnis neuer Flügelstellungen und Flugbahnen zu verstehen, die ich dann selbst ausprobieren wollte. Bei diesen Gelegenheiten war sie es, die mir Neues beibrachte.

Projekt Metamorphosis

Aus welchem Grund widmet sich ein Wettkampfsportler im Segel- und Motorsegelflug, der überall auf der Welt Meisterschaften gewonnen und Rekorde gebrochen hat, der Aufzucht eines Greifvogels? Die Antwort ist einfach. Das Fliegen ist meine Leidenschaft, die ich zu meinem Beruf gemacht habe. Vor allem aber ist und bleibt das Fliegen mein Lebensinhalt. Der Segelflug, das Gleiten ohne Motorantrieb, verleiht mir ein Gefühl der körperlichen und geistigen Freiheit außerhalb von Zeit und Raum.

Die Geschichte dieser Leidenschaft begann mit einem ganz besonderen Zusammentreffen, als ich noch ein Junge war. Eines Tages war ich zum Klettern an der Steilküste von Étretat in der Normandie. Ich hing in den weißen Kreidefelsen hoch über dem Ärmelkanal und wollte mich auf einem Felsvorsprung ausruhen, als eine Möwe meine Aufmerksamkeit fesselte. Mit den Flügeln weit gegen den Wind angestellt, stand sie unbeweglich über dem Abgrund und warf mir ab und an einen Blick zu. Aus meiner Position konnte ich erkennen, dass sie die Federn im oberen Teil der Flügel wie Finger bewegte, um die gewünschte Flügelstellung beizubehalten. Auf einmal beugte sie den Kopf und schaute nach unten in die Tiefe. Mit leichtem Schaudern folgte ich ihrem Blick in den Abgrund. Einen Augenblick später stürzte sie sich hinunter und war in wenigen Sekunden aus meinem Blickfeld verschwunden. Ich war wie vom Donner gerührt. Plötzlich verstand ich, dass es eine Sache war, sich der Schwerkraft zu widersetzen und an einem Seil festgebunden im Fels zu hängen. Etwas völlig anderes jedoch war es, sich von einem Paar Flügel gestützt frei in einer neuen Dimension bewegen zu können: nichts unter sich, nichts über und nichts neben sich, nur von Luftmolekülen getragen. Ich hatte die Vertikale entdeckt.

Die Episode hinterließ tiefe Spuren in mir. Jahre später hatte ich in den Alpen eine zweite, ganz ähnliche Begegnung. Als Sportflieger kam es manchmal vor, dass ich, wenn ich über Bergketten flog, die Flugbahn von Adlern, Falken oder Bussarden kreuzte. Bei einer dieser Gelegenheiten war ich mit dem Drachen unterwegs, als ich mich unversehens neben einem Königsadler wiederfand. Beide hatten wir Flügel, beide flogen wir. Auch ein leicht verängstigter Blickwechsel vereinte uns. Aber unverzüglich gewannen wir Vertrauen zueinander, und es gelang uns sogar, mit einer gewissen Komplizenschaft zusammen zu fliegen. Es waren nur ein paar kurze Augenblicke, die aber ausreichten, um mich als Adler zu fühlen. Sofort fiel mir der Tag wieder ein, an dem ich völlig verzaubert von einem Felsen aus die Möwe beobachtet hatte. Dieses zweite Zusammentreffen nun hatte in der Luft stattgefunden, zu einer Zeit, als ich mir längst die Fähigkeit angeeignet hatte, mich in der dritten Dimension zu bewegen. Die Luft war inzwischen meine zweite Heimat geworden, Fliegen war für mich fast wie Laufen.

Ich begann mir Fragen zu stellen. Wir bestehen aus den vier Elementen: aus Wasser und Luft, wir erzeugen Wärme, also Feuer, und werden wieder zu Erde. Das fünfte Element ist das Leben, jene Alchemie, die sich neu erschaffen kann; sie enthält alle anderen in sich, vielleicht in unterschiedlichem Maße. Es gibt Menschen, die mehr Wasser sind, andere tragen mehr Erde in sich und so weiter. Da in mir ohne jeden Zweifel die Luft vorherrschend war, dachte ich, dass in mir auch der Fluginstinkt vorhanden sein könnte. Dass sich in mir, vielleicht vergraben, aber nicht verloren, eine andere Art und Weise, die Welt zu lesen, versteckte. Ein bisschen wie bei einem Adler.

Meine These bestätigte sich im Lauf meiner Wettkampfkarriere. Mitten in einem Wettflug über den Alpen fiel auf einmal die Batterie aus, und alle Bordinstrumente erloschen. Ich befand mich also in ernsthaften Schwierigkeiten und war gezwungen, eine schnelle Entscheidung zu treffen: sofort zu landen oder ohne Hilfe der Geräte weiterzufliegen. Ich wählte die letztere Option und vertraute auf meinen Instinkt. Ich begann in den Aufwinden zu wenden und gewann an Höhe, wobei ich selbst mir die Vorgaben machte, die mir ohne die Instrumente fehlten. Mit jeder Minute fühlte ich mich sicherer. Dieses Phänomen wurde mir später durch andere Segelflieger bestätigt, die unter ähnlichen Umständen den Ausfall der Bordinstrumente durch ihren Instinkt ausgeglichen hatten. Hatte ich bis dahin geglaubt, dass es ohne technische Hilfsmittel nicht geht, so stellte ich jetzt fest, dass ich natürliche Sensoren besaß, die es mir ermöglichten, die Eigenschaften der Luft vorwegzunehmen – so wie Adler, Bussarde und Albatrosse. Wenngleich ich weit von der Perfektion entfernt war, die sie in Tausenden von Jahren entwickelt hatten, hatte ich doch ein Gefühl für die Luft wie ein Zugvogel.

Um sich über lange Strecken in der Luft halten zu können, nutzen sie – als könnten sie ihn sehen – den Auftrieb, der durch Wind und Sonne entsteht: entweder als dynamisches Phänomen, das durch den Aufprall des Windes auf einen Hang erzeugt wird, oder als Thermik, die durch Temperaturunterschiede zustande kommt und die wärmere Luft nach oben steigen lässt. Dank dieser Technik, ihrer enormen Flügelspannweite und ihrem geringen Gewicht können die Raubvögel so effizient und gleichzeitig elegant fliegen. Für sie, die perfekten Segelflieger, ist Höhe Energie, die sie nutzen, um große horizontale Strecken im langen, sanften Gleitflug zurückzulegen.

Mit der Zeit entwickelte ich immer mehr Gefühl für die Beschaffenheit der Luft. Es wurde mir selbstverständlich, jene Indizien zu erkennen, die das Auge zwar aufgreift, die unser menschliches Gehirn aber nicht dekodieren kann. Ich versuchte, mich für etwas zu öffnen, was ich in mir fühlte, was in meinen Genen enthalten war und was über das hinausging, was mich nach dem zufälligen Zusammentreffen mit einer Möwe und einem Adler angetrieben hatte.

Das Prinzip meiner Metamorphose ist eine Rückkehr zum Ursprung. So entstand eine klare Zäsur zwischen meiner Wettkampftechnik, die auf Messinstrumenten basierte, und dem Wunsch, die Luft als natürliches Element zu verstehen. Ohne technologische Bezüge zu fliegen bedeutete für mich, vom mathematisch kontrollierten zum instinktiven Flug überzugehen. Nach meiner Wettkampfphase ging ich durch eine Übergangsphase, die wegführte vom wettkämpferischen Vergleich hin zum Überschreiten von Grenzen und der Suche nach Rekorden. Im Wettkampf überschreitet man sie nicht, man gewinnt gegen einen anderen und kämpft mit gleichen Waffen. Um in der Dimension des Rekords zu leben, jenseits eines reinen Wettkampfergebnisses eine Zeit zu erreichen, einen Zentimeter oder eine Sekunde mehr zu gewinnen, muss man zunächst einmal sich selbst überwinden.

Ich begann, mich mehr für die Innerlichkeit als für die Stoppuhr zu interessieren. Und ich änderte meine Bezugspunkte. Meine Meister wurden die Greifvögel, und mein Weg orientierte sich an der Rückkehr zur Natur. 1998 entstand das „Projekt Metamorphosis", das die Beobachtung und die Nachahmung des instinktiven Flugs der großen Zugvögel zum Ziel hat.

Je länger ich die Adler, ihre Flugtechniken und -bahnen beobachtete, desto klarer wurde mir, dass der Sinkflug im Drachen dem Gleitflug der Vögel sehr ähnlich ist. Diesen Bezug hatte ich zwar immer vor Augen gehabt, aber ohne dass ich ihn mir wirklich bewusst gemacht hätte. Der Segelflug sowohl mit einem Drachen als auch mit einem Gleitschirm gehört zu den aeronautischen Disziplinen, die den engsten Kontakt mit dem Element Luft herstellen. Und der Drachen ist die einzige vom Menschen erfundene Flugmaschine, die in ihrer Einfachheit und Wirksamkeit die Nachahmung des Vogelfluges in der Bauchlage und mit dem Gesicht im Wind ermöglicht. Und vor allem ist es wie in der Natur die Körpermasse, die auf die Tragflächengeometrie und damit auf die Flugbahn wirkt: Wenn der Pilot seinen Körper längs der drei aerodynamischen Achsen des Fluggeräts verlagert, verändert er damit die Richtung.

Ich kam so zu den Ursprüngen der Forschung zurück. Jahrhundertelang, vom Dädalus der Mythologie bis zu Leonardo da Vinci, hat der

Mensch versucht, den Vogelflug nachzuahmen. Um in seinem großartigen „Kodex über den Vogelflug" die Kreis- und die Spiralflugbahnen der Vögel zu beschreiben, musste Leonardo da Vinci sie beobachten. Ausgehend von seiner Analyse, die aus der Sichtweise eines Renaissancemenschen mit seinen damaligen technischen und technologischen Kenntnissen entstanden war, konnte ich mit den heute verfügbaren Mitteln in das Element Luft eintreten. Indem ich mich in der Luft bewegte, begann ich die Vögel nicht mehr als außenstehender Zuschauer zu beobachten, sondern als aktiver Flieger in drei Dimensionen.

Im Lauf eines Jahres las ich so viele Bücher zu dem Thema, wie ich nur finden konnte. Doch um mir die Flugtechnik der Vögel wirklich anzueignen, um sie interpretieren und meinen Möglichkeiten anpassen zu können, reichte die Theorie nicht aus. Dazu musste ich in ihrer natürlichen Umgebung mit ihnen fliegen. Also überlegte ich nach der ersten Recherchephase, dass die beste Möglichkeit, die genetische Bestimmung eines Zugvogels zu erkennen und eine Symbiose mit ihm einzugehen, wäre, ein Küken aufzuziehen. Die Idee, den von Konrad Lorenz eingeschlagenen Weg weiterzugehen, begeisterte mich. Der berühmte österreichische Verhaltensforscher und Schriftsteller hatte 1973 den Nobelpreis für Physiologie oder Medizin erhalten. Seine Theorie der Prägung wollte ich anwenden. Lorenz hatte gezeigt, dass das Küken in der Figur, die sich in seinem Blickfeld befindet, wenn es aus dem Ei schlüpft, ein Elternteil erkennt, das es aufzieht und beschützt, auch wenn es einer anderen Spezies angehört.

Ich wollte erreichen, dass die Vögel mir im Flug nachfolgten, und wählte für mein Experiment den Adler aus. Zuerst studierte ich das Leben der großen Greifvögel in allen Phasen, von den Reifezeiten im Ei bis zum ersten Flugalter und zur ersten Jagd. Dann besorgte ich mir wissenschaftliche Literatur zum Thema, um Anregungen über das Verhalten und die Flugbahnen zu finden. Der Idealfall wäre gewesen, beim Schlüpfen eines Kükens anwesend zu sein und als Elternteil anerkannt zu werden, aber es ist gar nicht so einfach, an ein Adlerei zu kommen.

Ich wandte mich an eine Aufzuchtstation in der Nähe von Bristol, in der Raubvögel aufgezogen werden, die für die Falknerei oder die wissenschaftliche Forschung bestimmt sind. Von dort kam Nike. Als sie den Schnabel aus der Eischale gestreckt hatte, um ihre Reise in die Welt anzutreten, hatte sie den Umriss eines Menschen vor sich gehabt, und wenige Wochen später, als sie noch keine Federn und erst wenig mehr als einen Flaum hatte, war sie in eine Schachtel gesteckt und mit dem Flugzeug nach Italien geschickt worden.

Ich denke noch heute mit einer gewissen Rührung an den Moment, in dem ich die unauffällige Schachtel öffnete. Um die Identifikation zu verstärken, umhegte ich sie sehr fürsorglich. Von Anfang an versuchte ich, sie nicht nur an meine Gegenwart, sondern auch an die meines Hängegleiters zu gewöhnen; wir beide sollten ja zumindest für die erste Zeit die Dreh- und Angelpunkte ihrer Existenz sein. Wenn ich wirklich eines Tages mit ihr fliegen wollte, war es sehr wichtig, dass sie lernte, keine Angst vor meinem Flügel zu haben. Daher fütterte ich sie immer unter dem schützenden Flügel des Drachens, sodass sie ganz von selbst Vertrauen zu uns beiden fasste.

Dann kam die lange Zeit des Unterrichts, nach der ich mehr als zufrieden war. Der Erfolg meines Flug- und Jagdunterrichts zeigte mir, dass die Forschungsarbeit von Konrad Lorenz sich weiterentwickelte. Endlich war es der Mensch, der sich mit den Vögeln in ihrem Element identifizierte.

Der Zug der Vögel

Im Wohnzimmer bei mir zu Hause in Sizilien, an den Hängen des Ätnas, war es Nacht. Über Landkarten gebeugt, arbeitete ich die schwierigste Phase meines Plans aus. Jedes Jahr legen Greifvögel auf ihrem Wanderflug Tausende von Kilometern durch den grenzenlosen Himmel zurück. Ihre Luftwege werden durch Auftriebsströmungen und Winde bestimmt, die sie immer wieder an den Ausgangspunkt zurückbringen, in ihr Revier, in dem sie nisten. Ich wollte dem Zug der Adler folgen und ganz einfach einer von ihnen sein und mit ihnen zusammen unter realen Bedingungen reisen. Das war die erste Etappe des Projekts Metamorphosis.

Außerdem wollte ich Nike mitnehmen, damit sie den natürlichen Weg ihrer Vorfahren wiederfand. Dann erst konnte ich sie freilassen und hoffen, dass sie in Zukunft dieselbe Flugstrecke wie ihre Artgenossen zurücklegen würde. Sie war so weit, dass ich sie in die Natur entlassen konnte. Aber ich wusste nicht, ob sie ihren und meinen Einsatz nun noch damit belohnen würde, dass sie sich von mir auch die Wanderroute beibringen ließ. Ich konnte es kaum erwarten, das zu erfahren.

In der Zwischenzeit war der April gekommen, der jedes Jahr das Startzeichen für den Aufbruch der Steppenadler gibt. Steppenadler leben und nisten sowohl in Nordosteuropa als auch in Asien. Mit dem Beginn des Winters ziehen die Adler auf der Suche nach gemäßigten Temperaturen nach Süden. Im Fall der Adler, die aus Nordeuropa kommen, geht die Reise nach Nordafrika. Der Rückweg beginnt umgekehrt am Schott el-Dscherid, einem Salzsee mitten in der tunesischen Sahara, und führt bis an das Donaudelta am Schwarzen Meer in Rumänien – eine Strecke von 3000 Kilometern.

Zum Überqueren des Mittelmeers nutzen Adler und andere Zugvögel die engste Verbindungsstelle zwischen den beiden Kontinenten. Da Aufwinde über dem Meer fehlen, wären sie sonst zu lange gezwungen, mit den Flügeln zu schlagen, und das würde zu viel Kraft kosten. Und obwohl sie den kürzesten Abstand zwischen den beiden Küsten wählen, sterben immerhin zehn Prozent auf der Strecke. Es gibt drei Hauptstrecken für den Überflug: Die erste im Westen führt von Marokko über Gibraltar in den Süden Spaniens, die zweite führt von Tunesien nach Sizilien und dann weiter zu den nördlicher liegenden Nistrevieren, die dritte Strecke liegt im Libanon, über der Ebene El Beqa'a; sie wird am häufigsten gewählt, weil dort das Mittelmeer im Osten umflogen werden kann.

Ich hatte die Strecke von Tunesien nach Sizilien auch deshalb gewählt, weil der Steppenadler dort von den Ornithologen studiert und beobachtet wird. Sizilien ist eine Durchgangsstation, in der mehrere Wanderrouten von Langstreckenziehern zusammentreffen. Eine davon wird stark von Wespenbussarden beflogen; das sind Raubvögel, die in der Größe den Mäusebussarden ähneln und die durch weißliche Flecken und drei dunkle Querbinden auf den Schwanzfedern gekennzeichnet sind. Ihren Namen verdanken sie der Tatsache, dass sie sich von Wespen, Bienen und noch anderen Insekten ernähren. Sie kommen aus Zentralafrika oder sogar aus Natal und fliegen über die Meerenge von Messina nach Europa, wo sie einer erbarmungslosen Wilderei zum Opfer fallen. Obwohl das Gesetz die Bussarde schützt – wie alle anderen Raubvögel auch –, richten die Wilderer auf den Hügeln Kalabriens oder Siziliens jedes Jahr ein grausames Massaker an. Die Vogeljagd ist dort traditioneller Ausdruck der Männlichkeit. Anna Giordano, die Regionalsekretärin des WWF, hat das Zielschießen auf lebende Vögel mehrfach öffentlich verurteilt. Auch um dieser verfolgten Spezies zu mehr Aufmerksamkeit in der Öffentlichkeit zu verhelfen, hatte ich beschlossen, die Expedition, die Nike und mich auf der Reiseroute der Wespenbussarde von der Sahara nach Sizilien führen sollte, „Following the Hawks", also „Auf den Spuren der Bussarde", zu nennen.

Bei allen meinen Projekten gibt es eine Phase, die der logistischen Vorbereitung und der eigentlichen Unternehmung vorausgeht. Das ist die Phase der mentalen Flüge, und sie findet meist in der Nacht statt. Meine Frau Laura kennt diese Phase sehr genau. Auch damals wachte sie nachts manchmal auf und fand mich nicht mehr im Bett, sondern auf dem Wohnzimmerboden vor dem großen Fenster. Wie ein Kind hatte ich Berge von Karten, Atlanten und Reisebüchern um mich herum verstreut. In meine imaginäre Welt versunken, in die ich mithilfe der nüchternen kartografischen Darstellungen eingetaucht war, verlor ich mich in meine Abenteuer, die ich mit geöffneten Augen beim sanften Licht einer kleinen Lampe träumte. In dieser fast kindlichen Dimension nimmt die Idee Gestalt an.

Ich suchte die Antwort auf eine Frage, die mich sehr beschäftigte. Aus welchem Grund fliegen Wespenbussarde und auch Steppenadler eine bestimmte Strecke an zwei genauen Zeitpunkten im Jahr, auf dem Hin- und dem Rückflug? Ist das ein Zufallsergebnis, oder gibt es konkrete Gründe für diese Entscheidung? Die ornithologischen Fachtexte geben zwar viele Informationen über das Wo und das Wann, geizen aber sehr mit Angaben über das Warum.

Ich hatte durch die aerologische und meteorologische Untersuchung der Orte, die überflogen wurden, erfahren, dass im Frühling, wenn die Vögel von Süden nach Norden ziehen, und im Herbst, wenn sie in umgekehrter Richtung unterwegs sind, das Überfliegen des Meeres durch zwei Windströmungen erleichtert wird. Im Frühling entsteht über dem Mittelmeer der Jetstream, ein Höhenwind, der genau auf der kürzesten Strecke zwischen Afrika und Sizilien von Südwesten nach Nordosten verläuft. Das bedeutet, dass strömende Luftmassen entstehen, eine echte, tragende Autobahn, die ideal für den Flug zwischen den beiden Kontinenten ist. Im Herbst trägt der Jetstream die Vögel wieder in die umgekehrte Richtung, von Nordosten bis in ihr afrikanisches Überwinterungsquartier.

Damit hatte ich aber nur einen Teil der Antwort gefunden, die ich suchte. Die Zugvögel nutzen genau den Zeitraum, den ihnen die Natur bietet, um sich vom Wind ein gutes Stück ihrer Flugstrecke tragen zu lassen. Jetzt musste ich aber noch im Detail die einzelnen Etappen der Reise herausfinden. Wenn die Überquerung des Meeres notwendigerweise in einer einzigen Etappe erfolgt, so vermutete ich doch, dass der lange Flug über den afrikanischen Kontinent durch Pausen unterbrochen ist. Nach welchen Kriterien gliedern die Zugvögel ihre Wanderung? Nach der größeren Verfügbarkeit von Nahrung oder nach den günstigsten aerologischen Bedingungen?

Tagsüber verfolgte ich Nikes Fortschritte, und nachts versuchte ich, für mich eine Landkarte aufzuzeichnen und dabei wie ein Zugvogel zu denken, also mögliche Etappen nach meinen fliegerischen Bedürfnissen festzulegen. Mit anderen Worten: Ich fragte mich, wo ich Pausen machen würde, wenn ich einer von ihnen wäre.

Ich verbrachte sehr viele einsame Stunden, um eine ideale Strecke auszuarbeiten. Mit Sicherheit würde ich Aufwinde nutzen, die an sonnenbeschienenen Berghängen entstehen. Dann war ich zu dem Schluss gekommen, dass kein Vogel auf einen Aufenthalt in den Palmenwäldern verzichten würde, wo es sehr viel einfacher war, kleine Beutetiere zu finden, als in der Wüste. Auf meine Intuition und Erfahrung gestützt – und ohne die Fachliteratur zu konsultieren –, entwarf ich die Reiseroute. Als ich damit fertig war, war es an der Zeit, sie mit der Route zu vergleichen, die die Zugvögel seit Jahrhunderten fliegen und die die Ornithologen mit ihren Feldstudien dokumentiert haben.

Aus dem Vergleich ergab sich, dass sich die beiden Routen nahezu deckten. Meine Lösung, die aus der Prüfung des Streckenprofils, der lokalen Aerologie und der allgemeinen Meteorologie der Region, aus der Analyse der Geländeformen, der Richtung der vorherrschenden Winde und der Sonneneinstrahlung hervorgegangen war, stimmte mit dem überein, was von jeher in der Natur geschieht. Ich hatte die Strecke gut gesehen und „gespürt". Auf kaum wahrnehmbare Weise näherte sich meine Denkweise immer mehr jener der Vögel an. Die Metamorphose schritt fort.

Die Oase von Tozeur

Die Ebene des Salzsees sah im Morgengrauen aus, als wäre sie mit Schnee bedeckt. Ich saß auf einer Sanddüne mit Nike auf meinem Arm, den ich mit einem Falknerhandschuh geschützt hatte. Schweigend blickten wir in die unendliche, leicht abfallende Weite, die mit einer bläulich weißen Salzkruste bedeckt war. Es war, als ob wir gemeinsam versuchten, ihre Geheimnisse zu verstehen und ihre versteckten Gefahren zu erkennen. Der Schott el-Dscherid, der legendäre Tritonensee der Antike, ist einer der größten ausgetrockneten Seen der Welt, eine Steinwüste, in der fast kein Leben möglich ist und in der heute nur noch die Salzkristalle an das Wasser aus grauer Vorzeit erinnern.

Hinter uns erstreckte sich der trostspendende grüne Teppich des Palmenwaldes von Tozeur, einer riesigen Oase 435 Kilometer südwestlich von Tunis, an der Grenze zu Algerien: 400 000 Dattelpalmen auf tausend Hektar Land und zweihundert Quellen, die die Landwirtschaft ermöglichen. Eine Insel in einem Meer von Sand. Hier sammeln sich die Menschen der Sahara, aber auch für die aus Zentralafrika kommenden Zugvögel ist die Oase ein Anziehungspunkt. Sie ist der einzige Ort im Umkreis von Hunderten von Kilometern, an dem es Wasser gibt, und zwischen den Palmen leben Nagetiere, die für durchziehende Wandervögel eine willkommene Beute sind. Deshalb hatte ich diesen Ort als Ausgangspunkt für unseren Wanderflug gewählt und dort das Basislager aufgeschlagen.

Mein Lager bestand aus drei Berberzelten: Kamelwollstoff über ein Palmenholzgerüst gespannt. Das größte Zelt diente als Wohn-, Arbeits-, Esszimmer und Küche. Tagsüber hielten sich meine Teamkollegen und ich dort auf, jeder in seiner Ecke, mit seiner Aufgabe beschäftigt und die anderen möglichst nicht störend. Daneben parkte der Lastwagen, in dem das logistische Material und meine Flugausrüstung transportiert worden waren: mein Hängegleiter, die Bordinstrumente, die Filmausrüstung für den Dokumentarfilm, den wir drehen wollten, und alles, was zum Aufbau des Basislagers nötig war.

Ich sah Richard aus unserem Gemeinschaftszelt kommen. „Ich schau noch mal nach dem Motor", sagte er zu mir, „dann können wir fliegen." Ich nickte und klopfte ihm auf die Schulter. „Ja, ich möchte mit Nike noch eine Runde drehen. Sie muss sich diese Gegend gut einprägen."

Ich war sehr froh darüber, dass Richard Meredith-Hardy mich begleitete. Er ist weltweit einer der besten Drachenflieger. Um in die Aufwinde zu gelangen und sich von ihnen treiben zu lassen, muss man eigentlich von einer Anhöhe starten, aber die ist in einer flachen Region wie der Sahara nicht gerade leicht zu finden. Also sollte Richard mich mit einem Motordrachen in eine Höhe ziehen, in der die meteorologischen Bedingungen und die Stabilität der Luft stimmte. Dann wollte ich mich ausklinken und von den Aufwinden tragen lassen, um, von einer Thermik zur anderen gleitend, die vorgesehene Strecke zurückzulegen.

Ich hatte mir lange überlegt, wen ich als Schleppflieger in meinem Team haben wollte. Richard kannte ich gut genug, um zu wissen, dass er die notwendigen menschlichen Eigenschaften besaß, um eine begrenzte Zeit in einer Gruppe zu leben. Wir kannten uns schon lange. Als ich zur italienischen Nationalmannschaft der Segelflieger gehörte, war er als Mitglied der englischen mein Gegner gewesen, aber wir waren schon immer von der gleichen Abenteuerlust und dem gleichen Entdeckergeist beseelt gewesen. Nach Abschluss einer Wettkampfsaison, in der wir gegeneinander angetreten waren, hatte ich ihm meinen Entschluss mitgeteilt, nicht mehr an Wettkämpfen teilzunehmen. „Aber eines Tages", hatte ich hinzugesetzt, „werden wir wieder etwas zusammen unternehmen." Zehn Jahre später, als ich ihn wiedertraf, hatte auch er seine Wettkampfkarriere beendet, und jetzt waren wir miteinander in der Sahara.

Während wir uns kurz unterhielten, kamen die anderen nacheinander aus den Schlafzelten. Ich begrüßte Dario, unseren Koordinator. Seine Arabisch- und Französischkenntnisse waren unentbehrlich für uns, wenn es um die Beziehungen zu den tunesischen Behörden ging.

Valeria war für die Versorgung und die Zubereitung des Essens zuständig. Massimo und Ugo, beide sehr genau und vielseitig, waren damit beauftragt, das Lager zu organisieren. Massimo war außerdem mein Assistent. Oscar, der Arzt, war früher einmal Videofilmer für ein Abenteuer-Fernsehprogramm gewesen und hatte auch dieses Mal ein perfektes Feldlazarett aufgebaut. Und dann waren da noch Gianfranco, der offizielle Kameramann, und Alfio und Michel, die Fotografen.

Und natürlich meine Frau Laura, die das Pressebüro übernommen hatte. Unsere Hochzeitsreise hatten wir in Afrika, in den Dünen der ägyptischen Wüste verbracht, und für sie war ein bewegtes Leben nichts Neues – sie hatte mich immer überallhin begleitet. Außerdem war unser Sohn Gabriele dabei, ein besonders aktives und begeistertes Mitglied unseres Teams.

Während ich im Gemeinschaftszelt mit Laura und Gabriele frühstückte, ließ Richard mich wissen, dass er fertig war. Zusammen gingen wir hinaus zu seinem Motordrachen, einem Trike Quantum. Massimo hatte bereits meinen Hängegleiter für die letzte Überprüfung vor dem Start vorbereitet. Ich sah Nike über dem Lager kreisen, zog mir den Handschuh an und rief sie. Sie kam unverzüglich herunter, landete auf meinem Unterarm und war zum gemeinsamen Flug bereit.

Für die Einheimischen waren wir von Anfang an eine große Attraktion gewesen. Aus der Oase kamen jetzt die ersten Neugierigen herbei, und innerhalb einer Stunde war das Lager voller Leben. Es waren wie immer sehr viele Kinder dabei. Seit wir in der Oase waren, hatten sie uns stundenlang bei den Wartungsarbeiten an den Fluggeräten beobachtet und uns als Zeichen ihrer Gastfreundschaft Mahlzeiten

Leben wie die Beduinen:
unser Basislager
in der Oase von Tozeur.

Planung der Tagesroute
mit meinen Mitarbeitern
Massimo und Ugo

mitgebracht, die ihre Mütter zubereitet hatten, und auch wir machten ihnen kleine Geschenke oder servierten eine Tasse Tee.

Wir trafen unsere Vorbereitungen und starteten kurz danach. Richard zog mich hoch, und ich klinkte mich aus. Endlich war ich in der Luft. Am Horizont verschmolzen Himmel und Erde in dem Dunst, der durch die Hitze der Sahara entsteht. Es war wunderbar, mit Nike in ihrem neuen Lebensraum zu fliegen. Während ich mich an die aerologischen Bedingungen gewöhnte und versuchte, mir die Schwierigkeiten, auf die wir stoßen könnten, vorzustellen, sollte Nike sich das Gelände einprägen und es als ihr Überwinterungsquartier erkennen, zu dem sie eines Tages allein zurückkehren sollte.

Unter den verwunderten Blicken unserer Zuschauer überflogen wir die Dünen der Umgebung bis über den Palmenwald, der die Wüste ganz in der Nähe unserer Zelte begrenzte. Nike flog nie weiter als ein paar Meter von mir entfernt – es schien, als ob meine Anwesenheit ihr Sicherheit gab. Die Tunesier staunten darüber, dass ein Adler bei mir blieb und mit mir zusammen flog, und als sie uns nebeneinander auf einer Düne den Horizont betrachten sahen, wagten sie nicht, in unsere Nähe zu kommen. Sie schienen einen fast ehrerbietigen Respekt vor unserer Beziehung zu haben, und ich glaube, das war auch richtig so. Es bestand zwischen Nike und mir eine Bindung, die über die Grenzen der Spezies hinausging und die zu zerbrechen ich im geeigneten Moment die Kraft finden musste, damit die Natur ihren Lauf nehmen und Nike ihrer Wege gehen konnte.

Die Weite der Lufträume. Die Freiheit, Wege zu beschreiten, die nicht von einer Straße vorgegeben sind. Die Sturzflüge in die Leere mit ausgebreiteten Flügeln, die unser Gewicht tragen, die Beschleunigungen in den Kurven durch die Schwerkraft, die dritte Dimension ... Alles in mir drängt in die Luft. Solange meine Füße festen Boden berühren, sehne ich mich danach, mich aufzuschwingen. Das ist wie ein Fieber. Denn Fliegen ist ein anderer, befreiender Blick auf die Wirklichkeit, ist aber auch eine Methode, Problemen zu entkommen. Denn leider war die Situation nicht so idyllisch, wie das muntere Leben im Lager es hätte vermuten lassen.

Wir hatten mit bürokratischen Schwierigkeiten zu kämpfen, die uns viel Zeit kosteten. Obwohl wir schon im Vorfeld versucht hatten, alle Probleme zu lösen, war es uns nicht gelungen. Bevor noch die Expedition endgültig zusammengestellt war, hatte Dario eine ganze Reihe von offiziellen Kontakten mit den tunesischen Behörden geknüpft – zivile

Luftfahrt und Luftwaffe, Grenzschutz und Finanzbehörden –, um die notwendigen Genehmigungen zu bekommen. Ein Termin folgte dem anderen, um die Flugrouten festzulegen. Wir hatten die verlangten Korrekturen vorgenommen, um nicht militärische oder andere Sperrgebiete zu überfliegen, und es war uns schließlich gelungen, eine Route festzulegen, die sowohl mit meinen Flugbedürfnissen als auch mit den politischen Bedingungen kompatibel war. Wir selbst waren schon vor unserer Ausrüstung in Tunis eingetroffen, um alle Formalitäten zu erledigen. Aber unser guter Wille hatte nicht ausgereicht.

Die Schwierigkeiten hatten sofort begonnen. Valeria, Massimo und Ugo, die den Laster mit der ganzen Ausrüstung per Schiff von Trapani nach Tunis gebracht hatten, wurden am Zoll aufgehalten. Auch Richard, der mit seinem Motordrachen an Bord eines Lastschiffes aus England kam, hatte seinen Teil abbekommen. Ebenso Gianfranco, der Kameramann, der in Tunis wegen seiner Filmkameras zurückgehalten wurde; er verpasste das Anschlussflugzeug nach Tozeur. All das waren jedoch Kinderspiele im Vergleich zu dem, was sich die Behörden für mich ausgedacht hatten. Ich sollte die vorgesehenen Etappen für den Flug von sieben auf vier reduzieren, und die Behörden wollten einen Beauftragten für die Expedition abstellen, der überwachen sollte, ob die Abmachungen eingehalten wurden.

An all das versuchte ich nicht zu denken, während ich mit Nike über den Salzsee flog.

Die blauen Männer der Wüste

Seit der dritten Märzwoche hielten wir uns in Tozeur auf, inzwischen war der Monat schon fast vorbei, und wir waren der Verwirklichung unseres Vorhabens nicht nähergekommen. Eine Verbesserung der Situation zeichnete sich nicht ab, im Gegenteil. Plötzlich schrieb uns das Verteidigungsministerium eine neue Strecke für die erste Etappe vor, was uns dazu zwang, am folgenden Tag erneut eine Ortsbesichtigung vorzunehmen.

Im Morgengrauen weckte ich Richard, und wir tranken zusammen einen Kaffee, während der Himmel langsam heller wurde. Die Jeeps hatten wie immer Verspätung. Die ersten Karren, von kleinen, aber robusten Eseln gezogen, waren schon unterwegs, um die Datteleernte aus den verschiedenen Teilen der Oase zu transportieren. Während die Sonne den Palmen Schatten verlieh, rief der Muezzin die Gläubigen zum Gebet.

Auch die anderen standen langsam auf. Die ersten und die letzten Stunden des Tages waren die einzigen, in denen wir arbeiten konnten. Für den Rest des Tages gewann die Hitze die Oberhand über unsere Arbeitslust. Als die Jeeps endlich eintrudelten, stiegen wir alle ein, und in schneller Fahrt ging es in die Wüste, die frei von Hindernissen war, sodass wir schnell fuhren und große Staubwolken aufwirbelten.

Am Ziel angelangt, stießen wir auf eine Gruppe von Tuareg, die uns an ihrer Lagerstätte freundlich empfingen und einluden, mit ihnen zusammen Tee zu trinken und etwas zu essen. Ich versuchte, dem Chef zu erklären, dass wir ihm wirklich sehr dankbar wären, aber es leider etwas eilig hätten. Doch es war nichts zu machen: die Gastfreundschaft der Nomadenvölker in der Wüste ist ein unverrückbares Gesetz. Wir nahmen also die Einladung an und setzten uns zu ihnen. Sie boten uns heißen Tee an, und gerade erst gekneteter Brotteig wurde zum Backen unter die Asche geschoben, kurz danach wieder herausgezogen und an alle verteilt, zuerst an die Gäste.

Die Tuareg sind stolze und sehr großzügige Menschen. Sie stammen von einer Bevölkerungsgruppe ab, die die Sprache der Berber spricht und in verschiedenen Ländern Nordwestafrikas lebt. Von den Arabern zum Islam bekehrt, bewahren sie trotzdem ihre eigenen Traditionen. Ich hatte die Tuareg bereits zehn Jahre zuvor kennen gelernt. Sie werden die „blauen Männer" genannt, weil ihre Turbane und Gewänder ihre Haut färben. Ich hatte damals mit meinem Motordrachen die Sahara überquert, eine Art Easy-Rider-Tour mit meinem „Himmelsmotorrad". Es war eine Vergnügungsreise in Etappen gewesen, auf der ich in rund drei Monaten 12 000 Kilometer zurückgelegt hatte von Kairo nach Casablanca, von Ägypten nach Marokko, und die Sahara in ihrer ganzen Größe in der Luft überquert hatte. Auf der Tour hatte ich das Problem gehabt, Wasser, Lebensmittel und Treibstoff zu finden, als meine Vorräte langsam zur Neige gingen. Doch dann sah ich von oben eine Karawane der Tuareg. Ich landete in einiger Entfernung, machte den Karawanenführer ausfindig und schlug ihm einen Tauschhandel vor. Wasser und Lebensmittel gegen das Einzige, was ich zu bieten hatte: ich bot ihm einen Drachenflug an. Der Karawanenführer willigte ein.

Der kulturelle Austausch ist mir sehr wichtig bei meinen Reisen durch die Welt. Kommunikation muss nicht notwendigerweise nur verbal erfolgen, vielmehr geht es darum, dem anderen etwas zu vermitteln. Mit den Bewohnern von Tozeur konnte ich natürlich Französisch sprechen, mit den Tuareg aber musste ich mich mit Gesten und über Zeichnungen im Sand verständigen. Und mit viel, viel Lächeln. Und doch ist es mir immer gelungen, mich verständlich zu machen.

Als schließlich der letzte Schluck Tee getrunken war, bedankten wir uns ausführlich und verabschiedeten uns von der Gruppe, um unsere Ortsbesichtigung vorzunehmen. Ich fühlte mich wohl bei der Vorstellung, zwischen uns und der Bevölkerung ein grundsätzliches Einverständnis wachsen zu sehen, das zum Gelingen des Vorhabens beitrug.

Inzwischen verstrich die Zeit. Abgesehen von Vorbereitungsflügen vor Ort nutzten wir die Tage, die die Behörden uns warten ließen, um Tozeur besser kennen zu lernen. Wir gingen durch das Labyrinth der Straßen der Altstadt Ouled el-Hadef. Wir bummelten durch die Suks, zwischen Bergen von bunten Berberteppichen, Schmuck und Lederarbeiten hindurch. In der Zwischenzeit war auch mein Freund Puccio Corona eingetroffen, der die Expedition für die Nachrichtensendung „TG1" des italienischen Fernsehens live begleiten sollte.

In der Hoffnung, endlich losfliegen zu können, informierte ich mich jeden Tag über die Wetterbedingungen. Über Internet und Satellitentelefon stand ich mit Oberstleutnant Franco Colombo vom meteorologischen Institut der italienischen Luftwaffe in Verbindung. Laut Vorhersage sollten in der ersten Aprilwoche geeignete Flugbedingungen herrschen. Ich verstärkte also den Druck auf die Behörden, und dank Darios Anstrengungen und dem gesunden Menschenverstand aller Verantwortlichen bekam ich endlich grünes Licht. Es blieb dabei, dass die Anzahl der Etappen von sieben auf vier reduziert worden war, sodass ich jetzt längere Strecken am Stück zurücklegen musste, aber das machte mir nichts aus. Wichtig war, dass wir endlich starten konnten.

Am 6. April sollte es losgehen. Als Startplatz hatte ich die Dünen von Ong Dschemal gewählt, einer Ortschaft zwischen Tozeur und Nefta, wenige Kilometer südlich des Palmenwaldes. Dort gab es eine freie Strecke, die ideal für den Schleppflug geeignet war. Als Orientierungspunkt bestimmte ich die Oase von Tamerza, sechzig Kilometer weiter nördlich. Dann war die Landung auf dem Flughafen von Gafsa vorgesehen, weitere achtzig Kilometer östlich. Auf dieser Route konnte ich wie die Zugvögel die thermischen Aufwinde nutzen. Von Gafsa sollte mein Flug mich in nordöstlicher Richtung bis ans Meer führen und dann hoch bis zum Kap Bon, dem Sprungbrett nach Europa.

Ich erwartete keine unüberwindlichen Hindernisse. Ich hatte mich für Tagesstrecken von durchschnittlich 150 Kilometern entschieden. Wenn die Wetterbedingungen gut sind, kann eine Etappe auch 250, ja bis zu 300 Kilometer betragen, Luftlinie natürlich. Als reine Flugzeit hatte ich jeweils etwa vier Stunden vorgesehen. Ich wollte dann starten, wenn die Sonne die Erde schon ausreichend erwärmt hatte und die Kraft der Aufwinde ideal war, also um elf Uhr morgens, und bis gegen drei Uhr nachmittags fliegen. Die genaue Ankunftszeit hing natürlich von der jeweiligen Situation ab. Leider zwangen mich die Auflagen der Behörden dazu, große Teile der Strecke über Ebenen zu fliegen, anstatt, wie ich es eigentlich vorgehabt hatte, die Berghänge entlangzugleiten – normalerweise wählen Zugvögel ja eine Route entlang der südlichen Berghänge, um die Aufwinde zu nutzen, die sich dort über den von der Sonne erwärmten Felsen bis zum späten Nachmittag bilden.

Am Vorabend des Starts rief ich das gesamte Team im Gemeinschaftszelt zu einem besonderen und ziemlich heiklen Treffen zusammen. Das war meine Pflicht, vor allem auch angesichts der nervenaufreibend langen Wartezeit, die wir durchgemacht hatten. Als alle da waren, kam ich sofort zur Sache: „Wenn jemand gehen will, kann er das jetzt tun", sagte ich. „Wenn wir mitten in der Wüste sind, wo es nur Sandpisten gibt und keine Kommunikationsmöglichkeiten, wird das nicht unmöglich, aber sehr schwierig sein. Wir sind hier, weil wir alle ein gemeinsames Ziel haben, aber wer ab morgen seine Meinung ändert, bringt die anderen in Schwierigkeiten. Das heißt, wer lieber nach Hause will, sollte jetzt gehen." Ich machte eine Pause.

Absolute Stille. Dann sagten mir alle, einer nach dem anderen, ohne Vorbehalte ihre Unterstützung zu. Ich hatte mir meine Reisegefährten gut ausgesucht. Das war ein echtes Team. Mein Team.

„Ich danke euch", sagte ich erleichtert. „Dann können wir uns also an die Arbeit machen. Endlich kann es losgehen."

Als ich mich an diesem Abend schlafen legte, war ich aufgeregt und hatte ein wenig Mühe einzuschlafen. In wenigen Stunden sollte das abenteuerlichste Projekt beginnen, das ich mir bis dahin auszudenken gewagt hatte.

Start

6. April, morgens. Der große Moment war gekommen. Ich versuchte, so gut es ging, meine Anspannung zu verbergen. Während ich die Ausrüstung nach meiner üblichen Checkliste kontrollierte – zuerst das Gurtzeug, dann den Rest –, hatte sich um uns herum eine kleine Men-

schenmenge versammelt. Mein Team, die Einheimischen und viele Kinder erlebten mit mir zusammen diese letzte Wartezeit. Eine Gruppe internationaler Journalisten war angereist, aber nachdem ich mich kurz mit ihnen unterhalten hatte, löste ich meine Gedanken gezielt von dem ganzen Trubel um mich herum. Die Anwesenheit so vieler Menschen war zwar eine Ehre, aber ich lief dabei Gefahr, meine Konzentration zu verlieren.

Vor mir heulte der Motor von Richards Trike auf, und um halb elf gab er mir das vereinbarte Zeichen. Ich hob die Tragfläche und drehte sie in den Wind. Sofort löste die Leichtigkeit, die entsteht, wenn die Luft stützend unter das Segel greift, ein Glücksgefühl in mir aus. Nike beobachtete ganz genau, was da vor sich ging.

Ich verabschiedete mich mit einer Geste, rief Nike und lief zum Start. Die regelmäßigen Schritte auf der kompakten Sandpiste, der Staub, den ich mit den Schuhen aufwirbelte, die Geschwindigkeit meines Laufs, der sich in Leichtigkeit verwandelte, dann das Abheben vom Boden und die Veränderung der Schwerkraft, nichts mehr unter den Füßen, auf den Flügeln … Wir waren endlich in der Luft. Ich ging in die Bauchlage über, verteilte mein Gewicht. Den Blick nach vorn und nach unten gerichtet, spürte ich auf meinem Gesicht die Beschleunigung. Die dritte Dimension machte sich bemerkbar, während Nike mir wie immer folgte.

Der Motordrachen stieg und zog mich in die Höhe. Der Südwestwind war schwach und aufgrund thermischer Instabilität leicht turbulent. Noch ein Blick nach unten, wo die Freunde winkten. Die Perspektiven verändern sich, wenn man die Welt von oben betrachtet. Die Probleme bleiben an der Erde haften. Wunderschön. Endlich fühlte ich mich wieder frei.

Unter mir erstreckte sich die flache Unendlichkeit der Wüste. Das Morgenlicht tauchte den Sand in warme Orangetöne. Auf den Kämmen der Dünen begannen Sandwirbel zu tanzen. Ein absolut lebensfeindliches, aber dennoch faszinierendes Land. Die Landschaft wirkte auf den ersten Blick eintönig, monoton, nahm aber durch den Einfallwinkel der Sonne und die Schatten der Wolken tausend verschiedene Gesichter an.

Auf etwa 1000 Metern klinkte ich mich aus. Von den Vorgaben über die Flugbahn befreit, die von der Zugmaschine bestimmt worden war, suchte ich meine Thermik. Nike erreichte mich mit ein paar Flügelschlägen, und nach kurzer Zeit flogen wir in Formation, wie immer. Genau hinter meiner Flügelspitze, wie ein Radrennfahrer im Windschatten des anderen, nutzte sie den Seitenwirbel aus, in dem sie fliegen konnte, ohne die Flügel zu bewegen. Und das hatte ihr nie jemand erklärt.

Als wir den Aufwind gefunden hatten, stiegen wir weiter, bis auf eine Höhe von 4500 bis 5000 Metern, und setzten dann die Reise fort, von einer Thermik zur anderen. Die Aufwinde waren am Morgen noch weich, aber auch klein und undefiniert, schwierig zu finden. So weit oben, bei etwa null Grad Celsius, waren die Temperaturen unten auf der Erde nur noch eine Erinnerung.

Wir folgten der in der Sonne liegenden Bergkette, die den Schott el-Dscherid säumt, entlang der Ideallinie, die ich von Ong Dschemal zum Zielpunkt gezogen hatte. Nacheinander kreuzten wir verschiedene Wadis: ausgetrocknete Flusstäler, Kanäle ausgedörrter Erde, die die Wüste durchschneiden und sich erst dann mit Wasser füllen, wenn die ersten herbstlichen Regengüsse kommen. Zu Beginn der Dämmerung, als die Sonne das Gelände schon nicht mehr so stark aufheizte und somit auch kein Auftrieb mehr erzeugt wurde, war es an der Zeit, die Landung ins Auge zu fassen.

Die Farben waren jetzt in ein Orangerot übergegangen. Die rötliche Scheibe der Sonne zeichnete sich im Dunst des Horizonts klar ab, die Berge standen vom Dämmerlicht entzündet wie in Flammen, die Schatten der Dünen waren schon lang geworden. Die Stadt Gafsa kam immer näher. Zwischen ihren niedrigen weißen Häusern, die gegen den Wind und die Sonne schützen, konnte ich mindestens vier oder fünf Minarette ausmachen. Plötzlich ertönte der Ruf des Muezzins aus einer für mich unsichtbaren Moschee. Der betörende, aber unverständliche Gesang weckte widersprüchliche Empfindungen in mir: Da war der Trost, nach einer Reise durch die Wüste wieder in die Nähe von Menschen gelangt zu sein, aber auch das Wissen, dass ich ein Fremder war in der Welt unter mir, dass dort andere Regeln galten als die, die ich kannte. Erleichterung und Unruhe zugleich.

Genau über dem Flughafen richtete ich mich in der Landungsgeraden aus. Nike hielt sich bei meinem Flügel. Sie spürte, dass sich der lange Flugtag dem Ende zuneigte. Alles ging glatt. Das Team wartete schon auf mich, und wir hatten Grund zum Feiern. Die erste Etappe war geschafft. Nike hatte sich ausgezeichnet verhalten. Aber es hatte keine Möglichkeit gegeben, die Jagd für sie einzuplanen, deshalb sorgte ich von diesem Zeitpunkt an und für die gesamte restliche Zeit der Reise dafür, dass sie ihr Fleisch noch mit Fell oder Federn bekam. Das war für ihre ausgeglichene Ernährung wichtig, denn am nächsten Morgen

Mit Nike im Flug
über der Sahara

musste sie die nicht verdauten Fell- oder Federreste als feste Kugel wieder hervorwürgen, um so den Kropf und den Verdauungsapparat zu reinigen.

Im Lager entspannten wir uns und bereiteten uns auf die Nacht vor. Während auch die Geräusche der Stadt leiser wurden, richtete jeder sich in seinem Zelt ein. Sie waren tagsüber aufgebaut worden, und die Wärme war noch nicht verflogen. Wir waren enger zusammengerückt, um unerwünschte Besuche von Menschen oder Tieren abzuhalten. Nike ließ sich ohne Widerstand in einen großen und gut belüfteten Kasten setzen, wo auch sie ihre wohlverdiente Ruhe finden konnte.

Bevor ich es ihr nachmachte, rief ich das Team noch einmal zu einer Nachbesprechung zusammen, die ich als Tagesabschluss zur Gewohnheit werden lassen wollte. In diesem Meeting wurde trotz unserer Müdigkeit deutlich, mit welcher Begeisterung alle dabei waren. Erst in dem Moment, als ich gestartet war, war der Flug und die Überquerung der Sahara auf der Wanderroute der Adler und Bussarde für alle Realität geworden.

Wir aßen am Lagerfeuer zu Abend, und dann gingen alle schlafen. Ich stand noch eine Weile still vor meinem Zelt und beobachtete den Himmel. Er war in seiner Reinheit so schwarz, dass die Sterne als kleine

Lämpchen erschienen, die vor dem Hintergrund der Unendlichkeit angezündet worden waren. Nicht der geringste Lichtstrahl einer großen Stadt verunreinigte dieses Schauspiel, und die trockene Luft wurde durch keinerlei Dunst getrübt. Völlige Transparenz. Die Wüste ist immens, auch nachts.

Ich begann zu frieren. Die Betrachtung des Kosmos ist eine Sache, doch die empfindliche Kälte auf der Erde brachte mich zurück zu naheliegenderen Themen. Im Winter und im Frühling liegen die Nachttemperaturen in der Sahara zwischen null und minus fünf Grad – ein großer Unterschied zu den Tagestemperaturen von rund vierzig Grad.

Rasch kroch ich ins Zelt, das ich von innen gut verschloss, und rollte mich in meinen Schlafsack. Unendlich gut aufgehoben fühlte ich mich in meinem Nest, wie ein Wandervogel, der ermattet von der Tagesreise Unterschlupf gefunden hat und in Erwartung des nächsten Tages endlich ausruhen kann. Und jetzt kamen auch die Hoffnungen und Zweifel wieder. Würde ich es wirklich bis zum Ende schaffen? Würde Nike wirklich meinen Plänen entsprechend durchhalten? Welche Unwägbarkeiten würde es morgen für mich geben?

Nichts ist natürlicher. Man muss die Angst zu kontrollieren wissen, aber darf sie nicht verdrängen. Schließlich döste ich über meinem Notizbuch ein und sank in einen kurzen, tiefen Schlaf.

Im Sturm gefangen

Ich stand früh auf. Der Tag sah wunderschön und sonnig aus. Aber es war eine leichte Störung vorhergesagt worden, auf die ich achten musste, denn in der Wüste kann das Wetter sehr schnell umschlagen. Ich hatte den Wetterbericht über das Internet auf meinem Laptop abgerufen, der an das Satellitentelefon angeschlossen war. Rasch ging ich, um nach Nike zu sehen, und ließ sie aus ihrem Käfig. Wie immer war sie in großartiger Form, schüttelte ihre Flügel und die Schwanzfedern aus und richtete ihren Blick in die Ferne. Sie schien bereit zu sein für die zweite Etappe. Nach einigen letzten Anweisungen an das Team und nach der offiziellen Verabschiedung vom Dorfobersten, der uns besuchen gekommen war, bereitete ich mich auf den Flug vor. Massimo legte das Schleppseil auf dem Boden aus, während Richard sich in Startposition begab. Nike saß wie immer im Schatten meines Hängegleiters.

Als wir uns vom Boden erhoben und in Formation gingen, trafen wir sofort auf eine Turbulenz, was mich dazu veranlasste, mich schon in der Startgeraden auszuklinken, noch bevor wir die vereinbarte Höhe erreicht hatten. Der thermische Aufwind befand sich genau über Gafsa und wehte mit dem Westwind genau in die Richtung, in die auch wir fliegen mussten, nach Osten. Nike flog manchmal vor mir, entfernte sich etwas von mir und kam dann wieder näher. Sie war wunderbar, und ich beobachtete sie mit einem gewissen Stolz. Auf einer Durchschnittshöhe von 4000 Metern folgte ich der Bergkette von Orbata, die die Nordsahara Tunesiens vom Schott el-Dscherid trennt. Über dem felsigen Bergkamm hatte ich zu meiner Linken die hügelige Wüste und zu meiner Rechten den Salzsee – eine grenzenlose, weiß verkrustete Ebene, eine Mondlandschaft, die nicht zu dieser Welt zu gehören scheint.

In etwa zweieinhalb Stunden legte ich die hundert Kilometer zurück, die mich von dem Dorf Mezzouna trennten. Sobald ich die Ansiedlung erblickte, berechnete ich den Einflugwinkel, um zügig landen zu können. Ich war müde vom Flug, der zwar nicht sehr lange gedauert hatte, aber besonders anstrengend und turbulent gewesen war. Nike dagegen zeigte noch keinerlei Anzeichen von Ermattung. Wir landeten ein paar Kilometer östlich des kleinen Dorfes, in einer völlig unbewohnten Gegend. Wenige Minuten später landete auch Richard auf der Schotterpiste, die neben dem von uns auserwählten Lagerplatz verlief.

Während der Landung hatte ich in geringer Entfernung ein isoliert stehendes Häuschen gesehen, sehr niedrig, mit der typischen weiß gestrichenen Fassade der Saharahäuser. Ringsumher, so weit das Auge reichte, war sonst keine Spur von Leben. Als ich auf das Häuschen zuging, kam ich mir vor wie in der Geisterstadt eines Westerns. Ich trat über die Schwelle: Der Raum war leer und offensichtlich unbewohnt, aber voll mit Sand.

Da das Haus offensichtlich verlassen war, brauchten wir unsere Zelte nicht draußen aufzubauen, sondern konnten mit unseren Schlafsäcken drinnen übernachten. Als das Team gegen Abend eintraf, waren alle sofort damit einverstanden. Als Erstes schafften wir den Sand hinaus, um unsere Schlafsäcke auslegen zu können. Dann brachten wir unser Material an einen geschützten Ort neben dem Gebäude. Den Flugdrachen hatten wir auf ebenem Grund hinter Steinhaufen abgestellt, damit er vom Nachtwind nicht umgestürzt werden konnte. Während Valeria das Abendessen zubereitete, verstaute Richard seinen Motordrachen. Ich füllte für Nike eine Wanne mit Wasser, damit sie baden und sich die Federn waschen konnte. Dario war in der Zwischenzeit zum Dorf aufgebrochen, um sich beim Dorfobersten vorzustellen, Beziehungen zu knüpfen und eventuell Proviant zu besorgen. Als wir uns in unserer fürstlichen Unterkunft eingerichtet hatten, aßen wir und führten unsere allabendliche Nachbesprechung durch.

Später ging ich noch einmal hinaus, um einen Blick auf den Himmel zu werfen; er war klar wie in der vorhergegangenen Nacht. Richard kam dazu, und wir sprachen über die nächste Etappe bis Zeramdine, in der Nähe von Sousse, an der Ostküste. Doch dann, während Richard redete, hörte ich plötzlich etwas. Ich unterbrach ihn mit einer Geste.

„Hörst du das auch?", fragte ich ihn. Er sah mich fragend an. „Der Wind wird stärker." Es wehte eine Brise, die in der Wüste sehr stark zunehmen kann, bis sie für den, der sich mitten darin befindet, tatsächlich gefährlich wird.

Richard nickte besorgt. „Hoffen wir das Beste", meinte er und ging zurück ins Haus.

In der Nacht wachte ich auf. Der Wind hatte zugenommen. Richard, der es ebenfalls hörte, nahm seinen Schlafsack und ging nach draußen, um unter dem Vordach zu schlafen. Zu wissen, dass er in der Nähe der Tragflächen war, beruhigte mich, und ich schlief sofort wieder ein. Sobald der Tag nahte, kroch ich als Erster aus dem Schlafsack und ging besorgt hinaus. Vor mir war der Himmel noch frei. Ich ging um das Haus herum, und sah das, was ich befürchtet hatte. Von Osten her kam eine sandfarbene Windfront wie eine riesige Flutwelle auf uns zugerollt. Wir hatten höchstens noch eine Stunde, bis der Sturm uns erreicht haben würde.

Sofort rannte ich ins Haus. „Aufstehen, Leute, Sandsturm!", schrie ich. Alle sprangen auf und kamen heraus, um zu sehen, wie die bedrohliche Sandwand immer höher wurde und immer näher kam. Der Himmel verfärbte sich gelblich, und Windböen von achtzig Stundenkilometern fuhren uns ins Gesicht. Ein beängstigendes Schauspiel. Zunächst brachte ich Nike in ihrer kleinen Voliere im Haus in Sicherheit. Dann versuchten wir so schnell wie möglich alles zu schützen, was der Wind beschädigen oder forttragen könnte: meinen Hängegleiter und vor allem Richards Motordrachen, damit der Sand nicht den Motor, die Öl- und Benzinfilter und den Kühler verstopfte.

Mit Richard und Massimo häufte ich mit den Backsteinen, die in der Nähe des Hauses herumlagen, vor den beiden Flugdrachen in aller Eile ein Mäuerchen an, nicht höher als zwanzig Zentimeter, das den Wind über die Fluggeräte hinwegleiten sollte.

Wir schafften es gerade noch rechtzeitig. Kurz nachdem wir uns ins

Haus zurückgezogen hatten, brach der Sturm über uns los. Wie Schiffbrüchige auf einem Floß saßen wir da und zählten die Stunden. Wir konnten nur hinausgehen, wenn uns dringende Bedürfnisse dazu zwangen, und auch das war schon ein größeres Unterfangen. Wir mussten uns einpacken wie in einem Schneesturm – eine Brille, um die Augen zu schützen, Nase und Mund verbunden, um keinen Sand einzuatmen – und dann vom Zorn des Windes gebeutelt irgendwie zur Rückseite des Hauses gelangen. Wenige Schritte im Gegenwind reichten schon aus, um zu spüren, wie der Sand die ungeschützte Haut abschmirgelte, die diesem Peeling nur wenige Minuten widerstand.

Nike kauerte in ihrem Käfig, und auch sie bewegte sich nur, um ihre Notdurft zu verrichten. Zu diesem Zweck hob sie den Schwanz, beugte den Kopf vor und schleuderte ihre Exkremente so weit wie möglich aus der Voliere. Dann ging sie wieder in Entspannungsposition und zog ein Bein unter die Bauchfedern.

Draußen war es durch den aufgewirbelten Sand ziemlich dunkel, und wir saßen drinnen eingesperrt. Zum Nichtstun verurteilt, hatten wir uns in unsere Schlafsäcke gehüllt, und jeder verbrachte die Zeit auf seine Weise. Ich machte Aufzeichnungen und schrieb meine Eindrücke auf, um vielleicht später einmal ein Buch über dieses Projekt zu schreiben.

Am zweiten Tag hatte der Wind auf Nordwest gedreht und etwas nachgelassen, aber wir konnten trotzdem nicht fliegen. Leider hatten sich das Transportministerium und die tunesische Luftfahrtbehörde nicht davon beeindrucken lassen, dass die Voraussetzungen für einen freien Flug von Variablen wie thermischen Gegebenheiten oder Wind abhängen, und man hatte mir nur eine Sicherheitsmarge von jeweils zwei Tagen pro Etappe eingeräumt.

Darum wurde am Morgen des 10. April, um fünf Uhr geweckt. Der Wind hatte merklich nachgelassen, kam aber immer noch aus Norden, wehte also genau aus der falschen Richtung. Normalerweise hält ein Windzyklus in nordafrikanischen oder südeuropäischen Breitengraden drei Tage an. Ich beschloss zu starten und mich von Richard zum Ziel schleppen zu lassen, weil ich Ärger mit den Behörden vermeiden wollte. Der Flugplan musste eingehalten und Sousse vor dem Abend erreicht werden. Ich rief den vom Innenministerium Beauftragten an, der bei unseren Starts und Landungen dabei sein sollte.

„Wir fliegen los", teilte ich ihm mit.

„Aber da muss ich doch auch dabei sein!", antwortete dieser überrascht.

„Wir sind in einer Stunde in der Luft", erklärte ich kurz. Er gab keine Antwort und tauchte kurze Zeit später etwas außer Atem bei uns auf.

Wir starteten sehr früh, um halb sieben, denn für die Mittagszeit war ein Auffrischen des Nordwindes angesagt. Es war fast noch dunkel. Aus Angst, Nike zu überfordern, wenn sie stundenlang im Gegenwind mit den Flügeln schlagen musste, hatte ich beschlossen, dass sie mit dem Team im Lastwagen reisen sollte. Es war die richtige Entscheidung, wie sich schnell herausstellte. Wir trafen auf eine starke Turbulenz, die nicht thermisch, sondern vom Wind verursacht wurde, was für Richard und mich eine fürchterliche Schaukelei bedeutete. Wie viel lieber wäre ich gesegelt, anstatt im Schlepptau zu fliegen! Aber ich hatte keine andere Wahl – bei dem Gegenwind wäre es unmöglich gewesen, die vorgeschriebenen Zeiten einzuhalten.

Es wurden fast vier Stunden Achterbahn für 180 Kilometer über dem Sahel von Sousse. Während des Fluges konnte ich beobachten, wie sich die Landschaft unter mir veränderte: von den Sanddünen der Wüste zu den Olivenhainen an der Küste wurde sie immer mediterraner. Wunderbar war es, das Meer immer näher kommen zu sehen. Wir erreichten sehr müde, aber zufrieden Sousse und seine von starken Befestigungsmauern eingeschlossene Altstadt, die Medina. Eine Stunde nach der Landung kamen achtzig Stundenkilometer starke Windböen auf, und wir waren sehr froh über die für diese Etappe gewählte Strategie und auch darüber, dass wir nicht mehr in der Luft waren, sondern unsere Tragflächen fest am Boden verankert waren.

Dafür zeigte sich der Wind am nächsten Tag von seiner ungewöhnlichsten Seite. Entgegen den meteorologischen Statistiken, die eine Dominante aus Südwest vorsahen, wehte uns ein Mistral, der direkt aus Grönland kam, um die Ohren. Er hatte Großbritannien, Frankreich, Italien und das Mittelmeer überquert und machte jetzt mitten in der Sahara sogar den Vögeln den Weiterflug schwer.

Am darauffolgenden Tag hatte der Wind noch nicht nachgelassen, aber für den nächsten Tag waren wenigstens ein Abflauen und eine Drehung auf West vorhergesagt. Das bedeutete weitere 24 Stunden Ausruhen. Um diese Zwangspause zu nutzen, ließ ich Nike in der Umgebung fliegen, damit sie sich die Gegend einprägen und ihre Jagdtechnik üben konnte.

Tatsächlich kam es am 13. April endlich zu einer Wetteränderung. Der Wind hatte auf West gedreht, und seine Geschwindigkeit war günstig. Wir konnten endlich Kap Bon ansteuern, die letzte Station auf dem afrikanischen Kontinent vor der Überquerung des Mittelmeers. Ich ließ mich eine Stunde lang im Schleppflug ziehen, klinkte mich auf rund 2000 Metern genau über dem Berg Zaghouan nördlich von Kairouan aus, um dann entlang der südlich von Tunis liegenden Bergkette durch die Region von Hammamet zu fliegen. Endlich konnte ich die Aufwinde nutzen, die da entstanden, wo der dominierende Wind und die Meeresbrise zusammentrafen. Nike, die bis dahin ihre mächtigen Flügel hatte schlagen müssen, ging in den freien Gleitflug über, und an ihren Flugspiralen in den Thermiken konnte ich erkennen, wie gut es ihr tat, ohne Anstrengung dahingleiten zu können. Wir hatten leichten Seitenwind von Südwesten und zusätzlich etwas Rückenwind, der uns vorwärtstrieb. Doch je näher wir Kap Bon kamen, desto geringer wurde wegen der Meeresbrise der Feuchtigkeitsgehalt der Quellwolken. Dadurch sanken die Steighöhen; mit einigen Schwierigkeiten konnte man gerade noch segeln. Nach vier Stunden Segelflug sah ich endlich die Häuser von El Haouaria. Am Horizont lag das Mittelmeer.

Nach einem letzten Gleitflug landete ich mit einem Gefühl der Erleichterung. Mehrmals hätte ich fast keinen Auftrieb mehr gehabt, aber ich hatte insgesamt 615 Kilometer Wüste hinter mir gelassen – ich hatte die Sahara überquert. Und Nike hatte mit mir die Route gelernt, auf der sie eines Tages nach Tozeur zurückkehren würde.

Die Stadt der Greifvögel

Die Halbinsel Kap Bon an der Nordspitze Tunesiens ist der Punkt, von dem aus alle Zugvögel, die aus dem zentralen Nordafrika über Sizilien nach Europa wollen, über das Meer fliegen müssen. Die Geologen halten diese Stelle für den Überrest einer Verbindung, die einst zwischen Afrika und Sizilien bestanden hat. Unter dem Vorgebirge versteckt liegt das Städtchen El Haouaria, wo den seit Jahrtausenden durchziehenden Raubvögeln einst ein eigener Kult gewidmet wurde. Seit vielen Generationen sind die Einwohner hier geschickte Falkner.

Doch als ich mit Nike in der Nähe des Kaps landete, konnte ich nicht einen Vogel fliegen sehen. Ich vermutete, dass der untypische Wind, der ziemlich stark von Nordwesten blies, die Zugvögel – wie auch mich – dazu zwang, auf günstigere Bedingungen für die Mittelmeerüberquerung zu warten. Die großen Segler können nicht so lange flügelschlagend fliegen, wie es ein Überflug der Straße von Sizilien gegen den

Wind erfordern würde. Aber wo waren die Schwärme von Wespenbussarden geblieben, die ich in den letzten Tagen gesehen hatte?

Ich schaute mich verwundert um, und während Nike sich unter der Tragfläche des Hängegleiters das Gefieder ordnete, ging ich zu Fuß auf das Kap hinauf, das in eine Klippe ausläuft, die sich rund tausend Meter über das Meer erhebt. Oben angelangt, beugte ich mich etwas vor, um über die Felskante zu schauen. Über die gesamte senkrecht abfallende Wand verteilt saß, wie im Wartesaal eines Flughafens, eine unglaubliche Anzahl von Vögeln, die offensichtlich auf den geeigneten Zeitpunkt für den Start warteten. Sie hatten sich in kleine Nischen zurückgezogen, wo niemand sie stören konnte.

Ein paar Minuten später landete Richard auf der kleinen Straße neben dem Feld, auf dem ich meinen Drachen abgestellt hatte. Jetzt kamen auch die ersten Neugierigen. Das überraschte mich nicht besonders, aber ich wunderte mich doch darüber, dass sich niemand für unsere Fluggeräte interessierte. Ihre Neugier galt allein Nike. Wir fanden bald heraus, dass es sich um eine Gruppe von ortsansässigen Falknern handelte, die mich mit Nike hatten fliegen sehen, als wir einen Landeplatz gesucht hatten. Natürlich hatten sie Nike sofort als Steppenadler erkannt. Einer von ihnen lud uns ein, bei ihm zu Hause Tee zu trinken, was wir gern annahmen.

Später schaute ich mir das „Sperberhaus" an, eine Beobachtungsstation, die von der tunesischen Regierung für Ornithologen aus der ganzen Welt eingerichtet worden war. Jedes Jahr kommen zur Zeit des Vogelzugs nach Süden oder Norden zahlreiche Forscher nach Kap Bon, um die durchfliegenden Zugvögel zu zählen, Statistiken anzulegen und eventuelle Unstimmigkeiten festzustellen. Insgesamt werden jeweils rund 15 000 Raubvögel erfasst, die 300 verschiedenen Arten angehören.

Der ungünstige Wind am Kap Bon kostete mich weitere drei Tage, denn das Überfliegen des Mittelmeers erfordert eine ganz andere Strategie als die vorhergehenden Etappen. Richard musste mich bis auf eine Höhe schleppen, wo mich der Südwestwind, so er eingetreten war, in einem einzigen langen Gleitflug bis an die sizilianische Küste treiben konnte. Von zentraler Bedeutung war dabei die Berechnung der Steighöhe, die mein notwendiger „Treibstoff" war, den ich brauchte, um im Gleitflug von einem Kontinent zum anderen zu gelangen, denn über dem Meer selbst gibt es ja keinen Aufwind. Die Berechnung musste so genau wie möglich sein, denn wenn ich zu hoch hinaufkam, würde ich auf der anderen Seite zu hoch ankommen; wenn ich mich dagegen zu tief ausklinkte, konnte das extrem gefährlich werden, denn dann würde ich eventuell gar nicht auf der anderen Seite ankommen. Ich musste genau die richtige Höhe errechnen und eine Sicherheitsmarge einkalkulieren, falls der Wind drehen sollte.

Der Neigungswinkel des Gleitflugs ist von der Windstärke abhängig. Ein starker Wind trägt weiter als ein schwacher. Und gegen den Wind geht es nicht – die Vögel hatten in diesen Tagen den Überflug nicht einmal versucht, denn der Gegenwind aus Norden hätte es vielen von ihnen unmöglich gemacht, auf die andere Seite zu gelangen. Doch im Gegensatz zu mir wussten die Vögel das, ohne Berechnungen vorzunehmen und ohne eine Wettervorhersage zu haben.

Ein Flug auf einer Reisehöhe, wie ich sie mir vorgenommen hatte, erforderte auch eine andere Ausrüstung als die Überquerung der Sahara. Ich hatte ein Atemgerät zur Verfügung, das reinen Sauerstoff abgab. Gegen die Kälte wollte ich mich mit einem Daunenanzug schützen, wie sie normalerweise bei Besteigungen im Himalaja in einer Höhe von 8000 Metern getragen werden. Es war nicht mein erster Flug über dem Mittelmeer. Zehn Jahre zuvor war ich – allerdings mit Motorantrieb – von Catania nach Kairo geflogen. Doch es war mein erster freier Flug, und das war etwas völlig anderes.

Während der Wartezeit hielt mich das meteorologische Zentrum der italienischen Luftwaffe alle sechs Stunden mit den neuesten Daten und der Vorhersage für die folgenden sechs Stunden auf dem Laufenden. Dank dieser ständigen Datenbeobachtung hatte ich genug Vorlauf, um rechtzeitig eine Strategie auszuarbeiten, sobald eine Besserung der Bedingungen abzusehen war.

Jeden Tag besuchte ich meine gefiederten „Kollegen" an der Felswand. Sie waren meine besten Indikatoren für das Wetter, von ihnen erwartete ich ein Signal. Die Zahl der geduldig wartenden Vögel hatte sich in den letzten Tagen mindestens verdoppelt, sodass es schon fast Platzprobleme gab. Dass es viele Tiere waren, hätte auch jemand gemerkt, der nicht nach unten sah: die etwa 2000 Vögel machten einen Höllenlärm.

Ich wollte auch die Prägung Nikes vervollständigen. Sie musste sich die Gegend von Kap Bon besonders gut einprägen, wo sie eines Tages, wie ich hoffte, den Moment abwarten würde, um mit anderen Zugvögeln zusammen zu starten. Ich hatte aber beschlossen, dass sie mich nicht auf dem Flug über das Mittelmeer begleiten sollte. Zunächst weil ich in der für mich allein schon hinreichend schwierigen Situation nicht noch weitere Probleme brauchen konnte; vor allem aber wusste ich, dass sie, um die Straße von Sizilien zu überfliegen, eine andere Strategie angewandt hätte als ich. Nie wäre sie so hoch aufgestiegen, wie ich das vorhatte, um dann bis zum Ziel im Sinkflug zu gleiten, sondern sie hätte sich auf einer Flughöhe von rund 500 Metern gehalten und die gesamte Strecke flügelschlagend zurückgelegt. Sie zu einem unnatürlichen Verhalten zu zwingen wäre sinnlos gewesen und unvereinbar mit der Erziehungsmethode, die ich bis dahin angewandt hatte. Es gibt amerikanische Untersuchungen über Zugvögel, die belegen, dass das Überspringen einer Etappe das Einprägen der Flugroute nicht beeinträchtigt. Also nahm ich Nike nicht mit. Ich ließ sie aber jeden Tag fliegen und jagen.

Die Abende verbrachte ich in der Beobachtungsstation mit den Ornithologen, mit denen es zu einem interessanten Austausch gekommen war. Zum ersten Mal hatten sie einen direkten Zeugen als Gesprächspartner, der zusammen mit dem Gegenstand ihrer Untersuchungen geflogen war. An diesen Abenden im Sperberhaus wurde der Grundstein für eine Zusammenarbeit zwischen meinem ursprünglich sportlichen Projekt und der Welt der Wissenschaft gelegt. Sie sollte sich sehr viel weiter entwickeln, als ich es mir je hätte vorstellen können.

Auf dem Flug nach Hause

Am Abend des 16. April bekam ich die tägliche E-Mail von Franco Colombo. Da sich die Luftmassen über dem Mittelmeer verschoben, war der Nordwind dabei, nach Westen zu drehen, und kam so aus einer günstigen Richtung. Der Bericht sah gutes Wetter für den folgenden Tag, den 17., voraus, noch besseres aber für den 18. April.

Ich ging ins Gemeinschaftszelt, um die anderen zu informieren. „Vielleicht können wir morgen oder übermorgen starten."

„Willst du den Achtzehnten abwarten?", wollte Richard wissen.

„Im Zweifelsfalle will ich die Karte des Siebzehnten spielen", antwortete ich. „Man weiß ja nie, und in diesen Breiten kann sich die Wetterlage sehr schnell ändern."

Meine Befürchtung war, der Wetterfront, die aus der Wüste nach Norden zog, nicht zuvorkommen zu können, und dann würde ich mitten in der Sandwolke fliegen, die der Wind mit sich führte. Daher traf ich alle Vorbereitungen, um sofort starten zu können. Wie ich im Vorfeld bereits mit der italienischen Kriegsmarine vereinbart hatte, verständigte ich Kapitän Angelo Castiglione, damit er die Leute benachrichtigen konnte, die mich auf meinem Überflug unterstützen sollten. Ich gab den lokalen Behörden Bescheid, damit sie beim Start anwesend sein konnten. Zum Schluss informierte ich Laura, die bereits nach Italien zurückgekehrt war, um die Pressemitteilungen für die internationalen Medien vorzubereiten.

Danach machte ich meinen Abschiedsbesuch bei den gefiederten Freunden. Auf der Klippe sah ich sofort, dass etwas geschehen war. Die Vögel waren alle aus den Nischen herausgekommen und hatten eine andere Haltung eingenommen. Ihr Benehmen war wie das eines Reisenden, der erst im Wartesaal des Bahnhofs sitzt und dann, wenn der Zug einfährt, aufsteht und überlegt, in welchen Wagen er einsteigen soll. Ich fühlte mich ihnen zutiefst verbunden und dankte ihnen innerlich, denn sie gaben den unsicheren Vorhersagen des Menschen die fachkundige Bestätigung der Natur.

Ein paar Stunden Schlaf, Wecken um vier. Kaum hatte ich die Nase aus dem Zelt gesteckt, sah ich im ersten Tageslicht, dass sich der Himmel verändert hatte. Der Wind hatte nicht nur wie vorgesehen auf West gedreht, sondern sogar auf Südwest. Man spürte sofort, dass der kalte Nordwind zum Erliegen gekommen und ein warmer Südwestwind aufgekommen war; er blies genau in meine Flugrichtung.

Die Aktualisierung meines Wetterberichts bestätigte den 17. als Übergangstag und den 18. als idealen Flugtag. Ich wollte trotzdem nicht riskieren, dass Richard und ich in zu starke Turbulenzen gerieten, die, mit Sandstaub gemischt, mit der wärmeren Luft aus Südwesten kommen könnten. Also gab ich dem Team das Signal, den Aufbruch vorzubereiten. Ich selbst wollte noch einmal die Aktivitäten meiner zukünftigen Reisegefährten überprüfen. Schon als ich auf die Klippe kletterte, fiel mir die ungewöhnliche Stille auf. Ich beugte mich über den Abgrund und traute meinen Augen nicht: im noch schwachen Licht des Sonnenaufgangs konnte ich sehen, dass die Felswand vollkommen verlassen war. Tausend Meter unter mir brachen sich die Wellen schäumend an den Uferfelsen, von den vielen Vögeln kündeten nur noch Federn und Exkremente. Sie waren alle abgeflogen.

Jetzt war ich wirklich davon überzeugt, dass es der richtige Tag war. Richard und ich überprüften zusammen noch einmal gründlich die Wetterbedingungen, um wirklich ganz sicher zu sein, dann kümmerte er sich um das Rettungsfloß, das er in seinem höhenflugtauglichen Motordrachen mitnehmen musste, damit wir im Falle einer Notwasserung nicht sofort untergingen. Inzwischen war das Team startbereit. In den vorangegangenen Tagen hatten wir Zeit gehabt, jede Situation durchzuspielen – jeder wusste, was er zu tun hatte, und jeder Handgriff saß.

Gegen sieben Uhr verständigte ich die tunesischen Behörden, um das Staatsgebiet den Vorschriften entsprechend verlassen zu können. Eine Stunde später fanden sich Vertreter des Zolls, der Staatspolizei, des Grenzschutzes und der Finanzpolizei ein. Nachdem alle notwendigen Stempel in meinen und in Richards Pass gedrückt worden waren, wurde überprüft, dass ich keinen blinden Passagier an Bord hatte und dass sich weder Drogen noch andere verbotene Waren im Gestänge meines Fluggeräts befanden.

Um neun Uhr war alles bereit. Meine Tragfläche Atos war in perfektem Zustand. Alle Öffnungen an der Eintrittskante waren mit Silikon versiegelt worden, damit ich so lange wie möglich gleiten konnte. Die Notfallausrüstung war in Ordnung, und ich hatte mich gerade mit Massimos Hilfe fertig angezogen, denn der wasserdichte Anzug, den ich für Richard und mich auf einer Bohrinsel in der Nordsee besorgt hatte, war gar nicht so leicht anzulegen. Nach der Kontrolle der Sicherheitssysteme, vom Sauerstoff über das Anti-Haifisch-Pulver bis zur elektronischen Blinkleuchte, die meine Position im Falle einer Notwasserung anzeigen konnte, kam der Moment, sich von allen zu verabschieden. Wir wollten uns alle in Sizilien treffen, wohin die anderen mit dem Lastwagen und per Schiff kommen würden.

„Wir sehen uns doch in Europa wieder?", fragte Valeria etwas besorgt.

„Sicher", antwortete ich selbstbewusst.

Noch ein allerletztes Briefing mit Richard zu den Flugbahnen. Ich hatte ausgerechnet, dass ich mich, um die Straße von Sizilien bei diesen Windverhältnissen im Gleitflug überqueren zu können, auf 6500 Metern ausklinken musste. Wir gingen in Startposition. Um Viertel nach neun hoben wir vom Festland bei Kap Bon ab. Schon bald sah ich, dass Richard Schwierigkeiten hatte: er musste gegensteuern, weil sein Schleppgerät abdriftete und asymmetrisch durchsackte. Ich dachte nicht lange nach, funkte ihn an und sagte ihm, dass er sofort wieder landen sollte.

Wir entdeckten sofort, was die Ursache für dieses Problem war. Die Schutzleinen des Motordrachens waren nicht in der richtigen Stellung; sie liefen unter den Segellatten durch und beeinträchtigten so die Symmetrie der Tragfläche. Das Problem wurde gelöst; wir konnten wieder neu starten.

Um halb zehn erhoben wir uns unter dem Applaus der Zuschauer zum zweiten Mal in die Luft. Der Steigflug war aufgrund des Südwestwinds etwas turbulent. Ich achtete besonders darauf, mich perfekt in Richards Flugbahn zu halten, um das Steigen zu erleichtern. Als ich meine Höhe erreicht hatte, klinkte ich mit einem kurzen Druck das Schleppseil aus, das, von seinem kleinen Fallschirm gebremst, absank.

Ich wurde von der Luftströmung getragen, die perfekt in einer Achse mit meiner Flugroute lag. Für wenige Augenblicke verzeichnete mein GPS eine Geschwindigkeit von 240 Stundenkilometern über dem Boden. Dieser Wert ging stark zurück, je weiter ich sank, denn auf geringerer Höhe ließ der Wind nach, und die Luft selbst wurde wieder dichter. Über dem Meer kam es mir dann vor, als würde ich mich überhaupt nicht vorwärts bewegen. Unermesslich und endlos lag es unter mir. Neben mir sah ich Richard, der hinter der Windschutzscheibe seines Motordrachens kauerte. Ein bisschen beneidete ich ihn. Wir waren zwar gut ausgerüstet, aber kalt war es trotzdem.

Es kam zu einem ersten Kontakt mit dem Hubschrauber, den die Marine für uns abgestellt hatte. Er war am Morgen in Maristaeli, einem Flughafen in der Nähe von Catania, losgeflogen und unterwegs nach Selinunte, wo meine Landung auf sizilianischem Boden vorgesehen war. Der Hubschrauber sollte uns retten, falls wir in Seenot gerieten, und gleichzeitig Aufnahmen für die von Donatella Bianchi moderierte Fernsehsendung „Lineablu" des italienischen Fernsehens machen. Außerdem sollte der Abschluss der Unternehmung dokumentiert werden. Es wurde mir mitgeteilt, dass meine Position auf dem Radarschirm ermittelt worden war. Ein Motordrachen ist über Radar aufgrund seiner Metallmasse sichtbar, meine Tragfläche jedoch brauchte einen eigenen Magnetreflektor, den mir der Kommandant Giorgio Sciubba besorgt hatte, der den Auftrag leitete. Mit diesem System konnte ich im Fall einer Notwasserung innerhalb weniger Stunden nach einem Notruf aufgefunden und gerettet werden. Zum Glück konnte ich auch auf die Unterstützung eines Schiffes zählen, das die Küstengewässer überwachte und das die Marine in das zu überfliegende Gebiet entsandt hatte. An Sicherheitsmaßnahmen fehlte es also nicht.

Abgesehen von Schiff und Hubschrauber hatte ich noch einige andere Sicherheitsvorkehrungen für mein Überleben getroffen. Denn letzten Endes war die Wahrscheinlichkeit, bei einer solchen Unternehmung aus irgendeinem Grund ins Wasser zu fallen, gar nicht so gering. Die Tragfläche hatte wasserdichte Schlauchbahnen, nicht so sehr um das Gerät selbst bergen zu können, als vielmehr um besser sichtbar und leichter auffindbar zu sein. Ich hatte ein Schlauchboot zur Verfügung, das wegen seiner Abmessungen und seines Gewichts von Richard im Trike transportiert wurde und das er mir im Bedarfsfall abwerfen konnte. Außerdem trug ich eine Schwimmweste, die sich bei der Berührung mit Wasser von allein aufblies. Und schließlich vervollständigten noch einige Signalraketen meine Rettungsausrüstung sowie ein Argos, ein satellitengestütztes System, das genutzt wird, um Position und Messdaten nicht ortsfester Objekte abzufragen – zum Beispiel auch die Flugrouten von Zugvögeln.

Im Frühjahr ziehen die Haifische in Gruppen nach Gibraltar und zum Atlantik. Deswegen hatte ich Anti-Haifisch-Pulver dabei. Es war in einer Tüte, die sich beim Aufkommen im Wasser ebenfalls automatisch öffnen und einen farbigen Fleck um mich herum erzeugen würde. Der typische Geruch, der Haifische abschreckt, sollte die gefürchteten Raubfische auf Distanz halten.

Doch trotz aller Vorsichtsmaßnahmen machte ich mir zunehmend Sorgen, dass ich vielleicht doch nicht ans Ziel kommen könnte. Wegen des Dunstschleiers sah ich das Ufer nicht auftauchen und war gezwungen, nach GPS zu fliegen. Als die Geschwindigkeit immer mehr nachließ und damit auch meine Höhe, hatte ich Angst, meine Ausklinkhöhe zu knapp berechnet zu haben. Unter mir sah ich die scheinbar grenzenlosen Wassermassen, bereit, mich zu verschlucken und in die Tiefe zu reißen. Doch dann sah ich die Wolken, die sich im Innern Siziliens gebildet hatten und sich vertikal entwickelten, und auf den letzten fünfzig Kilometern konnte ich endlich die Südwestküste Siziliens erkennen.

Schließlich kam ich an. Ich überflog den Tempel von Selinunte in ungefähr 500 Meter Höhe – das war der Sicherheitsabstand. Um zwölf Uhr dreißig, nach 170 Kilometern über dem offenen Meer, landete ich heil und gesund am Strand von Tre Fontane. Der Empfang durch eine Gruppe von Freunden, vor allem aber durch Laura und Gabriele, war mehr als herzlich. Nach einem pflichtgemäßen Anruf bei den tunesischen Behörden, mit dem ich den erfolgreichen Abschluss der aufwändigsten Etappe des gesamten Abenteuers mitteilte, lief ich meinem Reisegefährten Richard entgegen. Wir hatten allen Grund, uns gegenseitig zu beglückwünschen. Mit ihm erfolgt das immer auf die englische Art: mit einem freundschaftlichen Händedruck.

Die erste Überquerung des Mittelmeeres im freien Flug hatte soeben stattgefunden. Ich war in einer Stunde und fünfzig Minuten von Afrika nach Europa geflogen – ein Flugzeug braucht für die Strecke von Tunis nach Palermo fünfzig Minuten. Ich hatte eine Weltpremiere zustande gebracht und eine neue Flugroute beflogen.

Mehr noch als mein Rekord bewegte mich in diesem Moment der Gedanke, dass ich nach Hause zurückkehren konnte, in mein „Nest", nachdem ich über das Meer von einem Kontinent zum anderen gereist war. Ich hatte nachempfinden wollen, was ein Zugvogel erlebt, und versucht, so weit wie möglich seinen instinktiven Flug nachzuahmen. Ich war wie die Falken über die Wüste geflogen und hatte dort die thermischen Aufwinde und die Dynamik, die durch Wind und Sonne entsteht, genutzt. Ich hatte dort mein Lager aufgeschlagen, wo die Zugvögel zum Schlafen rasten, und am nächsten Tag mit den ersten thermischen Bewegungen des Tages die Reise fortgesetzt. Ich war in einer Welt losgeflogen und in einer anderen gelandet. Keine Muezzins mehr, sondern Kirchenglocken, kein Couscous, sondern Spaghetti.

Ganz war die Reise allerdings doch noch nicht zu Ende, denn wir mussten ja noch weiter bis nach Catania. Wir flogen zunächst bis nach Calabiscetta bei Enna und übernachteten dort bei meinem Freund Carlo Tita, bevor wir am nächsten Morgen die letzte Etappe bis nach Catania in Angriff nahmen. Ich klinkte mich in 2500 Meter Höhe aus und erwischte auf der Südseite des Ätnas zwei Thermiken, die mich bis auf 3000 Meter brachten. Vor der Landung rief ich den Kontrollturm des Flughafens an, und dieser wies mir wie einem Linienflugzeug einen Anflugkorridor zu. Ich landete auf dem Marineflughafen Maristaeli in Ostsizilien auf der Landepiste der 3. Hubschraubereinheit. Richard war schon vor mir angekommen.

Der Empfang war überwältigend. Während der Pressekonferenz, die in der Marinebasis selbst abgehalten wurde, schloss ich offiziell die Unternehmung „Following the Hawks" ab, die ich dem Andenken an Patrick de Gayardon widmete, einem großartigen Fallschirmspringer und guten Freund, der wenige Jahre zuvor bei einem schweren Unfall ums Leben gekommen war.

Mit ein paar Worten gedachte ich auch der Raubvögel, die, ermattet von dem langen Flug, ankommen und nicht von Freunden empfangen werden, sondern von Feiglingen hinter Gewehrläufen. Das ist ein Drama, das ich immer und überall anprangern werde, um die Natur und ihr Gleichgewicht zu verteidigen.

Nachdem ich meine Pflicht gegenüber den Journalisten und den Sponsoren erfüllt hatte, zog ich mich allein mit Nike zurück, die ich nicht mehr gesehen hatte, seit wir uns in Kap Bon getrennt hatten. Wie immer zeigte sie keinerlei Rührung bei meinem Anblick, doch als ich mich wieder von ihr entfernte, wurde sie sofort unruhig. Ich glaube, wir waren beide froh, wieder zusammen zu sein.

Nikes Sieg

Den ganzen Sommer lang flog Nike über ihrem Berg bei Taormina, wo sie fliegen und jagen gelernt hatte. Sie flog inzwischen völlig frei und brauchte mich nicht mehr dazu. Ich besuchte sie jeden zweiten Tag, und wenn ich mit meinem Drachen flog, gesellte sie sich fast immer zu mir.

Jedes Mal wenn ich sie sah, musste ich daran denken, dass meine Unternehmung unter sportlichen Gesichtspunkten zwar abgeschlossen war, aber dass das noch nicht alles war. Mit meinem Flug von der Sahara nach Sizilien hatte ich erreichen wollen, dass sich mein Adler seine Wanderroute einpräge. Jetzt wartete ich darauf, die Ergebnisse des Experiments zu sehen.

Der Sommer verging, es kam der September. Eines Tages, als wir uns nach einem langen Flug auf dem Flugfeld ausruhten, befestigte ich einen Mikrochip an Nikes Bein. Dank den über eine Antenne ausgesandten Signalen konnte ich eineinhalb Jahre, solange die Batterie hielt, ihren Aufenthaltsort bestimmen. Ich kennzeichnete sie auch mit einem roten Ring, um sie von ihren Artgenossen unterscheiden zu können.

In den ersten Oktobertagen konnte man die Vorhut der Zugvögel in Richtung Süden ziehen sehen. Nike wurde unruhig und verhielt sich seltsam. Schließlich flog sie ab. Später erklärte mir ein russischer Forscher, dass die mit Beginn des Herbstes geringer werdende Menge an Tageslicht zu einer hormonellen Umstellung führt, die bei den Zugvögeln den Wunsch weckt aufzubrechen.

Ich will nicht verhehlen, dass es mich nur zum Teil mit Freude erfüllte, dass Nike tatsächlich losgeflogen war. Eine ganze Weile fühlte ich mich, wenn ich in dem Gebiet trainierte, wo sie zum ersten Mal geflogen war, ziemlich allein und verlassen. Doch während ich mit dem GPS immer wieder ihre Spuren als Erwachsene verfolgte, gewöhnte ich mich an die Vorstellung, dass Nike natürlich ihr eigenes Leben leben musste.

Mithilfe des Mikrochips konnte ich, wenn auch nicht vollständig, ihre Reiseroute nachvollziehen. Sie war in der Gegend von Agrigent gestartet. Ich vermutete, dass sie sich dort einem Schwarm von Zugvögeln angeschlossen hatte, die ihr den Weg nach Kap Bon zeigten. Von da an kannte sie die Route und flog genau die Strecke, die wir sechs Monate vorher in umgekehrter Richtung zusammen zurückgelegt hatten. Sie überwinterte in Tozeur. Unter allen möglichen Orten hatte sie genau den angesteuert, der sich unauslöschlich in ihr Gedächtnis eingeprägt hatte.

Ich hatte nicht zu hoffen gewagt, dass ein solcher Erfolg meine Unternehmung krönen würde. Und es wäre zu schön gewesen, wenn Nike in der nächsten Saison zum Ätna zurückgekommen wäre. Doch leider hörte im Lauf des Winters das Funkgerät auf zu übertragen; vielleicht waren die Batterien vorzeitig erschöpft, oder die Antenne funktionierte nicht mehr. Ich konnte lediglich davon ausgehen, dass sie die ganze Wintersaison in Tozeur verbrachte, denn bevor der Kontakt abbrach, hatte sie sich bereits einen ganzen Monat dort aufgehalten.

Im Frühling, als ich bereits alle Hoffnung aufgegeben hatte, sie jemals wiederzusehen, geschah etwas, was unter den Ornithologen für einiges Aufsehen sorgte. Einige Forscher, die wissenschaftliche Berichte über meine Erfahrung mit Nike gelesen hatten, berichteten mir, sie hätten einen Adler in der Gegend zwischen Letojanni und Gallodoro fliegen sehen, in der Provinz Messina.

Einen Adler mit einem roten Ring am Bein.

Metamorphosis, Teil 2: „Siberian Migration"

Ein Besuch in Moskau

Endlich, Angelo, ich habe Sie voller Ungeduld erwartet!" Der Professor drückte mir die Hand und lud mich ein, in seinem Büro in der Fakultät für Biologie der Universität Moskau Platz zu nehmen. Durchaus beeindruckt setzte ich mich und war sehr gespannt, was er mir zu meiner Strategie mit Nike sagen würde. Ich wusste, dass ich es mit einem großen Gelehrten zu tun hatte.

Alexander Sorokin, Dozent für Biologie und Direktor des „All-Russian Research Institute for Nature Protection", des ARRINP, war einer der größten Experten in der Forschung über das Gleichgewicht in der Natur und verantwortlich für ein internationales Projekt, das die Wiederauswilderung der sibirischen Kraniche zum Ziel hatte. Das Projekt fand unter der Schirmherrschaft und mit der Unterstützung der Universität Moskau statt, die von ihm selbst vertreten wurde, sowie in Zusammenarbeit mit der International Crane Foundation (ICF) aus Washington, einer Stiftung zur Rettung der Kraniche, die von George Archibald und Claire Mirande geleitet wurde. Sorokin hatte von meinem sportlich-naturwissenschaftlichen Abenteuer in der Sahara durch eine russische Fernsehsendung erfahren, an der ich teilgenommen hatte, und telefonisch mit mir Kontakt aufgenommen. Insbesondere hatte ihn beeindruckt, dass es mir gelungen war, einem Adler seine Wanderroute beizubringen, und er bot mir jetzt an, mich mit einem ähnlichen Thema in seiner Heimat zu befassen. Also war ich im Winter 2001 nach Moskau gereist, um mich mit ihm zu treffen.

„Wie ich Ihnen bereits am Telefon sagte", begann er langsam in seinem akademischen Englisch mit russischem Akzent, „haben wir ein Problem mit den sibirischen Kranichen. Die Spezies ist in Westsibirien offiziell bereits ausgestorben. Wir haben zur Reproduktion noch einige Exemplare in Gefangenschaft, aber in der Natur sind in diesen Gebieten nicht mehr als zwanzig übrig. Da genügt die kleinste Verschiebung des natürlichen Gleichgewichts, und die Kraniche sind ganz verschwunden."

Es hatte verschiedene Gründe, dass es kaum noch sibirische Kraniche gab. Zum einen hatten die Vögel die Angewohnheit, die Samen auf den frisch gepflügten Feldern aufzupicken, sodass die Bauern sie ohne Erbarmen abschossen, um ihre Saat zu schützen. Außerdem schmeckten sie gut. Zum anderen überflogen sie auf ihrer Wanderung unwegsame Gebiete, wo es unmöglich war, der Wilderei Herr zu werden. So waren sie im Lauf der Zeit nahezu ausgerottet worden.

Seit rund zehn Jahren versuchten Sorokin und sein Team mit allen möglichen Mitteln, das Überleben der Spezies zu sichern. Sie arbeiteten eng mit einer bekannten russischen Aufzuchtstation zusammen, die sich der Reproduktion von Tieren widmet, die vom Aussterben bedroht sind. Wenn die Exemplare, die in diesem Zentrum zur Welt kamen, gegen Ende des arktischen Sommers ihr vollständiges Gefieder entwickelt hatten, wurden sie in ein Naturschutzgebiet am Polarkreis im Nordwesten Sibiriens gebracht, denn das war das Nistrevier ihrer Vorfahren gewesen. Sie bekamen dort einen Ring ans Bein und wurden Mitte August freigelassen, in der Hoffnung, dass sie in der kommenden Saison wieder auftauchten. Aber das klappte nicht: die Kraniche kamen nicht wieder. Wie ich es bei Nike gemacht hatte, wurden auch die Kraniche mit GPS-Sendern ausgestattet. Auf diese Weise hatte man wenigstens verstanden, warum die Kraniche nicht zurückkamen: weil sie den Weg nicht kannten. Die meisten verflogen sich, andere starben, und nur wenige schlossen sich den Schwärmen des gemeinen Kranichs an und konnten so überleben.

Der Professor erklärte mir, dass man bis vor wenigen Jahren geglaubt hatte, dass alle Zugtiere ihre Wanderroute, sei es zu Wasser, in der Luft oder auf dem Land, in ihren Genen gespeichert hätten, um jedes Jahr zu ihrem Überwinterungsquartier und auch wieder zurück zu gelangen. So, wie das bei den Lachsen der Fall war.

„Als wir erkannten, dass die sibirischen Kraniche anders sind", führte Sorokin weiter aus, „beobachteten wir sie aufmerksamer und fanden so die Antwort."

Es sind die Eltern, die ihren Jungen die Wanderroute beibringen, indem sie ihre Nachkommen beim ersten Mal begleiten, sodass sie sich die Bilder der verschiedenen Stationen einprägen können. Aber den Exemplaren, die in Gefangenschaft zur Welt gekommen waren, brachte keiner etwas bei und sie fanden den Weg nicht.

„So steht es also um unsere Kraniche", schloss der Professor mit einem Lächeln. Er lehnte sich in seinem Sessel zurück. „Wie Sie sehen, ist die Situation wirklich bedrohlich."

Jetzt bat er mich, den Dokumentarfilm ansehen zu dürfen, den ich auf meinem Wanderflug mit Nike gedreht hatte. Als die Bilder Nike im Flug zeigten, lächelte Sorokin.

„Eine sehr gute Arbeit, eine ausgezeichnete Strategie", sagte er. „Ich bin davon überzeugt, dass diese Strategie auch mit unseren Kranichen funktionieren würde." Er schwieg einen Moment und sah mich an. „Wissen Sie, uns und der ICF läge sehr viel daran, diese Spezies zu retten."

Er konnte ja nicht ahnen, dass meine Begeisterung mindestens so groß war wie die Hoffnung, die aus seinem Blick sprach. „Professor Sorokin, ich würde mich sehr gern um die Kraniche kümmern", sagte ich und versprach, ihn zu benachrichtigen, sobald ich die Machbarkeit des Projekts geprüft hatte. Als ich zu meinem Abenteuer „Following the Hawks" aufgebrochen war, hatte ich noch überhaupt nicht an einen wissenschaftlichen Nutzen meiner Erfahrungen gedacht. Das Projekt Metamorphosis war emotional entstanden und entwickelte sich jetzt weiter, als ich mir je hätte träumen lassen.

In der letzten Zeit hatte ich das Projekt Metamorphosis weiter ausgearbeitet. Ich wollte es in verschiedene Etappen gliedern, die miteinander zusammenhingen. Jede Etappe sollte auf einem anderen Kontinent stattfinden. Ich wollte die Flugtechniken anderer Zugvögel auf der Erde kennen lernen. Sie entstehen mit der Zeit durch die Anpassung an die äußeren Bedingungen, also an die jeweilige Aerologie, an den Wind und die Auftriebe. Die afrikanischen Greifvögel haben eine andere Technik als zum Beispiel die Kondore der Anden oder die Geier der australischen Tanamiwüste. Aber alle benutzen die Luftströmungen. Da die Parameter vom jeweiligen Relief und von der Geländestruktur abhängen, aber auch von der Geologie und vom Klima, wollte ich den Flug auf jedem Kontinent und in jeder Umgebung versuchen.

Ich wollte meinen Horizont erweitern, und der Vorschlag von Sorokin war für mich wie ein Wink des Schicksals. Ornithologische Forschungen auf höchstem Niveau, ein Wanderflug, der eine vom Aussterben bedrohte Spezies retten sollte, und eine große sportliche Herausforderung: das war alles, was ich für die zweite Phase meines Metamorphosis-Projektes brauchte. Ein neues Abenteuer konnte beginnen.

Die Unternehmung nimmt Gestalt an

5500 Kilometer. Das war die Strecke, die eine hypothetische „Siberian Migration", also die „Sibirische Wanderung", zurücklegen musste. Vom Polarkreis zum Kaspischen Meer, über iranisches Gebiet, Kasachstan und Turkmenistan. Der längste freie Flug aller Zeiten, vor allem aber der konstruktivste für eine Beziehung zwischen Sport und Wissenschaft.

Schon ein erster Blick auf die Landkarte zeigte viele Schwierigkeiten: nicht nur die Distanz, die extremen Bedingungen, die niedrigen Temperaturen vor allem am Polarkreis, die aus dem Ural kommenden Fallwinde, die Wüstengebiete auf den Hochebenen im Mittleren Orient, sondern auch das Fehlen genauer Karten, denn ich würde Gebiete überfliegen müssen, die noch nicht präzise erfasst waren. Es kamen politische Probleme dazu, wie die Zurückhaltung einiger Regierungen beim Erteilen der Überflugerlaubnis, und außerdem die abscheulichen Verflechtungen von Terrorismus, Bürgerkrieg, Waffen- und Drogenhandel in den ehemaligen Sowjetrepubliken.

Ich kam nach Hause und machte mich daran, meinen Plan auszuarbeiten. Ich erinnere mich noch an einen sonnigen Dezembermorgen, als

Laura und ich am Frühstückstisch saßen. Der Ätna war schneebedeckt, und vor uns lag ausgebreitet die Karte von Sibirien. Laura hatte nicht versucht, mich von meinen Plänen abzuhalten. Ich war ihr dafür sehr dankbar und bewunderte ihren Mut, denn immerhin war sie gerade schwanger mit unserem dritten Kind, und es war undenkbar, dass sie oder gar unsere Kinder Gabriele und Gioela mich auf eine so schwierige Reise von unbestimmter Länge durch die verlassensten Gebiete Sibiriens begleiten würden. Es stand uns also eine lange Trennung bevor, und natürlich waren sie und die Kinder nicht glücklich darüber, aber Laura legte mir keinen Stein in den Weg, sondern stand voll und ganz hinter mir.

Es ist kein leichtes Leben für die, die mir nahestehen. Selbst wenn ich zu Hause bin, bin ich oft nicht ganz da. Wenn ich eine Unternehmung vorbereite, muss ich mich sehr intensiv in sie hineindenken, und das bindet einen großen Teil meiner Energie. Auf der anderen Seite weiß meine Familie aber auch, dass sie sich voll darauf verlassen kann, dass ich nicht waghalsig bin und keine unüberlegten Risiken eingehe.

Wie immer hatte Laura es richtig erkannt – ich hatte mich bereits in das Projekt verliebt und wollte so bald wie möglich herausfinden, ob es machbar war. Ich kaufte mir die Luftfahrtkarten aller zu überfliegenden Gebiete. Die Wetterstatistiken der letzten zehn Jahre stellte mir die Universität Moskau zur Verfügung. Ich besorgte mir amerikanische Karten aus der Zeit des Kalten Krieges, und nach der Analyse der statistischen Daten begann ich mit dem, was ich die „Machbarkeitsstudie" nenne. Die auf den ersten Blick erkennbaren praktischen Probleme hatten mit der lokalen Aerologie zu tun, also mit den Turbulenzen und den starken Winden, aber auch mit dem häufigen Hochwasser der Flüsse, die das Gelände unwegsam machen und mich zu riskanten Landungen in der Tundra mit niedriger, aber dichter Vegetation zwingen könnten.

Eine Route auszuarbeiten ist immer wieder eine faszinierende Aufgabe für mich. Anhand der orografischen und aerologischen Daten, also der Interpretation der Beschaffenheit der Erdoberfläche und der vorherrschenden Winde, erstellte ich mir eine Karte und kam so zu einer Route, die sowohl meinen als auch den Bedürfnissen der Zugvögel entsprechen könnte. Aber erst eine Ortsbesichtigung gibt hinreichend genauen Aufschluss über die Lage, sodass die verbindliche Strecke erst dann festgelegt werden kann.

In den darauffolgenden Monaten traf ich mich mehrmals mit Sorokin, und wir vertieften die Planung des Experiments. Er hatte die Koordination der verschiedenen Stellen übernommen, denn für die Expedition brauchte ich als technische Assistenz ein Team, und außerdem mussten die mir anvertrauten Vögel unter ständiger Beobachtung von Spezialisten stehen. Diese wollte der Professor unter den Biologen seines Instituts selbst auswählen, während ich Serge Genkin als Verantwortlichen für die Kommunikation und Dmitri Lobatchev als persönlichen technischen Assistenten bestimmte.

Durch die wissenschaftliche Unterstützung von Professor Sorokin konnte ich jetzt einen Schritt weiter gehen, als es mir mit Nike möglich gewesen war. Jetzt sollte die Prägung nicht erst bei einem Küken beginnen, sondern bereits beim Ei. In Erwartung meines Umzugs in die Aufzuchtstation vertiefte ich meine ornithologischen Kenntnisse. Ich wollte alles über den *Grus leucogeranus*, den sibirischen Kranich, erfahren. Er ist ungefähr eineinhalb Meter groß, hat eine Flügelspannweite von zweieinhalb Metern und ist schneeweiß; seine Augen sind rötlich oder hellgelb, und das Männchen ist etwas größer als das Weibchen.

Nach dem Entwurf der Strecke und dem Vertiefen der dazu notwendigen Naturkenntnisse war es schließlich an der Zeit, an das Fluggerät zu denken. Natürlich wollte ich für den freien Flug einen Hängegleiter verwenden wie bei der Überquerung der Sahara, damit ich dieselben Bedingungen hatte wie die Kraniche.

Es gab aber zahlreiche Schwierigkeiten. So hatte ich zum Beispiel dasselbe Problem wie in der Wüste: es fehlten Anhöhen, von denen ich hätte starten können. Aber der Schleppflug kam hier nicht infrage, denn in dem sumpfigen Gelände der Tundra gab es keine Pisten, in denen die Räder nicht hoffnungslos stecken geblieben wären.

Abgesehen von der Startstrategie, die ich später in Angriff nehmen wollte, brauchte ich auf jeden Fall einen geeigneten Hängegleiter. Im Geiste des Projekts Metamorphosis wollte ich, dass seine aerodynamischen Merkmale denen der Flügel der Kraniche soweit wie möglich entsprachen. Anhand von Fotos und Videos studierte ich alle Einzelheiten. Aus der Bearbeitung dieser Merkmale am Computer ergab sich, dass die Flugleistungen der Kraniche denen des Modells Stratos sehr ähnlich waren. Sofort rief ich Gianni Hotz an, einen der Verantwortlichen der Herstellerfirma. Gianni lud mich in die Firma ein, wo wir zusammen an der Anpassung des Stratos-Modells zu arbeiten begannen, um es für meine Bedürfnisse auszurüsten.

In der Zwischenzeit hatte ich weiter darüber nachgedacht, wie ich starten könnte. Die Kraniche laufen flügelschlagend, bis sie Startgeschwindigkeit erreichen, und setzen ihre Flügelschläge bis in die Höhe fort, in der sie auf Auftriebe treffen. Um diese nutzen zu können, breiten sie ihre Flügel weit geöffnet in einer festen Segelposition aus, um so wenig Energie wie möglich zu verbrauchen. Die Frage war nun, wie diese Technik auf meinen festen Flügel zu übertragen war, den ich ja nicht bewegen konnte.

Ich beschloss, meinen Drachen mit einem Hilfsmotor auszustatten, den ich zum Start und zum Steigflug verwenden konnte, bis ich die für den Eintritt in die Aufwinde notwendige Höhe erreichte. Meine Wahl fiel auf das Modell „Mosquito". Leicht, klein und aerodynamisch, war es das perfekte Gerät, mit dem ich am Ufer des Ob ohne einzusinken anlaufen und dann mit einem momentanen Schub starten konnte, der mich von null auf rund 500 Meter bringen würde. Danach konnte ich ihn ausschalten und frei fliegen. Der Propeller klappte von allein zusammen und bot dann nur noch ganz geringen Luftwiderstand.

Ein weiteres Problem stellte die Frage des Stroms zum Wiederaufladen der Batterien dar, die der Hilfsmotor und die Navigationsinstrumente brauchten, denn in den unbewohnten Gegenden Sibiriens waren weder Batterien noch Stromanschlüsse zu finden. Donato Robortella empfahl mir einen Graviter, einen der besten Bordcomputer mit GPS, die auf dem Markt zu haben sind. Die Energieversorgung war umweltfreundlich, einfach und für mich perfekt: Solarkollektoren. Das Sonnenlicht war die Energiequelle, die mir in jenen Breitengraden sicher nicht fehlen würde.

Gegen Ende des Frühlings, als der technologische Teil abgeschlossen war, begann ich die technische Vorbereitung mit meiner neuen Ausrüstung. Ich nahm auch das körperliche und psychologische Training auf, um das Konzentrationsniveau zu erreichen, das man zum Meistern von Notfallsituationen braucht. Ich plante eine intensive Vorbereitungszeit ein mit meinem Arzt und Trainer, Professor Antonio Dal Monte, Direktor des Sportwissenschaftlichen Instituts des italienischen Olympischen Komitees und Mitglied der Ärztekommission des Internationalen Olympischen Komitees. Mein Körper musste darauf vorbereitet sein, für einen noch nicht genau definierten Zeitraum mit ständig ansteigenden Belastungen fertig zu werden.

Wie bei jeder Sportart braucht man auch beim Drachenfliegen ein gutes Ausdauertraining. Zur Verbesserung der Atmung und der Herzfrequenz begann ich, jeden Tag zwölf Kilometer am Ätna zu laufen, und zwar in unterschiedlichem Gelände mit Steigungen und Gefällen. Ich plante wie jeder Athlet meine Ernährung bis ins Detail und sah Tag für Tag die Fortschritte, die mich motivierten, weiter durchzuhalten.

Im Juni war es an der Zeit, nach Russland überzusiedeln. Professor Sorokin hatte mir bestätigt, dass alle Überfluggenehmigungen erteilt worden waren oder in Kürze erteilt werden würden. Abgesehen von den objektiven Schwierigkeiten durch die natürlichen Gegebenheiten in Sibirien, durch die dünne Besiedelung und das fast völlige Fehlen von Kommunikationsnetzen, machte ich mir über die nötigen Genehmigungen die meisten Gedanken. „Following the Hawks" hatte mich gelehrt, dass die Beziehungen zu den lokalen Behörden sehr wichtig sind und dass man unbedingt jemanden braucht, der genau weiß, an welcher Stelle welche Erlaubnis zu beantragen ist.

Für mich war es keineswegs selbstverständlich, dass wir alle notwendigen Genehmigungen erhielten. Auch wenn die Expedition offiziell unter der Schirmherrschaft der Universität von Moskau stattfand, verlief unsere Flugstrecke durch Länder, die nicht den geringsten Grund hatten, uns Genehmigungen zu erteilen, und wo noch das Gespenst der Spionage als Erblast der Sowjetunion umgeht.

Doch es war auf jeden Fall hilfreich, dass sowohl die russische als auch die iranische Regierung uns ihre Unterstützung zugesagt hatten. Im Hinblick auf die Auswilderung der Kraniche erst in Russland und dann im Iran hatten die jeweiligen Naturschutzbehörden darüber hinaus sogar Vogelschutzgebiete zu diesem Zweck ausgewiesen: im Süden Sibiriens das Naturschutzgebiet von Armyzon, im Iran das von Fereydoon Kenar – unsere Unternehmung fand in beiden Ländern Unterstützung an höchster Stelle.

Schließlich brach ich von Italien nach Osteuropa auf. Vor mir lagen 5000 Kilometer Asphalt: Italien, Österreich, die Tschechoslowakei, Polen, Weißrussland ... Die Welt hatte sich verändert, die Sowjetunion gab es nicht mehr, und der Kalte Krieg war nur noch eine Erinnerung, aber gewisse Grenzübergänge waren unverändert geblieben, und ich musste stundenlang Schlange stehen, um die nötigen Stempel zu bekommen.

Ein Vater für sechs kleine Kraniche

Die Aufzuchtstation für Kraniche liegt im Oka-Biosphärenreservat, einem Naturschutzgebiet 400 Kilometer südöstlich von Moskau, in der Nähe der historischen Festung Ryazan. Im Jeep war das eine Stunde von dem reizenden Dorf Brykin Bor aus, einer Siedlung im dichten Wald am Ufer des Flusses Oka. Danach empfingen uns Bäume, viele,

viele Bäume: Tannen, Eichen, Birken, eine intakte Natur, wild und großartig, keine menschliche Besiedlung, eine wunderbare Gegend.

Wir fuhren mit einem alten Lada mit Allradantrieb, der bei jedem Schlagloch Öl verlor, zu einer kleinen Hütte aus Birkenholz. Sie war, so sagte man mir, in den Sechzigerjahren errichtet worden, um den Astronauten in der Isolation Unterschlupf zu gewähren, bevor sie in den Weltraum geschickt wurden. Ich war angenehm überrascht zu erfahren, dass in dem Raum, der mir zugeteilt worden war, schon öfter Jurij Gagarin übernachtet hatte.

Dr. Yuri Markin, der Institutsleiter, stellte mich den Biologen vom ARRINP vor, die mir bei dem komplizierten Prägungsverfahren beistehen sollten, zu dem ich hierhergekommen war. Die Volieren boten den Vögeln sehr viel Platz, fast wie in einem Freiluftzoo. Von hier aus sollten Falken, Adler und andere Raubvögel wieder in Japan, Afrika oder Kalifornien ausgewildert werden. Die bereits befruchteten Eier waren den Eltern weggenommen und in Brutkästen gebracht worden.

Unverzüglich nahmen wir die Arbeit auf, denn bis zum Schlüpfen gab es noch viel zu tun. Das Schlüpfen selbst ist der Schlüsselmoment der Prägung. Es erfordert viel Einsatz, das Vertrauen und den Respekt der Küken zu gewinnen. Konrad Lorenz hat dafür einige grundlegende Regeln aufgestellt. Die Prägung ist nur in der kritischen Phase der ersten Entwicklung möglich, und dieser Lernprozess ist dann unumkehrbar. Insgesamt besagen diese Regeln, dass man die Verhaltensformen, die erlernt werden sollen und die nie wieder vergessen werden, extrem umsichtig bestimmen muss. Ist diese Phase erst einmal vorbei, ist es zu spät, um noch etwas hinzuzufügen oder zu korrigieren.

Während meiner Recherchen zum Thema Kraniche hatte ich mich in die Technik des „Beeping" vertieft. Ein Küken hat in der letzten Entwicklungsphase im Ei bereits ein vollständig entwickeltes Gehör. Und wie ein Kind im Mutterleib hört auch ein Küken die Geräusche von außen. Die häufigsten Töne kommen natürlich von den Stimmen der Eltern, die sich immer in seiner Nähe aufhalten, und diese Stimmen lernt das Küken zu erkennen, noch bevor es aus dem Ei schlüpft. Ich wollte sehen, ob das auch im Fall eines Ersatzvaters funktionierte, damit mich die Küken leichter als Vater anerkennen würden.

Eine halbe Stunde am Tag wurde den Küken im Brutkasten ein Band abgespielt, auf dem nur meine Stimme zu hören war, die sie als die ihres zukünftigen Vaters erkennen lernen sollten. Das war aber nur ein Teil unserer Vorbereitung.

Da die Kraniche dem Menschen ihre nahezu vollständige Ausrottung zu verdanken haben, musste man ihnen beibringen, ihm mit demselben Misstrauen wie in Freiheit aufgewachsene Tiere zu begegnen. Andererseits jedoch musste eine Beziehung zu uns, den Erziehern und Leitern des Experiments, hergestellt werden. Also trugen die Biologen und ich weiße Umhänge und eine Art Maske auf dem Kopf, die durch ein Netz die Sicht freigab, sodass die Küken in dem, der sie fütterte und umsorgte, den Menschen nicht erkennen konnten. Um sie zu füttern oder ihnen beizubringen, wie man trinkt und Insekten frisst, benutzten wir eine Handpuppe, die die Form des Kopfes eines ausgewachsenen Schneekranichs hatte. Wir nannten sie den „Schnabel".

Ich baute meinen Drachen neben dem Brutkasten auf, denn es war wichtig, dass die Küken ihn vom ersten Moment an zusammen mit ihrem Vater sehen konnten und sich unter seinen großen Flügeln beschützt fühlten; sie sollten ihm ja im Flug folgen. An den Enden der Tragfläche hatte ich zwei kleine Lautsprecher befestigt, aus denen der Lockruf kam. Sorokin hatte einige Lockrufe von Vogeleltern identifiziert und aufgezeichnet, die ich später im Flug in meiner Eigenschaft als Anführer des Schwarms von mir geben sollte. Unter dem Drachen hatten die Biologen ein Nest in Originalgröße naturgetreu nachgebaut.

Der wichtige Moment trat wenige Tage später ein, am 15. Juni. Ich lag lesend auf meinem Feldbett, als Sorokin eilig zu mir kam. „Es geht los, es geht los!", rief er mir außer Atem zu. „Die ersten Küken beginnen zu schlüpfen."

Ich stürzte hinüber zu den Brutkästen. Alle trugen wir unsere weißen Anzüge. Es war rührend zu sehen, wie die ersten kleinen Küken mit ihren braunen Flaumfedern das Köpfchen zwischen den Eierschalen herausstreckten. Einige der Biologen halfen den Küken, die es nicht allein schafften, aus dem Ei zu kommen – in der Natur ist es die Aufgabe der Eltern, die Eierschalen mit dem Schnabel oder den Füßen aufzubrechen. Sobald sie geschlüpft waren, versuchten die Kleinen mühsam, auf die Beine zu kommen. Mit ihren noch halb geschlossenen blauen Augen, die erst im Alter von sechs Monaten ihre gelbe Färbung annehmen, sahen sie als Erstes die Form meines Deltaseglers, der weiß war wie die Flügel ihrer natürlichen Eltern.

Sorokin und ich gingen ein paar Schritte zur Seite, um unsere Eindrücke auszutauschen. Eine Gruppe von Biologen beobachtete zwei weitere Eier. Die beiden Küken, die herauskamen, stellten sich auf ihre Beinchen und begannen, noch sehr schwankend zu laufen. Sie wurden aus dem Brutkasten genommen und auf den Boden in die Nähe des Nests gesetzt. Die beiden Küken wackelten unsicher, aber geradewegs auf mich zu. Sie hatten meine Stimme erkannt.

Aufgeregt sah ich Sorokin an. Eine Theorie zu erstellen ist eine Sache; wenn man dann aber sieht, dass sie funktioniert, gibt das dem, was man tut, einen Sinn. Um uns herum betrachteten alle begeistert die beiden fast nackten Vögelchen, die zu ihrem Vater liefen, um sich bei ihm zu verstecken.

Der erste Schritt war also ein Erfolg. Insgesamt waren fünfzehn Kraniche geschlüpft. Die Biologen hatten alle Hände voll zu tun mit diesem Kindergarten. Im Lauf der Woche traf ich dann persönlich eine Vorauswahl der robustesten Tiere, wie es auch in der Natur passiert. Ein Flug von 5000 Kilometern war für die Auserwählten extrem anstrengend, daher musste das Risiko, dass einer von ihnen auf der Wanderung Schaden nahm, so gering wie möglich bleiben. Sechs wählte ich aus, drei Männchen und drei Weibchen. Sie wurden in einen Käfig ganz in der Nähe von meiner Unterkunft gebracht. Der Flugdrachen war immer mit dabei. Die anderen Vögelchen blieben zur Reproduktion im Zentrum.

Die Küken fraßen ungeheuer viel. Um sechs Uhr morgens schon war das erste Füttern angesagt, das im Lauf des Tages um zehn, um zwölf, um drei und um sieben Uhr abends wiederholt wurde. Ich stand also morgens um halb sechs auf, zog meinen Anzug an und ging mit meinem „Schnabel" los. Frierend und noch ein bisschen verschlafen näherte ich mich der Voliere, ließ meine Küken hinaus, und alle zusammen zogen wir mit dem Hängegleiter zu einer Wiese, die am Rand eines Sumpfgebiets in der Nähe lag. Sie folgten mir vergnügt, wenngleich der Spaziergang sehr langsam voranging, denn ständig blieb eines zurück, um im Gras nach Insekten zu picken oder mit ihnen zu spielen. Nach zwanzig Metern hielt ich an, um ihnen mit der Handpuppe Fisch zu fressen zu geben, den das Team am Vortag geangelt und sorgfältig in kleine Stücke geschnitten hatte.

Alle Küken hatten wir nach sibirischen Flüssen benannt: außer Don gab es noch Onega, Jenissej, Pronya, Bitug und Dnjepr. Bald lernte ich, sie zu unterscheiden. Wenn ich schneller ging, bemerkte ich stolz, dass sie mir nachliefen und noch etwas ungeschickt, aber deutlich erkennbar das typische „V" bildeten, also in Flugformation gingen, ohne mich einen Moment aus den Augen zu lassen. Innerhalb der Gruppe hatte sich schon eine hierarchische Ordnung herausgebildet, an deren Spitze ganz klar Don stand, der auch beim Fliegen immer als Erster startete.

Dann lief ich mit dem Drachen auf den Schultern noch ein Stückchen weiter und machte weitere Futterpausen, ungefähr eine Stunde lang. Ein Drachen wiegt gute dreißig Kilogramm, und mit diesem Gewicht auf den Schultern jeden Tag vier- bis sechsmal je eine Stunde spazieren zu gehen war nicht ohne. Glücklicherweise waren meine Assistenten und Biologen sportlich genug, um sich mit mir abwechseln zu können. Es war eine sehr anstrengende Zeit, die knapp zwei Monate dauerte, aber Kranicheltern brauchen schließlich auch drei Monate, um den Küken beizubringen, wie sie sich das Futter besorgen und fliegen können.

Ich verbrachte die Freizeit in meinem Luxusappartement. Ein Doppelfenster nach Süden schützte mich gegen die Kälte und ließ ab und zu ein paar Sonnenstrahlen herein. Der einzige Wandschmuck war meine Ausrüstung; die Freizeit verbrachte ich damit, die verschiedenen Phasen des Experiments in meinem Bordbuch zu verzeichnen. Ein Moment, auf den ich immer mit großer Vorfreude wartete, war der Anruf daheim über eine Satellitenverbindung. Ich dachte oft an Laura und die Kinder und hätte sie gern bei mir gehabt. Am Telefon erzählten wir uns die jeweiligen Neuigkeiten und verabschiedeten uns zum Schluss ziemlich sehnsüchtig voneinander.

Als die Küken größer wurden und ihnen langsam richtige Federn wuchsen, begannen wir, sie zu Flugversuchen anzuregen. Wie auch bei Nike mussten wir ihnen helfen, ihre Muskeln zu entwickeln und ihre Gelenke zu trainieren, um dann den Fluginstinkt zu stimulieren. Meine Aufgabe bestand darin, zu starten, in kleinen Kreisen bis in eine Höhe von rund zehn Metern zu fliegen und dann wieder zu landen. So machen es die Kranicheltern. Kurze, niedrige Kreisflüge sind ein echtes Krafttraining, um Muskeln zu entwickeln, die Flügel und das Steuer – den Schwanz – zu benutzen. Die Küken konnten im Lauf natürlich nicht folgen, aber sie rannten, schlugen mit den Flügeln und machten auch ein paar Hopser, aber dann blieben sie doch zurück. Besorgt folgten sie mir mit ihren Blicken. Sobald ich wieder einen Fuß auf die Erde setzte, stürzten und stolperten sie mir entgegen und bekamen als Belohnung ihr Futter von dem, den sie für ihren Vater hielten.

Ich vergrößerte den Abstand, bis ich 500 Meter weiter weg landete, und schrittweise gelang es ihnen, sich vom Boden zu erheben und fünfzehn oder zwanzig Meter zurückzulegen – nicht mehr, weil sie noch kein volles Gefieder hatten und ihnen zum richtigen Fliegen die Kraft fehlte. Einen Hopser nach dem anderen, erreichten sie mich am Ende mit zerzausten Federn und außer Atem, aber sie holten mich ein. Mein

Training funktionierte. Aber wie viel Geduld man brauchte! Auf diesem Gebiet war alles Neuland. Ich musste das Verhalten meiner Kleinen verstehen lernen, wie es nun einmal die Aufgabe von Eltern ist.

Alle Anstrengungen wurden reich belohnt, als am 20. Juli Don sofort nach mir startete und wenige Meter hinter mir fast einen halben Kilometer flog, ohne anzuhalten, und sogar ein paar Kurven machte. Wir landeten zusammen. Das war ein großer Augenblick für mich, für Sorokin und für die gesamte Biologengruppe des Zentrums, denn offensichtlich hatte unsere Methode Erfolg.

Den Küken beizubringen, sich Futter zu suchen, war lustig, aber nicht ganz einfach. Es war an der Zeit, dass sie auf den Service mit meinem „Schnabel" verzichteten und lernten, selbstständig zu werden. Also gingen wir an den Rand des Sumpfes, um im Wasser nach Fröschen, Würmern, Wasserinsekten, Weichtieren und anderen Leckerbissen zu suchen. Ich hatte natürlich meinen weißen Kranichanzug an. Auf dem Boden kniend, suchte ich nun mit meiner Handpuppe nach essbaren Tieren. Die Küken beobachteten mich aufmerksam und machten es mir dann nach: alle fuhren begeistert mit dem Schnabel in den Matsch.

Auch das Trinken, das gar nicht so instinktiv ist, wie man annehmen sollte, musste ich ihnen beibringen. Ich fasste Wasser mit meiner Handpuppe, die ich wie einen Löffel hielt, und hob sie dann zum Himmel hoch, damit das Wasser in die Kehle laufen konnte. Als die Küken es mir nachzumachen versuchten, war es genau wie bei Kindern, die das Verhalten der Erwachsenen zu imitieren versuchen, ein einziges Missgeschick. Sie stolperten, fielen ins Wasser und kamen vollständig mit Schlamm beschmiert wieder heraus. Ein komisches und anrührendes Spektakel. Aber die Ausdauer, mit der sie weiterübten, bestätigte mir die Richtigkeit der Methode. Immerhin kann man bei Vögeln die Fortschritte sehr schnell erkennen; was man bei einem Kind nach drei Jahren sieht, lernen sie in zwei Wochen.

Auch dem Konsolidieren ihres Misstrauens dem Menschen gegenüber widmete ich sehr viel Zeit. Sie sollten einen ihrer größten Feinde wirklich fürchten lernen. Dazu hatte ich einen Biologen als Mitarbeiter. Während wir uns mitten auf der Wiese tummelten, ich mit meinem Drachen auf dem Rücken und die Küken um mich herum, tauchte der Biologe plötzlich – und normal angezogen – auf. Er rannte schreiend auf uns zu und erschreckte uns. Sobald ich ihn sah, rannte ich in die entgegengesetzte Richtung und hob ab. Die Jungvögel folgten mir. In der sicheren Entfernung von rund zweihundert Metern ließen wir uns wieder nieder.

Ihre Fortschritte überraschten uns immer wieder. Als die Kraniche zum Schluss die Geheimnisse des Segelflugs erkannt hatten und Aufwinde nutzen konnten, um Energie zu sparen, als sie in der Lage waren, sich ihre Nahrung zu suchen und vor dem Menschen die Flucht zu ergreifen, waren Sorokin und ich uns einig, dass die erste Phase der Prägung abgeschlossen war. Es war Zeit, in Richtung Norden aufzubrechen, um die ursprüngliche Heimat der Kraniche zurückzuerobern.

Sibirien

Der starke Motor dröhnte bis in die Kabine des Transportflugzeugs. Von meinem Fensterplatz aus blickte ich abwesend auf die Ebenen unter uns. Flüsse, Seen, Wälder, Sümpfe – Tundra, so weit das Auge reichte, von einem Horizont zum anderen. Keine Straße, kein Haus, kein menschliches Bauwerk, das die Schönheit der unberührten Landschaft unterbrochen hätte.

Alles da unten war riesig. Der Sumpf war nicht einfach eine feuchte Ebene, sondern eine ganze Region, jeder Wald eine Metropole aus Bäumen. Während wir mit dem schweren Transportflugzeug über diesen fremden Planeten flogen, empfand ich mich als ein winzig kleines Teilchen Materie, als ein Sandkorn über dem Nichts. Ich ging einer anderen Art von Wüste entgegen, das wurde mir jetzt erst richtig klar, als ich mit den anderen Expeditionsmitgliedern unterwegs war zum Polarkreis. Kein Text und keine Landkarte hatte mich auf diesen Eindruck von bedrohlicher Großartigkeit vorbereitet, den ich bei diesem Anblick hatte. Ich war tief beeindruckt. Diese Wüste sollte ich in umgekehrter Richtung überfliegen, aber nicht so wie jetzt im Flugzeug!

Sorokin und die anderen waren diese Strecke schon oft geflogen. Die Expedition setzte sich aus zwei Teams zusammen: auf der einen Seite diejenigen, die für die ganze Technik verantwortlich waren und den Dokumentarfilm drehten, auf der anderen Seite die Equipe der Biologen, die die wissenschaftlichen Ziele des Projekts verfolgten. Rund fünfzehn Personen, alles kluge Leute, alles Russen. Wir verstanden uns ausgezeichnet; es vereinte uns die Freude, ein Experiment von großer wissenschaftlicher Tragweite durchzuführen.

Wir landeten in Salehard, der Hauptstadt der Halbinsel Jamal und einzigen Stadt der Welt, durch die der Polarkreis geht. Wir luden das logistische Material in einen Militärhubschrauber um und achteten darauf, dass unsere Kraniche in ihren Reisekisten mit größter Vorsicht transportiert wurden. Nach mehreren Flügen erreichten wir schließlich in der Nacht des 14. August mit unserem gesamten Gepäck unser Ziel, wo wir unser Basislager aufschlugen.

Das Kunovat-Naturreservat ist ein Naturschutzgebiet an der Mündung des Flusses Ob. Man geht davon aus, dass die sibirischen Kraniche ursprünglich einmal hier nisteten. Mir kam es vor, als wäre hier die Zeit stehen geblieben, so wild und ursprünglich war die Landschaft. Die Menschen leben in kleinen Dorfgemeinschaften, in Häusergruppen, die Hunderte von Kilometern voneinander entfernt liegen. Während des arktischen Sommers ziehen sie mit ihren Karibuherden in einfache Lager in die Tundra. Zwischen den verschiedenen Gemeinden bestehen fast keine Kontakte, denn die Bootsreise auf dem Fluss ist lang. Kunovat ist sozusagen der Hauptort, mit den für kalte Länder üblichen kleinen, niedrigen Holzhäuschen, die gut zu beheizen sind. Manche der Häuser stehen auf Pfählen, damit das Wasser nicht eindringen und der Wind sie trocknen kann und sie die Kälte des Bodens nicht aufnehmen. In der Jamal-Sprache, die hier gesprochen wird, heißt Kunovat „Berg". In der Tat liegt der Ort auf einem Hügel, der sich aber nicht höher als fünfzig Meter über den Fluss Ob erhebt. In dieser Jahreszeit war er das einzige über dem Wasserspiegel Sichtbare. Die ungewöhnlich hohen Temperaturen des Sommers hatten mehr Eis als üblich zum Schmelzen gebracht, sodass der Fluss über die Ufer getreten war und große Teile des Landes überschwemmt hatte.

Unsere Unterkunft war eine alte Hütte am Ostufer, wenige Hundert Meter vom Dorf entfernt. Das Gelände, auf dem wir uns befanden, war zu Stalins Zeiten ein Gulag gewesen. Wir bewohnten alle zusammen einen einzigen Raum, der in der Vergangenheit sicher großes Leid gesehen hatte; jeder in seinem Schlafsack, alle mit einem gemeinsamen Ziel.

In den ersten Tagen war die Wetterlage instabil. Ein vom Nordpol kommender Sturmwind hielt uns am Boden fest und verzögerte so nicht nur unseren Aufbruch, sondern hinderte mich auch daran, kleine Flüge in der Umgebung mit den Kranichen zu unternehmen, um ihre Prägung zu vervollständigen.

In Kunovat leben die Leute trotz ihrer extremen Armut in großer Würde. Zum ersten Mal lernte ich hier das Volk der Nenzen kennen, die den großen Norden bewohnen. Es faszinierte mich zu sehen, wie stark sie den Indianern Amerikas, den Inuit und anderen Völkern entlang des Polarkreises ähneln mit ihren fast mongolischen Gesichtszügen. Sie sind klein von Statur und haben flache Gesichter mit hervorstehenden Wangenknochen, mandelförmige Augen und schwarze glatte Haare. Gegen die Kälte schützen sie sich mit Tierfellen, im Sommer ohne Pelz und im Winter mit Husky- oder Karibufellen oder gar Bärenpelzen. Auch ihre Gebräuche sind denen des ganzen Breitengrades ähnlich, vom Tipi-Zelt bis zum Schamanentum.

Während ich zwischen den Häusern von Kunovat umherstrolchte, konnte ich nicht behaupten, dass ich besonders freundlich aufgenommen wurde. Oft las ich in den Blicken der Leute eine gewisse Feindseligkeit. Anfangs dachte ich, dass in einem so kleinen und so sehr von der Außenwelt abgeschnittenen Ort eine Invasion von fünfzehn Wissenschaftlern natürlich mit Misstrauen betrachtet wurde.

Aber die Gründe waren ganz andere. In der Kultur der Nenzen gelten die Kraniche als „Paradiesvögel", sie sind das Verbindungsglied zwischen den Menschen und dem Himmel. Ihnen wird die Aufgabe zugeschrieben, die Seelen der Verstorbenen ins Paradies zu führen. Das Aussterben der Kraniche hatte eine schmerzliche Leere im mythologi-

Zu den schönsten Erinnerungen an Sibirien
gehören meine Begegnungen mit dem Volk der Nenzen.

schen und religiösen System dieses Volkes verursacht. Sorokin hatte mir erzählt, wie bereitwillig und großzügig die Bewohner sein Projekt in der Vergangenheit unterstützt hatten und wie gern sie etwas zur Wiederkehr der Kraniche beitragen wollten. Diesmal waren sie zurückhaltender, weil sie unserer Methode mehr als skeptisch gegenüberstanden.

Während der wetterbedingten Wartezeit von sechs, sieben Tagen hatten wir gemeinsam den Startplatz fertiggestellt. Ich hatte eine Lichtung ausgewählt, die leicht zum Ob abfiel. Mit Hacken und Rechen hatten wir das Gelände geglättet und für die Manöver vorbereitet. Dann wurde das Boot ausgestattet, in dem die anderen die Wanderung auf dem Wasserweg begleiten sollten. Ich befasste mich mit der Wartung meines Drachens, aber leicht war es nicht, die Zeit herumzubringen.

Die Ernährung war nicht sehr abwechslungsreich. Es gab hauptsächlich Kartoffeln, und von denen auch nicht gerade viele. Das Land ist schwierig zu bewirtschaften, und die Erträge sind gering. Was man auch anpflanzen will, tiefer als fünfzig Zentimeter kommt man nicht, denn da ist der Boden steinhart gefroren, da ist das ewige Eis. Ein weiteres, schmackhafteres Nahrungsmittel war der Fisch aus dem Fluss. Fische gibt es viele, und sie werden auf jede nur erdenkliche Art zubereitet. Ein Teil wird für den Winter getrocknet, gesalzen oder geräuchert, der Rest wird frisch verzehrt.

Auch die Auswahl an Getränken war beschränkt: Flusswasser oder Wodka. Die Menge an Wodka, die ich die Leute dort trinken sah, war erschreckend. Auch in unserem Lager war der Wodka ein wichtiger Bestandteil des Lebens. Mehrere Kisten mit dem Nationalgetränk waren mit in den hohen Norden gereist, und während des Abendessens floss der Wodka in Strömen. Ob nun ein Gast anwesend war oder nicht, auf alles wurde getrunken. Für mich, der ich nicht trinke, war das etwas schwierig, denn ich wollte niemanden brüskieren. Zu meinem Glück hat der Wodka die Farbe von Wasser, und so stand in der langen Reihe der randvollen Gläser auch meines, im dem statt Wodka klares Flusswasser war. Jeden Abend gingen meine Leute sturzbetrunken ins Bett, und ich konnte nur staunen darüber, dass sie nach Saufgelagen, die Menschen wie mich vernichtet hätten, am nächsten Morgen klar und topfit waren.

An einem dieser Tage geschah etwas Merkwürdiges. Es regnete zwar nicht, aber trotzdem wehte ein starker Wind. Ich befand mich auf dem Startplatz, wo ich mir wie immer besseres Wetter wünschte, und wollte gerade die täglichen Wartungsarbeiten an meinem Hängegleiter vornehmen, als einer der Biologen zu mir trat. In seinem gebrochenen Englisch vermittelte er mir, dass er von den Leuten erfahren habe, dass ich von einer wichtigen Persönlichkeit beobachtet und jede meiner Bewegungen studiert und interpretiert würde. Mehr sagte er nicht, drehte sich um und ging wieder.

Ich war verunsichert und wusste nicht recht, wie ich auf diese Mitteilung reagieren sollte. Ich linste in das dichte Untergehölz am Rand der Lichtung hinter mir, um vielleicht meinen geheimnisvollen Beobachter zu sehen. Als ich niemanden entdecken konnte, nahm ich meine Arbeit wieder auf.

Der Talisman

Endlich, nach Tagen, schien sich die ersehnte Verbesserung abzuzeichnen. An einem Abend, an dem sich der Himmel merklich aufgeklart hatte, hielt ich mich am Startplatz auf, um den Flugplan für den folgenden Tag zu studieren.

Zufällig schaute ich in Richtung Steppe und bemerkte dort eine Bewegung zwischen den Büschen. Ich erkannte einen Mann, der sich vorlehnte, um mich zu beobachten. Ich machte ein Zeichen des Grußes in seine Richtung, aber er verschwand. Ich rief einen der vielen Neugierigen, die um den Startplatz herumstrichen, und mithilfe eines der Biologen, der in der Zwischenzeit dazugekommen war, fragte ich, wer das wohl gewesen sein mochte. Es wurde mir gesagt, dass es sich um den Schamanen dieser Gegend handelte, der sehr große Zweifel an unserem Kranichprojekt hatte. Ich war nicht besonders erfreut darüber, dass ich sogar den Schamanen gegen mich hatte. Es fehlte mir gerade noch, dass er mich mit irgendeinem Fluch belegte.

Am nächsten Morgen stand ich sehr früh auf, und ein wolkenloser Himmel erwartete mich. Zum ersten Mal konnte ich fliegen! Sofort begab ich mich zur Lichtung, baute den Drachen auf und startete allein, ohne die Kraniche, um die Gegend zu erkunden und die Luftverhältnisse zu testen. Ich fühlte mich wieder bei mir und war glücklich.

Als ich zurückkam, stand die gesamte Mannschaft Spalier an der kleinen Landepiste, die wir am 66. Breitengrad aus dem Nichts errichtet hatten. Aus dem Dorf kamen Leute angerannt, die gesehen hatten, wie ich flog.

Ich wiederholte die Übung am Nachmittag, diesmal mit meinem Vogelschwarm. Während ich mich auf den Start vorbereitete, wurden die

Kraniche von den Biologen aus dem Käfig gelassen. Sofort kamen sie mit geöffneten Flügeln zu mir an das andere Ende des Flugfelds. Glücklich, nun wieder fliegen zu können, legten sie die fünfzig Meter in zum Teil meterlangen Sprüngen zurück.

Wir starteten mit einem einzigen Manöver. Der Wind war perfekt, er kam von vorn und stieg den Hang hinauf, der meine Piste war. Die Wolken bildeten kleine Wattebällchen und wurden von den niedrigen Sonnenstrahlen beleuchtet. Die Wetterbedingungen in Nordsibirien sind etwas Besonderes. Häufig findet man in der Höhe einen starken Nordwind, während die Luft darunter ziemlich ruhig bleibt. Im Sommer steigt die Sonne, auch wenn sie nie vollständig hinter dem Horizont verschwindet, doch nie höher als 45 Grad. Sie bleibt lange sichtbar, wärmt aber wenig. Die Thermiken sind sanft und zahlreich, das Kondenswasser der Wolken ist gering. Daher konnte ich am Polarkreis nie höher als 1500 Meter steigen.

Wir flogen eine knappe halbe Stunde. Als wir in ungefähr 200 Meter Höhe über die Häuser flogen, sah ich unten eine kleine Volksversammlung. Grüßend flogen wir über sie hinweg und setzten zur Landung an. Unsere Leute versuchten, die Neugierigen vom Landeplatz zu treiben, damit die Kraniche sie nicht zu sehen bekamen. Ich drehte also Runden über der Piste, bis ich von Sorokin, mit dem ich in Funkverbindung stand, das Okay bekam. Nach einigen Minuten landete ich zusammen mit den Kranichen, die einen müden, aber zufriedenen Eindruck machten. Als wir sie in die Voliere gebracht hatten, entfernten wir uns in angemessenem Schweigen.

Erst jetzt, dafür aber umso heftiger, brach der Jubel aus. In ihrem ganzen Leben hatten die Nenzen am Himmel nur Flugzeuge oder Militärhubschrauber gesehen. Ich wurde von rund dreißig Personen umarmt, drückte unzählige Hände. Alle hatten gesehen, dass der Fremde mit seinem seltsamen Flügel ihnen tatsächlich den verloren geglaubten Mythos zurückbringen könnte.

Es gelang mir nicht, die geplante Besprechung mit Sorokin und den Biologen abzuhalten, um die Flugleistungen der Kraniche zu analysieren. Die Leute hatten mich buchstäblich entführt. Sie führten mich von einem Haus ins andere, um mich allen zu zeigen, und boten mir alles Mögliche an. Es war ein großartiger Moment für mich und die gesamte Expeditionsmannschaft.

In den darauffolgenden Tagen flog ich viel mit den Kranichen, um endlich die zweite Prägungsphase abzuschließen, in der sie sich die Orte einprägen sollten, an denen sie bei ihrer Rückkehr von der Wanderung leben sollten. Der Wasserstand des Ob war so hoch, dass es nicht leicht war, eventuelle Notlandestellen auszumachen. Ich musste auf engstem Raum entlang dem Flussufer landen, und häufig handelte es sich dabei um halbe Wasserlandungen im wenige Zentimeter tiefen Wasser.

Auch die Technik der Nahrungssuche musste der neuen Umgebung angepasst werden. Ich machte in den nächsten zwei Wochen immer weitere Ausflüge mit meinen Gefährten, und jede Landung schloss mit der Nahrungssuche am Flussufer ab. Während sich meine Kraniche auf der Wanderung den Bauch mit Fröschen, Insekten und Würmern vollschlugen, lernte ich, im Fluss zu fischen und essbare Zwiebeln und Früchte von Pflanzen zu erkennen. Am Flussufer hatte ich Süßwassermuscheln entdeckt. Sie sahen etwas anders aus als Miesmuscheln, schmeckten aber sehr ähnlich. Eines Nachmittags sammelte ich ein paar Kilogramm davon ein und bereitete für alle Spaghetti mit Muscheln nach einem original italienischen Rezept zu. Ich habe nie herausgefunden, ob es meinen Kollegen geschmeckt hat, aber keiner von ihnen hat mich darum gebeten, es noch einmal zu kochen …

Eines Morgens war ich wie immer um halb sechs auf den Beinen und ging nach draußen, um den Himmel zu betrachten. Er lag in leichtem Halbschatten, denn der Sommer ging langsam zu Ende. Ich war allein, und aus unserer Unterkunft drang kein Laut. Ich rieb mir vor Kälte die Hände und zog die Jacke enger um mich. Da sah ich, dass sich auf dem Fluss ein Ruderboot näherte, in dem ein Mann saß. Ich erkannte den Mann, der mich in den vergangenen Tagen aus den Büschen beobachtet hatte, den Schamanen.

Behände sprang der Mann aus seinem Boot, band es am Ufer fest und kam auf mich zu. Er war nicht größer als 1,50 Meter, und sein Gesicht war so faltig, dass ich sein Alter nicht einschätzen konnte. Schweigend näherte er sich und grüßte mich durch eine Kopfbewegung. Dann nahm er meine Hand und zog mich mit sich. Ich deutete das als Aufforderung, mit ihm zu kommen, und da ich wusste, wer er war, und keinerlei Feindseligkeit in seinem Verhalten bemerkt hatte, ging ich mit.

Er ging mit mir in die Tundra, durch das niedrige Gehölz, aus dem heraus er mich in den vergangenen Tagen beobachtet hatte. Wir beschritten einen schmalen Weg, den er sich mit einem Stock öffnete, bis wir auf eine Lichtung gelangten, wo ein Tipi stand. Wir traten ein. Im Dunkel leuchtete eine Flamme in einem kleinen Herdfeuer, so, als sei hier bis vor Kurzem jemand gewesen. Mit einer Geste forderte mich der

Schamane auf, mich auf einen Baumstamm zu setzen, der mit einem Karibufell bedeckt war. Er warf eine Handvoll Pulver ins Feuer, und sofort verbreitete sich der Geruch von Weihrauch. Dann suchte er etwas in einer kleinen Schachtel.

Er drehte sich um und hielt einen kleinen Gegenstand in der Hand, eine Art Knöchelchen, das an einer Schnur hing. Als er es mir umhängen wollte, zögerte ich, aber er lächelte und tat, als wollte er es sich selbst anlegen. Da lächelte auch ich und neigte den Kopf. Er hängte mir die Kette um, und mit leiser Stimme und sehr feierlich begann er, in seiner Sprache zu sprechen. Vielleicht war es ein Gebet oder ein Segensspruch. Schließlich drückte er mich sehr fest an seine Brust und verließ vor mir das Zelt. Die Zeremonie war beendet, und ich hatte den Mund nicht aufgemacht. Schweigend kehrten wir zum Lager zurück. Ich betastete den Gegenstand, den ich am Hals hängen hatte. Es war ein Zahn, ein Tierzahn.

Beim Lager verabschiedeten wir uns mit einer letzten Umarmung. Er stieg in sein Boot und verschwand. Als ich wenig später Sorokin davon erzählte, erfuhr ich, dass ich einen sibirischen Bärenzahn zum Geschenk erhalten hatte. In der Kultur der Nenzen ist das der Talisman, der am meisten Glück bringt. Zweifellos hatte der Schamane, nachdem er mich mit den Kranichen hatte fliegen sehen, seine Meinung über mich geändert und wollte mir seinen Segen mit auf den Weg geben. Ich freute mich sehr darüber.

Mit den Paradiesvögeln fliegen

Endlich im Flug. Das Abenteuer hatte begonnen. In der absoluten Stille führte ich meinen Kranichschwarm in Formation bei der Suche nach Aufwinden. Von der Tragfläche aus erklang aus den Lautsprechern ab und zu mein Lockruf, der mich als Vater der Vögel auswies. Wir traten in eine Thermik ein und stiegen in Spiralen hoch über das Flussufer. Oben gingen wir einer nach dem anderen in einen sanften Gleitflug über. Unter uns hatte der Ob weite Gebiete überschwemmt. Ich war gezwungen, ständig die Flugbahnen zu korrigieren, um mögliche Landestellen ausmachen zu können.

Unter uns glitt langsam das Boot auf dem kalten Wasser dahin. Sorokin und seine Leute hatten das gesamte Material geladen, das wir für unser Wanderlager brauchten, aber auch die Geräte, die der Überwachung unserer Flugbewegungen dienten. Aus Sicherheitsgründen trugen sowohl ich als auch die Kraniche, falls sich einer verirren sollte, ein Mini-GPS am Körper, das zwischen uns und dem Empfänger eine Verbindung über Satellit herstellte.

Wir waren unterwegs in Richtung Süden. Am Anfang hatten die Kraniche, die nicht an echte Streckenflüge gewöhnt waren, Schwierigkeiten gehabt, mir zu folgen und zusammenzubleiben. Ab und zu verließ einer die Gruppe und flog seiner Wege, oder ein anderer verlor wegen Erschöpfung an Höhe. Es wurde mir deshalb am ersten Tag schnell klar, dass es ratsam war, zügig zu landen. Die erste Etappe unserer Wanderung dauerte gerade mal einhalb Stunden; wir hatten dreißig Kilometer zurückgelegt.

Am nächsten Tag lief es dann schon besser. Die Kraniche schienen verstanden zu haben, dass es besser war, sich nicht zu zerstreuen. Sehr viel disziplinierter hielten sie sich geordnet in meinem Windschatten und flogen so mit mir von einer Thermik zur anderen. Wir folgten dem Flusslauf des Ob. Als ich seine Wasseroberfläche und deren Verzweigungen betrachtete, wurde mir klar, wie sinnvoll die Entscheidung gewesen war, ein Boot als Begleitfahrzeug zu haben. Wohin auch das Auge blickte, das Gelände war undurchdringlich und der Fluss in der Tat der einzige Verkehrsweg. Im Winter, wenn die Wasserwege vollständig zugefroren sind, ist es sogar noch einfacher voranzukommen. Bei einem Meter Dicke ist die Eisfläche fest wie eine Asphaltstraße. Dann haben die Autofahrer und insbesondere die Lastwagenfahrer ein Autobahnnetz zur Verfügung, das die entferntesten Dörfer miteinander verbindet.

Als ich Kilometer um Kilometer über dieses wilde, ungastliche Land dahinflog, wurde mir die Wichtigkeit meiner Mission erst richtig klar. Nach Jahren der Rekorde und Wettkämpfe fand ich nun im Element der Luft eine Innerlichkeit, indem ich den alten Traum der Menschheit realisierte, mit den Zugvögeln zu reisen: vier Stangen, ein Segel und die Metamorphose des Denkens, die sich bei jedem Flug vertieft.

Wie ein Zugvogel wollte ich die Luft instinktiv verstehen, Aufwinde nutzen und mir am Abend in der Dämmerung einen Platz suchen, wo ich die Nacht verbringen konnte. Ich wünschte mir, wie die Zugvögel dem Wetter ausgesetzt zu sein und den grenzenlosen Raum zu genießen. Wie sie wollte ich gezwungen sein, zu landen, wenn das Wetter nicht mehr günstig war, und den Flug fortzusetzen, wenn ein neuer Tag es zuließ: der Flug nicht als Anstrengung, sondern als Leben, als Realisierung der eigenen Existenz. Dafür sind Vögel gemacht. Je weiter sich mein Gefühl für die Luft in diese Richtung entwickelte, desto mehr war ich davon überzeugt, dass die Opfer, die ich brachte, die Entfernung von meinen Lieben, einen Sinn hatte. Also weiter, vorwärts – ich war ein winziges nützliches Rädchen im Getriebe der Natur, zu dessen Funktionieren ich beitrug.

Nach unserem Plan war vorgesehen, dass wir alle drei bis vier Tage mit dem Team zusammentreffen sollten, sodass ich mich wieder mit Lebensmitteln eindecken konnte und unter ständiger Kontrolle stand. Die Biologen konnten bei dieser Gelegenheit den körperlichen Zustand der Kraniche überprüfen.

Am Anfang trafen wir uns noch jeden Abend, aber es kam der Tag, an dem ich abends mit meinen jungen Kranichen auf die Geselligkeit des Lagers verzichten und die Nacht allein verbringen musste, weil es dem Team nicht rechtzeitig gelungen war, unsere Position auszumachen. Wie immer baute ich eine Voliere aus vier Stangen und einem Netz in der Nähe meines Zeltes auf. Bei Sonnenuntergang fütterte ich die Kraniche und sorgte dann mit etwas Tütensuppe für mich selbst. Auf meinen Drachen konnte ich ein paar Kilo Gewicht laden, genug, um mich ein paar Tage zu ernähren. Mein gesamtes Gepäck wog nicht mehr als zehn Kilo, fünf Liter Kraftstoff inbegriffen. Außer einem kleinen Zelt und einem Schlafsack hatte ich ein Erste-Hilfe-Set und eine Stirnlampe dabei. An Geräten führte ich einen Kompass, einen VHF-Sender, einen Höhenmesser und ein Satellitentelefon mit. Das alles wurde über Sonnenkollektoren betrieben.

Während ich mich an dem kleinen Lagerfeuer, das ich entzündet hatte, wärmte, wurde ich von den Mücken geplagt, die in den Tausenden von Pfützen ringsum prächtig gediehen, und wartete auf den Einbruch der Nacht. Es war der 4. September, das wusste ich dank meiner Uhr, aber den Wochentag hätte ich nicht nennen können. Der helle Tag und die nächtliche Dämmerung waren meine einzigen Bezugspunkte für Schlafen und Wachsein. Den Blick im Feuer verloren, versuchte ich, nicht an zu Hause zu denken. Ich war erschöpft, mein körperlicher Zustand hätte besser sein können, trotzdem war ich noch immer guten Mutes.

Da es langsam kalt wurde und ich fast meine letzte Ration aufgegessen hatte, kroch ich ins Zelt und rollte mich in meinen Schlafsack. Als auch die Flammen zu knistern aufgehört hatten, sank eine geradezu unmenschliche Ruhe herab. Der Stille, der echten Stille zuzuhören, ist immer wieder beeindruckend. Laut wiederhole ich meine Ziele für den nächsten Tag und versuchte nicht allzu sehr darüber nachzudenken, wie klein und unbedeutend ich in der unermesslichen Weite der Tundra war. Glücklicherweise brauchte ich nicht sehr lange, um einzuschlafen.

Um fünf Uhr morgens verließ ich mein Zelt. Der sibirische Himmel stand klar in seiner ganzen blauen Weite über mir. Sobald die Sonnenwärme die ersten Thermiken erzeugte, konnten wir weiterfliegen. Ich zog meinen Papa-Kranich-Anzug an und ging nachsehen, wie meine Kleinen die Nacht überstanden hatten. Sie waren quietschvergnügt.

Am späten Vormittag teilte ich dem Team mit, dass wir uns wieder startklar machten. Ich baute den Drachen zusammen, verstaute mein Gepäck im Gurtzeug, ging unter die Tragfläche und ließ den Mosquito an. Die Kraniche wussten sofort, dass dieses Knattern das Zeichen zum Aufbruch war. Kurz danach befanden wir uns schon im Flug. Als ich eine ausreichende Höhe erreicht hatte, schaltete ich den Motor aus, und der Propeller klappte zusammen. Weiter zum ersten Aufwind. Nach Süden!

Die Etappe eines Tages konnte je nach Wetterlage dreißig Minuten oder sechs Stunden dauern. Wenn ich beschloss, dass wir genug geflogen waren, hielt ich Ausschau nach einem angemessenen Landeplatz. Der Wasserstand war in der Tat ein großes Problem, und zwar nicht so sehr wegen der ganz unter Wasser stehenden Flächen, sondern wegen der Stellen, die zwar an der Oberfläche trocken waren, dann aber doch einen schlammigen Untergrund hatten. Dann gab es weite Gebiete, die dicht mit Bäumen bestanden waren und wo es nur wenige Lichtungen gab.

Einmal waren wir schon glücklich gelandet, als ich Funkkontakt zum Team aufnahm, um die Position des Bootes zu erfahren, damit es uns erreichen könne. Voliere und Zelt hatte ich bereits aufgebaut. Nach einer Weile teilte mir die Bootsbesatzung mit, dass sie uns nicht finden könne. Doch ich hatte überhaupt keine Lust, allein zu bleiben, vor allem weil ich bei meiner letzten Lebensmittelration und meinem letzten Liter Benzin angelangt war. Kurz entschlossen teilte ich dem Team mit, dass ich es suchen und von oben leiten würde.

Den Hängegleiter hatte ich noch nicht für die Nacht verstaut. Ich zog mir also das Gurtzeug wieder an und startete, die Kraniche ließ ich in ihrem Käfig zurück. Es war Nachmittag, und ich konnte gerade noch die letzten Thermiken des Tages erreichen. So stieg ich bis auf tausend Meter, um einen ausreichenden Überblick zu bekommen, und konnte ziemlich schnell das Boot in einem Seitenarm des Ob ausmachen. Und dann führte ich zur Abwechslung einmal nicht einen Schwarm von Kranichen an, sondern einen Trupp von russischen Wissenschaftlern.

Als wir dann später zusammen am Lagerfeuer saßen und noch etwas Heißes tranken, um uns auf die Kälte der Nacht vorzubereiten, unterhielten Sorokin und ich uns über den Verlauf des Experiments. Wir waren zufrieden. Die Kraniche kamen ausgezeichnet mit der Anstrengung zurecht, die ihnen abverlangt wurde, und meine Technik hatte bis zu diesem Zeitpunkt die erwarteten Ergebnisse gebracht.

An den folgenden Tagen konnten wir nicht fliegen, weil schlechtes Wetter aufkam. Ich beklagte mich nicht allzu sehr, denn wir alle brauchten die Pause, um uns von den Strapazen zu erholen. Wir befanden uns in der Nähe von Khanty Mansy, einem Dorf im Herzen Sibiriens, und beschlossen, uns dort wieder Proviant zu besorgen und zur Entspannung vielleicht auch etwas Touristisches zu unternehmen.

Die Unterbrechung der Reise tat auch den Kranichen gut, denn unsere Absicht war ja, den Wanderflug so wirklichkeitsnah wie möglich zu gestalten. Wenn das Wetter schlecht ist, fliegen die Vögel nicht. Sie suchen sich einen Ort, an dem sie in Ruhe fressen können, und warten ab.

Ich spürte, dass die Beziehung zwischen mir und den Kranichen stärker wurde. Indem ich mit ihnen zusammen flog, hatte ich das Gefühl entwickelt, Teil des Schwarms zu sein. Die Kraniche und ich teilten die Anstrengung des langen Fluges, die Schwierigkeiten, einen Landeplatz zu suchen, die Unsicherheit am Morgen, nicht zu wissen, wo wir die Nacht verbringen würden und ob wir überhaupt dort ankommen würden. Der Flug war ein Mittel zum Überleben geworden und nicht mehr einfach nur eine Fortbewegungsart. Ich verstand, was es bedeutet, sein Leben seinen Flügeln anzuvertrauen und seiner Fähigkeit durchzuhalten. Und zwar zusammen in der Gruppe. Langsam hatte ich das Gefühl, einer von ihnen zu sein – mehr Vogel als Mensch.

Mitte September, als wir uns am Rande Sibiriens befanden und dem Verlauf des Flusses Irtysch folgten, der vom Ob nach Süden abzweigt, trat das ein, was ich befürchtet hatte. Das Wetter schlug um. Den ganzen Tag schon hatte der Wind ständig zugenommen, und gegen Abend war er richtig stark geworden. Das Team hatte mich noch nicht an der vereinbarten Stelle erreicht; wahrscheinlich hatten sie wieder einmal Schwierigkeiten, mich zu orten. Es blieb mir nichts anderes übrig, als abzuwarten und zu hoffen, dass sie mich von allein fanden oder dass der Wind nachließ. Keine der beiden Möglichkeiten trat ein.

In der Ferne hörte ich das dumpfe Grollen eines Donners. Ein letztes Mal kontrollierte ich die Kraniche in ihrer Voliere und verkroch mich in mein Zelt, denn der Wind wurde wirklich lästig. Am nächsten Morgen erwarteten mich graue Wolken, und der Wind blies immer noch heftig. An Fliegen war nicht zu denken.

Ich unternahm einige kurze Spaziergänge und fragte mich bedrückt, wie lange ich laufen müsste, um einen Menschen zu treffen. Zu allem Unglück konnte ich auch Laura, mit der ich schon seit Tagen nicht mehr gesprochen hatte, mit meinem Satellitentelefon nicht erreichen. Die Erinnerung an zu Hause, die Sehnsucht nach meiner Frau und nach dem Lächeln meiner Kinder waren meine ärgsten Feinde. Doch ich durfte mich diesen Gefühlen nicht hingeben; es war wichtig, meinen Verstand von Zweifeln zu befreien, sonst konnte ich nicht durchhalten.

Den ganzen Tag und die darauffolgende Nacht fegte ein starker Wind über die Ebene, zerrte an meinem Zelt und an meinen Nerven. Stundenlang lag ich in meinem Schlafsack und las in dem kleinen Buch, das ich mir für genau solche Momente mitgebracht hatte. Nur um nach den Kranichen zu schauen, steckte ich die Nase aus dem Zelt.

Am Nachmittag wurde das Wetter endlich wieder besser. Ich funkte Sorokin an. Wenn die Bedingungen am nächsten Morgen immer noch günstig waren, würde ich sie im Flug zu meiner Lagerstelle lotsen, was ich dann auch tat.

Zum Kaspischen Meer

Unsere Ankunft in der Provinz Tjumen am 16. September bedeutete, dass wir Sibirien hinter uns gelassen hatten, aber auch, dass unsere Expedition von der Stadt Uvat aus nicht mehr von einem Boot, sondern von zwei allradgetriebenen Lastwagen begleitet wurde.

Wir Zugvögel hatten uns nach dem letzten Flug über Sibirien von der unberührten Natur und von den Nenzen verabschiedet und sahen jetzt den Steppen an der Grenze zwischen Russland und Kasachstan entgegen. Endlich wieder Festland mit Hügeln und bestellten Feldern zu sehen, vermittelte uns nach der Zeit in den unbewohnten Weiten des großen Nordens ein Gefühl der Sicherheit.

Von da an veränderte sich vieles. Anstelle der Sümpfe dehnten sich nun endlose Kornfelder unter uns aus. Und dass wir die Kälte hinter uns gelassen hatten, war wie eine Befreiung. Das Klima um Mitte September

DAS GEHEIMNIS DER ADLER 83

Unterwegs mit den sibirischen
Kranichen Richtung Süden
ins Winterquartier

war tagsüber warm und gegen Abend wieder frisch; die Thermiken waren kräftig und hoch. Pflanzen und Tiere, Essen und Kultur nicht mehr wie vorher. Das Aussehen der Leute, die wir von Etappe zu Etappe in den wenigen Dörfern antrafen, änderte sich, die Kleidung wurde immer westlicher.

Wir hatten den schwierigsten Teil hinter uns, und ich wurde immer zuversichtlicher, dass wir schaffen würden, was wir uns vorgenommen hatten. Die örtlichen Luftverhältnisse waren mir jetzt vertrauter, und mit meinen Kranichen verstand ich mich perfekt. Seit einer Weile schon hatte ich aufgehört, Lockrufe vom Band abzuspielen, denn ich hatte gelernt, die richtige Tonlage mit meiner eigenen Stimme zu produzieren, und mein Schwarm antwortete.

Nur zwei Etappen von Uvat entfernt lag der Nationalpark Armyzon, wo uns die Parkwärter einen sehr herzlichen Empfang bereiteten. Nach langer Zeit das erste richtige Haus und die erste Sauna. Wir trafen mit einer Gruppe von Ornithologen aus Moskau zusammen, die in den Park gekommen waren, um die Zugvögel zu beobachten, die jedes Jahr zu Tausenden an dieser strategischen Stelle haltmachen.

In jenen Tagen war auch die Geburt unseres dritten Kindes zu erwarten – ein Ereignis, das ich um nichts in der Welt verpassen wollte. Laura und ich hatten bereits entschieden, dass er Ivan heißen sollte, in Erinnerung an das große russische Abenteuer. Ich unterbrach unsere Reise für eine Woche und flog nach Italien, wo ich Ivan noch mit dem Geruch der Steppe auf der Haut auf dieser Welt begrüßte. Als ich wenig später zurückflog, war mein Herz voller Rührung und Dankbarkeit. Die Trennung fiel schwer, aber das Kranichprojekt musste zu Ende geführt werden.

Von den sechs Vögeln, die die Reise mit mir hinter sich gebracht hatten, wurden vier im Naturschutzgebiet Armyzon am Ufer des gleichnamigen Flusses ausgesetzt. Sie sollten sich zu den Hunderten von Grauen Kranichen gesellen, die dort ihren Zwischenstopp machten, bevor sie weiterflogen zum Kaspischen Meer. Die letzten beiden dagegen kamen in die Aufzuchtstation zurück, wo ihr Gesundheitszustand geprüft und alle verfügbaren Informationen über ihren Wanderflug aufgezeichnet wurden. Danach wurden sie zum Abschluss des Experiments in den Iran gebracht.

Die letzten Flüge mit den Kranichen im Nationalpark Armyzon waren sehr schön; es ging darum, ihnen zu helfen, sich das Gelände dieses Aufenthaltsortes gut einzuprägen, denn hier konnten sie sich ausruhen und wurden von den Parkwärtern geschützt und überwacht. Einige Wochen später starteten wir mit einem Teil des Teams in Richtung Kaspisches Meer, wo in Fereydoon Kenar, gelegen an der Grenze zwischen Iran und Turkmenistan, das Projekt abgeschlossen werden sollte. Eine Woche flog ich mit den Kranichen in dem Park, den die Regierung am Südufer geschaffen hatte. Als ich zum letzten Mal mit ihnen landete, war ich überglücklich. Unter großen Opfern waren wir ans Ziel gelangt.

Wir hatten das Experiment „Siberian Migration" nach wissenschaftlichen Kriterien durchgeführt und abgeschlossen und ein Stück Geschichte geschrieben, sowohl des Sports als auch der Wissenschaft. Und zum ersten Mal war der Sport in den Dienst der Wissenschaft gestellt worden.

Meine Aufgabe als Anführer des Schwarms war abgeschlossen, aber das Experiment lief weiter. Eine Gruppe von russischen und iranischen Biologen blieb vor Ort, um das Verhalten der Zugvögel auch in den folgenden Monaten zu beobachten. Würden die Vögel nach Hause zurückkehren? Würden sie ihren Nachkommen die Wanderroute beibringen?

Vom wissenschaftlichen Standpunkt aus gesehen, begann jetzt erst der schönste Teil.

Als ich nach Hause kam, wurde ich wie ein Frontheimkehrer empfangen. Endlich war ich wieder bei meiner Familie, die um ein sehr lebhaftes Mitglied größer geworden war, und lange Abende vergingen mit meinen Erzählungen. Was ich versuche, Gabriele und Gioela und heute auch Ivan zu vermitteln, ist der emotionale Hintergrund meiner Unternehmungen, die menschlichen Begegnungen, die während meiner Reisen stattfinden. Mein persönliches Abenteuer steht im Rahmen eines größeren Abenteuers, das weit über meine Existenz hinausgeht.

Von Italien aus verfolgte ich ständig die Entwicklung des Projekts anhand der Berichte, die mir die Biologen regelmäßig zukommen ließen. Die Kraniche verbrachten den Dezember und den Januar im Park und flogen dann zwischen Februar und März wieder ab. Anhand der GPS-Geräte, die sie trugen, konnte man nachvollziehen, dass sie genau auf der Strecke unseres Hinfluges wieder nach Norden zurückkehrten. Die Biologen folgten ihnen. Die Kraniche kehrten tatsächlich, wie wir es uns alle erhofft hatten, zum Ausgangspunkt unserer Reise, zur Mündung des Ob, zurück, und sie flogen im Wesentlichen in den Etappen, die wir zusammen geflogen waren. Das zeigte, dass sie nicht nur die Route, sondern auch die einzelnen Etappen im Gedächtnis gespeichert hatten.

Ich persönlich hatte einen Schritt weiter auf meiner Suche nach dem instinktiven Flug getan, ein neues Stadium der Metamorphose erreicht. In Gedanken flog ich schon weiter, zu einem Ereignis, das in meinem Kopf bereits seit einiger Zeit Gestalt anzunehmen begonnen hatte: der Flug über den höchsten Gipfel der Erde. Was zu Beginn nur ein Traum sein konnte, wurde immer mehr zum Projekt, und zwar auch dank meiner Erfahrung mit der „Siberian Migration".

Der Bärenzahn hängt immer noch an meinem Hals. Ich habe mich nie von ihm getrennt, seit der Schamane ihn mir gegeben hat. Ich mag seine besondere Beschaffenheit und empfinde ihn als lebende Materie. Vor allem aber bringt er mich, wenn ich ihn in der Hand halte, wie eine Kristallkugel zurück zu den unvergesslichen Momenten, die ich bei den Nenzen erlebt habe.

Metamorphosis, Teil 3: „Over Everest"

Ortsbesichtigung

Mission in Peking

Das Träumen ist so lange angenehm, bis man es mit der Realität zu tun bekommt. Das Projekt, den Everest zu überfliegen, stieß sehr bald auf ein Hindernis, das sehr viel schwieriger zu überwinden war als jeder Achttausender: die chinesische Bürokratie.

Anfangs hatte ich mir vorgenommen, meinen Versuch in der Nachmonsunzeit zu starten, wenn die Nord-Süd-Wanderung der Zugvögel einsetzt, also zwischen Oktober und November. Ich wollte auf tibetischem Gebiet starten, mit dem Aufwind an der Nordseite des Everest emporsteigend den Gipfel überfliegen und in Nepal landen. So machen es die Zugvögel, wenn sie in wärmere Länder fliegen. Aber ich brauchte, anders als die Adler und ihre Freunde, Genehmigungen.

Daher fuhr ich im Dezember 2001 für einen Monat nach Peking und war innerlich darauf eingestellt, dass es sehr schwer werden würde, die Behörden von meinem Vorhaben zu überzeugen. Ich wollte ihnen darlegen, dass ein Drachen der Sportfliegerei dient – und nicht dem Transport von Drogen oder Flüchtlingen – und dann auch zu wissenschaftlichen Zwecken genutzt werden kann, nämlich um den Wanderflug von Adlern anzuführen.

Da Tibet politisch der chinesischen Regierung untersteht, musste ich meine Genehmigungen bei der Zentralregierung in Peking einholen und nicht in Lhasa. Ich hatte natürlich einen Dolmetscher mitgenommen, den freundlichen Herrn Wen Chengde.

Nach vielen Besprechungen, bei denen ich auch unsere Filme von „Following the Hawks" vorführte, hatte ich trotz anfänglicher Skepsis schließlich ein gutes Gefühl. Verbeugungen, Lächeln, Händedruck, Schulterklopfen. Da alles glattzugehen schien, fuhr ich voller Hoffnung nach Hause, um weiter an der Planung zu arbeiten.

Leider kannte ich die Bedeutung des Verhaltens der Chinesen nicht.

Es handelte sich lediglich um einen diplomatischen Ritus, den ich als Europäer fälschlicherweise für eine Form von Zustimmung hielt. Im März, als die Vorbereitungen schon auf Hochtouren liefen, kam die kalte Dusche. In dem Brief, der sowohl vom Luftfahrt- als auch vom Innenministerium unterzeichnet war, hieß es: „Wir verweigern die Flugerlaubnis, weil unsere Sicherheitsbehörden das Unternehmen für zu gefährlich für den Piloten halten."

Das hätte ich eigentlich auch vorhersehen können. Die Grenze zwischen Tibet und Nepal ist ein Gebiet, das die Regierung in Peking streng kontrolliert, weil viele Tibeter dort wegen der schwierigen menschenrechtlichen Situation versuchen, aus dem Land zu flüchten. Seit der Invasion von 1950 versucht die chinesische Regierung vor allem eines zu vermeiden: das Aufsehen internationaler Medien.

Da ich nun nicht der Route der Zugvögel von Tibet nach Nepal folgen konnte, musste ich mein Projekt „Over Everest" (Über den Mount Everest) vollkommen neu durchdenken.

I︎CH VERLOR den Mut nicht. Von Norden nach Süden zu fliegen wurde mir verboten? Gut. Dann flog ich eben umgekehrt, also die Route, die die Zugvögel auf dem Rückweg nehmen. Die Nordseite des Everest hatte ich bereits gründlich studiert. Ich hätte nur noch die Wetterdaten, den Wind, die entsprechenden Talwinde und ihre Intensität sowie die orografischen Gegebenheiten des Geländes analysieren müssen, um die Aufwindkorridore zu definieren.

Doch es zeichnete sich ab, dass die Prozedur der Antragstellung in Nepal nicht weniger kompliziert war. Das Land befand sich in einer schweren politischen Krise. Die Auseinandersetzungen zwischen den maoistischen Guerillatruppen und den Anhängern der Monarchie forderten regelmäßig Opfer in den Straßen Kathmandus. Täglich fanden Kundgebungen statt, und überall im Land war Militär stationiert. Im Jahr 2001 war die Königsfamilie ermordet worden, was die Gesamtsituation noch instabiler machte.

Um mein Projekt auf der Südseite realisieren zu können, wandte ich mich an ein italienisches Reiseunternehmen, das auf diese Region Asiens spezialisiert ist. Der Verantwortliche dort ist ein ehemaliger Bergsteiger namens Renato Moro, der für Reinhold Messner verschiedene Expeditionen zum Everest organisiert und ihn dabei begleitet hat. Er stellte für mich durch seinen Korrespondenten in Kathmandu, Sonam Sherpa aus Thamserku, die Anträge auf Überflugerlaubnis.

Je weiter die Besprechungen gediehen, desto mehr fand man in Nepal Gefallen an dem Projekt. Die große Tourismus- und Sportindustrie, die sich in Nepal um den Himalaja gebildet hat, ist der Dreh- und Angelpunkt der nepalesischen Wirtschaft. Wie schon die vorangegangenen Etappen des Projekts Metamorphosis hatte auch diese Unternehmung eine Auswilderung zum Zweck, in diesem Fall die eines Steppenadlerpaares. Der *Aquila nipalensis*, der im Laufe der Jahrhunderte sein Territorium bis in die Mandschurei und nach Osteuropa ausgedehnt hat, stammt ursprünglich aus den Tälern südlich des Everest, wo er aber schon seit einigen Jahren nicht mehr nistet. Zu den Gründen für das lokale Aussterben gehört auch die Übervölkerung des Khumbutals, durch das alle Alpinisten hindurchmüssen, vor allem auch die Horden himalajabegeisterter Touristen. Der ständige Reiseverkehr bedroht inzwischen ernstlich das natürliche Gleichgewicht eines der schönsten Orte der Erde.

Ein Auswilderungsprojekt konnte natürlich nicht ohne die Zusammenarbeit mit Professor Sorokin stattfinden. Nachdem das Programm im Wesentlichen feststand, hatte man in der Aufzuchtstation, die Sorokins Leitung unterstand, zwei Eier von Steppenadlern ausgebrütet. Im Gegensatz zu den sibirischen Schneekranichen waren sie nicht dazu erzogen worden, den Menschen zu fürchten, sondern sahen ihn eher als einen Elternteil. Ich musste beim Schlüpfen nicht anwesend sein, denn meine Stimme stand dem Zentrum ja bereits aufgezeichnet zur Verfügung. Als die Adlerküken schlüpften, hatten sie meinen Hängegleiter vor Augen und meine Stimme im Ohr. Sie erkannten mich auch sofort, als sie in Sizilien ankamen, und gewöhnten sich sehr schnell ein.

Es handelte sich um ein männliches und ein weibliches Tier. Dieser Auswahl lag keine Reproduktionsabsicht zugrunde, denn es war vorgesehen, zunächst einmal zwei Vögel auszuwildern und nicht gleich die ganze Vogelart wieder heimisch zu machen – wir hatten keinerlei Garantie dafür, dass sich die beiden Exemplare auch wirklich paaren würden.

Es war meine dritte Erfahrung als Vogelvater. Den männlichen Adler nannte ich Chumi – eine Verkleinerungsform von Chomolungma, dem tibetischen Namen des Everest –, das Weibchen hieß Gea. Sie lebten in einem Käfig im Garten meines Hauses an den Hängen des Ätnas. Über der Ebene von Gela konnte man mich in der Zeit fast jeden Tag mit ihnen fliegen sehen. Wie einst Nike, so mussten auch Chumi und Gea das Adlerhandwerk erst erlernen. Gea war der dominante Teil des Paares.

Im Flug war sie immer hinter mir, und Chumi bildete das Schlusslicht. Wenn sie allein waren, flog sie vorneweg. Ich wechselte die Fluggebiete, damit sie sich die Gegend nicht definitiv einprägten. Meine Hoffnung war, dass sie nach der Überfliegung des Himalajas ins Khumbutal zurückkehrten und nicht nach Taormina oder zum Ätna wie Nike.

Die beabsichtigte Wiederauswilderung verlieh dem sportlichen Ereignis einen eigenen Wert, der das Interesse der nepalesischen Behörden geweckt hatte. Und schließlich kam der Moment, selbst in Augenschein zu nehmen, was mich unter dem Himmel des Himalajas erwartete.

Ein Blick auf die Südseite

Im Khumbutal zu wandern, wo felsige Riesen einen Schatz zu bewachen scheinen, ist wie das Eintauchen in die Mythologie der Berge, ein atemberaubender Anblick. Die Berge um mich herum hatten nicht nur Namen, sie hatten neben ihrem spezifischen Aussehen auch eine Persönlichkeit.

Sowohl von Norden als auch von Süden ist der Anblick der Bergkette des Himalajas immer ein beeindruckendes Schauspiel. Die Südseite steigt weniger steil an, sodass der Weg zum Gipfel des Everest länger ist. Daher bot die Flugbahn von Süden eine noch schönere Sicht als die von Norden durch das Rongbuktal.

Unsere Ortsbesichtigung bestand aus zwei Phasen, einer auf der Südseite in Nepal und einer auf der Nordseite in Tibet, und es ging zunächst darum, einen Ort für das zukünftige Basislager zu finden. Wir waren mit dem Flugzeug bis Lukla geflogen, wo ein kleiner Flughafen die gesamte Region bedient. Von dort aus brachte uns ein Hubschrauber nach Namche Bazar, einem kleinen Handelszentrum im Khumbutal. Aus diesem Tal kommen auch die Sherpas, die „Männer des Ostens", die als Träger an allen großen Expeditionen der Vergangenheit teilgenommen haben.

Oberhalb von Namche Bazar liegt auf einer Hochebene das Dorf Thyangboche. Auf den Karten hatte ich dieses Gebiet als das einzige ausgemacht, wo das Basislager aufgeschlagen und der Startplatz eingerichtet werden konnte, denn dort gab es ein Flugfeld. Seine Entstehung geht auf die Sechzigerjahre zurück. Damals hatte Sir Edmund Hillary, der Eroberer des Everest, eine internationale Kampagne zugunsten der Bewohner des Tals ins Leben gerufen, um ein knappes Dutzend Krankenhäuser und die Hillary-Schulen zu bauen, in denen die Kinder des Tals heute noch lesen und schreiben lernen. Das Flugfeld war errichtet worden, damit hochgebirgstaugliche Kleinflugzeuge das Baumaterial heranschaffen konnten.

Als ich den Ort nun vierzig Jahre später besuchte, sah ich zu meinem Entsetzen, dass auf der Start- und Landepiste die Yaks grasten. Nur die MI-17, die alten Militärhubschrauber aus dem Afghanistankrieg, die die Regierung jetzt als zivile Transportmittel verwendete, konnten dort starten und landen. Außerdem diente die Stelle als Schutthalde für einen Steinbruch. Wenn ich mit dem ganzen Expeditionsteam dort angelangt war, mussten wir erst einmal das Flugfeld wieder in Ordnung bringen.

Das zweite Ziel der Ortsbesichtigung war, eine Karte der Plätze zu erstellen, wo ich im Fall einer Notlandung schnell geborgen werden könnte. Ich bezeichnete diese Stellen mit Nummern, sodass ich sie per Funk oder Telefon schnell und ohne Missverständnisse an mein Team oder bei einem Unfall an die Rettungsmannschaft durchgeben konnte. Vor Ort lernte ich den italienischen Journalisten Massimo Cappon kennen, der in der Gegend eine Sendung zum fünfzigsten Jahrestag der Unternehmung Hillarys vorbereitete. Zusammen mieteten wir einen Hubschrauber.

In wenigen Stunden gelang es mir, per Helikopter eine sehr genaue Karte der Gegend mit Koordinaten der einzelnen Notlandestellen und eventuellen aerologischen „Fallen" zu erstellen. Zu Fuß hätte ich dafür mehrere Tage gebraucht. Für die Nordseite wollte ich mir mehr Zeit nehmen. Kein Hubschrauber – hier wollte ich zu Fuß unterwegs sein und meinem Mythos die Aufwartung machen.

Basislager im Hochgebirge

Seine Majestät, der Everest. Es scheint, dass einen diese enorme Pyramide immer beobachtet, von welcher Seite aus man sie auch betrachtet. Sein englischer Name, der seit 1856 den Geografen Sir George Everest ehrt, bringt die Natur des Berges nicht zum Ausdruck. Es ist kein Zufall, dass die Nepalesen ihn Sagarmatha nennen, „Göttin im Himmel", und die Tibeter Chomolungma, was „Göttinmutter der Erde" bedeutet. Wenn man zu seinen Füßen steht, versteht man, dass man es nicht mit irgendeinem Berg zu tun hat, sondern dass man „den Berg" vor sich hat. Ein strenger Meister, der jeden Fehler bestraft.

Viele sind losgezogen und nicht wiedergekommen. Zu den rund 200 Toten, die bei Besteigungsversuchen ihr Leben verloren haben, kommen noch vier dazu, die den Überflug nicht schafften. Der Traum kann schnell zum Albtraum werden, und dessen war ich mir sehr bewusst.

Während meiner Ortsbesichtigung in Tibet bewegte mich der Gedanke, dass ein halbes Jahrhundert vorher, am 29. Mai 1953, der Neuseeländer Edmund Hillary und der Sherpa Tenzing Norgay als erste Menschen den Gipfel erreicht hatten. Fünfzig Jahre später, im April 2003, war ich hier, um eine neue Erstleistung vorzubereiten, um im Flug diesen Legenden des Alpinismus nachzueifern.

Damit man eine Symbiose mit einer Umgebung erreicht, muss man die Integration mit ihren Bewohnern suchen. Ich hatte das Glück, eine Woche in dem buddhistischen Kloster verbringen zu dürfen, das am Eingang des Gletschertales von Rongbuk auf 5000 Meter Höhe liegt. Es ist das höchstgelegene Kloster der Welt. Solange ich dort war, teilte ich den strengen Tagesablauf der Mönche. Sie stehen im Morgengrauen auf und gehen um acht Uhr abends schlafen, nach einem Tagwerk, das der Meditation und dem Gebet gewidmet ist. Ich tauchte in eine andere Welt ein, fern von allem und außerhalb der Zeit, eine Welt von wenigen Lauten, von großem Schweigen und grenzenlosem Himmel.

Nach einer sehr intensiven Woche verließ ich das Kloster mit meinem Sherpa Dawa, den ich in Kathmandu engagiert hatte, und den Yaks, die das Material transportierten, um ein wenig höher bis auf 5200 Meter zu steigen. Hier befindet sich das Basislager des Everest, hier wollte ich mich zwei, drei Tage akklimatisieren. Zu Fuß stieg ich dann entlang der Moräne des Rongbukgletschers bis zum Vorgeschobenen Basislager auf 6400 Meter auf, um dann weiter hochsteigen zu können und die Höhenlager zu erreichen, die bis zum Gipfel fortlaufend von eins bis vier nummeriert sind.

Mit dem römischen Filmproduzenten Roberto dall'Angelo, der selbst Pilot und begeisterter Flieger ist, war vereinbart worden, einen Dokumentarfilm über meinen Versuch, den Everest zu überfliegen, zu drehen. Deswegen begleiteten mich außer meinem Sherpa Dawa auch noch der Kameramann Maurizio Felli, der bereits begonnen hatte, filmisches Material zu sammeln, und Roberto selbst. Trotz der nicht nur logistischen, sondern vor allem auch körperlichen Beschwerden, die der Höhe des Basislagers zuzuschreiben waren, hielten sich die beiden bestens.

Abgesehen von den Polargebieten ist der Everest einer der kältesten Orte der Erde, obwohl er auf einem Breitengrad in der Nähe des Äquators liegt. Auf seinem Gipfel sieht man die typische Schneefahne wehen, eine Wolke aus Eiskristallen, aus der man auf die Windrichtung und -stärke schließen kann. Am Ätna ist es ähnlich – die aus den Gipfelkratern aufsteigenden Rauchwolken dienen mir dazu, die Wetterlage einzuschätzen.

Bevor ich abgereist war, hatte ich mit Hans Kammerlander telefoniert, um mir von ihm einige Ratschläge zur Höhenanpassung geben zu lassen. Diese Phase ist einer der Schlüssel zum Erfolg der Expedition, denn der Körper muss schrittweise an die Höhe gewöhnt werden. Wir wechselten zwischen dem Basislager und dem Vorgeschobenen Basislager, das heißt zwischen 5200 und 6400 Metern. Ein paar Tage blieben wir im höher gelegenen Lager, dann ging es wieder hinunter. Dieses Auf und Ab kostete ungeheuer viel Kraft, war aber unerlässlich, um dem Körper eine gewisse Akklimatisierung zu ermöglichen. Schon bei 5500 Metern halbiert sich der atmosphärische Druck und die 1013 Millibar auf Meereshöhe sind hier höchstens noch 500 Millibar. Diese Umgebung ist für den Menschen nicht mehr geschaffen, die Atmung und das Denken verändern sich. Eine Reise in solche Höhen, wie gut sie auch organisiert sein mag, erfordert persönliche Eigenschaften, für die man sehr lange an sich arbeiten muss. Bei der Besteigung des Everest auf der Normalroute liegt die Schwierigkeit nicht so sehr in den technischen Anforderungen als in den Begleitumständen – der erschwerten Atmung, den veränderten Körperreaktionen, im Embolierisiko, in der zermürbenden Kälte, im Schmerz, in den Kopfschmerzen und in der Höhenkrankheit.

Während der Akklimatisierungszeit untersuchte ich die vorherrschenden Winde. Ich wollte mich selbst davon überzeugen, wie sich der Wind verhält, seine Beschleunigungen messen, den Venturi-Effekt im Rongbuktal einschätzen, die im Windschatten des Nordgrats entstehenden Leewirbel – all das, was zu den lokalen Luftverhältnissen gehört. So konnte ich zum Beispiel beobachten, dass sich bei Nordwind hinter dem Changtsegletscher für das Fliegen sehr gefährliche Wirbelströmungen bilden. Die Ergebnisse glich ich danach mit den Daten der Erhebungen aus den letzten zehn Jahren ab, die ich bereits vor meiner Abreise analysiert hatte.

Als ich die erreichte Akklimatisierung für ausreichend erachtete, stiegen wir vom Vorgeschobenen Basislager zum Lager eins auf 7100 Metern und dann bis 7500 Meter zum Lager zwei auf. Am Nordgrat stellten wir inmitten der anderen Expeditionen ein Zelt auf und stiegen wieder zum Vorgeschobenen Basislager ab, um von dort wieder hin- und herzuwechseln und die Akklimatisierung weiter voranzutreiben. Ich wusste, dass wir uns ab jetzt immer wieder in der Todeszone befanden, in jenem Bereich zwischen 7500 und 8000 Metern, in dem die Körperzellen allgemein und vor allem die Gehirnzellen die Tendenz haben abzusterben. Je länger man in der Todeszone bleibt, desto mehr verschlechtert sich der Allgemeinzustand, weil Tag für Tag mehr Zellen absterben. Es gibt keine Möglichkeit, sich dagegen zu schützen, und es ist auch keine Frage von Sauerstoffflaschen, Lebensmitteln oder Medizin. Je nach Veranlagung ist es eine Frage von wenigen Tagen oder Wochen, dass man immer mehr verfällt, das Bewusstsein verliert und langsam, aber unaufhaltsam erlischt.

Bei meinem Flug über den Everest bestand dieses Risiko nicht, denn dabei brauchte ich nicht so lange in der gefährlichen Höhe bleiben. Wenn ich allerdings zwischen 7000 und 9000 Metern gezwungen wäre notzulanden, vielleicht an einer nicht vereinbarten Stelle, wo ich dann unbestimmte Zeit auf Rettung warten müsste, dann sähe die Situation ganz anders aus.

In einem Zelt am Nordgrat hatte ich das gesamte Material untergebracht, das ich für die Gipfelbesteigung an einem der folgenden Tage brauchte. Dazu gehörte auch ein Gleitschirm, mit dem ich eine aerologische Inspektion vornehmen und wenn möglich auch vom Gipfel oder von einem der höher gelegenen Lager abfliegen wollte. Doch dann kam ein heftiger Sturm auf, der durch einen Jetstream erzeugt wurde, und zwang uns, in unserem Zelt weiter unten im Lager Zuflucht zu suchen. Der Sturm dauerte eine Woche.

Am ersten Tag nach dem Sturm stiegen wir zum Grat auf, um nachzusehen, was mit unserem Material passiert war. Der Wind hatte alles fortgerissen – das gesamte Material und der schwere Rucksack, der den Gleitschirm enthielt, waren nicht mehr da. Wir fanden die Ausrüstung 500 Meter weiter unten in einer Gletscherspalte, und ich hatte das Glück, wenigstens den Gleitschirm bergen zu können. Das Wetter hielt sich gerade diesen einen Tag, dann verschlechterte es sich wieder. Es stand eine längere Periode mit schlechten meteorologischen Bedingungen und starkem Wind bevor.

Schweren Herzens beschloss ich, alle Hoffnung auf eine Gipfelbesteigung aufzugeben – ich konnte nicht mehr länger warten. Nahezu sechs Wochen hatte ich schon mit den Ortsbesichtigungen verbracht, und diese Arbeit war sowohl auf der Nord- als auch auf der Südseite abgeschlossen. Ich hatte meine Karten mit den eventuellen Notlandestellen und den aerologischen Risikozonen angelegt. Wir luden unser Material wieder auf die Yaks und traten den Rückweg ins Tal an.

Obwohl ich den Gipfel nicht erreicht hatte, war das Ergebnis der Mission rundum positiv. Die Vorstellungen, die ich mir aufgrund von Karten, Satellitenfotos und Erzählungen anderer Alpinisten gemacht hatte, waren völlig unzureichend gewesen. Es hatte der persönlichen Erfahrung vor Ort bedurft, um mir ein korrektes Bild von den Gipfeln und den Tälern zu machen.

Im Laufe dieses langen Aufenthalts hatte ich begonnen, mich mit dem Berg zu messen, instinktiv und nicht nur intellektuell die Zeichen zu lesen, die mir den idealen Moment für den Überflug zeigen würden. Meine Kleinheit gegen seine Größe: Der Everest war nun kein Traum mehr, er wurde zur Besessenheit.

Vorbereitung

In kleinen Schritten

Um den Everest zu überfliegen, musste ich lange in der Luft bleiben, tiefste Temperaturen und Sauerstoffknappheit ertragen. Meine Widerstandsfähigkeit wurde auf eine äußerst harte Probe gestellt. Abgesehen von technologischen und strategischen Faktoren war mein körperlicher, technischer und psychischer Gesamtzustand extrem wichtig, um die härteste Situation zu meistern, in der ich mich je befunden hatte.

Mein Hauptziel war es, die Unternehmung nicht nur mit der bestmöglichen technologischen Unterstützung zu starten, sondern auch in einem körperlichen und geistigen Idealzustand. Das Fliegen erfordert eigentlich keine athletischen Höchstleistungen wie andere Sportarten, bei denen es mehr auf Muskelkraft ankommt. Es erfordert vielmehr eine Harmonie von Körper und Geist – und dass man sich seines Tuns bewusst ist. Doch zur Vorbereitung der Unternehmung am Everest nahm das körperliche Training eine wichtigere Rolle ein als bei anderen Unternehmungen.

Zu normalen Zeiten laufe ich zehn bis zwölf Kilometer am Tag, eine Stunde ungefähr, um fit zu bleiben. Für Elastizität und Muskelaufbau trainiere ich noch eine Stunde frei oder mit Gewichten, um im Ernstfall trotz steigender Müdigkeit die technischen Bewegungen perfekt unter

Kontrolle zu haben. Als die eigentliche Vorbereitungsphase begann, steigerte ich langsam meine tägliche Laufstrecke bis auf zwanzig Kilometer, wobei ich zwischen Ausdauertraining und Einzelübungen abwechselte, um mein Herz-Kreislauf-System in Höchstform zu bringen.

Laufen, Kraft- und Elastizitätstraining. Und natürlich jeden Tag fliegen. Mein technisches Training mache ich mittags, weil dann die Sonne am stärksten wärmt und die besten thermischen Bedingungen herrschen. Ich stecke mir immer ein Ziel: wie ich aerologische Lösungen finden kann, um einen Ort im Flug zu erreichen und wieder zurückzugelangen, wie ich länger in der Luft bleiben kann, um neue Flugstellungen und -bahnen auszuprobieren. Ich versuche also ständig, besser zu werden.

Aber es gibt kein noch so gutes körperliches oder technisches Training, das die psychologische Vorbereitung ersetzen könnte. Dabei geht es vor allem um eins: Konzentration. Im Lauf der Jahre habe ich eine persönliche Technik entwickelt, eine Art Meditation. Aus dem Yoga habe ich das übernommen, was ich für meine Zwecke für geeignet hielt, den Rest ließ ich beiseite. Dazu brauchte ich anfänglich ein dunkles Zimmer, in das ich mich zurückziehen konnte. Ich setzte mich im Lotussitz auf den Boden, um mich zu konzentrieren. Später begann ich, diese Übung dann und dort zu machen, wo es mir gerade paßte. Heute gelingt es mir, dieselben Ergebnisse in kurzer Zeit zu erreichen, und zwar ohne mich räumlich isolieren zu müssen. Jederzeit bin ich fähig, in diese Sphäre der Entspannung einzutreten. Diesen Zustand erreiche ich durch die Atmung.

Atmen ist ein Wunder, das sich in jedem Augenblick vollzieht. Der Mensch atmet, weil er das zum Leben braucht, aber er nutzt seine Lungenkapazität nur teilweise und absorbiert nur einen Teil dessen, was er sich zuführt. Einige Jahre zuvor hatte ich begonnen, über dieses Thema nachzudenken. Schrittweise erarbeitete ich mir eine Technik, die meinen Bedürfnissen entsprach. In meiner kurzen Yogaerfahrung habe ich eine besondere Atemtechnik erlernt, das Pranayama. Es ist in vier Phasen von gleicher Länge unterteilt: einatmen, die Luft mit vollen Lungen anhalten, ausatmen, die Luft mit leeren Lungen anhalten. Beim Luftanhalten ergreift man Besitz von der Atmung. Der Innendruck der Lungen wird erhöht. Das war genau mein Ziel. Ich wollte den Innendruck meiner Lungen steigern, um den fehlenden Außendruck auszugleichen.

Ich konzentrierte mich auf die Atmung und ging in meiner Vorstellung alle Muskeln vom Kopf bis zu den Füßen längs einer psychomotorischen

Kontrolllinie durch und versuchte sie zu entspannen. Am Anfang musste ich mich auf jedes einzelne Körperglied konzentrieren, aber mit der Zeit kam eine Art Automatismus in das Verfahren der Muskeldruckminderung. Gegenüber den sieben, acht Minuten, die ich anfangs brauchte, gelingt es mir heute, mich innerhalb weniger Sekunden in einen Zustand vollständiger Entspannung zu versetzen.

Bei einer Unternehmung, die an die Grenzen der menschlichen Leistungsfähigkeit geht, in extremer Höhe, wo der Sauerstoff fehlt, besteht das eigentliche Problem darin, den durch die Maske oder die Luft zugeführten Sauerstoff bestmöglich zu verwenden und so viel wie möglich davon durch Stoffwechsel umzuwandeln. Unterhalb der 5000-Meter-Grenze ist es der Druck der in die Lungen eindringenden Luft selbst, der dafür sorgt, dass die Sauerstoffmoleküle die dünnen Zellwände der Lungen durchdringen, um sich an die roten Blutkörperchen zu heften. Dann transportiert das angereicherte Blut sie weiter, um das Muskelgewebe und die Gehirnzellen damit zu versorgen. In diesem Höhenbereich erfolgt der Austausch noch natürlich, durch die Schwerkraft.

In höheren Lagen fehlt der atmosphärische Außendruck; der Austausch wird exponentiell reduziert. Auf etwa 5500 Metern ist der atmosphärische Druck halbiert – und damit eben auch die Fähigkeit des menschlichen Körpers, Sauerstoff aufzunehmen. Auf 9000 Metern ist der Austausch so gering, dass die Körperfunktionen nur noch wenige Minuten autonom sind. Danach entsteht bedrohlicher Sauerstoffmangel. Die Tests, die ich in der Unterdruckkammer durchführen wollte, hatten das Ziel, mithilfe der Atmung eine Lösung für dieses Problem zu finden.

Außer bei der Entspannung des Nerven- und des Muskelsystems hilft mir meine Meditationstechnik auch dabei, mich besser auf mein Ziel zu fokussieren und auf die Motivation, die mich dazu drängt, es erreichen zu wollen. Manchmal sind wir von dem anvisierten Ziel so eingenommen, dass unsere Denkfähigkeit beeinträchtigt wird. Die Meditation ermöglicht mir, mich zu fragen, ob das, was ich tue, wirklich das ist, was mich zu meinem Ziel führt.

Die Fähigkeit, Schmerz zu ertragen, welcher Art er auch sei, ist eines der Schlüsselelemente, um mit extremen Situationen fertig werden zu können. Man muss sie trainieren, die Grenze immer weiter hinausschieben. Das gelingt nur mit einer starken Motivation. Und keine Motivation ist stärker als die Leidenschaft. Sie erweitert körperliche Grenzen mit psychologischer Unterstützung.

Dann ist da noch die Panik. Sie ist ein Feind, den man kennen und zu beherrschen versuchen muss. Wenn man in der Luft oder an einem Felsvorsprung hängt oder in einem Kanu mitten in den Stromschnellen steckt, darf man nicht die Kontrolle über seine Reaktionen verlieren.

Man muss in der Lage sein, sich ein nützliches Maß an Angst vor objektiven Gefahren zu bewahren, denn die Angst, von einem dreißig Meter hohen Felsen zu springen, ist überlebensnotwendig. Andererseits sind unsere Ängste auch unsere Grenzen. Während einige Ängste begründet sind und uns schützen, sind andere auch Vorwände und Hemmschwellen, die wir uns selbst geschaffen haben und die uns daran hindern weiterzugehen, voranzukommen. Da sich steigernde Schwierigkeiten unweigerlich in jedem von uns die Furcht aufkommen lassen, die Situation nicht mehr kontrollieren zu können, ist es wichtig, dass man lernt, den Moment von Mal zu Mal weiter hinauszuschieben, an dem man aus Angst verzichtet – ohne jedoch dabei unvorsichtig zu werden und sich auf Tollkühnheiten einzulassen.

Vor ein paar Jahren habe ich in mein Notizbuch geschrieben: *Wenn wir täglich unsere Grenzen überschreiten, wird es uns schrittweise gelingen, die Ängste zu überwinden, die den vollen Besitz unserer Existenz begrenzen oder ihn verhindern*. Die Grenze jeden Tag etwas hinauszuschieben bedeutet, dass wir beweglicher werden. Das muss aber langsam passieren, denn wer zu weit gegangen ist, kann nicht mehr zurück. Weiter zu blicken, sein eigenes Territorium zu vergrößern, das bedeutet auch, Wege für die zu eröffnen, die nachkommen. Wenn nach mir jemand über den Everest fliegen möchte, kann er auf meine Erfahrung zurückgreifen, so wie ich es heute mit dem tue, was andere vor mir entdeckt haben.

Test im Windkanal

Ich klammerte mich mit den Händen fester an das Trapez. Der Wind nahm stetig zu, der Flügel begann, der Luftströmung seine aerodynamischen Kräfte entgegenzusetzen. Über mir spannte sich das Drachensegel. Meine Hautsensoren waren an das Element gewöhnt, und mit geschlossenen Augen fühlte sich alles real an, genau wie im Flug. Unglaublich, denn ich flog gar nicht wirklich.

Ich befand mich in einem weitläufigen Hangar, vor mir eine Turbine von rund zehn Meter Durchmesser, deren Propeller mit seinen zahlreichen verstellbaren Blättern sich ständig drehte. Dieses Wunderwerk der

Technik war der Windkanal des Forschungszentrums von Fiat in Orbassano bei Turin. Es ist eines der fortschrittlichsten Testzentren der Automobilindustrie in Europa. Im Windkanal wird getestet, wie man den Durchdringungskoeffizienten von Fahrzeugen in der Luft, den so genannten c_w-Wert, verbessern oder ganz allgemein der Windeinwirkung begegnen kann.

Was das Fluggerät betraf, brauchte ich einen Flügel, der unter Extrembedingungen tragfähig war, auf 9000 Metern und über den schwierigsten und windigsten Bergen der Erde. In diesen extremen Höhen weht der Wind immer besonders stark, und an keinem anderen Berg tritt so oft der Jetstream auf wie am Everest. Am Boden wäre niemand in der Lage, bei einer Windgeschwindigkeit von rund hundert Stundenkilometern stehen zu bleiben oder auch nur sich niederzukauern. Man würde das Gleichgewicht verlieren und weggeblasen werden. Die Tornados, die Häuser abdecken, rasen mit 150 bis 180 Stundenkilometern durch die Städte und Dörfer. Bei 300 Stundenkilometern gibt es nichts mehr, was hält: die Oberfläche wird blank gefegt.

Die Stürme, die den Gipfel des Everest häufig umtosen, können bis zu 300 Stundenkilometer erreichen. Es ist klar, dass es in einem solchen Extremfall unmöglich ist zu fliegen. Aber auch bei günstigeren Bedingungen war der starke Wind am Everest mein Hauptproblem. Der wichtigste Faktor beim freien Flug ohne Motorantrieb ist die Luftdurchdringung, die beispielsweise Adler dadurch erreichen, dass sie sich gegen den Wind stellen, um die Verschiebung gegenüber dem Boden auszugleichen. Ich benötigte dazu ein Fluggerät mit einem ausgezeichneten c_w-Wert. Gianni Hotz, Franco Garzia und die Mannschaft von Manfred Ruhmer und Christian Ciech, den damaligen Weltmeistern, hatten eine versteifte Tragfläche entwickelt, die all meinen Anforderungen entsprach.

Zwei Faktoren allerdings waren noch verbesserungsfähig: die Körperposition und die Aerodynamik der Ausrüstung. Dabei konnte ich auf die Mitarbeit eines großen Wissenschaftlers zählen: Professor Antonio Dal Monte. Auf dem Gebiet der biomechanischen Forschung, die die Interaktion zwischen Mensch und Mechanik untersucht, hat er als Ingenieur technologisch fortschrittlichste Geräte entwickelt. Er hat große Champions wie Diego Maradona und Francesco Moser bei ihren athletischen Vorbereitungen begleitet. 1984 hat er für Rennräder das Scheibenrad entworfen. Antonio Dal Monte ist ein begeisterter Flieger, selbst Flugzeugpilot und hat mich seit meinen Rekordzeiten begleitet.

In dieser Phase musste ein umfassender Test aller technischen Details

DAS GEHEIMNIS DER ADLER 99

durchgeführt werden. Während mir ein mächtiger Ventilator Luft entgegenblies, bat ich die Ingenieure über Funk, die Windstärke zu steigern oder zu verringern, und veränderte entsprechend meine Tragflächenanstellung. Alles wurde gefilmt und fotografiert, sodass den jeweiligen Kräftediagrammen dann die entsprechenden Bilder mit meiner Position zugeordnet und die Wirkungen ausgewertet werden konnten. So kamen wir zu optimalen Lösungen.

Auch meine Ausrüstung musste so aerodynamisch wie möglich sein. Mein Karbonhelm mit integrierter Sauerstoffmaske hatte ein Wassertropfenprofil, um die Wirbelbildung hinter dem Kopf zu vermindern. Mit Stefano Paissan aus Trient hatten wir den hinteren Teil des Gurtzeugs torpedoförmig zugespitzt. So hatten wir eine langgestreckte Form erzeugt, die die Luft durchdringen konnte wie ein Turmspringer das Wasser.

Aber damit waren noch nicht alle Probleme beseitigt, im Gegenteil. Auf 9000 Meter Höhe lauerte eine der großen Unbekannten, denen ich begegnen würde, die Kälte. Ich wusste, dass über dem Gipfel des Everest Temperaturen von minus vierzig bis minus sechzig Grad herrschen. Hinzu kommt ein weiterer Wärmeverlust dadurch, dass auch

„Over Everest": Wir testen das Material im Windkanal der Firma Fiat.

der Körper selbst Wärme an die Luft abgibt, die ihn umfließt. Wir hatten ausgerechnet, dass die Zeit, die ein Mensch mit 36 Grad Körpertemperatur bei einer Umgebungstemperatur von minus fünfzig Grad und einer Geschwindigkeit von hundert Stundenkilometern braucht, um völlig zu erfrieren, zwischen fünf und acht Minuten liegt.

Die Klimakammer mit Windkanal im Forschungszentrum von Fiat ist ideal für diese Art von Tests. Während man im großen Windkanal bei Fiat Windgeschwindigkeiten bis zu 300 Stundenkilometern simulieren kann, können dort zwar nur 130 Stundenkilometer erreicht werden, das aber bei Temperaturen von minus fünfzig bis plus fünfzig Grad – vom Nordpol bis zur Sahara.

Mit Helm, Skibrille und Sauerstoffmaske hing ich an einem Seil und hatte die Hände auf einer waagerechten Stange, die das Trapez meines Drachens darstellen sollte. Unter Aufsicht der Techniker hinter der Glasscheibe testete ich das Material, das mich schützen sollte. Nach einem Test, der bei vierzig Grad unter null und einer Geschwindigkeit von 130 Stundenkilometern ein paar Stunden gedauert hatte, konnte ich zwei Stellen für potenziellen Wärmeverlust definieren. Die Reißverschlüsse ließen Luft durch und mussten abgedichtet werden. Die zweite Schwachstelle war der Abschnitt zwischen dem Ärmel und dem Handschuh, der nicht fest am Anzug angebracht war. Hier wurde das Problem durch eine lange Überlappung eliminiert.

Ein zweiter sehr wichtiger Test betraf das Materialverhalten in der Höhe, denn die tiefen Temperaturen beeinträchtigen die Molekülstruktur und vermindern den Bruchwiderstand erheblich. Das Gestell des Hängegleiters bestand nicht aus den üblichen Aluminiumstangen, sondern aus Karbon- und Kevlarprofilen, die nicht nur niedrige Temperaturen, sondern auch starke Turbulenzen aushalten sollten. Meine größte Sorge aber galt der Sauerstoffmaske.

Während der Tests geschahen zwei Dinge von entscheidender Bedeutung: Zuerst zerbrach einer der Schläuche, die die Sauerstoffflasche mit der Maske verbinden, sodass wir anderes Material verwenden mussten. Da Kunststoffe mit sinkender Temperatur an Flexibilität verlieren, ersetzten wir alle Plastikteile durch ein Material auf Kautschukbasis.

Dann blockierte das Auslassventil, und ich konnte die Luft nicht mehr aus der Maske ausströmen lassen. Jedes Mal wenn ich ausatmete, kondensierte die Feuchtigkeit in dem minus vierzig Grad kalten Ventil, und in wenigen Minuten bildete sich ein Eispfropfen. Auf 9000 Meter Höhe beträgt die Zeit, die man ohne Sauerstoffversorgung bei Bewusstsein bleibt, drei Minuten, danach hat das Blut zu wenig Sauerstoff und man verliert seine Reflexe.

Bei dieser Gelegenheit testete ich auch die elektronischen Foto- und Videokameras, die ich auf der Tragfläche montieren wollte, um das Ereignis zu dokumentieren. Wie können winzige Video- und digitale Fotokameras bei fünfzig Grad unter null auf 9000 Meter Höhe funktionieren? Eine Batterie, die unter normalen Bedingungen acht Stunden hält, hätte dort keine fünf Minuten Lebensdauer, denn die Kälte würde ihre Leistung absorbieren. Auf der anderen Seite würden die mechanischen Teile kristallisieren, die gasförmigen Komponenten der Mikrochips würden sich auf 9000 Metern ausdehnen und vermutlich die Elektronik zerstören. Auf diese Fragen gab es nur eine Antwort: testen, testen, testen. Die Lösung bestand am Ende in Kälteschutzverkleidungen für die Foto- und die Videokamera, die wir auch für die Fluginstrumente verwendeten.

Nach Abschluss der Tests in der Klimakammer musste ich eine böse Überraschung erleben. Ich hatte die Kammer schlotternd vor Kälte verlassen. Zwar konnte ich selbstständig laufen und auch noch vernünftig denken, aber ich wusste, dass ich dieses Mal meine Grenze überschritten hatte. Ich legte Helm, Brille und Sauerstoffmaske ab. Da kam mir Oberstleutnant Marco Bosio vom Zentrum für Raumfahrtmedizin der Luftwaffe entgegen, der meine Vorbereitung als Arzt begleitete und dessen Anwesenheit von Fiat verlangt worden war, weil die Tests gefährlich waren. Er musterte mich einen Moment und klopfte mir dann mit einem Finger auf eine Wange. Es hörte sich an, als würde an die Tür geklopft. Überrascht schaute ich ihn an. Er betrachtete mich näher und klopfte noch einmal.

„Hörst du nichts?", fragte er mich.

„Doch, wie wenn man auf Glas klopft."

„Ein Teil deiner rechten Wange ist erfroren, Angelo."

Nicht nur dass ich keinen Schmerz spürte, ich hatte noch nicht einmal gemerkt, dass er mein Gesicht berührt hatte. Unter dem Helm war ein Stückchen Haut nicht von der Sturmmaske abgedeckt gewesen und mit der Luft in Berührung gekommen. Das Erfrieren war innerhalb weniger Minuten passiert, ohne dass ich es bemerkt hatte. Das ist eine der schlimmsten Gefahren der tiefen Temperaturen: Man wird eingelullt, unmerklich von der Wahrnehmung der Wirklichkeit abgetrennt und dann vernichtet.

Der Arzt versorgte mich sofort, denn die fehlende Blutzirkulation und der Sauerstoffmangel im Gewebe kann zu Wundbrand führen. Er verabreichte mir Medikamente, die meine Temperatur langsam anhoben, sodass nicht alle Äderchen platzten. Aber dann ging es erst richtig los. Fast einen ganzen Monat lang war auf meinem Gesicht ein Verbrennungsfleck zu sehen, als hätte man mich gebrandmarkt.

Abgesehen von diesem Zwischenfall waren die Testergebnisse sehr positiv. Es war an der Zeit, einen Schritt weiter zu gehen. Man erwartete mich im Zentrum für Raumfahrtmedizin bei Rom, um in einer Unterdruckkammer der Luftwaffe auszuprobieren, wie es ist, wenn man in der Stratosphäre ohne Sauerstoffmaske atmet.

In der Unterdruckkammer

Ich trat ein, nahm Platz, zog Helm, Schutzbrille und Maske an, und die luftdichte Tür wurde hinter mir verschlossen. Den Ärzten, die mich hinter dem Bullauge beobachteten, machte ich ein Zeichen, dass alles in Ordnung sei. Ich trug einen Kälteschutzanzug, und meine wichtigsten Herz-Kreislauf-Parameter wurden dauernd überwacht: Elektrokardiogramm, Herz- und Atemfrequenz sowie der Sauerstoffgehalt im Blut. Kameras zeichneten meine sichtbaren Reaktionen auf. In der Unterdruckkammer der Abteilung für Luft- und Raumfahrtmedizin des Forschungszentrums der Luftwaffe, einem der fortschrittlichsten in ganz Europa, war alles für den Test bereit.

Endlich hatte ich Gelegenheit, zu überprüfen, ob meine Vermutungen und Theorien über das Atmen richtig waren. Die Frage war: Wie ist es möglich, dass die Zugvögel über den Himalaja, die Anden und ganze Kontinente in fast stratosphärischer Höhe fliegen?

Es ging mir bei dieser Untersuchung darum, ein schnelles, leichtes und wirksames Alternativsystem zu entwickeln, falls das Hauptsystem der Sauerstoffversorgung ausfallen sollte. Um festzustellen, ob meine Atemtechnik funktionierte, musste ich sie unter den entsprechenden Bedingungen testen. Zunächst musste ich die Symptome des Sauerstoffmangels analysieren und dann eine Lösung für den Notfall finden.

Die Unterdruckkammer sieht aus wie ein hermetisch verschlossener Zylinder, ähnlich einem Stück Flugzeugrumpf. Ein Druckminderer zieht Luft von innen ab und senkt so den atmosphärischen Druck. Ein Display zeigt an, welcher Höhe das entsprechen würde.

Auf geringen Höhen beträgt der Sauerstoffpartialdruck im Blut hundert Prozent und fällt, je höher man steigt, mit dem Sinken des Außendrucks ständig ab. Der Austausch von Kohlendioxid und Sauerstoff durch die Lungenzellwände wird immer geringer. Bei rund fünfzig Prozent des Austauschs tritt die Sauerstoffmangelkrise ein. Zwischen der Unterbrechung der Sauerstoffzufuhr und dem Moment, in dem die Hirntätigkeit aufhört, bleibt nur ein kurzer Zeitraum des Bewusstseins. Die Symptome sind unterschiedlich und fortschreitend: Kribbeln in den Gliedmaßen, Wärme- oder Kälteempfinden, Schwindel, Sprach- oder Schreibschwierigkeiten bis hin zu Bewusstlosigkeit und Hirntod.

Ich begann, reinen Sauerstoff einzuatmen, um mein Blut von Stickstoffresten zu reinigen. Der Stickstoff, den wir einatmen, bildet im Blut Mikrobläschen, die normalerweise mit dem Atem, den Tränen, durch die Poren der Haut oder durch den Darm ausgestoßen werden. In großer Höhe dagegen werden sie durch den geringen atmosphärischen Druck zu Makrobläschen, die eine Embolie verursachen können. Eine Luftblase verstopft eine Blutbahn, wodurch bleibende Schäden entstehen. Gelangt der Luftpfropf direkt zum Herzen, stirbt man sofort.

Nach einer halben Stunde reinen Sauerstoffs begann der eigentliche Test. Die Techniker fingen an, den Druck in der Kammer zu mindern. Ich sah auf das Display, das eine ziemlich hohe Steiggeschwindigkeit von 25 Metern pro Sekunde angab. Das Ziel war, 43 000 Fuß zu erreichen, also etwa 13 100 Meter. Ich war auf der Reise in die virtuelle Stratosphäre, aber die Auswirkungen waren absolut real, Risiken inbegriffen. Alle meine Sensoren waren in Alarm, so als würde ich wirklich steigen.

Über 7000 Metern begann ich den positiven Druck in der Maske wahrzunehmen, und das war eine Entdeckung. Wenn man auf 7000 bis 7500 Meter steigt, wo der Luftdruck stark verringert ist, muss der Sauerstoff mit Druck in die Lunge gebracht werden, deswegen spricht man von positivem Druck. Der kontinuierliche Luftfluss, der in meine Atemwege eindrang, ersetzte das Fehlen des äußeren Drucks und ermöglichte das Anreichern des Blutes.

Als ich virtuell den Gipfel des Everest überschritten hatte, begann ich plötzlich, mich eigenartig zu fühlen. Ich sah, wie mein Bauch vor meinen Augen anwuchs. Die Hohlräume meines Körpers bliesen sich auf. Mikroblasen, die sich überall ausdehnten, im Hals, in der Lunge, im Darm, in den Gliedmaßen. Die gesamte Luft in mir erweiterte ihr Volumen. Im Vorgespräch hatten mir die Ärzte, die auf Raumfahrtmedizin spezialisiert waren, gesagt, ich bräuchte keine Angst zu haben, ich würde nicht platzen, aber das Gefühl war äußerst unangenehm.

Ich erreichte den Scheitelpunkt der Parabel der Flugbahn einer hypothetischen Raumsonde. Auf dem Höhenmesser war zu lesen: 43 000 Fuß, mehr als 13 000 Meter. Die Luftzufuhr in die Atemmaske wurde so stark, dass ich nicht ein einziges Wort herausbrachte, als würde mir ein Wasserwerfer in den Mund gehalten. Ich wurde aufgefordert, per Funk einen Hilferuf zu simulieren. Es gelang mir nur unter allergrößter Anstrengung, denn meine Stimmbänder brachten keinen Ton hervor. Ich musste die gesamte Kraft meiner Bauchmuskulatur in Anspruch nehmen, um Luft in die Luftröhre zu drücken und die Stimmbänder zum Schwingen zu bringen.

Dann begann die Anzeige auf 29 000 Fuß zu sinken, etwa 9000 Meter, die Gipfelhöhe des Everest. Ich bereitete mich auf den Test vor, der normalerweise bei 18 000 Fuß durchgeführt wird. „Nimm die Maske ab", sagte mir der Arzt per Funk, „wir sind so weit." Ich nickte, löste die Schnalle auf einer Seite, ließ die Sauerstoffmaske herunterhängen und versuchte zu atmen. Es war, wie wenn man Durst hat, aber aus einem leeren Glas trinkt. Wann würde die verzweifelte Suche nach Sauerstoff beginnen? Wann würde das Fehlen von Sauerstoff im Blut Panik in mir auslösen, wie bei einem Erstickenden?

Auf einmal erloschen alle Lichter. Nur die Bildschirme hinter dem Glasfenster gaben noch ein kaltes Licht ab. Es sollte eine Nachtsituation simuliert werden, denn im Dunkeln war es leichter, das erste wichtige Symptom zu erkennen: den so genannten „Tunneleffekt" des Sauerstoffmangels. Ich begann zu sehen, wie die Umgebung sich auf einen Kreis reduzierte, wie in einem Stummfilm, wenn die Linse zum Ausblenden immer weiter zusammengezogen wird: das Licht bleibt in der Mitte scharf, der Rest wird dunkel.

Das waren die Empfindungen, an die ich mich gewöhnen und die ich erkennen musste, solange ich noch bei Bewusstsein und im Vollbesitz meiner geistigen Kräfte war. Sie waren die ersten Alarmzeichen, auf die ich über dem Everest bei einem Ausfall des Sauerstoffgeräts sofort reagieren musste, indem ich entweder das Problem löste oder die Höhe verließ.

„Angelo, wie geht's?"

„Ein bisschen wirr im Kopf, aber sonst ganz gut." Mehr konnte ich nicht sagen.

Dann begann die nächste Phase. Man hatte mir Papier und Bleistift gegeben, um die Auswirkungen des Sauerstoffmangels auf meine mentale Leistungsfähigkeit zu messen. Mit angespannter Aufmerksamkeit und stark verlangsamten Bewegungen beantwortete ich einige Quizfragen, zeichnete mit dem Bleistift den Weg aus einem Labyrinth auf und löste Rechenaufgaben, von denen man mir gesagt hatte, dass sie sehr einfach seien. Wie viel ist vier mal vier, zum Beispiel. Das Ergebnis fiel mir nicht gleich ein. Ich musste schon ein wenig nachdenken, und an der Zeit, die ich brauchte, hätte ich sehen müssen, wie drastisch meine intellektuellen Fähigkeiten bereits eingeschränkt waren. Stattdessen fühlte ich eine gewisse Euphorie in mir aufkommen, eine Art Trunkenheit, wie sie ein Taucher verspürt, der das Risiko während seines Tauchgangs nicht mehr wahrnimmt.

Bis zu diesem Moment war das Testergebnis absolut normal. Meine geistige und körperliche Verfassung war nicht besser und nicht schlechter als die der berühmten „Top Guns" aus dem Film. Diese setzen normalerweise die Sauerstoffmaske nach drei bis vier Minuten wieder auf, weil dann durch Atemnot und Einschränkung des Blickfelds klar wird, dass der Zeitpunkt gekommen ist, an Höhe zu verlieren. Das ist das Ziel ihres Trainings. Ich wollte etwas anderes: Ich wollte eine Methode finden, die mir auf 9000 Meter Höhe als Notmaßnahme dienen konnte und meine Überlebenszeit so lange hinauszögerte, bis ich auf eine Höhe gesunken war, in der ich wieder atmen konnte. Vielleicht konnte die Natur selbst mir da zu Hilfe kommen.

Ich hatte mich gefragt, wie der Adler ohne Sauerstoffmangel über den Everest fliegen kann und dabei sowohl seine Route als auch die entsprechende psychophysische Kondition beibehält. Die großen Zugvögel haben eine andere Anatomie und eine andere Atemtechnik als wir, um während eines Fluges in großer Höhe Druck in der Lunge zu erzeugen. Sie atmen Luft ein und füllen damit zusätzliche Luftsäcke, die sie außerhalb der Lungenflügel haben. Durch Kontraktion der Muskeln pressen sie dann die zusätzliche Luft in die Lunge, wo durch den erhöhten Partialdruck der Sauerstoffaustausch im Blut wie in geringeren Höhen erfolgen kann. Durch Muskelanspannung also kann künstlich der fehlende Druck in der Lunge ausgeglichen werden.

Ich hatte mir nun vorgenommen, die beiden Welten zusammenzubringen. Ich wollte die Atemtechnik der Vögel verwenden und ihre besondere Anatomie durch die Bauchatmung ausgleichen, die ich bei der Meditation praktizierte. Ich wollte nachvollziehen, ob und wie ein Mensch über dem Everest wie ein Adler eine bestimmte Zeit ohne künstliche Sauerstoffzufuhr überleben kann. Für mich selbst und für die Wissenschaft war das unbekanntes Terrain.

Nachdem die Standardtests zum Sauerstoffmangel abgeschlossen waren, startete ich meinen eigentlichen, persönlichen Test. Weiterhin ohne Maske begann ich einen körperlichen Belastungstest. Daher waren die Ärzte jetzt in Alarmbereitschaft, denn sie fürchteten, dass ich das Bewusstsein verlieren oder sogar sterben könnte. Eine Überdruckkammer und Fachärzte für Überdruckmedizin waren in Bereitschaft, um mich im Falle einer Embolie sofort zu behandeln. Die einzige Möglichkeit, die Luftblasen in meinem Blut zu verringern, wäre gewesen, mich einige Stunden oder Tage in einer druckgeregelten Umgebung aufzuhalten, sodass sich die Embolie zurückbilden könnte.

Ich wusste um die Risiken und machte einige Kniebeugen, um zu sehen, wie das Herz reagierte. Nach ein paar Minuten sprach der Organismus an: während sich die Beinmuskeln immer stärker anspannten, begann mir der Sauerstoff zu fehlen. Mein Körper hatte schon alle verfügbaren Kohlenhydrate verbrannt und wollte nun das Ausmaß der Anstrengung vermindern. Ich hörte auf, der Sauerstoffanteil in meinem Blut war abgestürzt. Alle Fasern meines Gehirns und meiner Muskeln verlangten verzweifelt nach Sauerstoff, um überleben zu können, aber die Moleküle kamen nicht, denn ich befand mich ja ohne Sauerstoffmaske auf 9000 Metern und hatte mich nicht akklimatisiert. Ich spürte zunehmend eine Müdigkeit, die Milchsäure in den Muskeln und den fehlenden Sauerstoff. Ich war an meine absolute Grenze gelangt, eine Grenze, an der ein verletztes Tier keine Kraft mehr hat zu reagieren und sich aufgibt. Ich war ganz kurz davor.

Ich widerstand. Obwohl ich schon unter fünfzig Prozent der Sauerstoffsättigung im Blut angelangt war, dem Wert, bei dem man normalerweise ohnmächtig wird, machte ich weiter. Doch ich wollte keinen Rekord in der Unterdruckkammer aufstellen – es hatte keine besondere Bedeutung für mich, mit meiner Willenskraft die Grenze zu überschreiten, denn das war nicht die Lösung, nach der ich suchte. Ich widersetzte mich der unglaublich starken Versuchung, nach der Maske zu greifen, und setzte mich in den Lotossitz, um zu entspannen, nach meiner Technik, der Pranayama-Atmung.

Ich atmete ein, ohne dabei den Brustkasten zu erweitern, das heißt ohne die Muskeln anzuspannen. Ich blies den Bauch auf, senkte das Zwerchfell ab und füllte die Lunge. Dann entspannte ich mich und ließ – mein Zusatz zur Pranayama-Technik – mit verschlossenen Atemwegen das Zwerchfell wieder nach oben kommen, wodurch der Partialdruck in der Lunge anstieg, genau wie es bei den Zugvögeln der Fall ist. Ich wiederholte das mehrmals.

Und dann geschah etwas Wunderbares.

Nach drei oder vier derartigen Atemzügen stiegen meine Parameter ganz überraschend wieder an. Es hatte geklappt! Zum ersten Mal testeten wir eine aus dem Yoga abgeleitete Atemtechnik auf großer Höhe. Später entdeckte ich, dass Jacques Mayol, der große Apnoe-Taucher, zur Hyperventilation vor seinen Rekorden im Freitauchen mit dieser Atemtechnik arbeitete. Wieder einmal hatte die Natur uns etwas beigebracht.

Nach insgesamt zwei Stunden war der Test beendet. In der Kammer begann der „Abstieg", um den Druck dem der Umgebung anzupassen und mich wieder auf eine normale Höhe zu bringen. Die druckdichte Tür wurde geöffnet. Als ich ein wenig benommen die Kammer verließ, sagten mir die Ärzte, dass sie sehr überrascht waren, wie schnell ich meine Parameter ohne Sauerstoffzufuhr wieder ausgeglichen hatte. Obwohl die Daten meiner Körperfunktionen ganz klar Sauerstoffmangel in meinem Organismus angezeigt hatten, war ich ohne sichtbare Symptome und in perfektem psychophysischem Zustand wieder angekommen. Das hatte ich dem harten Training der letzten beiden Jahre zu verdanken. Wir beglückwünschten uns alle gegenseitig.

Die Phase der Tests unter simulierten Bedingungen war damit abgeschlossen. Auch Richard, dem ich zum zweiten Mal vorgeschlagen hatte, mich als Schleppflieger zu begleiten, hatte sie über sich ergehen lassen. Da er es war, der mich mit derselben Technik, die wir in der Sahara angewandt hatten, zum Ausgangspunkt über dem Dach der Welt bringen sollte, war es logisch, dass auch er dieselben extremen Bedingungen wie ich erfuhr. Sein psychophysischer Gesamtzustand entsprach voll den Anforderungen.

Bevor wir uns aber beide mit der Luft in ihrem ureigenen Reich, im windigen Himmel des Himalajas, messen konnten, hatten wir noch eine Prüfung zu bestehen: einen echten Flug auf dieser Höhe.

Generalprobe

Militärflughafen Guidonia, 6. März 2004. Wir standen zum Abheben auf der Startbahn bereit: ich mit meinem Drachen und Richard mit seinem Trike. Wir führten die während der Tests in der Unterdruckkammer entwickelte Prozedur durch: dreißig Minuten reinen Sauerstoff einatmen, um das Blut vom Stickstoff zu befreien.

Das Wetter an diesem Tag war kalt und sehr unbeständig, an den Tagen zuvor hatte es ununterbrochen geregnet, und für den darauffolgenden

Tag war eine weitere Wetterverschlechterung vorhergesagt. Wetterbedingungen also, die denen sehr ähnlich waren, die ich Monate später am Everest zu erwarten hatte. Ich musste mich so hoch wie möglich über den Berg Terminillo ziehen lassen, um das zu simulieren, was wir auf dem Dach der Welt vorfinden würden. Eine Woche zuvor hatten wir auf dem Flughafengelände ein Basislager errichtet, das gleiche, das uns auch im Himalaja zur Unterbringung dienen sollte. Damit wollte ich den Stand der Logistik und sowohl die körperliche als auch die mentale Verfassung des von mir zusammengestellten Teams überprüfen.

Richards Beitrag zur technischen Vorbereitung – wie auch jener der Techniker für den Motor und jener der Ingenieure für die Sauerstoffflaschen – war von fundamentaler Bedeutung. Er hatte hart an der Leistung des Motors seines Trikes gearbeitet, und einmal mehr wurde deutlich, dass das eigentliche Ereignis – der Überflug – nur ein sehr kleiner Teil der ganzen Unternehmung ist, denn alles darum herum ist das Ergebnis der Arbeit des ganzen Teams.

Die Mannschaft bestand aus Massimo, der mich schon in die Sahara begleitet hatte, Achille, einem vielseitigen Piloten, dem ich Chumi und Gea anvertraut hatte, die auch mit in Guidonia waren, und Oscar, dem Arzt, der auch bei „Following the Hawks" dabei gewesen war. Und dann waren da noch die Filmteams, Fabio, Maurizio, Marcello und Stefano für den Dokumentarfilm und Andrea, Livio und Enrico für die Reportage.

Nachdem wir eine halbe Stunde reinen Sauerstoff eingeatmet hatten, hoben wir ab. Wir hatten Funkkontakt und begannen den Steigflug in Richtung Terminillo, etwa vierzig Kilometer weiter nördlich. Ich war voll konzentriert. Dies war die Generalprobe. Natürlich wünschte ich mir, dass alles klappte, aber ich hoffte auch, dass mögliche Probleme jetzt auftraten, wenn ich noch die Chance hatte, Änderungen vorzunehmen.

Auf ungefähr 5000 Meter Höhe bei einer Außentemperatur von minus zwanzig Grad bildete sich ein Eispfropf am Ausgangsventil der Maske. Die Weiterentwicklung der Maske war nach dem Test in der Klimakammer nicht mehr überprüft worden, aber diese Generalprobe sollte ja auch dazu dienen, solche Probleme zu beheben. Ich wollte jedoch den Flug nicht abbrechen. Vor uns lagen noch 3000 Meter Steigflug, auf dem sich noch weitere grundlegende Probleme zeigen könnten.

Ich entschied mich, mit dem Eispfropf zu leben. Ich atmete langsam in regelmäßigem Rhythmus nur durch die Nase, damit ich weder kurzatmig wurde noch hyperventilierte, was mein Blut mit zu viel Sauerstoff angereichert hätte. Ich konnte aber die Luft nicht aus der hermetisch abgeschlossenen Maske ausblasen. Daher improvisierte ich eine Lösung, die auch funktionierte. Ich öffnete den Mund halb, sodass ein seitlicher Spalt zwischen der Maske und meinem Gesicht entstand, und stieß die Luft aus, ganz langsam, damit sich keine Eiskristalle bilden konnten. Dann schloss ich den Mund wieder, die Maske legte sich an und ich bekam wieder Sauerstoff. Ich musste ziemlich viel Kraft dafür aufbringen, weil bei minus vierzig Grad auch der elastische Kautschuk immer härter wurde. Unterdessen stiegen wir weiter auf.

Kurz darauf trat ein weiteres Problem auf: Eis auf dem Visier der Sauerstoffmaske. Eine millimeterdicke Schicht, sodass ich weder die Instrumente ablesen noch den Schleppdrachen sehen konnte. Die Luft, die aus dem Ventil oder aus dem Spalt, den ich mit meiner Kiefermuskulatur öffnete, strömte, floss zur Seite und nicht nach unten. Dadurch kondensierte sie auf der Außenseite des Visiers und gefror sofort. Ich musste so schnell wie möglich eine Lösung finden.

Ich hatte keinerlei Sicht und konnte die Maske nicht abnehmen, weil die Tränenflüssigkeit in meinen Augen sofort gefroren wäre. Daher war ich gezwungen, eine Hand vom Trapez zu nehmen und sie aus dem Fäustling und dem darübergezogenen Schutzhandschuh zu ziehen, um mit bloßen Fingern einen Streifen freizukratzen, damit ich wieder hinaussehen konnte. Ich arbeitete sehr schnell. Aufgrund der Geschwindigkeit und der Höhe konnte ich die Hand nur für wenige Sekunden in der Kälte lassen. Endlich sah ich Richard wieder vor mir. Nach fünf Minuten war das Visier jedoch erneut vereist. Und wieder die Hand aus dem Handschuh, kratzen, sofort wieder einpacken und bewegen, damit die Durchblutung in Gang kommt. Alle fünf Minuten das gleiche Spiel.

Nachdem die Temperatur auf minus 45 Grad gesunken war, bildete sich wegen des Wärmeverlusts Eis auf dem Ausklinksystem für das Zugseil und blockierte es. Ich brauchte die höchste Konzentration, um auf tausend Sachen gleichzeitig zu achten: die Kälte, den Kurs, die Instrumente, überleben, atmen … aber trotzdem musste ich die Gefahr mit einer gewissen Distanz betrachten, analytisch, rational, und durfte mich nicht von den Ereignissen überwältigen lassen. Und alles musste in Sekundenschnelle passieren, weil ein Problem ein weiteres auslösen kann, wie eine Schneeflocke, die eine Lawine auslöst. Fliegen ist so, aber im Grunde ist auch das Leben nicht anders.

Schon wieder: Eisbildung auf dem Flügel. Auf dem Steigflug war mir aufgefallen, dass der Flügel immer härter wurde. Das war ein schwerwiegendes Problem. Rein instinktiv stieß ich gegen die Steuerungseinheit, um das Eis abzuschlagen, und alles war wieder normal. Aber nur für kurze Zeit, weil das Problem erneut auftrat und ich die Methode mehrere Male wiederholen musste. Und in der Zwischenzeit atmete ich weiter auf anstrengende Art und Weise seitlich aus und kratzte das Eis vom Visier …

Als wir auf die Höhe von 8000 Metern zusteuerten, erlebte ich etwas, was ich noch nie gesehen hatte. Ich bemerkte, dass Richards Gerät eine Kondensspur hinter sich herzog wie eine Boeing. Zuerst erschien es mir absurd, dass ein Motordrachen so etwas hervorrufen konnte. In Wirklichkeit war es aber so, dass der Propeller die Luft bei minus 45 Grad herumwirbelte und wie bei Düsenjets einen Kondensstreifen aus Eiskristallen und Abgasen hinter sich herzog. Und ich flog über dieser Himmelsspur – ein magisches Schauspiel.

Auf ungefähr 7800 Meter Höhe und bei einer Geschwindigkeit von 150 Stundenkilometern beschloss ich, mich auszuklinken. Ich nahm die Hände aus den Handschuhen und zerbrach das Eis, um das Seil zu befreien, aber es ließ sich nicht lösen. Ich brachte meine Hände in Sicherheit, damit ich keine Erfrierungen bekam. Danach ließ ich das Trapez wieder los, und es gelang mir, die Eisschicht auf dem Ausklinkmechanismus zu entfernen. Das Seil verschwand hinter Richards Motordrachen. Ich flog hoch über dem Terminillo. Die Stadt Rieti lag flach unter mir. Ich konnte die beiden Meere sehen, auf der einen Seite die Adria, auf der anderen Seite das Mittelmeer. Als ich das Ziel erreicht hatte, bildete sich unter mir eine Dunstschicht, die mir die erforderliche Sicht für den Rückflug nahm. Ich vertraute also dem Kompass, dem Chronometer und dem GPS und kehrte langsam zum Boden zurück, wo mich meine Freunde und die Verantwortlichen der Militärbasis empfingen.

Mir ging es gut. Nur die Kieferknochen schmerzten wegen der unnatürlichen Belastung, der sie ausgesetzt gewesen waren, dermaßen, dass ich in den folgenden zehn Tagen nur flüssige Nahrung zu mir nehmen konnte. Nach der Landung nahm ich die Maske ab und betrachtete den Eispfropf. Er brauchte eine Stunde zum Abtauen. Zum Glück hatten wir diesen Testflug gemacht!

Später machten wir uns daran, die Probleme zu analysieren. Die Maske wurde auch von Luftwaffenpiloten benutzt und war daher für den Gebrauch in geschlossenen Räumen gedacht. Sie eignete sich durchaus für druckausgeglichene Flüge in stratosphärischen Schichten, war aber nicht geeignet für Außentemperaturen von fünfzig Grad unter null bei einer Geschwindigkeit von 150 bis 200 Stundenkilometern.

Tatsache war, dass es kein für diese Art Einsatz entwickeltes Modell gab. Daher musste ich mir etwas einfallen lassen.

Die einströmende Luft musste wärmer sein, und die Isolierung benötigte einen Wärmeaustausch mit außen. Ich half mir mit einem Stück Neopren und einer simplen Wärmepackung. Ich schnitt das Neopren in der Form der Maske aus, dann klebte ich es hermetisch fest, sodass die Luft, die aus dem Ventil strömte, nach unten abgeleitet und somit vom Visier weggeführt wurde. Dann musste die Temperatur noch um wenige Grade erhöht werden, um die Bildung von Eis zu verhindern. Dazu diente eine kleine Wärmepackung, deren wärmende Wirkung auf einer chemischen Reaktion – der Oxidation der Inhaltsstoffe – beruht, die über mehrere Stunden anhält. Ich brauchte sie nur zu öffnen, und das enthaltene Granulat reagierte nach und nach mit dem Sauerstoff. Dann steckte ich sie zwischen das Auslassventil und die von mir gefertigte Neoprenmembran. Und fertig: fünf Cent für das Neopren, weitere fünf Cent für die Wärmepackung, eine Stunde Aufwand zum Schneiden und Ankleben. Manchmal sind es die einfachsten Dinge, die einem das Leben retten können.

Nachdem wir das Problem der Eisbildung auf der Tragfläche und auf dem Ausklinkseil mit einem im Linienflugbetrieb verwendeten Enteisungsspray gelöst hatten, war ich bereit für den großen Sprung. Nun stand unserer Expedition nach Asien nichts mehr im Weg.

Die Expedition

Nepal

Der Airbus der Qatar Airways begann den Landeanflug auf Kathmandu. An Bord das komplette Team: die Fotografen, der Regisseur, der Tontechniker und seine Leute, der Arzt, Richard mit seinem Assistenten und ich mit meiner Mannschaft. Und Laura, die aber nur ein paar Tage bleiben konnte und mir in der Anlaufphase der Expedition und bei ein paar diplomatischen Kontakten helfen wollte. Ich saß neben ihr und hatte immer ein Auge auf die Transportboxen, in denen Chumi und Gea untergebracht waren – man hatte mir erlaubt, sie bei mir im Passagierraum zu haben.

Angeschnallt und den Blick starr aus dem Fenster gerichtet, bereiteten wir uns auf die Landung vor. In der Luft lag ein Gemisch aus Angst und Aufregung. Nach vier Jahren Vorbereitung, von denen zwei sehr arbeitsintensiv gewesen waren, konnte das Abenteuer beginnen. Endlich waren wir in Nepal, nach einer langen, durchaus bequemen Reise. Und dann kam der erste Schritt auf nepalesischem Boden: Er brachte uns aus der klaren Frühlingsluft Italiens in eine andere Welt. Eine Dunstglocke hing über der tropischen Hitze der Stadt. Unsere erste Station war der Zoll des Tribhuvan International Airport. Und da ging der Ärger los. Unser persönliches Gepäck interessierte die Zollbeamten recht wenig; ihre ganze Aufmerksamkeit konzentrierte sich auf die Kartons mit Chumi und Gea.

Einer von ihnen zeigte auf die Schachteln und fragte auf Englisch, was darin sei. „Meine Adler", antwortete ich und zeigte sofort die Einfuhrgenehmigung von Italien nach Nepal. Der Beamte begutachtete das Dokument und schüttelte den Kopf. Mir schwante nichts Gutes, als ich erkannte, dass er solch ein Dokument noch nie gesehen hatte. Ich erklärte ihm, dass das Washingtoner Abkommen zum Schutz vom Aussterben bedrohter Tiere auch von der nepalesischen Regierung unterzeichnet worden war, was mir erlaubte, die Adler zu transportieren und im vorgesehenen Gebiet auszusetzen. Der Mann schüttelte den Kopf heftiger und forderte mich auf, ihm in einen kleinen Raum zu folgen.

Die Stunden vergingen mit absurden Verhandlungen, unterbrochen von unendlichen Wartezeiten. Der Zollbeamte saß an seinem Schreibtisch, trank in aller Ruhe Tee und fächelte sich mit einer Zeitschrift Luft zu. Ich saß vor ihm, erzählte ihm meine Lebensgeschichte, hörte mir seine an und kam immer wieder auf die Ladung zu sprechen. Ich wusste, dass es nur so ging, aber ich bin leider gar nicht dafür gemacht, geduldig mit Bürokraten zu verhandeln. Und was mich am Ende am meisten ärgerte, war die Tatsache, dass sie uns schließlich gehen ließen, ohne uns wenigstens einen Stempel auf das besagte Papier zu drücken.

Umrundet von einer Menge Kofferträgern stiegen wir in Taxis, die uns die Fahrer lauthals feilgeboten hatten, um ins Hotel zu fahren. Kathmandu hat sich sehr schnell entwickelt, zu schnell. Auf unserer Fahrt durch die vom Verkehr verstopften und durch Smog verschmutzten Straßen schaute ich mich verwundert um und betrachtete die großen Reklametafeln auf den Hausdächern. Der Lärm war unglaublich – Hupen, Motorenlärm und Fahrradklingeln von alten Mofas und Autos, Rikschas, Motorrikschas, Kutschen, Lieferwagen und vorsintflutlichen Lastwagen. Es wimmelte von Menschen, Touristen erkannte man sofort, es gab Kühe, Affen ... ein universeller Mix, dessen einziges Gesetz das Chaos war.

Als wir im „Singhi Royal Hotel" ankamen, packten Laura und ich die Koffer aus und ruhten uns aus. Achille hatte ich gebeten, Chumi und Gea im tropischen Innenhof des Hotels etwas fliegen zu lassen. Später gingen wir zusammen den Plan für die darauffolgenden Tage durch, und von der Rezeption wurden uns Renato Moro und Sonam Sherpa angekündigt, die sich um verschiedene organisatorische Dinge für uns gekümmert hatten. Ihren Anstrengungen war es zu verdanken, dass ich nach Monaten offizieller Treffen und unzähliger Telefonate, Faxe und E-Mails endlich die lang ersehnte schriftliche Genehmigung der nepalesischen Behörden erhalten hatte. Ich sagte der Rezeption Bescheid, dass sie gleich auf unser Zimmer kommen sollten.

„Es gibt Schwierigkeiten", sagte Renato. „Wir kriegen die Ausrüstung nicht durch den Zoll. Das steht immer noch alles in den Lagerhallen des Flughafens."

Wir hatten die komplette Ausrüstung für die Expedition beizeiten vorausgeschickt, weil ich schon geahnt hatte, dass die Verzollung lange dauern würde. Bereits einen Monat zuvor hatten wir in der von Qatar Airways zur Verfügung gestellten Frachtmaschine ungefähr zwei Tonnen Ausrüstung verstaut. Mittels Telefon und elektronischer Post hatte ich den Reiseverlauf mit allen Zwischenlandungen verfolgt, um sicherzugehen, dass nichts verloren gegangen war. Als ich erfahren hatte, dass alles heil angekommen war und dass man sich an die Einfuhrformalitäten machen würde, war ich überzeugt gewesen, dass uns bei unserer Ankunft in Kathmandu alles zur Verfügung stehen würde.

„Das fängt ja gut an. Morgen werde ich mein Glück am Flughafen versuchen", erklärte ich.

Das Problem war, dass ich auch noch andere Dinge zu tun hatte. Vor allem wollte ich mich bei den einzelnen Stellen vorstellen, die mir mein Vorhaben durch ihre Genehmigung ermöglicht hatten und die mich bis dahin nur von Fotos kannten. Am nächsten Morgen begann ich mit Richard eine Reihe von Besuchen, die insgesamt ein paar Tage in Anspruch nahmen. Auch wenn ich etwas pessimistisch eingestellt war angesichts der momentanen Lage, wurden wir in den Büros des Luftfahrtministeriums, der Grenzpolizei und des Militärs begeistert empfangen.

Als bester Passierschein erwies sich eine DVD mit einem Videoclip der Dokumentarfilmproduzenten. Darauf waren alle Vorbereitungsphasen von unserer Ortsbesichtigungstour im Jahr zuvor bis zu den Tests in simulierter Umgebung sehr gut dargestellt. Meine Flüge zusammen mit den Adlern stießen auf besonders großes Interesse und verhalfen mir zu mehr Unterstützung durch meine Gesprächspartner, als es tausend Worte je vermocht hätten.

Als ich nach einem dieser Treffen zufrieden ins Hotel zurückkam, wartete Achille in der Halle auf mich. „Chumi geht es nicht gut."

Ich folgte ihm auf sein Zimmer, und Chumi sah tatsächlich krank aus. Die Flügel hingen schlaff herab, der Atem ging keuchend, und er sah müde aus. „Vielleicht sind das noch die Auswirkungen der Reise", meinte ich. „Vielleicht erholt er sich ja wieder."

Aber Chumi erholte sich nicht. Im Gegenteil, einige Stunden später zeigte auch Gea die gleichen Schwächesymptome. Sie wollten beide nichts mehr fressen.

Wir brachten Chumi und Gea in das Central Veterinary Hospital, die städtische Tierklinik, wo sie in großen Volieren untergebracht wurden. Die Ärzte sagten mir, dass ich am Tag darauf wiederkommen sollte, wenn die Ergebnisse der Untersuchungen vorlägen. Schweren Herzens verließ ich das Krankenhaus in der Angst, dass ich die beiden nie wieder sehen würde.

Am nächsten Morgen erwarteten mich die Ärzte mit schlimmen Nachrichten. Die Adler hatten sich einen Virus eingefangen, wahrscheinlich durch ihre Nahrung, und in freier Wildbahn wären sie schon gestorben. Sie mussten unter Beobachtung bleiben und medikamentös behandelt werden. Ich ging zu ihnen. Gea war kräftiger und schien nicht so mitgenommen zu sein, aber Chumi ging es wirklich schlecht. Ich musste allein ins Hotel zurückkehren.

In der Zwischenzeit kümmerte ich mich weiter um die Expedition und pendelte zwischen Zoll und Behördenterminen hin und her. Am Zoll dauerte alles endlos lang. Bei meinen Reisen nach Afrika, in die ehemaligen Sowjetrepubliken und nach China hatte ich gelernt, dass Herr Dollar eine gewisse Macht ausüben konnte. Natürlich musste ich vorsichtig sein und abwägen, wem ich mich wie und mit welcher Summe nähern konnte, sonst bestand das Risiko, jemanden zu beleidigen und Ärger zu bekommen. Es war deutlich, dass auch die andere Seite überlegte, wie weit sie gehen konnte mit ihren Forderungen. Nach tagelangen Psychospielchen wurde uns endlich unsere Ausrüstung ausgehändigt.

Es war höchste Zeit, ohne weitere Verzögerungen ins Khumbutal aufzubrechen. Wir mussten so schnell wie möglich Thyangboche erreichen, das Areal, das ich während der Ortsbesichtigung für den Aufbau des Höhenlagers ausgesucht hatte. Und wir mussten uns auch mit dem

Berg vertraut machen. Wir hatten die Wetterdaten der letzten zehn Jahre ausgewertet und die zweite und dritte Maiwoche als bestmöglichen Zeitraum für den Überflug festgelegt. Bis dahin mussten wir uns akklimatisieren, die Essgewohnheiten umstellen und die unweigerlich auftretenden Durchfallerkrankungen überstehen. Kurz gesagt, wir mussten das notwendige physiologische Gleichgewicht finden – kein leichtes Ziel mit einem Team, dessen Mitglieder sich zum größten Teil zum ersten Mal im Himalaja befanden.

Nachdem alles vorbereitet war, wurde klar, dass wir die Adler noch nicht mitnehmen konnten. Wir beschlossen schweren Herzens, Achille mit den Adlern in Kathmandu zurückzulassen – in der Hoffnung, dass sie uns bald folgen könnten, denn der Expedition würde ohne Chumi und Gea etwas Wesentliches fehlen. Außerdem machte ich mir Sorgen um sie und war traurig, dass sie nicht bei mir sein konnten.

Warten in Lukla

Der Transfer nach Lukla, zum letzten benutzbaren Flughafen in Richtung Khumbu und Basislager, stellte uns sofort vor Probleme. Es gab keine Flugzeuge, die groß genug gewesen wären, um all unser Material zu transportieren, und falls es eines gegeben hätte, wäre am Ziel keine geeignete Landebahn vorhanden gewesen.

Wir beschlossen, uns an eine Fluggesellschaft zu wenden, die über russische MI-17-Hubschrauber verfügte, und charterten einen. Der MI-17 kann bis zu sechs Tonnen Material aufnehmen und war mit all unseren Sachen nur zur Hälfte voll. Angesichts dieser Verschwendung kam mir eine Idee. Ich hatte gehört, dass sich die von Hillary gegründete Wohltätigkeitsorganisation für die Talbewohner aufgrund fehlender finanzieller Mittel in Schwierigkeiten befand. Seit Wochen konnte dringend benötigter Nachschub nicht ins Khumbutal transportiert werden. Ich kontaktierte die Organisation und bot unser Transportmittel an. Das Angebot wurde begeistert angenommen, und so startete das riesige blau-weiße Fluggerät schließlich voll beladen. Richard war an Bord, um das Material ans Ziel zu begleiten. Wir anderen teilten uns in zwei Grüppchen auf und flogen an Bord von zwei Kleinmaschinen.

Die Ankunft in Lukla, das auf rund 2800 Metern am Taleingang gelegen ist, weit weg von der Hauptstadt und ihrem lärmenden Rummel, war wie eine Befreiung. Ich fühlte mich gleich wohl, willkommen geheißen von fröhlichen Kindern, vom Profil der schroffen Himalajagipfel und von den rauchenden Schornsteinen auf den typischen blauen Blechdächern der Häuser.

Unangenehm war allerdings die massive Militärpräsenz in der Gegend. Die an und für sich löbliche Absicht, Touristen vor möglichen Angriffen maoistischer Guerillakämpfer zu schützen, schränkte unsere Bewegungsfreiheit doch erheblich ein. Und wir nahmen mit Erstaunen zur Kenntnis, dass Ausgehverbot herrschte – wie in Kriegszeiten durften wir nach Einbruch der Dämmerung bis zum Sonnenaufgang kein Licht anmachen und mussten auf unseren Zimmern bleiben.

Umso wichtiger war es, dass ich mich mit den örtlichen Behörden in Verbindung setzte. Mit all meinen hart erkämpften Genehmigungen in der Tasche ging ich los, um mich vorzustellen. In einem Land, dessen einzige Einnahmequelle das Himalajamassiv vom Annapurna bis zum Everest ist, sind alle Genehmigungen gegen Bezahlung zu erhalten. „Mountain business" wird das genannt, und auch für den Überflug muss bezahlt werden. Mir blieb keine andere Wahl, als für drei Monate eine Charterlinie von Lukla zum Everest via Thyangboche zu kaufen, und die musste ich teuer bezahlen, denn man ging davon aus, dass ich als Besitzer Tickets verkaufen und damit Geld einnehmen würde. Dass ich statt eines Flugzeugs einen Drachen benutzen wollte, interessierte niemanden.

Als Besitzer dieser Schein-Fluggesellschaft fühlte ich mich auf der sicheren Seite. Doch dann informierte mich der soundsovielte Beamte darüber, dass alle meine Dokumente und Genehmigungen hier keinerlei Gültigkeit besaßen. Ich protestierte, aber man machte mich auf den Passus aufmerksam, den die ministeriellen Genehmigungen enthielten: „Diese Genehmigung unterliegt dem unanfechtbaren Urteil der örtlichen Behörden." Die Papiere aus der Hauptstadt waren eine Voraussetzung, genügten aber nicht. Die Entscheidung über die Erteilung einer Genehmigung war an die örtlichen Stellen delegiert.

Entmutigt kehrte ich zu den anderen zurück und brachte sie auf den neuesten Stand.

„Außerdem ist der Treibstoff noch nicht angekommen", bemerkte Richard. Der Motor des Trikes benötigte einen speziellen Treibstoff, das so genannte Avgas, ein Flugbenzin mit einer hohen Oktanzahl, das noch in 9000 Meter Höhe flüssig bleibt und auch unter null Grad im Vergaser nicht gefriert, da es keinerlei Wasser enthält.

Weil es in diesem Land kein Flugbenzin gibt und weil seine Einfuhr streng verboten ist, hatten wir rechtzeitig nachgeforscht und herausgefunden, dass auf dem Flughafen von Neu-Delhi ein indischer Fliegerklub Flugbenzin verwendete. Wir beschlossen, den Treibstoff heimlich aus Indien zu importieren. In Kathmandu hatten wir einen Fahrer engagiert, der in Neu-Delhi zwei Kanister mit insgesamt 500 Litern kaufen sollte. Es kostete nicht nur ein Heidengeld, sondern wir mussten uns auch damit abfinden, dass unser Mann für die tausend Kilometer hin und zurück sehr lange brauchen würde. Derartige Länder im Auto zu durchqueren ist immer eine Odyssee. Außerdem musste die Grenze aus verständlichen Gründen nachts passiert werden.

Ohne das Flugbenzin konnten wir weder Testflüge mit dem Schleppflugzeug unternehmen noch nach Thyangboche weiterziehen. Und von Achille, mit dem ich täglich telefonierte, hatte ich erfahren, dass Gea auf dem Weg der Besserung war, während Chumis Zustand sich verschlechterte.

In der Zwischenzeit begann ich, die Gegend mit dem Gleitschirm zu erkunden, um mich mit den Strömungsverhältnissen vertraut zu machen – und auch um eine tägliche Flugshow für die Beamten des Flughafens von Lukla zu veranstalten. Ohne dass ich das erwartet hätte, veränderte sich dadurch die Einstellung der Einwohner und der Behörden. Die Leute gaben ihr anfängliches Misstrauen auf und begannen, sich für mein Projekt zu interessieren und zu begeistern. Wir stiegen in ihrer Gunst so sehr, dass der Kommandant der Militärstation uns zu sich nach Hause zum Essen einlud. Er versprach mir auch, sich um den nicht ganz vorschriftsmäßigen Treibstoff zu kümmern, den wir erwarteten. Es war schön, mit anzusehen, wie diese Männer, deren Aufgabe es war, zu kontrollieren, zu blockieren und zu verbieten, uns halfen, ohne etwas davon zu haben außer einer Geschichte, die sie später erzählen konnten. Doch nicht nur die Militärs und Fluglotsen des Flughafens interessierten sich für uns. Aus dem Dorf und den nahe liegenden Gehöften kamen Männer und Frauen, Alte und Kinder, um mich fliegen zu sehen. Sie brachten mir kleine Geschenke, einer ein Ei, einer einen Reiskuchen, und luden mich in ihre Häuser ein.

Doch dann verschlechterte sich das Wetter. Der Himmel zog sich zu, und es begann heftig zu regnen. Ich fing an, mutlos zu werden. Während die bürokratischen Hindernisse mittlerweile ausgeräumt schienen, warteten wir noch immer auf das Flugbenzin. Außerdem war Laura wieder abgereist und sie fehlte mir. Endlich, nach einer ganzen langen Woche in Lukla, entspannte sich auf einmal die Lage. Das Wetter wurde wieder besser und man teilte uns mit, dass der Treibstoff in Kathmandu angekommen war und uns per Hubschrauber gebracht werden sollte. Ich rief Achille an und sagte ihm, er solle Chumi in der Obhut der Tierklinik lassen, aber so schnell wie möglich mit Gea hierherkommen, damit ich die Möglichkeit hatte, wenigstens einen Teil meiner naturwissenschaftlichen Mission zu erfüllen. Es ist bekannt, dass bei den Raubvögeln das dominante Weibchen das Nistgebiet aussucht und das Männchen dorthin mitnimmt. Deshalb würde Gea, auch für den Fall, dass Chumi nicht mit ihr zusammen ausgesetzt werden konnte, den Platz als ihr Territorium erkennen und in der nächsten Nistsaison dorthin zurückkehren.

Im Tal gibt es keine Telefonleitungen, im Tower des Flughafens gelang die Telefonverbindung via Satellit nur sporadisch, und so wurde ich per VHF-Funk von der Organisation Sir Edmund Hillarys kontaktiert. Von seinem Wohnsitz in Neuseeland aus hatte Hillary unsere Expeditionspläne mit Interesse verfolgt, vor allem wegen der Verbindung des Erstüberflugs mit dem Aussetzen der nepalesischen Steppenadler in ihrem Lebensraum. Er lud mich ein, bei einem Treffen mit den Lehrern und Schülern der Hillary School die sportlichen und naturwissenschaftlichen Ziele unseres Vorhabens zu erläutern und den Kindern zu erklären, wie sie das ökologische Gleichgewicht im Khumbutal und die Adler schützen könnten.

Für mich war das wie eine Einladung zu einer Hochzeit. Ich bin fest davon überzeugt, dass es uns nur dann gelingen wird, die Natur für die Zukunft zu bewahren, wenn wir die heutigen Kinder zu verantwortungsbewussten Menschen erziehen. Der Empfang in der Hillary School in Lukla war überwältigend. Die Lehrer übersetzten und illustrierten mit Zeichnungen, was ich meinen äußerst aufmerksamen Zuhörern auf Englisch über mein Vorhaben erzählte. Ich sprach vom nepalesischen Steppenadler und davon, wie sehr wir hofften, dass er eines Tages wieder in diesem Tal heimisch werden könnte. Ich erklärte ihnen, warum er es verlassen hatte und wie es möglich wäre, die Umweltschäden so weit zu begrenzen, dass sich auch andere Zugvogelarten wieder hier ansiedeln könnten. Am Schluss lud ich die Kinder ein, Gea einmal zu besuchen.

Der Unterricht war ein so großer Erfolg, dass ich umgehend in eine andere Schule am anderen Ende des Tals, in Khumjung, eingeladen wurde. Als ich nach einem eintägigen Marsch, wie einst die Missionare, dort ankam, erwarteten mich die Kinder schon. Die Nachricht verbreitete sich schnell, und so erhielt ich eine Einladung in die dritte und letzte Schule, die ich ebenso freudig annahm.

Gea und der Treibstoff trafen fast gleichzeitig ein. Die arme Gea war immer noch in der Genesungsphase und konnte noch nicht wieder fliegen, aber wenigstens war sie bei mir. Nach meinen Vorträgen an den Schulen war das Interesse der Leute an meinem Adler unglaublich groß. Eine schier endlose Prozession von Menschen kam zu uns, um Gea zu sehen. Auf meinem Handgelenk thronend, ließ sich Gea von den Kindern und Erwachsenen bewundern, die bewegungslos vor ihr standen und zugleich erstaunt und fasziniert waren.

Dank dem Flugbenzin konnten Richard und ich endlich einige Testflüge mit dem Motordrachen machen, auch um das Schleppsystem zu überprüfen. Nach einem Rundflug über das Tal flogen wir bis Thyangboche, um die Beschaffenheit der Landebahn zu untersuchen. Dort warteten wir auf das Ausrüstungsmaterial, das uns von Sherpas und dem Rest des Teams zu Fuß dorthin gebracht werden sollte.

Sonam und sein Team hatten eine kleine Karawane zusammengestellt. Insgesamt bestand die Gruppe aus ungefähr vierzig Trägern und fünf oder sechs Sherpas, die für logistische Aufgaben, etwa die Versorgung mit Lebensmitteln und Wasser oder die Bereitstellung der Ausrüstung im Höhenlager, zuständig waren. Während die Sherpas bei uns bleiben sollten, sollten die Träger nach Hause zurückkehren und erst für die Heimreise erneut engagiert werden. Die Stimmung war gut. Alle waren glücklich, dass sie dabei sein konnten, und sahen in der Expedition ein Ereignis, das in die Geschichte des Tals eingehen würde.

Die Landebahn von Thyangboche

Aufbruch bei Sonnenaufgang. Die Wahl dieses Zeitpunkts war uns durch die Bedingungen auf dem Flughafen von Lukla vorgegeben, auf dem zwischen sieben und elf Uhr morgens ein überaus reges Kommen und Gehen herrscht, das die Touristen von Kathmandu in das Tal bringt. Starts und Landungen erfolgen im Minutentakt. Nach elf Uhr kommt der Flugverkehr komplett zum Erliegen, weil die Kondenswolken das Tal heraufsteigen und die gesamte Landebahn einhüllen, daher diese Ballung der Flüge im ersten Teil des Tages.

Uns blieben nur die zwei Stunden zwischen Sonnenaufgang und dem Beginn des Flugbetriebs. Wegen des hohen Flugaufkommens und des kurzen Zeitfensters hatte ich dafür gestimmt, den Everest von einem jenseits von Lukla liegenden Ort, nämlich Thyangboche, aus anzugehen.

Dort hatte ich nicht nur ein ganzes Flugfeld zu meiner Verfügung, sondern war auch noch näher am Ziel.

Damit wir bei Sonnenaufgang fertig waren, hatten wir noch in der Nacht mit den Vorbereitungen begonnen. Jeder erledigte seinen Part, eine Stirnlampe spendete Licht, alles klappte reibungslos. Auf den Wagen gestützt, der mir einen liegenden Start ermöglichen sollte, sah ich vor mir das Schleppseil hinter der Neigung der Piste verschwinden. Richard und sein Trike waren für mich nicht sichtbar. Es war kalt, die Sonne war gerade erst aufgegangen, und nur die höchsten Gipfel waren beleuchtet.

Massimo und ich gingen die Checkliste zusammen durch, dann winkte ich meinen Mitarbeitern zu, die sich am Rand der Startbahn versammelt hatten. „Wir sehen uns in ein paar Tagen. Bis dann!", rief ich ihnen zu. Während Richard und ich nach ungefähr einer Flugstunde am Ziel ankommen sollten, würde die Karawane mindestens zwei Tage brauchen, um das Khumbutal hinunterzusteigen, den Dudh Kosi auf einer Hängebrücke zu überqueren, auf der anderen Seite die schroffen Felsstufen bis nach Namche Bazar emporzuklettern und schließlich nach Thyangboche zu gelangen.

Und dann starteten wir. Als ich höher kam, sah ich, dass die höchsten Gipfel links vom Tal

Richard Meredith-Hardy, der Mann, der mich in seinem Motordrachen zum Mount Everest hinaufzog

die ersten waren, die von den Strahlen der aufgehenden Sonne berührt wurden. Das Lila des Schnees und der Nacht verwandelte sich langsam in Orange, Rot, Gelb, bis sich eine beleuchtete Schicht oberhalb von 7000 Metern bildete. Darunter lag alles noch in der Dunkelheit. Ich hatte noch nie zuvor einen so klaren und im Kontrast zu den Bergen so blauen Himmel gesehen.

Der Everest war mir noch durch die Felsmauer des Nuptse versperrt, aber ich konnte seine Gegenwart schon spüren. Als er dann endlich auftauchte, zeigte er sich in seiner ganzen Pracht. Ich spürte seine Herrschaft sofort. Eine lebendige Instanz, viel mehr als ein Felsbrocken. Mir kam es vor, als fragte er mich: „Wer bist du? Was machst du hier?" So als ob ich nach den ganzen bürokratischen Genehmigungen noch eine einholen müsste, nämlich seine.

Das Brummen von Richards Motor durchdrang den windstillen und wolkenlosen Himmel. Wir flogen über Namche Bazar und kamen in Sichtweite der Hochebene von Thyangboche. Seit unserem Erkundungsflug wusste ich, dass die Landung schwierig werden würde. Die Landebahn wurde am einen Ende von einem tausend Meter hohen Berg und am anderen von einem Felsabhang, der tausend Meter in die Tiefe abfiel, begrenzt. Ich durfte weder zu früh noch zu spät aufsetzen und konnte nicht drehen. Ein weiterer Nachteil war meine Geschwindigkeit. In großer Höhe fliegt man aufgrund der geringen Luftdichte sehr schnell – ich flog mit achtzig bis hundert Stundenkilometern und würde mit etwa sechzig landen, doppelt so schnell wie sonst.

Ich klinkte mich aus. Diesmal wartete Richard meine Landung in der Luft ab, da er mich auf dem engen Platz nicht behindern wollte. Ich ging im Gleitflug hinunter und kam sehr schnell an der Landebahn an. Ich musste zentimetergenau den Weg kalkulieren, um Steinen und Schlaglöchern auszuweichen. Die Größe und das Gewicht der Sauerstoffflasche, die am oberen Teil des Gurtzeugs angebracht war, machte es unmöglich, im Stehen zu landen. Ich musste also die Räder aufsetzen und hielt sofort an. Ich klinkte mich aus der Tragfläche aus und verließ die Landebahn, damit Richard Platz hatte. Kurze Zeit später landete auch er: Transfer geglückt.

„Es war fantastisch, diesen enormen Berg von da oben so nah zu sehen", sagte er zufrieden. Er hatte Recht. Unser Ziel war etwas nähergerückt.

Es erwarteten uns Fabio, Maurizio und Stefano, die als Vorhut aufgebrochen waren, um meine Ankunft in Thyangboche zu filmen. Die drei hatten neben der Landebahn schon ihre Zelte aufgeschlagen. Wir stellten unsere daneben und warteten gemeinsam auf die Ankunft der Karawane, die zwei Tage später triumphal in das Dorf Thyangboche einzog. Die Träger boten ein unglaubliches Schauspiel. Mit dreißig oder vierzig Kilogramm auf den Schultern marschierten sie schnellen Schrittes und mit einem breiten Lächeln auf den Lippen ein. Nach einem Höhenunterschied von tausend Metern mit diesem Gewicht und einem steilen Weg bis auf 3832 Meter sahen sie noch taufrisch aus. So frisch eben wie nur Sherpas sind nach so einer Anstrengung, dieses wundervolle Volk, das ich jeden Tag mehr zu schätzen wusste. Unsere Kameraden hingegen hatte die Trekkingtour deutlich mehr angestrengt ...

Nachdem die letzten Zelte aufgebaut waren, hielt ich am Nachmittag eine allgemeine Besprechung ab. Auf der Tagesordnung stand die Instandsetzung der Landebahn. Ich fragte die Träger, ob sie bei uns bleiben und uns helfen wollten. Ich hätte sonst Leute aus Namche Bazar gerufen, aber das war nicht nötig. Alle wollten bleiben. Wir besorgten uns Schaufeln, Eimer und Hacken, krempelten die Ärmel hoch und machten uns alle zusammen an die Arbeit.

Ein Schlachtfeld in eine befahrbare Landebahn zu verwandeln, ist ein wahrhaft pharaonisches Unterfangen. Zuerst mussten wir Steine und Geröll auf die Seite schaffen, um den Durchgang frei zu machen. Danach brachten wir von den Seiten Erde heran, um die Löcher aufzufüllen. Wir bildeten eine Kette: Die Eimer mit Erde gingen von Hand zu Hand, angefangen bei demjenigen, der die Erde einfüllte, bis zu demjenigen, der sie auf die Löcher verteilte. Trotz der Anstrengung verlief die Arbeit in fröhlicher Stimmung. Ich zog immer wieder los, um allen Wasser zum Trinken zu bringen. Es stammte aus einer Quelle, die eine Stunde entfernt lag. Dem Wasser setzte ich Mineralsalze zu, um der in großer Höhe sehr schnellen Austrocknung vorzubeugen, machte mit Kanister, Schöpflöffel und Becher die Runde und verteilte das Wasser. Die Sherpas hatten dieses Getränk mit Zitronengeschmack noch nie getrunken. Es schmeckte ihnen richtig gut.

Wir arbeiteten zwei volle Tage an der Landebahn. Als schließlich alle Löcher aufgefüllt waren, mussten wir nur noch den Boden ebnen, um in der Mitte ein Rollfeld zu haben, auf dem Richard mich ziehen konnte, ohne dass wir umkippten.

Zur Feier des Erfolgs bereiteten wir ein Abendessen am Lagerfeuer vor. Es wurde getanzt und gesungen. Wenn es um das Vergnügen geht, lassen sich die Nepalesen nicht zweimal bitten. Am nächsten Morgen zogen die Träger raschen Schrittes nach Hause. Es tat allen leid – sie waren inzwischen ein Teil der Mannschaft geworden.

Bei Tageslicht konnte ich die Früchte der schweißtreibenden Arbeit noch mehr genießen. „Angelo, darf ich vorstellen, der neue Thyangboche International Airport", sagte Richard. In der Tat, mit ihm als Engländer, einem Italofranzosen wie mir, den Sherpas und einigen Russen, die hier von Zeit zu Zeit mit Hubschraubern landeten – internationaler konnte es doch nicht sein.

„Ja, endlich eine richtige Piste." Ich konnte es gar nicht abwarten, die soeben fertiggestellte Landebahn einzuweihen. Aber wieder einmal hatte der Teufel seine Hände im Spiel.

Resignation

Die Wetterfront des Prämonsuns war plötzlich über uns hereingebrochen. Stürmische Regen-, Schnee- und Hagelschauer gingen unaufhörlich auf uns herab, und wir mussten in den Zelten bleiben. Alles war durchnässt, der Regen hatte das Flugfeld in eine unbrauchbare Schlammlandschaft verwandelt. Das Kondensniveau lag so tief, dass wir ständig in den Wolken waren, inmitten von dichtestem Nebel.

Manchmal schlug ein Blitz auf der Hochebene ein, und die in den Boden gerammten Heringe und Zeltpflöcke vibrierten laut. Wenige Sekunden später krachte der Donner durch das enge, akustisch perfekte Khumbutal. Eine furchterregende Schallwelle umfing uns, wie der maximal verstärkte Knall eines Überschallflugzeugs. Der Berg zeigte uns einen Vorgeschmack seiner Macht. Seine Stimme war beeindruckend in diesem Hochgebirgsozean, wo es keine Zuflucht gab außer den zerbrechlichen Zelten, die unser Zuhause geworden waren.

Zu festgelegten Zeiten versammelten wir uns im Gemeinschaftszelt, das in der Mitte stand, zum Essen und für die Besprechungen. Richard hatte ein Satellitenempfangssystem für das Internet installiert, über das wir per E-Mail zweimal am Tag die Wettervorhersagen erhielten. Die Verbindung wurde von ExplorersWeb betreut, einer der besten Internetseiten über die Region, die unsere Expedition in allen Phasen begleitet hatte. Die beiden täglichen Termine waren die wichtigsten Momente des Tages.

Die aktualisierten Wetterdaten kamen von der amerikanischen „Station Adventure Weather", die ihre Wettervorhersagen über Satelliteninternet an alle Bergexpeditionen am Everest, aber auch am K2 und am

Annapurna weiterleitete, und vom Schweizer Wetterdienst. Manchmal war der eine näher an der Realität, manchmal der andere, manchmal lagen beide völlig falsch. Das war aber auch nicht verwunderlich. Der Everest verfügt über ein besonderes Mikroklima, und das Wetter ändert sich hier schneller als irgendwo sonst.

Die Wettervorhersage ist keine genaue Wissenschaft, sondern basiert auf Beobachtungen. Die Vorhersagen für die Alpen sind verlässlich für die nächsten sechs Stunden, fast sicher für zwölf, sehr wahrscheinlich für 24 und nur wahrscheinlich für 36 Stunden. Dies gilt für die Alpen und ganz Italien, wo in Hunderten von Messstationen genaueste Analysen durchgeführt werden. Anders sieht es im Himalaja aus, wo es nur wenige Messstationen gibt. Es war wichtig, selbst zu beobachten und auf die Einheimischen zu hören.

Also vereinte ich meine eigenen Kenntnisse der Wetteranalyse mit der empirischen Weisheit der Sherpas, die über jahrelange Beobachtungen verfügten. Normalerweise lagen wir damit richtig. Die mittel- und langfristigen Internet-Voraussagen verwendete ich, um die Bewegung der Luftmassen nachzuvollziehen und daraus abzuleiten, was wir zu erwarten hatten. Es war klar, dass der Monsun in diesem Jahr früher gekommen war als sonst. Übers Satellitentelefon erfuhren wir, dass alle anderen Expeditionen auch unterbrochen worden waren. Jeder war zum Stillstand verurteilt und wartete auf den Umschwung. Doch während die Bergsteiger auf ein Zeitfenster von drei bis vier Tagen warteten, hätte mir ein einziger Tag gereicht.

Das eigentliche Problem bestand darin, die langen Stunden zu überbrücken. An die notwendigen Testflüge zur Überprüfung des Materials unter realen Bedingungen und zur Gewöhnung an das neue Gebiet war nicht zu denken. Also arbeiteten wir daran, die Vorbereitungsabläufe für den Flug noch schneller und automatischer zu gestalten. Wir hatten schon fast optimale Zeiten erreicht, aber es reichte noch nicht aus. Ein paar Minuten mehr oder weniger bei der Montage der Fotoausrüstung oder beim Anziehen meiner Schutzkleidung konnten über den Erfolg oder Misserfolg des Unternehmens entscheiden. Ich veranstaltete einen Probelauf nach dem anderen, damit alles zu jedem Zeitpunkt und für jede Eventualität bereit war. Aber es machte sich eine wachsende Hoffnungslosigkeit breit. Je weiter die Zeit voranschritt, desto sinnloser erschienen unsere Anstrengungen.

Der erzwungene Stillstand wirkte sich äußerst negativ auf die Stimmung aus. Schlechte Laune und Pessimismus fingen an, die sonst so entspannte Atmosphäre unter uns zu belasten. Zum Glück waren die Nepalesen da. In ihren Häusern mit den himmelblauen Dächern fühlte ich mich inzwischen richtig zu Hause. Die Wärme dieser freundlichen Menschen war ein wirksames Gegenmittel gegen den Pessimismus. Jeden Abend vor dem Essen begannen unsere Köche, die an das Leben unter schwierigen Bedingungen gewöhnt waren und immer die positive Seite in allem sahen, zu singen und zu tanzen, begleitet von einfachen Saiten- und Schlaginstrumenten, die sie mitgebracht hatten. Durch ihre unbändige Vitalität halfen sie unserer Stimmung wieder auf die Sprünge.

Ansonsten vergingen die Tage in kompletter Untätigkeit. Wie auf einem steuerlosen Schiff blieb jeder für sich. Ich war froh, dass ich mich für Einzelzelte entschieden hatte. Eine Entscheidung zum Wohl der Gemeinschaft, nachdem mir während der Ortsbesichtigung im vorangegangenen Jahr bewusst geworden war, dass man in großer Höhe das Zelt nicht mit einer anderen Person teilen kann. Es gibt unendlich viele Gründe, die für das Alleinsein sprechen, aber der Lebensraum ist der wichtigste. Es gibt wenig, was einen so weit oben so sehr stört wie ein anderer Mensch. Man hat immer das Gefühl, dass der andere von der ohnehin schon knappen Luft auch noch den Teil wegnimmt, den man selbst hätte einatmen können. Und das ist nicht nur Einbildung, denn der Sauerstoff fehlt wirklich.

So lag jeder in seinem Kokon, wenige Meter von den anderen entfernt. Zurückgezogen in meine kleine Höhle, wo jeder Atemzug kondensierte, verbrachte ich die Zeit mit Lesen, Schreiben und viel Nachdenken. Meine Erfahrung hat mich im Lauf der Jahre dazu gebracht, Schwierigkeiten zu akzeptieren, vor allem diejenigen, die auf Naturereignissen beruhen. Luft bewegt und verändert sich ständig, genau wie das Leben. In einem Moment bist du ganz oben, auf der Höhe, die du dir erobert hast, kurz danach bist du unten, steigst dann wieder auf, wenn du die kaum wahrnehmbaren Zeichen um dich herum richtig deutest.

Ich wünschte mir mehr denn je, meinen Traum zu verwirklichen, aber wenn es mir die Natur dieses Mal nicht gestattete, blieb mir nichts anderes übrig, als es zu einem anderen Zeitpunkt noch einmal zu versuchen.

Andererseits darf man nicht so kurz vor dem Ziel aufgeben. Es war die zweite Maiwoche. Als allerletzten Zeitpunkt hatte ich den 30. Mai festgelegt. Dann liefen alle Genehmigungen ab und dann würde auch der Monsunregen einsetzen. Es standen also nur noch wenige Wochen zur Disposition, die abzuwarten sich lohnte, um bei der ersten Gelegenheit starten zu können. Aber das ist auch eine Gefahr. Es muss immer

Mit dem Steppenadlerweibchen Gea, das wir später im Khumbutal auswilderten

die notwendige geistige Klarheit vorhanden sein, damit keine Sicherheitsgrenzen überschritten werden. Wenn man Zeit, Energie und wirtschaftliche Mittel aufgewendet hat und dann plötzlich die Bedingungen günstig zu sein scheinen, will man sich die Gelegenheit nicht entgehen lassen. Und genau dieser Moment birgt die Gefahr, zu viel zu riskieren. Man braucht die maximale Konzentration, um zu erkennen, ob die Bedingungen wirklich so günstig sind, wie sie zu sein scheinen.

Fast jeden Tag hatte ich das Vergnügen, mit Gea, die endlich auf dem Weg der Besserung war, mein Programm ihrer Auswilderung zu entwickeln. Obwohl unser letzter Flug einige Wochen zurücklag, hatte sie nichts vergessen. Jedes Mal wenn ich den Gleitschirm öffnete, war sie aufgeregt wie ein kleines Kind, das auf den Spielplatz gehen darf. Ich blies das Segel gegen den Wind auf, und nach vier Schritten erhob ich mich in die Luft. Gea gesellte sich zu mir, ihrem wiedergefundenen geflügelten Vater.

Sternförmig flog ich mit ihr das festgelegte Fluggebiet ab. Auf diese Art sollte sie sich das Gebiet einprägen, in dem sie sich heimisch fühlen sollte. Um sie mit der Gegend vertraut zu machen und ihre Grenzen nach und nach zu erweitern, brauchten wir keine großen Distanzen zu überfliegen. Ich hatte nicht die Absicht, sie mit mir über den Everest fliegen zu lassen. Da ihr zukünftiges Nistgebiet auf der südlichen Seite lag, konnte sie auf ihrem Rückflug in das Tal gelangen, ohne den Berg überqueren zu müssen.

Nach einer Stunde beschloss ich zu landen, und wie immer beobachteten uns viele Menschen dabei. Gea drehte eine letzte Runde, legte dann die Flügel an, um die Flugbahn zu halten und neben mir zu landen.

Trotz des schönen Fluges mit Gea machte mir die schlechte Stimmung im Team zu schaffen. Für uns alle war es eine Reifeprüfung in Sachen Teamgeist. Nicht ohne Grund hatte ich bei der Auswahl jedes einzelnen Mitarbeiters über die technischen Kenntnisse hinaus auch auf die menschlichen Qualitäten geachtet. Im Nachhinein bin ich fest davon überzeugt, dass wir es nicht bis zum Ende ausgehalten hätten, wenn der Zusammenhalt nicht so groß gewesen wäre.

Als Führer des Teams musste ich nicht nur meine eigene schlechte Stimmung ertragen, sondern auch die Frustration des gesamten Teams. Immer wieder stellte ich meine Entscheidungen infrage und dachte fortwährend darüber nach, ob ich den richtigen Zeitpunkt gewählt hatte. In meinen Untersuchungen hatten sich die Zeiten vor und nach dem Monsun als geeignet erwiesen. Im Zeitraum vor dem Monsun hatte sich die zweite Maihälfte als ideal herauskristallisiert. Aber in diesem Jahr schien alles anders zu sein. Natürlich unterscheidet sich jedes meteorologische Jahr von den anderen, und mir war klar, dass man nicht alles vorhersagen kann. Meinem inneren Frieden half das nicht sehr viel. Trotzdem – es war wichtig, dass ich Geduld hatte und vor allem nicht zu sehr an zu Hause, Laura und die Kinder dachte.

Als sich die Wolken ins Tal zurückzogen, entspannte sich die Atmosphäre. Endlich sah man wieder ein Stück Himmel. Unser Anflug von Erleichterung verflüchtigte sich jedoch, als wir merkten, dass die Wolken aus dem Tal erneut aufstiegen und sich zu uns nach oben bewegten. Die Verringerung der Sicht durch den dicken Nebel hatte verheerende Auswirkungen. Sie begrenzte unseren Horizont auf drastische Art und Weise und zwang uns, unsere Gedanken auf uns selbst und unsere Situation zu richten. Die Moral sank auf einen Tiefpunkt. Wir standen abgeschnitten auf einem Abstellgleis, von dem es keinen Ausweg zu geben schien. Zwischen den Zelten flatterte ein Band mit bunten Gebetsfahnen im Wind, das ein Sherpa aufgehängt hatte. Es sollte ein Glücksbringer sein. Ich hoffte es von ganzem Herzen.

Der Tag der Entscheidung

Heute wird geflogen

Keine Neuigkeiten bis zum 14. Mai. Am Abend, als wir alle im Gemeinschaftszelt versammelt waren, brachte die letzte Verbindung mit meinem Satellitentelefon gute Nachrichten. Ab dem 15. Mai schrittweise Besserung, gemäßigter Wind und klarer Himmel, aber ab dem 17. Mai wieder Wetterverschlechterung. Das war unsere Chance. „Am Sechzehnten versuchen wir es", teilte ich den anderen mit.

Am Morgen des 15. Mai nahm jeder seine Position ein. Wieder und wieder probten wir das Anziehen und die Montage der Ausrüstung. Ich ließ mir jetzt alle sechs Stunden die neuesten Wetterdaten schicken. Sie schienen zu bestätigen, dass es diesmal klappen könnte. Ich spornte alle an, ihr Bestes zu geben. Vielleicht war es unsere einzige Chance.

Endlich: das Morgengrauen des 16. Mai. Ich stehe wie immer um halb vier auf und trete aus meinem Zelt. Draußen ist es eisig kalt. Über mir ist es wolkenlos, ohne die sonst übliche Dunstglocke. Zum ersten Mal seit unserer Ankunft in Thyangboche bewundere ich den Sternenhimmel. Ein bisschen Nebel ist noch da, aber er hebt sich. Ich steige auf den Hügel dicht beim Lager. Von dort aus liegt das gesamte Khumbutal vor mir, und mit einem Blick sehe ich von Norden bis Süden die Berge und Täler, die hier zusammenfließen. Alle Sonnenaufgänge habe ich von diesem Felsvorsprung aus beobachtet. Und jeden Morgen bin ich nach der genauen Wetteranalyse wieder schlafen gegangen, enttäuscht von den schlechten Wetterverhältnissen. Aber heute ist es anders.

Um vier Uhr wecke ich alle, und in nur zwei Stunden sind wir, dank der ausgedehnten Probeläufe der vergangenen Tage, startbereit. Während Richard und ich unsere dreißig Minuten reinen Sauerstoff einatmen, um Embolien vorzubeugen, bringen die Fotografen und Techniker die Geräte an. Wir sind fertig mit dem Sauerstoff, jetzt kommt die Kurzbesprechung mit Richard. Eigentlich ist alles klar, aber ich habe irgendwie den Eindruck, dass etwas nicht stimmt. Eine undefinierbare Empfindung, insgesamt ohne konkrete Gründe.

„Richard, ich glaube, dass das Wetter nicht so schön ist, wie es jetzt den Anschein hat." Aus den Tiefen des Tals steigen wieder Wolken auf.

„Dort ist es aber schön", wirft Richard ein und zeigt in Richtung Everest. Und tatsächlich sieht das Wetter in dieser Richtung beständig aus.

„Wir machen mit den Vorbereitungen weiter, aber ich habe den Eindruck, dass heute doch nicht der richtige Tag ist", halte ich dagegen. „Das Problem liegt nicht da oben, sondern hier unten."

Das Team ist euphorisch und nervös zugleich, aber dennoch sehr konzentriert. Jeder führt seinen Teil Schritt für Schritt aus, wie wir es bei den Tests an den Schlechtwettertagen geübt haben. Uns ist allen klar, dass wir vielleicht keine weitere Gelegenheit haben werden.

Ich lege mich auf den Trolley, mein für einen erfolgreichen Start unverzichtbares Fahrgestell. Ich werde Zeit und die Hilfe von mehreren Personen brauchen, bis ich richtig liege. Das Startmanöver ist komplex. Wegen der geringen Luftdichte in großer Höhe erhöht sich die Startgeschwindigkeit. Ich werde mit achtzig Stundenkilometern abheben und muss das Gestell auf der unebenen Piste genau steuern können. Mit dem Gesicht nach unten, nur eine Handbreit über dem Boden, muss ich es kontrolliert lenken, solange ich am Boden bin, und mich dann davon trennen. Meine Hände müssen jedoch auf dem Trapez liegen, um die Lenkstange zu halten und wie ein Seiltänzer mit ihr die Balance zu finden. Deshalb bin ich zwischen zwei senkrechten Stangen eingeklemmt, sodass ich durch Gewichtsverlagerungen des Körpers lenken und das Fahrgestell auf einer Achse mit dem Trike halten kann. Außerdem muss ich mit beiden Zeigefingern die Bremsen betätigen, falls das Schleppseil reißt und das Trike in der Folge zum Stehen kommt. Schließlich muss ich im Moment des Abhebens noch eine kleine Leine ziehen, die den Trolley bremst und verhindert, dass er über den Felsabhang am Ende der Piste stürzt.

Über diese Komplikationen hinaus ist es auch unser erster Schleppflug in Thyangboche, und das macht mir gewisse Sorgen. Die Startbahn sieht einigermaßen befahrbar aus. In den letzten regenfreien Tagen ist das Wasser abgelaufen, und der Schlamm ist verschwunden. Wir müssen es probieren. Der Motor des Schleppflugzeugs ist warm gelaufen, ich bin bereit. Letzter Funkkontakt mit Richard, letzte Freigabe von Massimo. Ich gebe das Startzeichen.

Richard gibt Vollgas und zieht mich. Wir starten. Ich komme noch nicht auf die Geschwindigkeit, der Flügel trägt noch nicht. Der Drachen ist ausgesprochen instabil, und durch das Schaukeln streifen die Flügelenden über den Boden. Ich weiß, dass dieser plumpe, schwere Flügel seine Eleganz wiederfindet, sobald ich in der Luft bin. Nach dem Ausstoß einiger Verwünschungen hebe ich vom Boden ab und löse mich vom Trolley. Ich durchquere die Staubspur, die der Schlepper bei Vollgas auf der Piste hinter sich herzieht, und fliege. Es ist gut gegangen. Ich höre den befreienden Applaus meiner Mannschaft. Auch Richard hebt ab, und gemeinsam beginnen wir den Steigflug mit einer Runde über das Flugfeld, wie wenn man von einem Flugzeugträger aus startet und für den Fall der Fälle noch im Sicherheitsbereich bleiben will.

Wir fliegen direkt auf den Everest zu. Ama Dablam, Nuptse, Everest, das ist unsere Flugroute. Vorwärts. Aber noch bevor wir bei der Ama Dablam ankommen, nachdem wir rund tausend Meter in Kreisen aufgestiegen sind, nehme ich eine anormale Turbulenz wahr. Mit der Flügelstellung stimmt etwas nicht, ich empfinde sie als instabil, es ist ein Gefühl wie mit dem Auto auf Glatteis. Die Luft verändert sich. Ich schließe es aus einer Reihe von Indizien, aus dem Verhalten des Flügels, aus den zu hohen Temperaturen für diese Höhe. Eine latente Turbulenz, die etwas ankündigt. Das ist reine Instinktsache.

In Richtung Everest scheint der Tag schön zu sein, aber unter mir haben die Wolkenschichten schon die Hälfte des Tals eingenommen. Ein schlechtes Zeichen. Meine Alarmglocken klingeln. Die Turbulenzen werden stärker, alles um mich herum geht in die falsche Richtung. Es ist nicht der richtige Moment, ich spüre es.

Wir müssen aufgeben. Heute will uns Chomolungma nicht haben; die Elemente haben sich zu ihrem Schutz verschworen. Umgehend rufe ich Richard über Funk und teile ihm meine Entscheidung mit. Wir fliegen zurück.

Noch bevor ich mich ausklinken kann, bricht in einer weiteren Turbulenz die Seilsicherung. Ich hatte sie auf doppelte Belastung ausgelegt, aber offensichtlich war das noch zu wenig. Ich lande, Richard folgt mir nach. Wir sind nur zwanzig Minuten in der Luft gewesen. Die anderen kommen enttäuscht näher. Ich erläutere die Gründe für meine Entscheidung.

„Aber das Wetter ist doch gut", bemerkt jemand. Und es stimmt.

„Es ist nicht der richtige Tag", wiederhole ich. Aber so ganz sicher bin ich mir nicht. Die Wolken sind nicht weiter gestiegen. Doch um neun Uhr weiß ich, dass ich die richtige Entscheidung getroffen habe. Aus dem Tal steigen schnell die Kumuluswolken auf, die Brise wird stärker, und eine halbe Stunde später geht ein starker Wind. Am Talende bricht ein Gewitter los. Donner, Regen und Schnee prasseln auf uns ein.

„Gott sei Dank sind wir zurückgeflogen", sagt Richard.

Wir versammeln uns alle im Gemeinschaftszelt, um Tee zu trinken. Unter den Sturzbächen, die durch die Zeltnähte dringen, sind alle froh über meine Entscheidung. Kurz danach beeilen wir uns, unter peitschenden Windböen die Ausrüstung in Sicherheit zu bringen. Es beginnt zu schneien und zu hageln. Wie mag es erst weiter oben aussehen!

Ein Teil von mir, und zwar nicht der rationale, hat die Ereignisse vorhergesehen. Wie ein Pferd, das plötzlich scheut, weil eine Schlange im Gebüsch lauert: es sieht sie nicht, wittert aber die Gefahr. Das ist keine zufällige Intuition, sondern das Ergebnis eines langen Trainings, um kaum wahrnehmbare Signale instinktiv zu erfassen. Wie beim Seemann, der den Himmel betrachtet. Wie bei den Vögeln.

Ich suche die maximale Sicherheit – und Sicherheit bedeutet, eine Fahrkarte für die Hin- und Rückfahrt zu kaufen. Ich werde oft gefragt, wie lange ich für die Vorbereitung einer Unternehmung gebraucht habe. Dann antworte ich, dass der Hinweg schnell vorbereitet war, aber dass ich vier Jahre gebraucht habe, um den Rückweg zu planen. Der Hinweg ist einfach. Die eigentliche Schwierigkeit liegt darin, heil zurückzukommen.

Für mich bedeutet „Extremflug" nicht Risiko, sondern in eine Symbiose mit der Luft zu treten und verstehen zu lernen, wann es Zeit ist, umzukehren. Es geht darum, eine Symbiose zwischen dem äußeren und dem inneren Element zu bilden, zwischen den eigenen Molekülen und der sie umgebenden Welt. Erst wenn ich mich wie Luft fühle, wird es mir gelingen, den Everest zu überfliegen. Erst wenn ich ein kompatibles Molekül bin. Luft in der Luft.

Letztes Flugfenster

Die Gewitter halten an, Tag für Tag. Die Stimmung ist am Boden. Und der 28. Mai, an dem das tropische Tiefdruckgebiet hier ankommen soll, rückt immer näher. Am 30. Mai laufen alle Flug- und Aufenthaltsgenehmigungen für den Sagarmatha-Park ab.

„Ja, nach dem Sechsundzwanzigsten wird es hier komplett zugezogen sein, schlimmer als jetzt." Ich sitze auf einem Stein zwischen den Zelten im Regen und beschreibe dem Meteorologen, der mich weiterhin auf dem Laufenden hält, telefonisch die Lage. „Ich glaube, dass wir als letzten Zeitpunkt den Sechsundzwanzigsten, maximal den Siebenundzwanzigsten nehmen. Wenn sich bis zum Fünfundzwanzigsten kein Flugfenster abzeichnet, dann war es das mit dem Überflug."

Trotz des vorherrschenden schlechten Wetters mache ich einige kurze Flüge mit dem Gleitschirm und Gea. Ich nütze die Zeit, um ihr beizubringen, was sie wie jagen soll. Hier in dieser Gegend ernähren sich die Adler vor allem von einem Nagetier, das in mittlerer Höhe lebt, einer besonders schlauen Feldmaus, die menschliche Behausungen heimsucht.

Dann erhalten wir die Nachricht, dass Chumi nicht durchgekommen ist. Die Medikamente konnten das Virus nicht erfolgreich bekämpfen. Es ist unser großes Glück, dass Gea völlig wiederhergestellt zu sein scheint. Wenn alles gut geht, wird sie es sein, die ihre Spezies im Khumbutal wieder ansiedelt. Jetzt hängt der Erfolg des naturwissenschaftlichen Teils der Mission an ihr.

Am Horizont ist keine Wetterbesserung in Sicht. Wir sind nur einen Schritt vom totalen Scheitern unserer Expedition entfernt, aber wir haben die Pflicht, bis zur letzten Minute abzuwarten. Ich rufe wieder häufiger die Wetterdaten ab, bis sich ein Fenster zwischen dem 25. und 28. mit einem Höhepunkt wahrscheinlich am 26. und 27. abzeichnet. Ich rufe alle zu einer Besprechung zusammen. „Wir müssen unsere letzte Karte ausspielen", sage ich. „Wir dürfen jetzt nicht aufgeben!"

Wir nehmen die Testläufe wieder auf.

Am 23. werden die Aussichten auf Wetterbesserung bestätigt. Jetzt geht es darum, jeden Handgriff zu optimieren, wie bei einem Boxenstopp. Am Abend neue Wetterdaten: akzeptable Bedingungen für den morgigen Tag. Die Vorhersagen melden noch besseres Wetter für die darauffolgenden Tage, aber ich will nicht riskieren, noch am Boden zu sein und die Chance zu verpassen. Eine letzte Besprechung und dann schicke ich alle ins Bett.

Um halb vier des 24. Mai bin ich wie immer schon wach, gut ausgeruht trotz der wenigen Stunden Schlaf. Ich gehe hinaus, um nach dem Wetter zu schauen. Es ist noch dunkel, aber am Himmel funkeln die Sterne, und es ist nicht mehr so feucht. Ich habe den Eindruck, dass ein annehmbarer Tag bevorsteht. Aber es ist immer besser, vorsichtig zu sein. Ich warte auf den Sonnenaufgang, bevor ich mich entscheide. Alles bleibt ruhig, der Tag scheint sich für mein Vorhaben zu eignen. Ich sehe mir im Internet die letzten Vorhersagen aus Amerika an, die aufgrund der Zeitverschiebung ganz aktuell sein müssten. Es ist für heute keine Veränderung vorhergesagt. Ich verschränke die Hände und sage mit lauter Stimme zu mir: „Heute ist es gut."

Beim ersten Tageslicht um fünf Uhr wecke ich die anderen. Wir trinken etwas Warmes zusammen, und ich analysiere alle zehn Minuten die

Entwicklung des Wetters. Der Himmel ist klar. Es sieht gut aus. Es wird Zeit, loszulegen. Umgehend erledigen wir alles, folgen den einstudierten Abläufen.

Jeder weiß, wie wichtig auch der kleinste Handgriff ist, und ist mit voller Konzentration bei der Sache. Müdigkeit und Frust sind vergessen. Massimo geht von einem zum anderen, um uns Mut zu machen und uns anzuspornen. Gemeinsam mit Achille montiere ich meine Instrumente, meine Sauerstoff- und die Reserveflasche. Maurizio, Marcello und Stefano arbeiten am Drachen, um die Filmkameras zu montieren, dasselbe machen Livio und Enrico mit den Fotokameras. Richard und sein Assistent haben am Trike mit dem Motor, dem Treibstoff, der Sauerstoffflasche und den elektrischen Leitungen zu tun. Etwas abseits beobachtet Gea neugierig den Rummel.

Nach Beendigung der ersten Vorbereitungsphase bringen wir die Fluggeräte in Schleppstellung. Der Motor springt nicht an. Die Kälte und Feuchtigkeit der letzten Wochen haben zur Entladung der Batterie geführt. Zum Glück hat Richard eine Reservebatterie dabei, und nach ein paar Anläufen ist das Problem behoben. Die Sonne geht auf. Kein Wind. Trockene und schneidende Kälte.

Ich muss mich anziehen. Direkt auf der Haut trage ich einen Anzug aus reiner Seide, der mich von den Füßen bis zum Kopf bedeckt. Darüber eine lange Unterhose und ein Unterhemd aus reiner, nicht entfetteter Wolle, die noch nach Schaf riecht und warm hält. Darüber einen Pullover aus reiner Shetlandwolle mit Rollkragen, der bis zu den Ohren reicht. An den Füßen trage ich Socken aus Seide, über die ich sehr dicke Wollsocken ziehe. Darüber kommt dann der Schutzanzug, der sich in der Kältekammer und beim Flug in Guidonia bewährt hat. Schließlich ziehe ich leichte Winterschuhe an, die bis minus vierzig Grad ausgelegt sind. Ich schütze meine Hände mit Unterhandschuhen aus reiner Seide, dann kommen Faserpelzhandschuhe, ein weiteres Paar aus Wolle und zuletzt daunengefüllte Überfäustlinge, die für das Winterbergsteigen im Himalaja entwickelt wurden. Dann noch die Seidenhaube und einen Wollschal, der den Hals schützt: die Wärmedämmung ist komplett. Und ich sehe eher wie ein Taucher aus als wie ein Drachenflieger.

Mithilfe seines Assistenten zieht Richard mehr oder weniger die gleiche Kleidung an, allerdings verfügt er in seiner Unterkleidung über ein Heizsystem, das über den Motor gespeist wird.

Ich ziehe das Gurtzeug an wie eine Jacke. Im unteren Teil, unterhalb der Füße, habe ich eine Überlebensration für den Notfall: kalorienreiche gefriergetrocknete Nahrung, Schokoriegel, Getreideflocken und Mineralsalze, ein Stück getrocknetes Fleisch, eine wärmeisolierende Überlebensdecke, Ersatzbatterien für das Satellitentelefon und das VHF-Funkgerät, eine Ersatzbrille und eine Stirnlampe. Viel Inhalt bei erträglichem Gewicht.

Über meinem Rücken ist die Sauerstoffflasche angebracht, die mit einer Neoprenschicht überzogen ist, damit sich in großen Höhen kein Eis bildet. Die Maske ist mit der Flasche durch einen Druckregler mit einer Aneroidkapsel verbunden, die den Druck des Sauerstoffausstoßes regulieren wird. Reiner Sauerstoff, ausreichend für fünf Stunden.

Das Gurtzeug ist mit einem Notfallschirm versehen, auch wenn auf 9000 Metern sein Nutzen sehr eingeschränkt ist. Ich möchte nicht auf ihn verzichten, er ist für mich wie ein Talisman. In der Vergangenheit hat er mir schon einmal das Leben gerettet. Auf der Innenseite des Gurtzeugs liegen die elektrischen Leitungen, mit denen die Batterien gespeist werden. Aus isolierungstechnischen Gründen müssen sie Körperkontakt haben, Kontakt mit der einzigen Wärmequelle in 9000 Meter Höhe. Alle elektronischen Geräte, von den Fluginstrumenten bis zu den Kamerasystemen, sind von der Speisung dieser Batterien abhängig, die bei voller Aufladung zwölf Stunden halten, aber bei fünfzig Grad unter null nach wenigen Minuten leer sein würden. Ebenfalls in Körperkontakt sind die Verbindungen des Funkgeräts und des Mikrofons und schließlich die Aufnahmegeräte der drei auf der Tragfläche montierten Filmkameras.

Oscar, unser Arzt, überprüft meine körperliche Verfassung. Nach einer Blutdruckmessung, die in Ordnung ist, kontrolliert er die Maske und gibt mir einen Spiegel, damit ich eventuell freiliegende Teile, die erfrieren könnten, entdecken kann. Die Filmcrew nimmt die ganze Szene für den Dokumentarfilm auf.

Vor dem Start schalte ich alle Geräte ein. Auf dem Trapez sind GPS, Geschwindigkeitsmesser, Variometer, Höhenmesser, Thermometer und Barometer angebracht. Außerdem der Bordcomputer, der, ähnlich wie die Blackbox in Flugzeugen, alle Details des Flugs und der Umgebung aufzeichnen wird. Daneben sind die Schalter für die Kameras, die ich mit einem Druck an- und ausschalten kann. Ich verfüge über eine Kassette von etwa einer Stunde Länge, die ich gut einteilen muss. Ein anderer Knopf aktiviert die Fotoapparate, die jeweils drei Aufnahmen nacheinander mit verschiedenen Blenden machen werden, damit zumindest je eine Aufnahme davon gut wird. Neben all den Dingen, an die ich denken muss, sollte ich auch noch daran denken, diese Knöpfe zu drücken, die trotz ihrer Größe und der gelben Farbe in 9000 Meter Höhe bei fünfzig Grad unter null nicht so leicht zu erkennen sein werden, wenn der Sauerstoff knapp wird.

Ich lege mich waagerecht in das Gurtzeug, schließe den Reißverschluss und lege einen speziellen Schutzschild an. Es handelt sich um eine gummiartige Wattierung, die vor den Brustkorb geschnallt wird, um bei einer Landung im Liegen ein eventuelles Schleifen auf dem Boden abzupuffern. Seitlich wird der Schild durch Ösen, durch die eine Schnur gezogen wird, gehalten. Diese Schnur muss ich ziehen, um aus dem Gurtzeug auszusteigen. Auf der oberen Seite des Schutzschildes wird das Ausklinksystem des Schleppers befestigt.

Ich hänge mich unter den Drachen, der schon in Position gebracht auf dem Trolley liegt. Mir ist sehr warm. Unter den ganzen Schichten, die ich anhabe, fange ich an zu schwitzen. Das beunruhigt mich, denn der Schweiß von jetzt wird in ein paar Minuten zu Eis werden. Ich schließe den Helm und lege die Maske an. Ich muss noch eine halbe Stunde reinen Sauerstoff einatmen. Ich spüre Anzeichen von Übelkeit und Klaustrophobie, aber noch kann ich das Unwohlsein unterdrücken und ich hoffe, dass es bald verschwindet.

Der Motor läuft, das Seil ist gespannt. Im Funkkontakt mit Massimo und Achille, die mich durch die Maske nicht hören können, obwohl sie nur einen halben Meter von mir entfernt stehen, gehen wir die Checkliste durch. Mit ihrer Hilfe gehen wir nach einem jahrelang gelernten Schema vor und überprüfen erst den Flügel, dann den Trolley und zuletzt mich selbst: die Maske für das Hauptsystem, worunter ein Sauerstoffschlauch für das Ersatzsystem verläuft, die Sauerstoffflasche des Hauptsystems, die Sauerstoffflasche des Ersatzsystems. Das Ersatzsystem, das sich als überlebenswichtig herausstellen könnte, ist ein paralleles Sauerstoffsystem, das mir im Notfall aus einer kleinen Sauerstoffflasche durch einen durchsichtigen, mit Klebeband auf der Innenseite der Maske angebrachten Schlauch reinen Sauerstoff direkt in die Nasenlöcher blasen würde – ein System, das im Fall eines Ausfalls des Hauptsystems mit Sicherheit funktionieren würde.

Noch eine Sichtkontrolle: mein Cockpit, die Bordinstrumente, das Ausklinksystem. Das mit der Flasche verbundene Manometer ist an einer Hand angebracht und zeigt mir an, wie viel Liter Sauerstoff ich in der Minute verbrauche und wie viel noch vorhanden ist. Auch wenn ich meine Atmung kontrolliere, brauche ich trotzdem eine objektive

Messung, damit ich eventuelle Probleme erkennen kann. Ein Sauerstoffverlust und in der Folge ein Druckabfall könnten mich innerhalb weniger Minuten in eine tödliche Situation bringen.

Blickkontakt mit meinen Assistenten. Die Prozedur ist beendet. Es ist ungefähr halb sieben. Das Wetter scheint zu halten. Alles ist bereit zum Start.

„Überbring Chomolungma unsere Grüße", sagt mir Massimo, als er zum letzten Mal die Funkverbindung überprüft.

„Mach ich."

Kurz denke ich an Laura und die Kinder. Dann muss ich mich konzentrieren. Ich beginne, alle Muskeln zu entspannen und meine Gedanken auf das Ziel zu fokussieren. In einem Moment absoluter Stille sehe ich alles von oben, ich umfange mit einem Blick mich selbst, Richard auf dem Schleppflugzeug, das Team um uns herum, die Startbahn. In Gedanken steige ich das Khumbutal hinauf, höher und höher, bis zu dem Gipfel, der mich unerschütterlich erwartet. Die Elemente sind mit mir.

Heute ist der richtige Tag.
Ich spüre es.

Die Göttinmutter der Erde

„Richard, hörst du mich?"
„Sehr gut."
„Bist du bereit?"
„Bestätigt."
„Also dann los. *Go!*"

Richard fährt los, der Motor überträgt seine 120 PS auf den Propeller. Das Seil spannt sich. Ich bewege mich nur eine Handbreit über dem Boden. Um mich herum verschwindet die Ruhe, alles verschwindet, ich sehe nur noch Richards Fahrgestell vor mir. Die Geschwindigkeit steigt schnell, achtzig Stundenkilometer, neunzig. Der Flügel beginnt zu tragen, und alles wird leichter, meine 250 Kilo Gesamtgewicht lösen sich in Nichts auf. Ich drücke auf das Trapez, ziehe das Fluggerät hoch und löse mich vom Boden. Jetzt bin ich in der Luft. Ich darf mich nicht zu stark aufrichten, sonst ziehe ich den hinteren Teil des Trikes in die Höhe, der sich mit verheerenden Folgen in den Boden bohren würde. Also lege ich mich flach, fliege knapp über dem Untergrund und warte, bis Richard seine Geschwindigkeit erreicht hat. Ich muss durch die aufgewirbelte Staubspur des Propellers fliegen, was meine Sicht erheblich einschränkt. Das Ende der Piste kommt unglaublich schnell näher. Jetzt hätte der kleinste Fehler fatale Folgen. Aber Richard hebt ab, und wir beginnen den Steigflug. Der erste schwierige Moment ist überstanden.

Ich gleite über den Rand der Piste hinaus, und vor mir sind tausend Meter hohe, praktisch senkrechte Felswände über dem Dudh-Kosi-Tal. Am Ende des Abgrunds liegt Namche Bazar in seiner hufeisenförmigen Mulde mit den terrassenförmigen Feldern.

Eine Runde über das Lager, danach durch eine Wolkenschicht, die sich etwa tausend Meter höher gebildet hat, eine weitere Runde, um Höhe zu gewinnen, und dann nehmen wir Kurs auf das Ziel, das ungefähr dreißig Kilometer Luftlinie entfernt ist. Vor uns öffnet sich die grandiose Szenerie des Khumbutals. Auf 6000 Metern sieht man schon einige der höchsten Gipfel. Rechts von mir der Thamserku, dann die Ama Dablam, dahinter der Nuptse und sein Gletscher, darüber der Lhotse. Im Westen der Sattel des Lho La und der Pumori. Dann breitet sich, so weit das Auge reicht, Tibet aus und bedeckt den ganzen Horizont.

Je höher wir steigen, desto dunkler wird der Himmel. Das Blau ist ein wahres, über alle Maßen intensives Blau. Die Luft ist kalt und durchsichtig, frei von Feuchtigkeit, die sich in mikroskopisch kleine Eiskristalle verwandelt hat. In der mystischen Stille der Unendlichkeit gibt es nur mich und meinen Drachen, weiter vorn das Schleppflugzeug und noch weiter vorn das endgültige Ziel.

Wir fliegen westlich an der Ama Dablam vorbei und sehen vor uns die Nuptse-Wand, hinter der die Südwestwand des Everest hervorschaut. Kein Hindernis steht uns mehr im Weg. Ihn zu sehen ist ergreifend. Auf dem Gipfel ist kaum eine Bewegung zu erkennen, was bedeutet, dass der Wind heute nicht sehr stark ist. Jetzt gibt es kein Zurück mehr. Weiter, in Richtung Norden. Nicht zurückblicken, sondern vorwärts, nur nach vorn ...

Um auf die vorgesehene Höhe zu gelangen, müssen wir einen schwierigen Parcours fliegen. Über der Talfurche fliegen wir weiter in Richtung des Nuptse. Die Luft wird immer kälter, die Turbulenzen nehmen zu. Auf dieser Höhe beginnt der Druckregler seinen Dienst und pumpt unter Druck Sauerstoff in die Maske und damit in meine Lungen. Ich muss meinen Atemrhythmus anpassen, ihn verlangsamen, um nichts zu vergeuden – mit jedem Atemzug wird der Vorrat weniger.

Wir übersteigen 7500 Meter und fliegen über den Westsporn des Nuptse. Die Felsmauer zeigt sich in ihren ganzen Ausmaßen. Ich fühle mich plötzlich sehr klein. Nördlich der Steilwand des Nuptse erstreckt sich der Khumbu-Eisbruch, der tödlichste Gletscherbruch der Welt. Die meisten Opfer des Everest haben hier ihr Leben verloren, wurden unter den Eisbrocken begraben, die vom Khumbugletscher herabstürzten. Am höchsten Punkt des riesigen Gletscherbruchs sehe ich ein Plateau, auf dem ich notlanden könnte. Ohne Steigeisen und Eispickel von dort abzusteigen ist wahrscheinlich unmöglich, aber die Vorstellung beruhigt mich trotzdem.

Über der Nordwand des Nuptse machen wir eine 360-Grad-Drehung und fliegen über den Gipfel. Wir halten uns auf der Höhe des Grats, um möglicherweise einen Aufwind zu nutzen. Und da ist er tatsächlich. Die Luft steigt auf und trägt uns, trägt uns weiter zum Lhotse mit seinen 8516 Metern.

Auf der anderen Seite des Everest, zwischen dem Südsattel und dem Nordostgrat, erscheint die tibetische Hochebene. In der ersten Reihe steht der Changtse. Ich erkenne den Nordsattel, auf dem ich bei der Ortsbesichtigung mein Hochlager errichtet habe, und folge dem Tal mit meinem Blick, bis ich das Kloster von Rongbuk finde. Ich lokalisiere alle Notlandeplätze, die ich auf der Nordseite ausgemacht hatte. Das ist eine weitere Beruhigung, denn wenn die Wolken schnell steigen, muss ich in Tibet landen.

Dann kommt der Pumori und im Westen der sechsthöchste Berg der Welt, der Cho Oyu, die „Göttin des Türkis" der Tibeter. Die Sicht ist heute außergewöhnlich gut, ich sehe sogar den Shisha Pangma. Im Osten erkenne ich den Makalu, den fünfthöchsten Achttausender. Ich verliere mich in der unendlichen Schönheit dieser Berge. Die vor einem Jahr in zermürbendem Fußmarsch überwundenen Entfernungen schrumpfen auf Postkartengröße zusammen. Tausende von Quadratkilometern scheinen von hier aus ein Nichts zu sein. Nepal, Tibet, Bhutan, Indien ...

8500 Meter. Um den Gipfel des Lhotse weht ein stürmischer Wind. Wir kommen der Starkwindzone, die von den Schneefahnen des Everest markiert wird, zu nahe. Wir laufen Gefahr, im Gipfelgebiet in Abwinde zu geraten, wo zweifellos Leewirbel wie Straßenwalzen auf uns wirken würden. Ich versuche, Richard zu kontaktieren, aber er antwortet mir nicht und fliegt weiter in Richtung Berg.

Die Luft beginnt sich zu bewegen, von Augenblick zu Augenblick mehr. Wegen einer Turbulenz gerät Richard in einen Abwind und verschwindet mit hoher Geschwindigkeit nach unten. Während er absinkt, lockert sich das Seil vollständig. Instinktiv lasse ich das Trapez los und greife das Seil, damit es sich nicht um die Instrumente schlingt. Dann strafft es sich wieder. Wir können weiter.

Auf 8600 Metern, als ich den Lhotse rechts unter mir gelassen habe, dreht Richard nach Westen. So kommen wir unter dem Wind hervor, und die Luft ist wieder ruhiger. Dafür ist die Kälte schneidend geworden und wird durch die Geschwindigkeit noch schlimmer. Das Bordinstrument zeigt minus 53 Grad an. Ich leide besonders an den Händen und im Gesicht, muss fortwährend die Finger bewegen und die Ellbogen beugen, die schon schmerzen, so steif sind sie. Ich spüre meine Füße nicht mehr, aber die brauche ich jetzt eigentlich auch nicht. Was zählt, ist das Lenken des Drachens. Von Zeit zu Zeit schlage ich das Eis auf den Steuerungselementen ab, das mich in meiner Manövrierfähigkeit behindert. Ich hoffe, dass es sich nicht auch an der Eintrittskante bildet, weil der Flügel dadurch sein aerodynamisches Profil verlieren könnte, was schwerwiegende Auswirkungen auf die Lenkbarkeit hätte.

Meine Augenlider sind vereist. In großer Höhe werden durch den fehlenden Druck mehr Drüsensäfte, also auch mehr Tränenflüssigkeit, gebildet. Die ausgetretenen Tränen sind gefroren. Bei jedem Lidschlag fühlt es sich an, als riebe jemand mit Schleifpapier über meine Hornhaut. Ich muss die Augen weit offen lassen und so wenig wie möglich blinzeln. Zwischendurch drücke ich, wenn eine schöne Landschaft im Hintergrund auftaucht, den Auslöseknopf und mache ein paar Fotos. Die Filmkameras nehmen alles auf, das hoffe ich zumindest.

Wir kommen zum Talausgang. Richard müsste gemerkt haben, dass es besser wäre, hier in offenem Gebiet aufzusteigen, wo wir den Turbulenzen der Abwinde weniger ausgesetzt sind und alles ruhiger ist. Aber er dreht von Neuem ins Talinnere ab. Also werden wir in die Turbulenzen zurückkehren. Wir sind schon über dem Südgipfel des Everest, über dem Südostgrat. Ich muss meinen Atem kontrollieren, der zu schnell geht. Der Druck der in die Maske gepressten Luft ist so hoch, dass ich nicht verständlich mit Richard sprechen könnte, aber ich glaube sowieso, dass der Funkkontakt mittlerweile abgebrochen ist. Es hat sich eine Eisschicht um die Maske gebildet, die mir große Schmerzen bereitet, aber durch den Eisfilm, der auf dem Gesicht wie eine Schweißnaht wirkt, gibt es keinen Sauerstoffverlust. Die ebenfalls von Eis überzogenen Instrumente sind nicht mehr ablesbar. Ich brauche höchste Konzentration. Ich muss mich auf meine Instinkte verlassen.

Wir sind fast auf der Höhe des Hauptgipfels, inmitten einer immer stärkeren und anormalen Turbulenz, mit Luftlöchern, Ab- und Aufwinden. Richard fliegt als Erster in dieses aufgewühlte Meer, dann bin ich dran. Wir werden in ein wellenförmiges Auf und Ab gezogen, ein furchterregendes Jo-Jo-Spiel. Der Zug erfolgt nicht mehr waagerecht, die 65 Meter Seil zwischen uns lockern und straffen sich ständig im Wechsel. Irgendwann sehe ich in diesem Ziehen und Zerren Richard unter mir in die Tiefe stürzen. Das bedeutet Schwierigkeiten: wenn das Seil sich wieder strafft, kann es mir die Maske und den Sauerstoffschlauch vom Gesicht reißen. Oder sich um eines der Räder am Trapez wickeln und den Flügel plötzlich quer stellen. Richard ist jetzt unter und hinter mir anstatt vor mir und auf meiner Höhe. Entweder ich handle sofort oder ich verpasse die einzige Gelegenheit, dieses Problem zu lösen.

Das Seil ist unter mir, ich lasse das Trapez los, umfasse das Seil mit einer Hand, ziehe es vor mir hoch, während ich mit der anderen Hand den Flügel hochziehe und langsamer werde, damit Richard sich wieder einreihen kann. Ich lege die Hände erneut auf das Trapez, gehe in den Sturzflug, um schneller zu werden und den Zug vorwegzunehmen. Das Seil strafft sich ohne heftiges Rucken. Geschafft. Wir sind wieder in einer Reihe.

Wir steigen weiter, 500 Meter südlich des Gipfelgrats, mittlerweile auf fast 9000 Meter Höhe. Ich habe mit Richard vereinbart, dass ich mich ausklinke, über den Gipfel fliegen und die Fotos machen werde. Aber alle Pläne zerplatzen innerhalb eines Augenblicks. Wir geraten plötzlich in einen gigantischen Wirbel, der Richard nach unten und mich nach oben katapultiert. Dann umgekehrt, das Fahrgestell bäumt sich auf, das Seil strafft sich. Mit unerhörter Kraft schleudert mich der Flügel ins Trapez und beginnt sich zu neigen. Er ist kurz vor dem Umkippen, was einen Bruch des gesamten Gestells und dramatische Auswirkungen zur Folge hätte. Ich kann nicht einmal auf den Notfallschirm hoffen, denn die Luft ist zu dünn, als dass er funktionieren könnte. Bei einem neuerlichen Ruck reißt das Seil wie eine Gitarrensaite. Ich bekomme einen eindrucksvollen Rückschlag zu spüren und werde wie bei einem Rodeo hin und her geschleudert. Das Trapez entgleitet mir, und ich beeile mich, es wieder zu greifen, um nicht nach vorn zu fallen. Das Seil schnellt wenige Zentimeter an meinem Gesicht vorbei, ohne die Maske zu berühren, schlingt sich einmal über den linken Flügel und scheint sich in den Kamerahalterungen am Ende des Flügels zu verfangen. Im gleichen Augenblick fängt der Drachen an, sich um die eigene Achse zu drehen, wodurch eine Schraubbewegung ausgelöst wird, die wegen des Bremsfallschirms für mich fatal sein könnte. Er ist am Zugseil befestigt und hat normalerweise die Aufgabe, das Seil nach dem Ausklinken hinter dem Propeller straff zu halten. In diesem Fall ist er wegen der Geschwindigkeit geöffnet geblieben und wird, da er sich an dem einen Ende des Flügels verfangen hat, zum Drehpunkt für den Flügel, der zu rotieren beginnt.

Mir bleibt keine Zeit zum Überlegen. Ich muss den Flügel von dem Seil befreien. Der Wind betäubt mich. Die Welt um mich herum ist eine rasende Achterbahn. Augenblicke, vielleicht auch nur Bruchteile von Sekunden durchfährt eine chaotische Bildfolge meinen Kopf, meine Lieben, mein Leben, während ich in der Gewalt einer teuflischen Abwärtsspirale bin. Handeln, ich muss handeln, mich daraus befreien, wenn ich nicht in den Tod trudeln will.

Ich lasse das Trapez unvermittelt los und überlasse den Drachen seiner unkoordinierten Flugbahn. Ich ziehe am Seil, um es loszureißen und den verdammten kleinen Fallschirm zu schließen, der für die Schraubbewegung verantwortlich ist. Auch wenn die Durchblutung durch den schnellen Herzschlag beschleunigt wird, habe ich eiskalte Hände. Ich spüre meine Finger nicht mehr, aber der Wille, dieses Seil zu packen, gibt mir die Kraft für diese kleine Handbewegung, die mich vor einer Katastrophe bewahren soll. Zwei, drei Rucke, nichts. Aber dann, als ich schon fast am Ende bin, gibt es nach. Der Fallschirm fällt in sich zusammen, und der Flügel nimmt wie ein Zug auf Schienen seine alte Flugbahn auf.

Ich komme wieder zu Atem.

Ich ergreife sofort das Trapez, weil sich der Flügel aus Trägheitsgründen weiterdreht, und unter Aufbietung aller Kräfte gelingt es mir, ihn aufzurichten und zu stabilisieren. Ich bin gerettet.

Das Herz schlägt mir bis in die Ohren. Mir ist schwindlig. Das Gesichtsfeld ist grau, beinahe schwarz geworden. Bei fünfzig Grad unter null bricht mir der kalte Schweiß aus. Und Übelkeit überfällt mich – ich muss unbedingt den Brechreiz unterdrücken. Ich darf mich nicht übergeben, ich trage die Maske, und wenn das Ventil verstopft, ersticke ich. Willenskraft und Konzentration sind die einzigen Mittel, die mir einfallen.

Konzentrier dich.

Atme.

Ich muss meinen Herzrhythmus verlangsamen, mich auf die Flugbahn konzentrieren und zu mir zurückfinden. Ich versuche es für ein paar Augenblicke, die mir unendlich lang vorkommen. Ich muss die Kontrolle wiedererlangen. Die Flugbahn, die Sauerstoffreserven, das Eis auf dem Flügel und auf dem Visier, die Filmkameras, die Körperteile, an denen ich Erfrierungsanzeichen wahrnehme, tausenderlei Sachen erfordern meine sofortige Klarheit.

Ich peile den Gipfel im Gleitflug an. Ich suche Richard mit den Augen, aber ich sehe ihn nicht mehr. Ich rufe ihn über Funk. Schweigen. Ich darf keine Zeit mehr verlieren und mache weiter. In dieser Höhe werden die Flugeigenschaften stark beschränkt, und man verliert leicht an Höhe. Als ich mich dem Gipfel nähere, scheint alles stillzustehen, aber kurz vor den Felsen bemerke ich, dass die Geschwindigkeit über Grund extrem hoch ist. In den darauffolgenden Tagen wird die Analyse der vom Bordcomputer registrierten Daten ergeben, dass ich in diesem Moment eine Geschwindigkeit von 205 Stundenkilometern über Grund hatte.

Über dem Gipfel des Mount Everest

Die Turbulenzen sind jetzt schwächer. Es trennen mich nur noch ein paar hundert Meter vom Ziel. Ich fühle, dass mein jahrelang vorbereiteter Traum kurz vor der Erfüllung steht. Das Gefühl ist sehr intensiv, zum Weinen. Ich kann es schaffen, ich bin kurz davor, einen historischen Augenblick zu erleben. Aber die Realität bringt mich sofort wieder zu mir zurück. Noch bin ich nicht da und darf keine Fehler machen.

Während ich mich sehr schnell dem Gipfel nähere, spüre ich, dass ich wie erwartet von einem dynamischen Aufwind gehalten werde, der durch den Aufprall des Windes auf die Felswand entsteht. Er ist nicht hundertprozentig senkrecht zur Nordwestwand, er ist um ein paar Grad abgelenkt, aber er gibt mir Auftrieb. Was für ein Wunder, welche Kraft der Natur ... Mit meinem geflügelten Surfbrett reite ich auf einer Welle eiskalter Luft, die mich ans Ziel bringt.

Um 8.22 Uhr fliege ich wenige Meter über dem Gipfel. Ich fliege über den Everest wie der Adler auf dem Foto. Was ich vier Jahre vorbereitet und mein Leben lang geträumt habe, ist wahr geworden.

Wenige Sekunden. Die Gefühle werden von der Konzentration überlagert. Ich habe nicht einmal die Zeit, diesen lang ersehnten Moment und das wundervolle Schauspiel des aus einem Wolkenmeer emporragenden Everest zu genießen, weil ich daran denken muss, heil wieder zurückzukommen. Zurück zu Laura, zu meiner Familie.

Ich hoffe, dass auch Richard den Gipfel mit seinem Motordrachen überflogen hat. Das wäre dann wirklich ein voller Erfolg für das „Over Everest"-Projekt.

Es erwartet mich ein langer Gleitflug von 5000 Metern bis Thyangboche. Ich stelle mir vor, dass Richard sich nach dem Überflug schon dorthin aufgemacht hat. Ich werde erst beruhigt sein, wenn ich weiß, dass auch bei ihm alles gut gegangen ist. Nach dem Everest steuere ich wieder den Nuptse an. Die gleichen Orte beeindrucken mich jetzt weniger. Ich überfliege das Tal des Khumbu-Eisbruchs einigermaßen entspannt und kann meinen Gedanken nachgehen. Soll ich nach Thyangboche zurückfliegen? Ich schaue in Richtung des 25 Kilometer südlich gelegenen Höhenlagers, aber die Wolken beginnen sich über dem Tal zu schließen. Schnell haben sich Kumuluswolken gebildet und schon die mittelhohen Gipfel bedeckt. Es besteht nur eine geringe Wahrscheinlichkeit, dass ich eine Wolkenlücke für die Landung finden werde. Richard kann dank seinem Motor in der Luft bleiben und auf eine Öffnung in den Wolken warten oder nach Jiri in die Ebene fliegen.

Nein, für mich ist das Risiko zu groß. Für den Fall schlechter Sicht auf dem Rückflug habe ich zwei Möglichkeiten ins Auge gefasst. Falls das Khumbutal komplett wolkenbedeckt ist, fliege ich über den Lho La und lande in Tibet in der Nähe des Hochlagers, von wo ich in Absprache mit der italienischen Expedition im Falle eines Unfalls bei der Landung zurückgeholt werde. Auf diese Weise riskiere ich aber unzählige Schwierigkeiten mit den chinesischen Behörden. Falls das Khumbutal nur teilweise bewölkt ist, könnte ich auf einem der Notlandeplätze landen, die ich während der Ortsbesichtigung auf nepalesischer Seite ausgewählt habe. Diese Möglichkeit erscheint mir besser.

Einer dieser Punkte liegt auf der anderen Seite des Tals in der Nähe des wissenschaftlichen Labors in der Pyramide von Lobuche, einem Bau aus Glas und Aluminium, der auf 5050 Meter Höhe das erste semipermanente Hochgebirgsforschungszentrum beherbergt und vom italienischen Nationalrat für Forschung betrieben wird. Nicht weit entfernt von der Pyramide liegt ein zum Landen geeignetes Plateau, das ich im letzten Jahr als möglichen Landeplatz in meine Notfallkarte eingetragen habe. Ich habe mich entschieden. Ich überfliege den Khumbugletscher und erreiche die westliche Seite. Ich habe keine Anhaltspunkte, um die Windrichtung und -stärke zu bestimmen, aber ich denke, dass es fast windstill ist. Ich beginne zu sinken, wobei ich ein paar Runden drehe, um die Wissenschaftler oder jemand anders auf mich aufmerksam zu machen, damit sie mich bei einer eventuell notwendig werdenden Bergung finden. Es ist sehr eng, und ich muss das Manöver wegen der hohen Geschwindigkeit genau kalkulieren. Jetzt einen Fehler zu machen könnte fatal sein, vor allem in dieser Höhe. Ich werfe einen Blick auf das GPS: ich fliege mit mehr als hundert Stundenkilometern. Die Anspannung steigt, mein Herz klopft wie verrückt. Halte durch, halte durch, sage ich mir immer wieder.

Ich überfliege die Gletschermoräne. Sie besteht aus riesigen Felsblöcken. Wenn ich einen davon berühre, ist es aus. Wieder einmal gibt es keinen Spielraum für Fehler. Ich fixiere die einzige freie Fläche ohne große Steine und entdecke ein etwa zehn mal zehn Meter großes Quadrat. Eine sehr harte Notlandung erwartet mich. Hände weg vom Trapez, sonst könnte ich mir beim Aufsetzen die Finger abtrennen. Ich halte die Verstrebungen des Trapezes fest und beginne, den Sinkflug mit hochgezogenen Flügeln zu verlangsamen, bis ich nach dem Bodenkontakt alles wieder öffne und schwer lande. Der Aufprall drückt mir die Luft aus den Lungen. Nach dem Getöse der hohen Geschwindigkeit ist plötzlich alles ruhig. Aus dem Krieg der Winde in die totale Stille. Pause, Standbild. Die Realität kommt wie in Zeitlupe zum Stillstand. Lebe ich, oder ist der Film für immer zu Ende?

Mich möglichst wenig bewegend, gehe ich sofort die Checkliste meines Körpers durch, von den Füßen bis zu den Haarspitzen, um zu sehen, ob etwas gebrochen ist. Nach wenigen Sekunden stelle ich fest, dass ich noch ganz bin. Nach einem viereinhalbstündigen Flug bin ich wieder auf dem Boden und lebe. Doch ich kann mir keine Gefühle leisten. Meine Bewegungen werden schneller, ich will von diesem Standort weg. Ich will sicher sein, dass das große Abenteuer zu einem guten Ende gebracht wird.

Rasch ziehe ich die Schnur, befreie mich aus dem Schutzschild und steige aus dem Gurtzeug, denn schon ein Windstoß kann mich umkippen. Ich nehme Helm und Maske ab. Plötzlich muss ich den unzureichenden Sauerstoff auf 5000 Meter Höhe atmen. Mir ist schwindlig, ein Anzeichen für Sauerstoffnot. Aber trotzdem lasse ich das, was ich in den Händen habe, los und koste für einen Augenblick aus, was geschehen ist. Ich betrachte den Gipfel des Everest fast 4000 Meter über mir und durchlebe erneut die in meinem Kopf und in meinem Körper schon unauslöschlichen Bilder. Die Fremdheit zwischen dem Berg und mir gibt es nicht mehr. Ich fühle mich ihm nahe, mehr noch als nahe; ich fühle mich, als wäre ich ein Teil von ihm.

Die Gefühle brechen auf einmal über mich herein. Erst jetzt wird mir bewusst, dass ich ein paar Meter über dem Dach der Welt gewesen bin. Erst jetzt koste ich das Gefühl aus, das ich in den wenigen Augenblicken der Einheit mit den Elementen empfunden habe. Etwas in meinem Innern zieht sich zusammen, es schnürt mir die Kehle zu, und jetzt, da sich das Eis von meinen Augen löst, weine ich.

Unter großer Anstrengung demontiere ich die Filmkameras und Fotoapparate, wobei ich darauf achte, die Filme und Kassetten nicht zu beschädigen. Ich falte das Segel und bereite die Ausrüstung für den Transport vor. Der Flügel ist in gutem Zustand. Von Zeit zu Zeit halte ich inne, atme, nehme einen Atemzug Sauerstoff aus der Maske und achte darauf, nicht zu hyperventilieren. Ich suche das Satellitentelefon, um der Basis mitzuteilen, dass es mir gut geht, und um zu besprechen, wann und wie ich abgeholt werden kann, aber ich finde es nicht. Erst jetzt bemerke ich, dass ich es beim Abflug vergessen habe.

Als ich alles für den Abmarsch vorbereitet habe, sehe ich zwei Sherpas zu Fuß ankommen. Besser gesagt, ich sehe zuerst ihr Lächeln. Sie sind offensichtlich sehr froh, mich gefunden zu haben und zu sehen, dass ich wohlauf bin. Ich gehe ihnen entgegen, wir schütteln uns die Hände und umarmen uns dann kräftig und herzlich. Welch eine Wohltat, menschliche Wesen in meiner Nähe zu haben!

Beppe Monti hatte mich im Landeanflug entdeckt und die beiden losgeschickt. Sie helfen mir bei der Demontage des Drachens. Als ich das Gurtzeug schließe, fällt mir die Notfallration ein, und ich schenke sie meinen Helfern, die sich begeistert bei mir bedanken. Wir packen die leichten Sachen zusammen – Gurtzeug, Helm, Sauerstoffflasche – und machen uns auf den Weg.

Bei der Pyramide wartet Beppe Monti auf uns. Wir kennen uns nicht persönlich, aber er empfängt mich sehr herzlich und gratuliert mir zu meinem Erfolg. Er hat meinen Flug mit dem Fernglas verfolgt, bis ich hinter dem Zacken des Nuptse verschwunden bin. Ich frage ihn sofort, ob ich mein Team kontaktieren könne. Da sein Satellitentelefon keine Verbindung bekommt, sprechen wir über Funk mit den Aufsehern des Nationalparks, die sofort nach Thyangboche gehen, um meine Nachricht weiterzugeben.

Einige Stunden später kann ich mit Massimo sprechen, der seinerseits zur Funkstation des Nationalparks gegangen ist. Ich höre ihm an, dass er sehr bewegt ist. Mir geht es genauso. Er erzählt mir, dass er ein paar Stunden lang das Schlimmste befürchtet hat.

„Wir dachten, du kommst mit Richard zusammen zurück. Aber als wir ihn allein sahen ..."

„Wie geht es ihm?", frage ich besorgt.

„Es war ziemlich schwierig, bei den ganzen Wolken den Landeplatz zu finden, aber er hat es geschafft und es geht ihm gut."

Erst jetzt bin ich vollkommen erleichtert und glücklich.

Massimo verspricht Laura zu informieren, denn ich kann nicht sofort zu meinem Team zurückkehren. Draußen beginnt es zu schneien. Ich sitze in der Pyramide fest, aber Beppe Monti ist ein sehr freundlicher Gastgeber. Während ich auf besseres Wetter warte, werde ich mir die verdiente Ruhe eines Kriegers nach der gewonnenen Schlacht gönnen.

In der Nacht kann ich nicht einschlafen, vielleicht aus Erschöpfung oder weil noch zu viel Adrenalin in meinem Körper ist. Ausgestreckt auf meinem Feldbett, lasse ich meine Gedanken umherschweifen und rufe mir die Ereignisse in Erinnerung. Ich denke an das Foto von Hans Kammerlander mit dem Adler im Hintergrund, das der Anfang eines

DAS GEHEIMNIS DER ADLER

großen Traums war, der jetzt Wirklichkeit geworden ist. Über das Dach der Welt zu fliegen ist ein außergewöhnliches Abenteuer gewesen. Die Evolution schreitet unaufhörlich fort.

Die Metamorphose ist einen Schritt vorangekommen. Ich habe mehr als je zuvor den Fluginstinkt in mir gefunden, der vielleicht in der Erbsubstanz von uns allen steckt. Ich wurde von den Elementen empfangen und fühlte mich als Element, ich fühlte mich wie ein Adler, ich fühlte mich wie Luft. Ein winzig kleines Luftmolekül ...

Ich gehe hinaus. Es hat aufgehört zu schneien, der Himmel ist klar, unzählige Sterne funkeln, aber es sind Wolken im Anmarsch. Ich bin gelassen. Ich werde wie immer auf gutes Wetter warten.

Rückkehr nach Lukla nach der Eroberung des Everest

Mission erfüllt

Drei Tage später war ich noch immer in Lobuche. Schnee und starker Wind hatten das Tal heimgesucht und jede Bewegung unmöglich gemacht, geschweige denn die Ankunft meiner Assistenten per Hubschrauber erlaubt. Die Temperatur lag bei minus fünfzehn Grad. Zumindest hatte ich das Glück, die erzwungene Wartezeit mit einem Italiener zu verbringen. Es war einfach schön, Italienisch zu sprechen und italienisch zu essen.

Und das waren vor allem Spaghetti, die Beppe, ganz so, wie es sein sollte, al dente kochte. Man muss wissen, dass Wasser in großer Höhe bei niedrigerer Temperatur kocht als auf Meereshöhe. Auf 5050 Metern, der Höhe, in der wir uns befanden, kocht das Wasser bei einer so niedrigen Temperatur, dass Nudeln niemals weich werden. Aber Beppe hatte ein System gefunden, mit dem er wie auf Meereshöhe kochen konnte – mit einem Druckkochtopf.

Kulinarisch und menschlich gesehen war es also eine gute Entscheidung gewesen, in Lobuche zu landen. Außerdem war ein solider Unterschlupf genau das, was ich jetzt brauchte. Es hatte derartig viel geschneit, dass ich draußen, vielleicht zwischen zwei Steine gekauert, innerhalb weniger Stunden vom Schnee begraben worden wäre. Als Beppes Satellitentelefon wieder funktionierte, konnte ich sogar mit ein paar Journalisten sprechen. Der Flug über den Everest hatte großes Medieninteresse hervorgerufen. Ich erzählte von den Schwierigkeiten, den Empfindungen und Gefühlen bei dieser Weltpremiere. Und ich widmete diesen Flug, der vielleicht eines Tages in die Geschichte eingehen wird, dem Andenken an zwei Freunde, die wie ich vom Extremen träumten, die wie ich Natur und Abenteuer liebten – Patrick de Gayardon und Erminio Bricoli, die nicht da waren, um diese Gefühle mit mir zu teilen, die aber weiterhin in den Himmeln des Universums umherfliegen.

Und so gern ich auch mein Team wiedergesehen hätte, half mir doch das Alleinsein dabei, alles zu verarbeiten, was ich erlebt hatte. Ich musste in Ruhe nachdenken. Und ich wusste sehr gut, dass die Menschen, die an solch einer Unternehmung arbeiten, einen Mikrokosmos bilden, der vom gemeinsamen Ziel bestimmt wird. Man isoliert sich vom Rest der Welt und arbeitet zusammen. Ist die Unternehmung abgeschlossen, fällt der Grund für den Gruppenzusammenhalt weg, und jeder geht wieder zurück in sein eigenes Leben. Diese drei Tage in Lobuche waren für mich sehr hilfreich als Übergangsphase nach der langen Zeit der Planung und Vorbereitung.

Danach war ich bereit, mich zu bewegen. Ich wollte bei meiner Frau sein, bei unseren Kindern, zu den tagtäglichen Dingen zurückkehren. Einkaufen, abwaschen, die Kinder von der Schule abholen. Die kleinen Dinge, die mir nach der langen Zeit, die ich in einer Ausnahmesituation verbracht hatte, plötzlich unendlich fehlten. Am vierten Morgen nach meiner Landung sah es gut aus. Ich stand sehr früh auf und ging hinaus, um nach dem Wetter zu schauen. Es war noch dunkel im verschneiten Tal, aber der Himmel war klar. Wenn sich nicht alles plötzlich änderte, kam vielleicht heute der Hubschrauber, um mich abzuholen.

Ich wartete auf den Sonnenaufgang. Zuversichtlich spitzte ich die Ohren, um das Geräusch des vom Tal aufsteigenden Hubschraubers zu hören. Und tatsächlich, gegen sechs Uhr hörte ich in der Ferne die Rotorblätter.

Als der Hubschrauber gelandet war und Massimo und Achille ausstiegen, ging ich ihnen entgegen und umarmte sie. Umarmungen und Händeschütteln auch mit dem Fluglotsen von Lukla. Was für eine Freude, sie wiederzusehen! Ich fühlte mich tatsächlich wie ein Krieger, der nach Hause kommt, angeschlagen, aber stolz auf den persönlichen Erfolg, der zum gemeinsamen Erfolg geworden war.

Unverzüglich luden wir alles ein und brachen nach Thyangboche auf. Beppe kam mit uns und flog noch vor uns nach Italien zurück. Während des Fluges betrachtete ich das Tal mit einer gewissen Wehmut und sah noch einmal hinüber zu den schönsten Bergen der Welt, bis hin zum Everest. Eine Geschichte ging zu Ende. Ich verabschiedete mich von der Göttinmutter der Erde.

Im Lager traf ich die anderen wieder. Nur Richard nutzte das gute Wetter und brachte schon seinen Motordrachen nach Lukla. Nachdem wir das Lager abgebaut und das gesamte Material im Hubschrauber verstaut hatten, flogen auch wir weiter nach Lukla, wo ich ihn endlich wiedersah.

Ein sehr britischer Handschlag vereinte mich mit meinem Überflugkameraden.

„Wir sind am Leben, Richard", sagte ich zu ihm. Er sah ähnlich mitgenommen aus wie ich, aber er lächelte. „Wie geht es dir?"

„Gut."

„Wir waren in Sorge."

„Aber jetzt sind wir wieder alle zusammen."

Die Mannschaft war komplett. An diesem Abend gab es ein gemeinsames Essen für alle an einem großen Tisch. Wir aßen, tranken und sprachen noch lange miteinander über das, was wir gemacht hatten und was uns gelungen war.

Der sportliche Teil war abgeschlossen, aber nicht der naturwissenschaftliche. Gea konnte sich mittlerweile in ihrem Territorium bewegen und ihre Nahrung selbst beschaffen. Ihr die Freiheit zu geben war eine Geste der Dankbarkeit einer Spezies gegenüber, die mir das Fliegen beigebracht hatte. Ein paar Tage später übergab ich sie, mit einem GPS-Sender ausgestattet, ihrer Welt – auch im Andenken an Chumi. Ein wenig traurig sah ich ihr nach, während sie immer höher über uns flog, bis sie aus unserem Blick verschwunden war. Ich war mir sicher, dass sie es schaffen würde, ihre Spezies hier wieder heimisch zu machen. Adieu, meine liebe Gea, auf dass das Glück an deiner Seite sein möge.

Kathmandu erwartete uns. Es war an der Zeit, dass jeder wieder in seine Welt zurückkehrte. In der Stadt sah ich endlich Laura wieder, die gerade aus Italien angekommen war. Nach den offiziellen Feiern, mit denen die nepalesischen Behörden meinen Erfolg würdigten, flogen wir nach Hause. Mit dem Himalaja und seinen Menschen für immer in unseren Herzen.

Epilog

Das Abenteuer geht weiter – auf dem Kurs des Kondors

In der Ruhe meiner schlaflosen Nächte sehe ich mich die Anden in Gesellschaft eines Kondors überfliegen, dieses größten aller Zugvögel, den ich wieder in seinen Lebensraum integrieren möchte. Das wird eine Weltpremiere sein und ein weiterer Schritt in meiner Forschung. Und wie immer sind Sport und Natur untrennbar miteinander verbunden.

Noch einmal werde ich die Lehre von Konrad Lorenz zur Aufzucht eines Kükens, das mich als Elternteil ansieht, befolgen. Geboren unter dem schützenden Flügel des Hängegleiters, schwarz wie das Gefieder seiner vom Aussterben bedrohten Spezies, wird er im Lauf der Zeit unter meiner Anleitung das Fliegen und Jagen lernen. Nur wenn ich sein Lehrer bin, um dann sein Schüler zu werden, werde ich eine Symbiose mit ihm bilden und seine Flugtechnik nachahmen können. So wie mit Nike, mit den sibirischen Schneekranichen, mit Chumi und Gea. Am Ende werden wir gemeinsam in Richtung Südamerika aufbrechen.

Ich fühle mich bereit, den Gipfel des Aconcagua ohne Sauerstoffmaske zu erreichen, um mich immer mehr den natürlichen Bedingungen der Vögel in großer Höhe anzunähern. Jedes Projekt ist unverzichtbar für das darauffolgende. Und so wird auch der Flug über den Everest als Sprungbrett zu neuen technologischen und psychophysischen Grenzen dienen. Zufälle gibt es nicht.

Die Metamorphose ist ein Weg, kein Zielpunkt. Andere Kontinente, andere Horizonte erwarten mich. In der Zukunft würde ich gern die

Antarktis auf den Spuren des Albatros überfliegen, diesem geheimnisvollsten aller Vögel. Unter extremen Bedingungen am äußersten Ende der Welt, bei eisigen Winden, die mit 300 Stundenkilometern über die Oberfläche fegen, und bei Temperaturen bis neunzig Grad unter null. Und danach vielleicht in achtzig Tagen um die Welt, mit einem Drachen, der von Wind und Sonne getragen wird. Träumereien, bisher. Aber wer weiß, ob nicht früher oder später mit kleinen Schritten …

Ich werde oft gefragt, was mich dazu bringt, immer weiter zu gehen. Es ist nicht der Wettkampf. Diese Art Herausforderung habe ich vor Jahren aufgegeben. Es ist auch nicht nur das Bedürfnis, mich mit meinen Grenzen zu messen, wie ich manchmal dachte. Nein, es ist etwas viel Einfacheres und Persönlicheres: der Instinkt, in der Natur auf meine Art und Weise zu leben. Dieser Instinkt beherrscht mich, er hält mich nachts wach und begeistert mich. Es wäre Selbstbetrug, wenn ich ihm nicht folgte. Wenn ich mich nur inmitten von endlosen Weiten, frei in der Luft über Wüsten oder Gletschern, Vulkanen oder Ebenen, Flüssen, Meeren und Bergen wirklich lebendig fühle, dann nicht, weil ich nach etwas suche, sondern weil ich eben so bin.

Heute ist der Wunsch, die unermessliche Dimension Höhe zu erkunden, genauso brennend wie an jenem Tag, an dem ich entdeckte, dass es sie gibt. Eigentlich ist mein Leben genau das: ein langer Flug zurück zu den Anfängen, zum Blick einer Möwe an der Steilküste der Normandie.

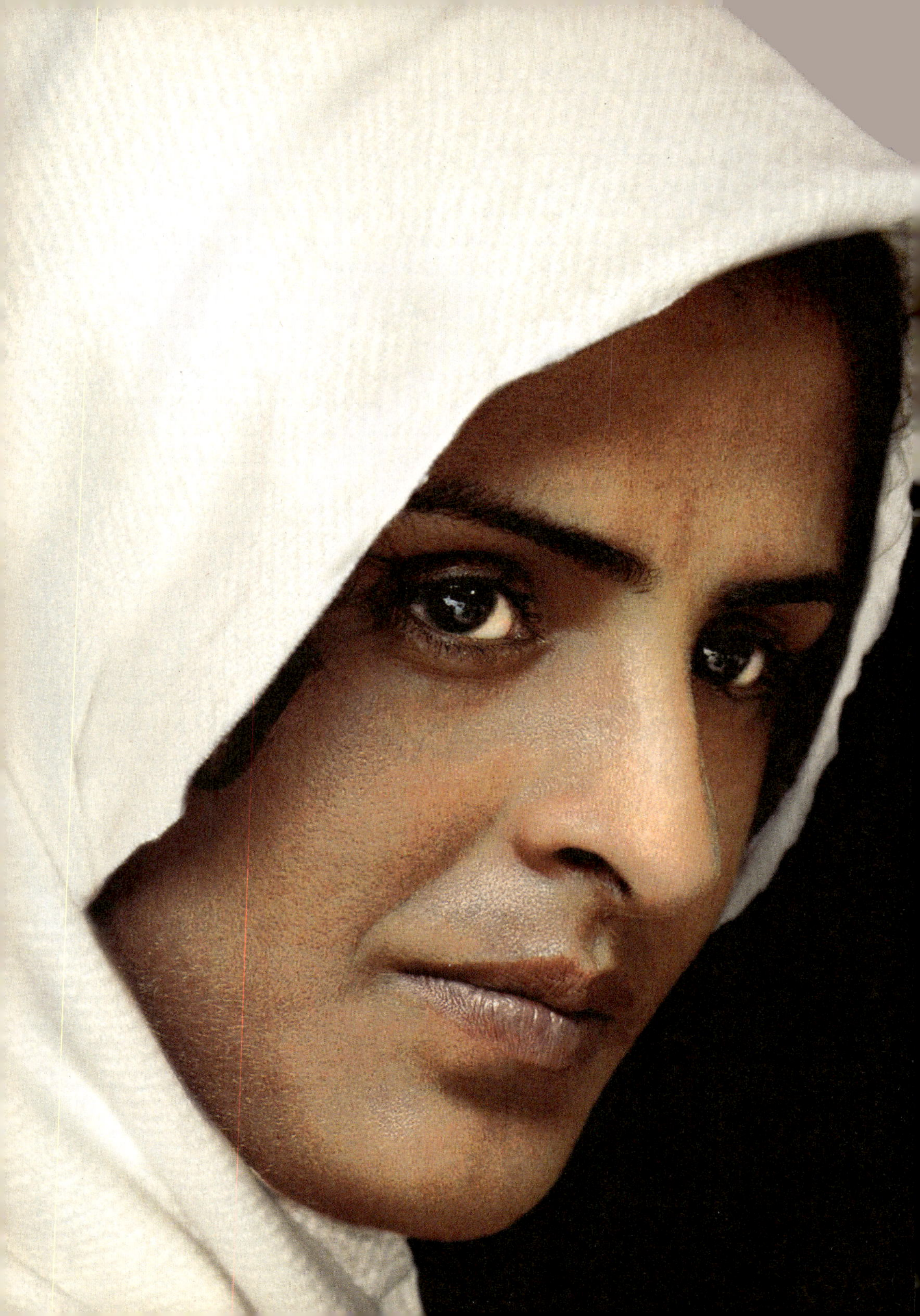

Mukhtar Mai

mit Marie-Thérèse Cuny

DIE SCHULD, EINE FRAU ZU SEIN

„Mukhtar Mais Autobiografie ist eine erschütternde, empörende und schließlich doch ermutigende Geschichte."

Deutschlandfunk

Ein langer Weg

Die Entscheidung, die mein Leben von Grund auf verändern wird, fällt in der Nacht vom 22. Juni 2002 im Kreis der Familie.

Ich, Mukhtaran Bibi, 28 Jahre alt und Angehörige der Bauernkaste der Gujjar aus dem Dorf Meerwala in der pakistanischen Provinz Punjab, muss vor den Klan der höheren Kaste der Mastoi treten, der aus mächtigen Grundbesitzern und Kriegern besteht. Ich muss sie im Namen meiner Familie um Vergebung bitten.

Um Vergebung für meinen kleinen Bruder Shakkur. Die Mastoi beschuldigen ihn, mit Salma, einem Mädchen ihres Stammes, „gesprochen" zu haben. Mein jüngerer Bruder ist gerade mal zwölf Jahre alt, die junge Frau dagegen über zwanzig. Wir wissen, dass Shakkur nichts Schlechtes getan hat, doch die Mastoi haben es so beschlossen, und wir, die Gujjar, müssen uns ihren Geboten fügen. Das ist schon immer so gewesen.

Als mein Vater und mein Onkel mir die Nachricht gemeinsam überbringen, sind sie sehr niedergeschlagen. Mit trauriger Stimme sagt mein Vater: „Wir haben unseren Mullah, Abdul Razzak, um Rat ersucht, doch er weiß nicht, was wir tun sollen. Die Mastoi sind im Dorfrat weit zahlreicher vertreten als die Gujjar. Sie lehnen jedes Schlichtungsangebot ab und bleiben bei ihrer Forderung. Wir müssen uns fügen. Sie haben Waffen. Dein Onkel mütterlicherseits sowie Ramzan Pachar, ein unabhängiger Vermittler, haben alles versucht, um die Mitglieder der *jirga* zu besänftigen. Wir haben nur noch eine letzte Chance: Eine Frau der Gujjar muss im Namen unseres Stammes um Vergebung bitten. Und unter allen Frauen des Hauses haben wir dich ausgewählt."

„Warum ausgerechnet mich?", frage ich und sehe die beiden mit großen Augen an. Im ersten Moment fährt mir der Schreck in alle Glieder. Es gibt so viele Frauen in unserer Familie, schießt es mir durch den Kopf, und ausgerechnet mich müssen sie auswählen. Wieso sollte gerade ich es schaffen, die Mitglieder der *jirga*, des örtlichen Stammesgerichts, zu unseren Gunsten umzustimmen?

„Dein Mann hat dir die Scheidung gewährt, du hast keine Kinder, du bist die Einzige im richtigen Alter, du lehrst den Koran, und du genießt Ansehen", zählen sie zögerlich all die Gründe auf, die mich in ihren Augen zur geeigneten Person machen.

Mir bleibt keine andere Wahl. Ich werde mich ihrem Wunsch fügen.

DIE DUNKELHEIT ist seit Langem hereingebrochen, und ich habe noch keine konkrete Vorstellung davon, worum es bei diesem schwerwiegenden Konflikt eigentlich geht und wieso ich vor diesem Rat um Verzeihung bitten muss. Das wissen allein die Männer, die seit zahllosen Stunden in der *jirga* versammelt sind.

Ganz wohl ist mir bei der Sache nicht, doch ich versuche die unangenehmen Gedanken beiseitezuschieben. Es gelingt mir allerdings nur kurz, und bald schon wandern sie zu meinem kleinen Bruder zurück.

Shakkur ist seit heute Mittag verschwunden. Keiner aus meiner Familie hat in Erfahrung bringen können, was an diesem verhängnisvollen Nachmittag tatsächlich geschehen ist. Wir wissen nur, dass mein Bruder sich zum angeblichen Tatzeitpunkt auf dem Zuckerrohrfeld in der Nähe des Hauses der Mastoi befand. Jetzt ist er allerdings auf dem Polizeirevier, etwa fünf Kilometer von unserem Dorf entfernt; sie haben ihn dort eingesperrt. Ich erfahre aus dem Mund meines Vaters, dass sie meinen jüngeren Bruder geschlagen haben. „Wir haben Shakkur gesehen, als die Polizei ihn bei den Mastoi abgeholt hat. Der Ärmste war blutüberströmt, und seine Kleidung war völlig zerrissen. Sie haben ihn in Handschellen abgeführt, ohne dass ich auch nur ein Wort mit ihm sprechen konnte. Ich hatte ihn zuvor erfolglos überall gesucht. Ein Mann, der hoch oben in einer Palme saß, um Zweige zu schneiden, hat mir erklärt, er habe gesehen, wie die Mastoi ihn entführt hätten. Nach und nach habe ich von verschiedenen Leuten im Dorf erfahren, dass die Mastoi ihn zunächst des Diebstahls bezichtigt haben, er soll sich in ihrem Zuckerrohrfeld bedient haben. Dann ist Salma ins Spiel gekommen."

Die Mastoi greifen häufig zu derartigen Repressalien. Sie sind ungemein gewalttätig, und ihr mächtiges Stammesoberhaupt hat viele Bekannte an den richtigen Stellen – alles einflussreiche Männer.

Niemand aus meiner Familie hat jemals gewagt, zu ihnen zu gehen. Diese Männer sind imstande, wie aus dem Nichts und ohne jeden Grund, mit Gewehren bewaffnet, in jedem beliebigen Haus aufzutauchen, hemmungslos zu plündern, zu zerstören oder zu vergewaltigen.

Wir können dagegen nichts tun, denn wir gehören den Gujjar an, einem niedrigen Stamm, und müssen uns dem Willen der Mastoi beugen.

Abdul Razzak, der Mullah von Meerwala, der dank seiner religiösen Funktion als Einziger zu einem solchen Schritt befugt ist, hat versucht, die Freilassung meines Bruders zu erwirken – leider erfolglos. Als meine Familie diese Nachricht erhielt, war die Bestürzung groß. Doch mein Vater hat sich nicht mit der Situation abfinden wollen und all seinen Mut zusammengenommen, wohl wissend, dass dies Ärger bedeuten könnte. Er ist zur örtlichen Polizei gegangen und hat sich beklagt.

Empört, dass ein Gujjar-Bauer es gewagt hat, ihnen die Stirn zu bieten und ihnen die Polizei vorbeizuschicken, haben die hochmütigen Mastoi die Anklage daraufhin kurzerhand geändert. Sie haben nun einfach behauptet, mein kleiner Bruder Shakkur habe Salma vergewaltigt. Deshalb würden sie ihn nur gehen lassen, wenn er ins Gefängnis komme. Sie haben allen Ernstes verlangt, die Polizei müsse ihn wieder den Mastoi übergeben, falls er freigelassen würde.

Sie beschuldigen Shakkur also der *zinā**, in Pakistan gleichbedeutend mit der Sünde der Vergewaltigung, des Ehebruchs oder der außerehelichen sexuellen Beziehung. Nach dem Gesetz der Scharia droht meinem zwölfjährigen Bruder damit die Todesstrafe.

Man hat ihn daraufhin tatsächlich ins Gefängnis gesteckt – einerseits, weil er beschuldigt wird, andererseits, um ihn vor der Gewalttätigkeit der Mastoi zu schützen, die auf dem Recht bestehen, selbst zu richten.

Das ganze Dorf ist seit dem frühen Nachmittag über die Angelegenheit auf dem Laufenden, und aus Sicherheitsgründen hat mein Vater sämtliche Frauen meiner Familie zu Nachbarn gebracht. Wir fürchten die Vergeltung der rachsüchtigen Mastoi, die in solchen Dingen generell nicht lange zögern. Wenn die einflussreichen Angehörigen dieses Stammes Rache üben, das ist bekannt, dann immer an einer Frau aus einem niedriger gestellten Klan als dem ihren.

Und nun soll eine Frau der Gujjar sich vor den Männern des Dorfes, die vor dem Anwesen der Mastoi zur *jirga* versammelt sind, erniedrigen und um Vergebung für ihre Familie bitten.

Diese Frau bin ich.

---

* *zinā* (Ehebruch oder Unzucht) bezeichnet einen Geschlechtsakt zwischen Personen, die nicht miteinander verheiratet sind. *Zinā* zählt im Islam zu den schlimmsten Sünden, die ein Moslem begehen kann. Daher sieht das islamische Gesetz auch harte Strafen für dieses Vergehen vor.

Ich kenne das besagte Anwesen aus der Ferne, es liegt etwa dreihundert Meter von unserem Hof entfernt – mächtige Mauern umschließen das Haus mit seiner Terrasse, von der aus die Mastoi die Umgebung überwachen, als wären sie die Herren über die Welt.

„MACH dich fertig, Mukhtaran, und folge uns!", fordert mich mein Vater mit fester Stimme auf.

Stumm nicke ich und erhebe mich.

Ich weiß in dieser Nacht nicht, dass der Weg, der von unserem kleinen Hof zu dem sehr viel prunkvolleren Anwesen der Mastoi führt, mein Leben auf den Kopf stellen wird. Tief in mir habe ich eine ungute Vorahnung, schließlich sind die Mastoi im ganzen Dorf gefürchtet, aber ich versuche zuversichtlich zu sein. Ich stehe auf, nehme den Koran und drücke ihn an mein Herz, bevor ich mich mit einem Schal im Gepäck aufmache, um meine Aufgabe zu erfüllen. Das Heilige Buch wird mich beschützen. Mit meinen 28 Jahren kann ich zwar weder lesen noch schreiben, weil es in unserem Dorf – wie häufig in Pakistan auf dem Land – keine Schulen für Mädchen gibt, doch ich habe den Koran auswendig gelernt. Seit meiner Scheidung erteile ich den Kindern in Meerwala ehrenamtlich Unterricht. Das verschafft mir Ansehen. Das gibt mir Kraft und Selbstvertrauen.

Dadurch gestärkt, laufe ich in dieser sternenklaren Nacht über den schmalen Feldweg, gefolgt von meinem Vater, meinem Onkel und von Ramzan Pachar, jenem Freund eines anderen Stammes, der bei den geheimen Verhandlungen der *jirga* als Vermittler aufgetreten ist. Die drei Männer fürchten um meine Sicherheit, und selbst mein Onkel, den ich immer für seinen Mut bewundert habe, hat zunächst gezögert, ob er mich begleiten soll.

Trotzdem schreite ich diesen Weg mit geradezu kindlicher Unbekümmertheit entlang und achte beim Gehen darauf, dass der Saum meiner *burka** nicht zu sehr im Staub schleift. Was soll mir schon passieren? Ich habe mir keinen persönlichen Fehler vorzuwerfen. Ich bin gläubig und lebe seit meiner Scheidung im Kreis meiner Familie, weit entfernt von den Männern, so wie es sich bei uns gebührt. Niemand hat je etwas

---

* Kleidungsstück aus einem großen, kreisförmigen Stofftuch, das zeltartig Kopf und Körper verhüllt. Damit die Trägerin etwas sehen kann, ohne ihr Gesicht zu enthüllen, befindet sich im Bereich der Augen ein Schleier aus Rosshaar oder eine Art Gitter aus Stoff.

Schlechtes über mich gesagt, was bei anderen Frauen durchaus vorkommt. Diese Salma zum Beispiel, derentwegen Shakkur nun im Gefängnis sitzt, ist bekannt für ihr aufreizendes Verhalten. Sie spricht laut, ist ständig unterwegs und geht aus, wann und wohin es ihr passt.

Vielleicht wollen die Mastoi die Unschuld meines kleinen Bruders nutzen, um das Fehlverhalten der jungen Frau zu kaschieren, denke ich. Wie dem auch sei, es sind die Mastoi, die bestimmen, und die Gujjar, die zu gehorchen haben.

Es ist noch immer drückend heiß in dieser Juninacht, und der Weg zum Anwesen der Mastoi kommt mir ungewohnt lang vor. Die Vögel schlafen, die Ziegen auch. Nur ein Hund bellt irgendwo in der Stille, die meine Schritte begleitet – eine Stille, die sich nach und nach in ein Raunen verwandelt. Während ich weitergehe, dringen zornige Männerstimmen an mein Ohr.

Wenig später erreichen wir unser Ziel, und jetzt erkenne ich sie im Licht der einzigen Lampe, die den Eingang des Anwesens erhellt: Über hundert, vielleicht hundertfünfzig Männer haben sich davor versammelt, die Mehrzahl von ihnen Mastoi. Die Angehörigen des hochstehenden Klans beherrschen die *jirga* und damit natürlich auch die Entscheidungen dieses Gremiums. Selbst der Mullah kann nichts gegen sie unternehmen, obwohl er ein Vorbild für alle Dorfbewohner ist.

Ich lasse meinen Blick auf der Suche nach ihm über die Menschenmenge gleiten, doch Abdul Razzak ist nicht da. Zu diesem Zeitpunkt weiß ich noch nicht, dass er zusammen mit einigen anderen Mitgliedern der *jirga*, die nicht damit einverstanden waren, wie der Rat diese Angelegenheit handhabt, die Versammlung verlassen und den Ort somit den „Herren" überlassen hat.

Jetzt stehe ich vor Faiz Mohammed, dem Stammesoberhaupt der Mastoi, sowie seinen vier Stammesbrüdern Abdul Khaliq, Ghulam Farid, Allah Dita und Mohammed Fiaz. Sie alle tragen Gewehre und Pistolen und haben sich mit finsteren Mienen vor dem Eingang des Anwesens aufgebaut. Sofort richten sie den Lauf der Waffen auf meine Begleiter und fuchteln damit wild vor ihren Gesichtern herum, um ihnen Angst einzujagen. Doch mein Vater und mein Onkel geben keinen Ton von sich und rühren sich nicht von der Stelle.

Die Mastoi haben fast ihren gesamten Klan versammelt. Eine undurchdringliche Mauer aus Männern, bedrohlich und fiebrig erregt. Sie schüchtern mich ein mit ihren Gewehren und ihren finsteren Mienen. Vor allem Faiz, der Chef des Klans, ein großer und kräftiger Widerling, der mit einer Pumpgun bewaffnet ist. Sein Blick ist der eines Irren, starr und voller Hass.

Ich breite den mitgebrachten Schal als Zeichen der Demut vor dem Stammesoberhaupt der Mastoi und seinen Brüdern aus. Auswendig trage ich einen Vers aus dem Koran vor und lege die Hand dabei auf das Heilige Buch. Was ich von den Schriften kenne, wurde mir zwar nur mündlich überliefert, doch es ist gut möglich, dass mir der heilige Text vertrauter ist als einem Großteil dieser Bestien, die mich noch immer mit verächtlichen Blicken mustern.

Nun ist der Moment gekommen, meine Bitte um Vergebung vorzubringen. Ich bin hier, damit die Ehre der Mastoi wiederhergestellt wird. Doch obwohl ich mir durchaus bewusst bin, gesellschaftlich einer niederen Kaste anzugehören, trage ich auch das Ehrgefühl der Gujjar in mir. Unsere Gemeinschaft armer kleiner Bauern hat eine jahrhundertealte Geschichte, und ich spüre, dass sie Teil meiner selbst und meines Blutes ist. Die Vergebung, um die ich diese Unmenschen bitte, ist nichts als eine Formalität, die meine persönliche Ehre nicht befleckt.

Während ich spreche, halte ich den Blick gesenkt und erhebe meine Stimme so laut wie möglich gegen das dumpfe Raunen der aufs Höchste gereizten Männer. „Sollte mein Bruder Shakkur ein Unrecht begangen haben", beginne ich und hole einmal tief Luft, „so bitte ich an seiner Stelle um Vergebung und um seine Freilassung."

Ich bin zwar furchtbar aufgeregt, aber meine Stimme hat nicht gezittert. Langsam hebe ich den Blick und warte auf die Antwort. Doch Faiz sagt nichts. Er schüttelt nur verächtlich und mit einer herrischen Geste den Kopf. Es folgt ein kurzes Schweigen, die Stimmung ist aufs Äußerste angespannt.

Ich bete im Stillen, und plötzlich, blitzartig, steigt Angst in mir auf und lähmt meinen Körper wie ein elektrischer Schlag. Reglos sehe ich in die Augen dieses Mannes, der nie die Absicht gehabt hat, unserer Familie Vergebung zu gewähren. Er hat nach einer Gujjar-Frau verlangt, um vor dem ganzen Dorf Rache zu üben. Er und seine Brüder haben die Versammlung der *jirga*, der sie selbst angehören, schändlich missbraucht. Diese gemeinen Menschen haben den Mullah, meinen Vater und meine ganze Familie getäuscht.

Faiz wendet sich an seine Stammesbrüder, die es, wie er selbst, kaum erwarten können, den Richterspruch des Stammesgerichts umzusetzen, die danach gieren, ihre Macht durch eine Demonstration der Gewalt unter Beweis zu stellen. Zum ersten Mal haben die Mitglieder eines

Rates höchstpersönlich eine Massenvergewaltigung beschlossen, um, wie sie es nennen, „ihrem Recht Geltung zu verschaffen".

„Sie ist da!", dröhnt die Stimme des Klanführers in meinen Ohren. „Macht mit ihr, was ihr wollt!"

Ich bin da, in der Tat, doch dieser gelähmte Körper, diese nachgebenden Beine, sie gehören mir nicht mehr. Ich werde das Bewusstsein verlieren, werde zu Boden sinken, denke ich fassungslos, und mir schwindelt. Doch mir bleibt gar nicht die Zeit dazu. Gewaltsam zerren sie mich fort wie ein Lamm zur Schlachtbank. Männerarme packen die meinen, reißen an meinen Kleidern, an meinem Tuch, an meinen Haaren.

„Im Namen des Korans – lasst mich los!", schreie ich. „Im Namen Gottes – lasst mich los!"

Mein Vater und mein Onkel müssen all das mit ansehen und haben keine Möglichkeit, mir zu helfen.

Ehe ich michs versehe, finde ich mich irgendwo in einem geschlossenen dunklen Raum wieder. Im fahlen Mondlicht, das durch die winzigen Fenster dringt, nehme ich vier Männer wahr. Dazu die kahlen, finsteren Wände und ein großes Tor, gegen das sich eine bewaffnete Gestalt abhebt.

Kein Ausweg. Ich bin ihnen restlos ausgeliefert.

Hier, auf dem gestampften Lehmboden eines Stalls, vergewaltigen sie mich. Vier Männer. Wieder und wieder. Ich kann nicht sagen, wie lange diese schändliche Tortur dauert. Eine Stunde oder die ganze Nacht.

Ich, Mukhtaran Bibi, älteste Tochter meines Vaters Ghulan Farid Jat, habe mein Selbstbewusstsein verloren, doch ich werde die Gesichter dieser Bestien nie vergessen. Für sie ist eine Frau nichts als ein Objekt des Besitzes, der Ehre oder der Rache. Wahllos heiraten oder vergewaltigen diese Unmenschen je nach ihrer Auffassung von Stammesehre. Und das alles in dem Wissen, dass einer Frau, die sie durch ihre Tat der Schande preisgegeben haben, kein anderer Ausweg bleibt als der Selbstmord. Sie müssen nicht einmal zu ihren Waffen greifen, um ein Menschenleben auszulöschen, denn allein die Vergewaltigung führt zum Tod des Opfers. Die Vergewaltigung ist die Waffe schlechthin. Sie dient dem Zweck, einen anderen Klan zutiefst zu demütigen und sich für alle Zeit an ihm zu rächen.

Meine Peiniger verzichten darauf, mich zu schlagen. Doch das müssen sie auch nicht. Ich bin ihnen so oder so ausgeliefert. Meine Eltern werden von ihnen bedroht, mein Bruder sitzt im Gefängnis.

Ich muss es dulden. Ich dulde es.

Nachdem sie endlich von mir abgelassen haben, zerren sie mich aus dem finsteren Raum und stoßen mich halb nackt vor die Tür. Dort ist inzwischen das halbe Dorf versammelt. Als sich das große Flügeltor hinter mir schließt, bin ich allein mit meiner Schmach. Vor aller Augen.

Mir fehlen die Worte, um zu sagen, wer oder was ich in diesem Moment bin. Ich fühle mich so unendlich leer, kann keinen klaren Gedanken fassen. Ein dichter Nebel ist in mein Gehirn gedrungen und legt sich über die Bilder der Folter und des schrecklichen Missbrauchs.

Wie eine Puppe setze ich mich in Bewegung, den Rücken gebeugt, das Tuch – die einzige mir verbliebene Würde – vor dem Gesicht, ohne zu wissen, wohin ich gehe. Instinktiv schlage ich den Weg zu meinem Elternhaus ein und setze mechanisch einen Fuß vor den anderen, ohne zu merken, dass mein Vater, mein Onkel und Ramzan mir in einigem Abstand folgen. Die Mastoi haben meine drei Begleiter die ganze Zeit über mit ihren Gewehren bedroht und vor dem Haus festgehalten und erst freigelassen, als meine Peiniger sich an mir genug „gerächt" hatten.

Als ich unseren Hof erreiche, steht meine Mutter weinend vor dem Haus. Den Blick auf den Boden gerichtet, gehe ich an ihr vorbei, außerstande, ein Wort zu sagen. Die anderen Frauen unserer Familie begleiten mich schweigend nach drinnen. Ich trete in eines der drei Zimmer, die uns Frauen vorbehalten sind, und werfe mich auf eine Strohmatte. Eine Decke über mich geschlagen, liege ich da und rühre mich nicht mehr.

Mein Leben ist in ein solches Grauen abgeglitten, dass mein Kopf und mein Körper die Wirklichkeit ablehnen. Ich habe bis dahin nicht gewusst, dass derartige Gewalttätigkeit möglich ist. Ich war naiv und wie alle Frauen in meiner Umgebung daran gewöhnt, unter dem Schutz meines Vaters und meines älteren Bruders zu leben.

Nachdem meine Familie mich im Alter von 18 Jahren mit einem mir unbekannten, faulen und unfähigen Mann verheiratet hatte, ist es mir schon recht bald mit der Unterstützung meines Vaters gelungen, die Scheidung durchzusetzen. Ich habe jahrelang zurückgezogen und von der Außenwelt abgeschieden in einem Kosmos gelebt, der an der Grenze meines Dorfes aufhörte. Wie alle anderen Frauen um mich herum Analphabetin, führe ich ein Leben, das sich neben meinen häuslichen Pflichten auf zwei einfache Tätigkeiten beschränkt. Zum einen lehre ich, wie bereits erwähnt, die Kinder des Dorfes ehrenamtlich den Koran – mündlich, genauso wie man mir die heiligen Verse beigebracht hat. Zum anderen bringe ich, um zu unseren mageren Einkünften beizutragen, einigen Frauen das bei, was ich am besten kann: das Sticken. Meine Familie ist relativ arm, aber immerhin haben wir genug zu essen. Unser Überleben ist durch zwei Rinder, eine Kuh, acht Ziegen und ein Zuckerrohrfeld gesichert. Von Sonnenaufgang bis Sonnenuntergang spielt sich mein Leben innerhalb der Grenzen des kleinen väterlichen Hofes ab und verläuft im Rhythmus der Ernten und der täglichen Aufgaben. Mit Ausnahme der kurzen Zeit meiner Ehe, während der ich in einem anderen Haus lebte, kenne ich keine andere als diese Existenz.

Das Schicksal hat mich soeben aus diesem behüteten, sicheren Dasein herauskatapultiert. Ich fühle mich leer, taub, gefühllos, tot. Ich bin außerstande zu denken. Alle Frauen um mich herum weinen, ich spüre Hände, die sich zum Zeichen des Mitgefühls auf meinen Kopf und meine Schultern legen. Doch ich reagiere nicht darauf. Meine jüngeren Schwestern schluchzen, während ich wie gelähmt daliege, sonderbar unbeteiligt an diesem Unglück, das mich betrifft und auf die ganze Familie zurückfällt.

Drei Tage lang verlasse ich dieses Zimmer nur, um meine Notdurft zu verrichten. Ich esse nicht, trinke nicht, weine nicht, spreche nicht.

Irgendwann höre ich, wie meine Mutter sagt: „Du musst vergessen, Mukhtaran. Es ist vorbei. Die Polizei wird deinen Bruder freilassen."

Doch ich antworte ihr nicht. Auch das, was die Menschen im Dorf über diesen Fall reden, wird mir zugetragen, aber die Worte prallen an mir ab. Eine Frau im Dorf soll verkündet haben: „Shakkur hat sich versündigt, er hat Salma vergewaltigt." Eine andere meint: „Mukhtaran hätte auf den Mullah hören sollen, doch das hat sie nicht getan. Demnach ist es ihre Schuld." Was meint sie damit? Die Worte huschen durch die Gassen und Straßen, erst nach und nach dringen sie zu mir durch, und ich begreife, woher all das rührt.

Die *jirga*, deren Versammlungen normalerweise im Haus von Mullah Abdul Razzak abgehalten werden, war dieses Mal in aller Öffentlichkeit mitten in Meerwala zusammengekommen. Dieser traditionelle Stammesrat wirkt außerhalb des ordentlichen Gerichtssystems und hat die Aufgabe, zwischen den Klägern zweier streitender Parteien zu schlichten – im Prinzip in beider Interesse. So jedenfalls sollte es sein.

In den Dörfern ziehen die Menschen es vor, sich an die *jirga* zu wenden, da die offizielle Rechtsprechung in der Regel zu teuer ist. Schließlich wären die meisten Bauern nicht mal in der Lage, einen Anwalt zu bezahlen, ganz zu schweigen von den anderen anfallenden Kosten.

Es ist nicht nachvollziehbar, warum im Fall meines Bruders Shakkur keine Schlichtung durch die *jirga* möglich war. Mein Vater und mein

Onkel haben mir sehr wenig darüber gesagt – Frauen erfahren in meinem Land nur selten etwas von den Entscheidungen der Männer. Aber langsam, durch die Kommentare, die aus dem Dorf bis in unser Haus dringen, beginne ich den Grund für meine Bestrafung zu verstehen. In Gedanken gehe ich die einzelnen Ereignisse noch einmal genau durch und versuche, sie für mich zu ordnen. Auch wenn mich das Erlebte zutiefst verletzt hat, muss ich mich ihm stellen, um es verstehen zu können.

Also: Shakkur, so haben die Mastoi anfangs behauptet, habe Zuckerrohr von einem ihrer Felder gestohlen. Später hieß es dann, er sei dabei überrascht worden, wie er Salma schöne Augen gemacht habe. Nachdem sie ihn des Diebstahls beschuldigt haben, hat der Klan meinen Bruder entführt, geschlagen und schließlich missbraucht, um ihn zu demütigen. Shakkur hatte sich dafür so sehr geschämt, dass er es erst später und nur unserem Vater erzählt hat. Er hat mehrmals versucht zu fliehen, aber sie haben ihn jedes Mal wieder eingefangen.

Um die Vergewaltigung meines kleinen Bruders vor der Versammlung der *jirga* zu vertuschen, haben die Mastoi einfach eine neue Anschuldigung erfunden. Nun soll Shakkur eine sexuelle Beziehung mit Salma, angeblich noch Jungfrau, gehabt haben – in unserem Land ein schreckliches Verbrechen, das mit höchsten Strafen geahndet wird. Mädchen ist es nämlich grundsätzlich verboten, mit Jungen zu sprechen. Begegnet eine Frau einem Mann, muss sie stets den Blick senken und darf niemals das Wort an ihn richten.

Als ich Shakkur, der seit seiner Freilassung wieder zu Hause wohnt, über den Hof gehen sehe, beobachte ich ihn genau. Ich vermag mir beim besten Willen nicht vorzustellen, dass von diesen Vorwürfen auch nur das geringste Detail wahr sein könnte. Er ist ja nur ein Junge von zwölf, höchstens dreizehn Jahren; genau lässt sich das nicht sagen, denn unser Geburtsdatum ist nirgendwo registriert. Mager, schüchtern und kindlich, wie er ist, hat mein kleiner Bruder niemals eine Beziehung mit einem Mädchen gehabt, schon gar nicht mit Salma, deren ungenierte Art ihn eher zur Flucht veranlassen würde. Shakkurs einziges Verschulden bestand höchstens darin, dass er sie zufällig am Rand des Zuckerrohrfeldes der Mastoi getroffen hat.

Mein Bruder Shakkur hat nichts Schlechtes getan, dessen bin ich sicher. Was er dagegen an jenem verhängnisvollen Tag im Juni an Qualen durchgestanden hat, ist nur mit meinen eigenen vergleichbar.

All das geht mir mehrere Tage lang immer wieder durch den Kopf – und die Frage: Warum er, warum ich?

Die Antwort ist ganz einfach: Dieser rachsüchtige Klan will den unseren zerstören. Nicht mehr und nicht weniger. Und mein Bruder und ich sind die Opfer, die als Mittel zum Zweck dienen sollen.

In jener Woche erfahre ich auch, was Mullah Abdul Razzak den Mastoi als ersten Vorschlag zur Schlichtung unterbreitet hatte. Um die Gemüter zu beschwichtigen und zu vermeiden, dass die beiden Klans für immer verfeindet bleiben, hatte er es für das Beste gehalten, wenn Shakkur Salma heiratet. Im Gegenzug sollte die älteste Tochter der Gujjar, also ich, einem Mastoi zur Frau gegeben werden.

Manche Menschen in Meerwala behaupten, ich hätte diesen Vorschlag abgelehnt und trüge, weil ich dadurch die Schlichtung vereitelt hätte, selbst die Schuld an dem, was mir widerfahren ist. So auch die Frau, auf deren Äußerung ich mir zunächst keinen Reim hatte machen können. Glaubt man dagegen einigen Ratsmitgliedern, so hat der Stammeschef der Mastoi diese Missheirat höchstpersönlich abgelehnt. Er soll sogar gebrüllt haben: „Ich werde alles im Haus dieser Familie zerschlagen, alles bis zum letzten Stück zerstören! Ich werde ihr Vieh abschlachten und ihre Frauen vergewaltigen!"

Laut den mir zugetragenen Erzählungen soll der Mullah, da er keinen besseren Vorschlag vorzubringen gehabt habe, den Rat verlassen haben. Schließlich habe Ramzan Pachar, der Einzige, der weder dem Klan der Mastoi noch dem unseren angehört, meinen Vater und meinen Onkel dazu überredet, einen anderen Weg der Schlichtung zu versuchen: sie sollten um Vergebung bitten. Schließlich seien sie übereingekommen, eine achtbare Frau meines Alters zu den Anklägern zu schicken, um diese Bestien durch einen Akt der Unterwerfung umzustimmen. So hätten sie sich erhofft, die Mastoi würden ihre Anklage zurückziehen und die Polizei meinen Bruder freilassen.

Naiv war ich voller Zuversicht aufgebrochen, um vor diese Unmenschen zu treten. Und auch wenn ich mich bei der ganzen Aufgabe nie wohlgefühlt hatte, hatte ich dennoch niemals auch nur geahnt, auf welche Weise ich zum Opfer werden sollte.

Doch damit nicht genug. Wie ich erfahre, wurde Shakkur auch dann nicht freigelassen, als meine Vergewaltiger mich vor die Tür gejagt hatten.

Kurz entschlossen ging daraufhin einer meiner Cousins zu Faiz, dem Klanchef der Mastoi. „Was geschehen ist, ist geschehen", sagte er und stellte sogleich mutig seine Forderung: „Jetzt lasst Shakkur frei."

Der Stammesführer der Mastoi reagierte gelassen. „Geh du schon mal aufs Revier, ich spreche später mit denen."

Voller Hoffnung ging mein Cousin daraufhin zur Polizei. Dort erwartete ihn eine unangenehme Überraschung, als er sich auf Faiz berief und sein Anliegen vorbrachte. Der diensthabende Polizist griff zum Telefon und rief den gefürchteten Klanführer an, als wäre der sein Vorgesetzter. „Hier ist gerade jemand eingetroffen, der behauptet, du wärst damit einverstanden, dass Shakkur freikommt. Stimmt das?", erkundigte er sich ungläubig.

„Er soll erst für die Freilassung des Jungen bezahlen", antwortete Faiz. „Nehmt das Geld für meine Familie entgegen und lasst ihn dann frei."

Die Polizei verlangte daraufhin von meinem Cousin 12 000 Rupien, umgerechnet etwa 150 Euro. Das ist eine gewaltige Summe für meine Familie, etwa das Drei- bis Vierfache des Monatsgehalts eines Arbeiters.

In Windeseile suchten mein Vater und mein Onkel alle Verwandten und Nachbarn auf, um den Betrag zusammenzubekommen. Es gelang ihnen tatsächlich, und sie kehrten noch in derselben Nacht zum Revier zurück, um der Polizei das Geld zu übergeben. Um ein Uhr morgens wurde mein Bruder schließlich freigelassen.

Zwar ist er jetzt schon zwei Tage auf freiem Fuß, doch nach wie vor ist er in großer Gefahr. Denn der Hass der Mastoi wird nicht nachlassen. Ihnen bleibt im Grunde gar nichts anderes übrig, als ihre Anschuldigung aufrechtzuerhalten, denn sie können nicht mehr zurück, ohne ihr Gesicht und ihre Ehre zu verlieren. Abgesehen davon gibt ein Mastoi niemals nach.

Bei dem Gedanken, dass der unmenschliche Klanchef und seine Brüder jetzt in ihrem Haus sind, läuft mir ein eiskalter Schauer über den Rücken. Unsere Feinde befinden sich gerade mal auf der anderen Seite des Zuckerrohrfeldes. In Sichtweite. Noch dazu bewaffnet. Sie gehören einem Stamm von Kriegern an, und was haben wir? Nur ein bisschen Holz, um Feuer zu machen, und ganz gewiss keinen mächtigen Verbündeten, der uns verteidigen könnte.

EINE knappe Woche nach meiner demütigenden Misshandlung durch die vier grausamen Unmenschen steht mein Entschluss fest.

Ich werde Selbstmord begehen.

Das machen die Frauen in meinem Fall. Denn sie sind entehrt und haben damit keine andere Wahl.

Ich werde Säure schlucken und sterben, um das Feuer der Schmach, die auf mir und meiner Familie lastet, für immer auszulöschen. Ich flehe meine Mutter an, mir beim Sterben zu helfen, und beknie sie, mir die Säure zu besorgen. Mein Leben, das nicht mehr lebenswert ist, soll endlich ein Ende haben. In den Augen der anderen bin ich ohnehin schon tot. Und auch ich selbst verspüre keinen Funken Lebensmut mehr.

Doch anstatt mir zu helfen, bricht meine Mutter in Tränen aus und will mich mit allen Mitteln von meinem Vorhaben abbringen. Schließlich weicht sie Tag und Nacht nicht mehr von meiner Seite.

Ich finde keinen Schlaf mehr, und mehrere Tage lang bin ich in meiner Machtlosigkeit dem Wahnsinn nahe. Ich kann so nicht weiterleben. Doch meine Mutter lässt mich nicht sterben.

Eines Nachmittags, als ich denke, es könne nicht mehr schlimmer kommen, lodert plötzlich eine unbändige Wut in mir auf und befreit mich von dieser grässlichen Lähmung.

Mit einem Mal sinne ich auf Rache. Mein Lebensmut ist wieder erwacht, und ich schwöre mir, den Kampf aufzunehmen. Diese Bestien sollen nicht ungestraft davonkommen.

Seit der Tat gehe ich zum ersten Mal wieder nach draußen in den Hof. Tief atme ich die warme Luft ein und recke und strecke mich. Dann setze ich mich ein wenig abseits von meinen Eltern und Geschwistern, die mich zwar beobachten, aber in Ruhe lassen, in den Schatten und spiele im Geiste die einzelnen Möglichkeiten durch.

Ich könnte ein paar Männer engagieren und meine Peiniger töten lassen. Mit Gewehren bewaffnet, könnten sie im Haus der Mastoi auftauchen und das mir und meiner Familie geschehene Unrecht ahnden. Aber ich habe kein Geld. Ich könnte mir auch selbst ein Gewehr besorgen oder Säure, die ich ihnen ins Gesicht schütte, damit sie erblinden. Ich könnte ... Doch ich bin nur eine Frau, und wir haben keinerlei Rechte, auch nicht das auf Rache: allein die Männer besitzen das Monopol der Rache, und die wird durch Gewalt gegen Frauen geübt.

Stundenlang sitze ich da und komme zu keinem Ergebnis. Doch ich nehme mir vor, nicht aufzugeben.

Als ich am Abend zum ersten Mal seit Langem wieder eine Mahlzeit mit meiner Familie einnehme, höre ich von Vorfällen, über die vorher niemand zu sprechen gewagt hat: Die Mastoi haben bereits das Haus eines meiner Onkel geplündert, außerdem haben sie mehrfach Frauen aus Meerwala vergewaltigt.

Der Polizei sind alle diese Taten bekannt, doch sie weiß auch, dass niemand den Mut hat, Anzeige zu erstatten. Denn wer immer es wagte, würde auf der Stelle von den Mastoi getötet. Es gibt keine Möglichkeit,

Mukhtar Mai

Prachtvolle Stoffe im Wind:
der Hof der Frauen
in Mukhtars Haus

Geschlafen wird unter freiem Himmel – das Haus von Mukhtars Familie

Bei den Kochvorbereitungen sind auch die Kleinsten mit dabei.

Den feindlichen Klan stets vor Augen: das Anwesen der Mastoi, von Mukhtars Haus aus gesehen

gegen diesen mächtigen Stamm vorzugehen. Sie sind seit Generationen da und bestimmen die Geschicke von Meerwala. Sie kennen die Abgeordneten und haben alle Befugnisse – von unserem Dorf bis zur Präfektur der Provinz Punjab haben sie alles im Griff.

Deshalb konnten sie auch gleich zu Beginn von der örtlichen Polizei fordern: „Wenn ihr Shakkur freilasst, müsst ihr ihn uns übergeben!" Sogar die Polizisten haben daraufhin um das Leben meines Bruders gefürchtet und in ihrer Hilflosigkeit beschlossen, ihn so lange in eine Zelle zu sperren, bis er für unschuldig erklärt oder verurteilt wäre.

Damit war meine Bitte um Vergebung, die ich in aller Öffentlichkeit vortragen musste, von vornherein zum Scheitern verurteilt. Die Mastoi haben das Angebot meiner Familie nur akzeptiert, um mich vor dem ganzen Dorf vergewaltigen zu können.

Diese grausamen Menschen fürchten weder Gott noch den Teufel, noch den Mullah. Sie nutzen die Macht, die ihnen ihre Zugehörigkeit zu einem höhergestellten Klan verleiht. Nach dem Stammessystem entscheiden sie, wer ihr Feind ist, wer also vernichtet, gedemütigt, bestohlen, vergewaltigt wird – und das völlig ungestraft. Wahllos greifen sie die Schwachen an.

Und die Schwachen sind wir.

IN DEN vergangenen Tagen habe ich unablässig gebetet, dass Gott mir helfen möge, zwischen Selbstmord und Rache – egal mit welchen Mitteln – zu entscheiden. Ich habe Verse aus dem Koran zitiert und wieder und wieder zu Gott gesprochen, so, wie ich es als kleines Kind immer getan habe.

Wenn ich eine Dummheit begangen hatte, sagte meine Mutter stets: „Gib Acht, Mukhtaran, Gott sieht alles, was du tust!"

Jedes Mal blickte ich dann hinauf zum Himmel und fragte mich, ob es da oben ein Fenster gebe, durch das Gott mich sehen konnte. Aber aus Ehrfurcht vor meiner Mutter stellte ich diese Frage nie. Kinder richten nicht einfach so das Wort an ihre Eltern.

Manchmal hatte ich dennoch das Bedürfnis, mit einem Erwachsenen zu sprechen. Und es war stets meine Großmutter väterlicherseits, die ich bat, mir das Warum und Wie zu erklären. Sie war die Einzige, die mir zuhörte.

„Großmutter", fragte ich sie dann zum Beispiel mit glühenden Wangen, „Mama sagt immer, Gott würde mich beobachten. Gibt es wirklich ein Fenster im Himmel, das er öffnen kann, um mich zu beobachten?"

„Gott muss kein Fenster öffnen, um dich zu sehen, Mukhtaran. Der ganze Himmel ist sein Fenster. Er sieht dich ebenso wie alle anderen Menschen auf der Erde. Dabei urteilt er über deine Dummheiten genau wie über die der anderen. Was hast du denn diesmal angestellt?"

„Zusammen mit meinen Schwestern habe ich dem Großvater unserer Nachbarn den Stock weggenommen und vor seine Zimmertür gelegt", beichtete ich ihr kleinlaut. „Als er dann hineingehen wollte, haben wir, eine jede auf ihrer Seite, den Stock angehoben, und er ist gestolpert."

„Warum um alles in der Welt habt ihr das getan?", fragte sie entsetzt.

„Weil er uns ständig ausschimpft", rechtfertigte ich unsere unschöne Tat. „Er will nicht, dass wir auf die Bäume klettern, um auf den Ästen zu schaukeln. Er will nicht, dass wir miteinander sprechen. Er will nicht, dass wir lachen, dass wir spielen. Er will gar nichts! Und sobald er auftaucht, droht er uns mit seinem Stock. ‚Du hast dir nicht den Hintern gewaschen, geh und hol es auf der Stelle nach! Und du, du hast dir nicht den Schal umgelegt! Zieh dich gefälligst ordentlich an!' Er schimpft den ganzen Tag!", beendete ich meine Anklage. Ich war froh, dass ich all das endlich einmal jemandem erzählen konnte.

„Dieser Mann ist schon sehr alt und hat einen schwierigen Charakter", erwiderte meine Großmutter mit ihrer gütigen Stimme. „Er kann nun mal keine Kinder ertragen. Dennoch musst du damit aufhören, das darf man nicht tun! Was war sonst noch?"

„Ich wollte zu dir zum Essen kommen, aber Mama hat es nicht erlaubt. Sie hat geschimpft und gesagt, ich solle zu Hause essen."

„Ich spreche mit deiner Mutter und sage ihr, sie soll meine Enkelin nicht mehr so schelten."

Wir Kinder wurden vielleicht öfter einmal ausgeschimpft, aber niemals geschlagen. Meine Kindheit war zwar schlicht und ärmlich, aber unbeschwert.

IN JENEN schweren Tagen zwischen Leben und Tod wünschte ich mehr als einmal, diese unbeschwerte Zeit hätte für immer andauern können.

Gott ist für mich momentan die einzige Zuflucht, während ich mich in diesem Zimmer verkrieche, in dem mich die Schmach umfängt. Ich stelle mir Gott oft als einen König vor: Groß und kräftig sitzt er, umgeben von Engeln, auf einem Diwan und richtet über die Menschen. Er ist gnädig gegen denjenigen, der Gutes getan hat, während er den anderen wegen seiner Übeltaten in die Hölle schickt.

Sterben oder mich rächen? Diese Frage stelle ich mir unendlich oft. Wie kann ich meine Ehre und damit die meiner Familie nur wiederherstellen? Zwar wage ich mich inzwischen schon wieder gelegentlich nach draußen, doch die meiste Zeit verbringe ich allein und bete.

Unterdessen kursieren neue Gerüchte im Dorf, von denen mir meine Familie eines Abends berichtet. Es heißt, der Mullah habe während des Freitagsgebets eine Strafpredigt gehalten. Laut und vernehmlich soll er gesagt haben, was im Dorf passiert ist, sei eine Sünde, eine Schmach für die ganze Gemeinde. Die Dorfbewohner müssten sich endlich an die Polizei wenden. Außerdem soll ein Journalist der lokalen Presse an der Versammlung teilgenommen und anschließend über die Geschichte in seiner Zeitung berichtet haben. Weiter wird behauptet, die Mastoi hätten in einem Restaurant in der Stadt öffentlich und bis ins Detail mit ihren Heldentaten geprahlt. Auf diese Weise habe sich die Nachricht von meiner Schmach in der ganzen Gegend herumgesprochen.

Am sechsten oder siebten Tag meines Rückzugs, während ich unermüdlich Koranverse rezitiere, kommen mir zum ersten Mal die Tränen. Endlich kann ich weinen. Erschöpft befreien sich Körper und Geist in langsamen Tränenströmen.

Eigentlich habe ich nicht nah am Wasser gebaut. Als Kind war ich immerzu fröhlich, unbekümmert und zu harmlosen Streichen und mädchenhaftem Kichern aufgelegt.

Ich erinnere mich, nur einmal geweint zu haben, und zwar etwa im Alter von zehn Jahren. Meine Geschwister jagten ein kleines Küken, und das arme Tier war auf der Flucht mitten in das Feuer gelaufen, auf dem ich meine *chapatis* – Fladenbrote – backen wollte. Zu meinem grenzenlosen Entsetzen konnte ich das Küken nicht retten. Ich schüttete Wasser in die Flammen, doch zu spät: es starb vor meinen Augen zwischen den Teigfladen.

Fest davon überzeugt, dass es meine Schuld war, dass ich zu ungeschickt war, das arme Tier vor diesem grausamen Schicksal zu bewahren, weinte ich den ganzen Tag über den Tod des kleinen, unschuldigen Vogels.

Ich habe dieses Schuldgefühl nie vergessen, es hat mich jahrelang verfolgt. Wäre ich nicht so ungeschickt gewesen, hätte ich das Tier vielleicht retten können ... Ich hatte das Gefühl, eine Sünde begangen zu haben, weil ich ein Lebewesen getötet hatte.

Ich habe um dieses tote Küken viele Tränen vergossen, ähnlich wie ich heute um mich selbst weine. Ich fühle mich schuldig, vergewaltigt worden zu sein. Das ist ein unbeschreiblich schreckliches Gefühl, weil es ja gar nicht meine Schuld ist. Ich wollte den Tod des Kükens nicht, genauso wie ich nichts getan habe, um diese Demütigung erdulden zu müssen.

Meine Peiniger kennen keine Schuldgefühle. Ich dagegen bin nicht in der Lage zu vergessen. Ich kann mit niemandem über die Grausamkeiten sprechen, die mir widerfahren sind. Das gehört sich nicht, und ich bin außerstande, es zu tun; allein der Gedanke, diese schreckliche Nacht noch einmal durchleben zu müssen, ist mir unerträglich. Ich vertreibe jegliche Erinnerung an jene Vorfälle aus meinem Kopf, sobald sie hochkommt. Ich will mich nicht erinnern.

Aber das ist unmöglich...

WÄHREND ich wieder einmal dasitze und über mein Leben nachdenke, höre ich plötzlich Schreie im Haus. Ich fahre hoch und brauche einen Moment, bis ich verstehe, was los ist: Die Polizei ist gekommen!

Als ich mein Zimmer verlasse, sehe ich gerade noch Shakkur losrennen. Mein kleiner Bruder ist derart in Panik, dass er, ohne es zu merken, geradewegs auf das Anwesen der Mastoi zusteuert! Und mein Vater, ebenso kopflos, läuft hinterdrein.

Im ersten Augenblick überfällt mich ebenfalls ein Anflug von Panik, doch dann rufe ich mich zur Räson. Nur ich kann die beiden jetzt beruhigen und davon abhalten, sich direkt ins Unglück zu stürzen.

„Papa, komm zurück!", schreie ich und haste in den Hof. „Hab keine Angst! Dreh um, Shakkur!"

Als mein Vater die Stimme seiner Tochter hört, die er seit mehreren Tagen nicht vernommen hat, hält er inne. Er hat gerade seinen Sohn eingeholt, und die beiden kehren zögerlich in unseren Hof zurück, wo die Polizisten warten.

Es ist sonderbar, aber ich habe mit einem Mal vor nichts mehr Angst, schon gar nicht vor der Polizei.

„Wer von euch ist Mukhtaran Bibi?", fragt einer der Männer.

„Das bin ich", antworte ich mit fester Stimme, ohne ihn jedoch anzusehen.

„Tritt näher!", fordert er mich auf. „Du musst sofort mit uns aufs Revier kommen. Shakkur und dein Vater ebenfalls. Wo ist dein Onkel?"

Noch ehe ich auf die Frage antworten kann, verfrachten sie uns in ihren Wagen, und wir fahren los. Meinen Onkel holen wir unterwegs ab.

Die Polizisten bringen uns auf dem kürzesten Weg zum Revier des Bezirks Jatoi, zu dem unser Dorf gehört. Dort befiehlt man uns zu warten, bis der Chef eintrifft. Zwar gibt es mehrere Stühle, aber niemand bietet uns einen Platz an. Offenbar schläft der Chef, doch das sagt uns natürlich niemand. Es heißt lediglich: „Man wird Sie rufen!"

Außer uns sind auch noch ein paar Journalisten anwesend. Sie stellen uns Fragen, wollen ganz genau wissen, was mir widerfahren ist. Zunächst halte ich mich zurück, ihre Anwesenheit ist mir unangenehm. Doch plötzlich überkommt es mich, und ich fange an zu sprechen. Ich erzähle ihnen alles – natürlich ohne intime Einzelheiten zu erwähnen, die das Schamgefühl der Frau betreffen. Ich nenne sogar die Namen meiner Vergewaltiger, beschreibe die Umstände und erkläre, wie das Ganze durch die falsche Anklage gegen meinen Bruder begonnen hat. So wenig ich auch von den Gesetzen und vom Rechtssystem weiß, das den Frauen ja nicht zugänglich ist, spüre ich dennoch instinktiv, dass ich die Anwesenheit dieser Journalisten unbedingt nutzen muss.

Da taucht plötzlich völlig aufgelöst ein Mitglied unserer Familie, einer meiner Cousins, auf dem Revier auf. Die Mastoi haben erfahren, dass ich hier bin, und nun drohen sie uns erneut Repressalien an.

„Sag denen bloß nichts", rät mir mein Cousin. „Sie werden dich auffordern, einen Polizeibericht zu unterzeichnen. Tu es bitte nicht, Mukhtaran. Du musst dich aus dieser Angelegenheit heraushalten. Wenn du nach Hause zurückkommst, ohne Anzeige erstattet zu haben, dann lassen sie uns in Ruhe. Sonst ..."

Doch ich kann dieser Bitte nicht nachkommen. Ich habe beschlossen zu kämpfen. Zu diesem Zeitpunkt weiß ich noch nicht, warum uns die Polizei hierhergebracht hat. Erst später soll ich erfahren, dass sich meine Geschichte dank des Artikels in der Lokalzeitung inzwischen wie ein Lauffeuer im ganzen Land verbreitet hat, bis nach Islamabad vorgedrungen ist, ja sogar in anderen Ländern der Welt bekannt ist!

Die Regierung der Provinz Punjab, in Sorge wegen dieses ungewöhnlichen öffentlichen Interesses, hat die örtliche Polizei aufgefordert, so schnell wie möglich meine Aussage zu Protokoll zu bringen. Schließlich ist es noch nie vorgekommen, dass die Mitglieder einer *jirga* eine Massenvergewaltigung als Strafe angeordnet und sich dabei über die Meinung des Mullahs hinweggesetzt haben.

Wie die meisten Frauen, die weder lesen noch schreiben können, weiß ich derart wenig über die Gesetze meines Landes und meine Rechte, dass ich glaube, gar keine zu besitzen. Doch allmählich beginne ich zu ahnen, dass ich einen ganz anderen Weg als den Selbstmord gehen und meine Rache verwirklichen kann. Was scheren mich Drohungen oder Gefahren?

Etwas Schlimmeres als die Demütigung durch die Mastoi kann mir ohnehin nicht widerfahren.

Als mein Vater merkt, was in mir vorgeht, stellt er sich ganz unerwartet auf meine Seite. Das macht mich unglaublich stolz und verleiht mir den letzten Rest an Mut, den ich brauche. Meine Familie hinter mir wissend, schlage ich einen neuen, mir völlig unbekannten Weg ein.

Die Polizei in unserer Provinz ist direkt den höheren Kasten unterstellt. Die Ordnungshüter gebärden sich als besessene Hüter der Tradition, als Verbündete der Stammesfürsten und übernehmen automatisch jeden von der *jirga* gefassten Entschluss, ganz gleich, wie er ausfällt. Es ist unmöglich, eine einflussreiche Familie in Dorfangelegenheiten, deren Klärung dem Stammesrat obliegt, zu beschuldigen, vor allem wenn eine Frau das Opfer ist. Eine Frau ist von der Geburt bis zu ihrer Eheschließung nichts als ein Tauschobjekt. Der Brauch will, dass sie keine Rechte hat. Sie wird in diesem Sinne erzogen, und niemand hat mir je gesagt, dass es in Pakistan eine Verfassung gibt, ebenso wie Gesetze und Rechte. Ich habe noch nie in meinem Leben einen Anwalt oder Richter gesehen. Das offizielle Rechtssystem meines Landes ist mir unbekannt. Es ist den Gebildeten und Reichen vorbehalten.

Ich weiß nicht, wohin mich mein Entschluss, Anzeige zu erstatten, führen wird. Vorerst dient mir diese Anzeige, um überhaupt zu überleben. Sie ist die einzige Waffe, über die ich verfüge. Entweder Gerechtigkeit oder Tod. Vielleicht auch beides.

Doch mein Triumphgefühl ist nur von kurzer Dauer. Als mich ein Polizist gegen zehn Uhr abends allein in ein Büro führt, mich vor seinem Tisch stehen lässt und anfängt, die Antworten auf die Fragen, die er mir stellt, niederzuschreiben, überkommt mich ein anderes Gefühl: Argwohn.

Er steht dreimal auf, um seinen Vorgesetzten aufzusuchen, den ich selbst zu keinem Zeitpunkt persönlich treffe. Jedes Mal kommt er zurück und schreibt höchstens drei Zeilen, obwohl ich lange und ausführlich geantwortet habe. Schließlich fordert er mich auf, meinen Daumen erst auf das Stempelkissen und danach als Unterschrift auf die Seite zu drücken. Auch ohne lesen zu können, ohne gehört zu haben, was er mit seinem Vorgesetzten besprochen hat, ist mir klar, dass er auf einer halben Seite nur das festgehalten hat, was ihm sein Befehlshaber – besser gesagt, das Stammesoberhaupt der Mastoi – diktiert hat. Er liest mir nicht einmal vor, was er geschrieben hat.

Es ist zwei Uhr am Morgen, und ich habe soeben meinen Fingerabdruck auf ein Dokument gesetzt, in dem vermerkt ist, dass nichts passiert ist und dass ich gelogen habe. Ich habe nicht einmal gemerkt, dass er den Bericht mit einem falschen Datum versehen hat. Wir haben den 28. Juni, und er hat „30. Juni" geschrieben. Er hat sich einen Aufschub von zwei Tagen gegönnt, offenbar ist die Angelegenheit nicht dringlich für ihn.

Als meine Begleiter und ich das Polizeirevier von Jatoi verlassen, müssen wir zusehen, wie wir in unser Dorf zurückkommen, das Kilometer von hier entfernt liegt. Es ist jemand mit einem Motorrad da. Normalerweise würde er uns bereitwillig fahren – diese Transportart ist durchaus üblich. Doch jetzt weigert er sich, Shakkur und mich mitzunehmen, wohl aus Angst, unterwegs einem Mastoi zu begegnen. „Deinen Vater will ich gerne nach Hause bringen", erklärt der Mann auf unsere Nachfrage und hebt entschuldigend die Hände.

Wir können ihn nicht umstimmen, und so ist mein Cousin, der vorbeigekommen ist, um uns über die Drohungen der Mastoi zu informieren, schließlich gezwungen, uns zu fahren. Aus Angst macht er allerdings einen Umweg.

NICHTS wird von diesem Augenblick an mehr wie früher sein. Ich bin ja selbst schon eine andere. Ich weiß nicht, wie ich kämpfen muss, um mich zu rächen und zu meinem Recht zu kommen. Doch der neue Weg, der einzig mögliche, steht bereits unauslöschlich in meinem Kopf fest. Meine Ehre und die meiner Familie hängen davon ab. Wenn ich sterbe, so sterbe ich nicht gedemütigt. Ich habe lange Tage gelitten, habe viel geweint, habe sogar den Selbstmord in Betracht gezogen... Jetzt ändere ich mein Verhalten, auch wenn mir das vorher undenkbar erschienen ist.

Indem ich den verstrickten Pfaden des offiziellen Gesetzes folge, habe ich außerhalb meiner Familie nur ein einziges Mittel zur Verfügung: die Revolte.

Sie ist so mächtig wie bis dahin meine Unterwerfung.

Ein außergewöhnlicher Richter

Um fünf Uhr morgens sind wir endlich wieder zu Hause, und ich falle völlig erschöpft von dem anstrengenden Tag auf meine Pritsche in unserem Hof.

Während ich daliege und in die Dunkelheit starre, frage ich mich: Habe ich das Recht, die von der Stammestradition festgelegte Ordnung ins Wanken zu bringen? Schließlich bin ich nur ein einfacher Mensch. Und eine Frau dazu.

Inzwischen weiß ich, dass die Entscheidung, mich zu vergewaltigen, vor der gesamten Dorfversammlung gefällt worden ist. Mein Vater und mein Onkel haben sie ebenso vernommen wie die anderen Dorfbewohner. Meine Familie hoffte, endlich Vergebung zu erlangen. In Wahrheit sitzen wir alle in derselben Falle.

Wie ich so daliege, sehe ich den dunkelhaarigen Polizisten wieder vor mir, der mich nach Einzelheiten fragt. Die Männer des Punjab, egal ob Mastoi, Gujjar oder Belutschen, sind nicht in der Lage, sich vorzustellen, wie schmerzlich und unerträglich es für eine Frau ist, erzählen zu müssen, was sie durchgemacht hat. Dabei habe ich diesem Polizisten gegenüber keine Einzelheiten preisgegeben. Allein das Wort „Vergewaltigung" ist meines Erachtens ausreichend. Was habe ich ihm sonst gesagt? Nicht viel. Dass sie zu viert waren. Dass Faiz den Befehl gegeben hat. Dass ich in ihre zu allem entschlossenen Gesichter gesehen habe. Dass sie mich danach hinausgeworfen haben und ich meinen halb nackten Körper unter den Blicken der vielen wartenden Männer nur notdürftig verhüllen konnte, bevor ich losging. Das Ganze ist ein Albtraum, den ich aus meinem Gedächtnis zu vertreiben versuche. Allein die Erinnerung an den Nachmittag auf dem Polizeirevier jagt mir einen eiskalten Schauer über den Rücken.

Ich könnte die Ereignisse jener verhängnisvollen Nacht nicht immer wieder erzählen, denke ich verzweifelt, denn dann müsste ich sie jedes Mal erneut durchleben. Und dazu wäre ich nicht in der Lage. Das eine Mal heute auf dem Revier war schon mehr, als ich verkraften kann. Wenn ich dort nur eine Vertrauensperson gehabt hätte – mit einer Frau zu sprechen wäre weniger schmerzhaft gewesen. Aber bei der Polizei, ebenso wie bei der Justiz, gibt es nur Männer, nichts als Männer.

Obwohl ich todmüde bin, kann ich nicht einschlafen. Ich mache mir Sorgen, wie es jetzt weitergehen soll. Zu Recht, denn die Sache ist noch nicht zu Ende.

In aller Frühe am nächsten Morgen tauchen erneut Polizisten bei uns auf. Dieses Mal wollen sie mich auf das weiter entfernte Hauptrevier der Provinz Punjab bringen, um einige „Formalitäten" zu klären. Völlig übermüdet von der ruhelosen Nacht, füge ich mich. Ich weiß nicht, was sie noch von mir wollen, ich habe doch schon alles erzählt. Da die örtliche Presse über meine Vergewaltigung berichtet hat, fürchten sie vielleicht, es könnten sich noch mehr Journalisten für den Fall interessieren.

Womöglich haben sie Angst, dass diese, dass meine Geschichte zu weite Kreise zieht. Aber das sind alles nur vage Vermutungen.

Es fällt mir unendlich schwer, mich zu bewegen, und die Blicke der Männer zu ertragen, empfinde ich als unglaublich demütigend. Ich steige in den bereitstehenden Wagen, das Gesicht mit meinem Schal verhüllt, und starre die ganze Fahrt über mit leerem Blick vor mich hin.

Ich bin eine andere Frau geworden.

MEHRERE Stunden später sitze ich auf dem Revier in einem leeren Raum auf dem Boden. Der Putz bröckelt von den kahlen Wänden, es riecht unangenehm, und ich habe schrecklichen Durst.

Ich bin nicht allein. Um mich herum sitzen mehrere Personen, die wie ich auf etwas zu warten scheinen. Niemand redet, keiner sieht den anderen an, die Atmosphäre im Raum ist angespannt. Ich fühle mich sehr unwohl, und allmählich werde ich unruhig. Niemand kommt, um mich zum Verhör abzuholen, niemand sagt mir, wie es weitergeht.

Da kein Mensch mit mir spricht, habe ich viel Zeit, darüber nachzudenken, wie man uns Frauen in diesem meinem Land behandelt. Die Männer „wissen", und wir Frauen müssen still sein und abwarten. Warum sollten sie uns informieren? Schließlich sind es die Männer, die entscheiden, die regieren, die handeln, die richten.

Mir fallen die ausgezehrten Ziegen ein, die draußen im Hof angebunden sind, damit sie nicht weglaufen können. Ich zähle nicht mehr als eine Ziege – auch wenn ich keinen Strick um den Hals habe.

Die Minuten vergehen, dehnen sich zu Stunden, und als ich die Hoffnung schon fast aufgegeben habe, kommen mein Vater und Shakkur herein. Sie wollen mir wohl beistehen und nachsehen, was los ist. Die Polizisten schließen sie kurzerhand im selben Raum mit mir und den fremden Personen ein. Bis zum Abend lassen sie uns hier schmoren, und wir wagen es nicht, miteinander zu sprechen. Bei Sonnenuntergang holen uns zwei Polizisten ab und fahren uns nach Meerwala zurück. Kein Verhör, keine „Formalitäten".

Ich habe das Gefühl, dass man mich von etwas fernhalten will, ohne zu wissen, wovon, doch das bin ich gewohnt. Als Kind und als junges Mädchen konnte ich auch immer nur lauschen und versuchen zu begreifen, worüber die Erwachsenen sprachen. Ich durfte weder Fragen stellen noch das Wort ergreifen, sondern konnte nur warten, bis die aufgeschnappten Worte für mich einen Sinn ergaben.

Am nächsten Morgen um fünf Uhr früh stehen die Polizisten erneut vor unserer Tür, um mich abzuholen. Sie bringen mich an denselben Ort, in denselben Raum. Erneut sitze ich dort den ganzen Tag herum, bis sie mich bei Einbruch der Dunkelheit wieder nach Hause fahren. Am dritten Tag wiederholt sich die Prozedur noch einmal, und auch diesmal vergeht der Tag, ohne dass etwas geschieht.

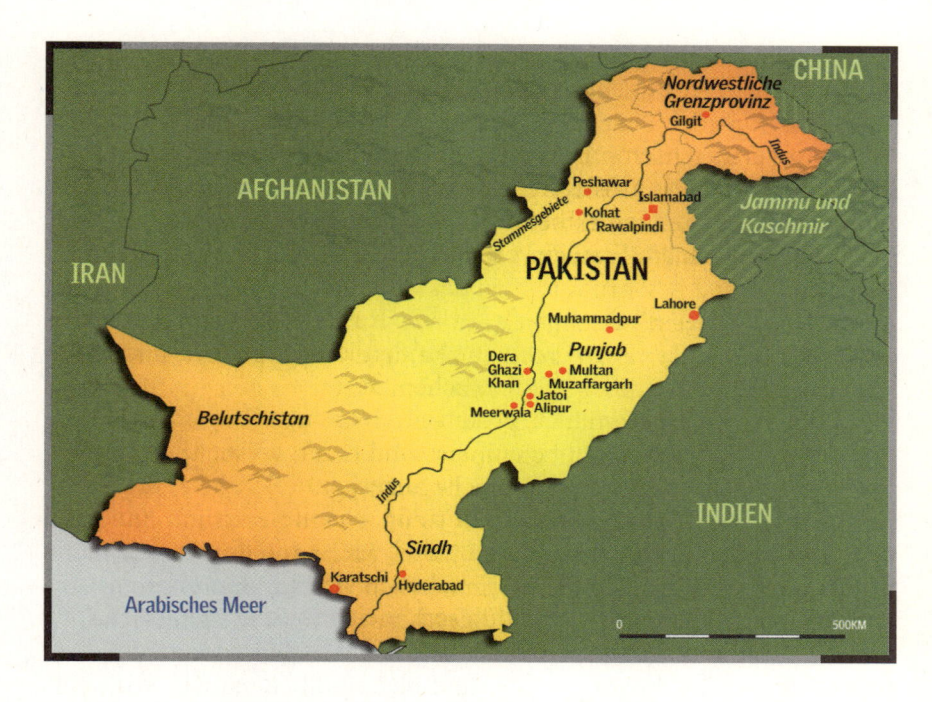

Ich zerbreche mir den Kopf, was das alles soll, und komme zu dem Schluss, dass sie mich höchstwahrscheinlich deshalb einsperren, weil Journalisten in der Gegend sind. Später wird sich diese Annahme bestätigen, doch noch ist es nur eine Vermutung.

Am dritten und letzten Tag bringen sie gegen Abend wieder meinen Vater, Shakkur und außerdem den Mullah Abdul Razzak aufs Revier. Ich bekomme die drei allerdings nicht zu Gesicht, denn es gibt, wie ich später herausfinden werde, zwei getrennte Räume: einen für strafrechtliche, den anderen für zivilrechtliche Angelegenheiten. Ich befinde mich auf der Strafrechtsseite, die anderen auf der Zivilrechtsseite.

Später erzählen sie mir, wie es ihnen ergangen ist. Alle drei mussten ihre Sichtweise der Dinge zu Protokoll geben, bevor mich die Polizisten dann als Letzte hereinholten. Beim Hinausgehen flüstert mir der Mullah zu: „Pass auf! Sie schreiben in die Protokolle, was sie wollen."

Jetzt bin ich an der Reihe, und kaum habe ich das Büro des für die Provinz Punjab zuständigen Unterpräfekten betreten, wird mir so manches klar.

„Weißt du, Mukhtar", beginnt er und streicht sich über seinen grauen Bart, der ein faltiges Gesicht ziert, „wir kennen Faiz Mohammed von den Mastoi sehr gut, und er ist gewiss kein schlechter Mensch. Dennoch beschuldigst du ihn." Er macht eine kurze Pause und lehnt sich auf seinem Stuhl zurück. „Warum tust du das? Es führt doch zu nichts!"

Bei seinen Worten verschlägt es mir fast den Atem. Ich kann kaum glauben, was ich da gerade gehört habe, und hole tief Luft, um meine Wut zu bekämpfen. „Aber Faiz hat zu den Männern gesagt: ‚Sie ist da. Macht mit ihr, was ihr wollt!'", protestiere ich.

„So etwas darfst du nicht behaupten, Mukhtar", versucht er mir einzureden. „Das hat mit Sicherheit nicht er gesagt."

„Doch!", widerspreche ich. Auch wenn es schmerzt, ich muss die Wahrheit wiederholen, denke ich und versuche meine Stimme nicht zittern zu lassen. „Die anderen Männer haben mich daraufhin an den Armen gepackt. Ich habe um Hilfe geschrien, gefleht…" Ich stocke.

Der Unterpräfekt sieht mich wohlwollend an. „Ich werde jetzt alles aufschreiben, was du gesagt hast, und dir anschließend das Protokoll vorlesen. Aber morgen bringe ich dich zum Gericht, und vor dem Richter musst du vorsichtig sein, sehr vorsichtig. Du wirst morgen genau das wiederholen, was ich dir jetzt erkläre. Ich habe alles vorbereitet, und ich weiß, dass es so gut für dich ist, ebenso wie für deine Familie und alle anderen Beteiligten."

Ich weiß nicht, worauf er hinauswill, doch ich spüre, dass nicht alles mit rechten Dingen zugeht. „Sie haben mich vergewaltigt!", sage ich daher schnell.

„Du darfst nicht sagen, dass du vergewaltigt wurdest!", erwidert der Beamte streng und verleiht seinen Worten mit einer energischen Geste Nachdruck.

Auf seinem Schreibtisch liegt ein Blatt mit seinen Notizen. Wie soll ich herausfinden, was dort geschrieben steht? Wenn ich doch nur lesen könnte!

„Du darfst den Namen Faiz morgen unter keinen Umständen erwähnen", schärft mir der Unterpräfekt nun ein. „Ebenso wenig darfst du sagen, dass du vergewaltigt worden bist. Oder dass er irgendetwas befohlen oder getan hat."

„Aber er war da!"

„Du kannst ruhig angeben, dass er anwesend war, denn das ist bekannt, dafür gibt es Zeugen. Aber behaupten, dass Faiz irgendetwas angeordnet habe ... nein, das geht nicht! Du kannst zum Beispiel sagen, Faiz habe gerufen: ‚Sie ist da, verzeiht ihr!'"

Ich werde wütend. „Ich weiß, was ich zu sagen habe, ich weiß es genau. Außerdem habe ich es schon getan! Ich muss mir nicht anhören, was du mir erzählst!", schreie ich und stürze aus dem Raum.

Im nächsten Moment stehe ich auch schon auf dem Flur. Ich will hier weg, sofort! Wieder einmal fühle ich mich gedemütigt und bin zutiefst empört. Eins ist mir klar: dieser Beamte will um jeden Preis, dass ich den Stammesführer der Mastoi entlaste. Er glaubt wohl, mich genügend einschüchtern zu können, damit ich aufgebe.

Was hat er noch behauptet? Er kenne Faiz, und dieser sei kein so schlechter Mensch. Das halbe Dorf weiß, wozu dieser Mann fähig ist. Und Shakkur und ich sind seine Opfer.

Wenn dieser Kerl tatsächlich „kein so schlechter Mensch" wäre, wie der Unterpräfekt behauptet, wieso hat er dann beispielsweise die Angehörigen meines Stammes daran gehindert, ein paar Quadratmeter Land zu kaufen? Ganz klar: um sie sich selbst zu nehmen. Das ist die Macht der Großgrundbesitzer. Es fängt mit dem Land an und endet mit Vergewaltigung.

Ein Polizist ist mir aus dem Büro des Unterpräfekten gefolgt. Er zieht mich beiseite, weg von meinem Vater und dem Mullah, die vor der Tür auf mich warten. „Beruhige dich, Mukhtaran Bibi", versucht er mich zu besänftigen. „Pass auf, du musst wiederholen, was wir dir sagen, das ist das Beste für dich, das Beste für uns alle."

Noch ehe ich antworten kann, führt ein anderer Polizist meinen Vater, den Mullah und Shakkur in das Büro, das ich soeben verlassen habe, und sagt: „Die Sache muss sofort erledigt werden. Am besten, ihr unterschreibt, und wir füllen den Rest später aus!" Ich sehe gerade noch, wie er drei weiße Blätter vor sie hinlegt, dann schließt sich die Tür.

Kurz darauf kommt er wieder heraus. „Dein Vater, Mullah Razzak und Shakkur sind einverstanden, sie haben bereits unterschrieben. Wir machen jetzt schnell noch den Rest. Die vierte Seite ist für dich. Folge ihrem Beispiel und drück als Unterschrift deinen Finger darauf. Wir halten genau das im Protokoll fest, was du gesagt hast."

Im ersten Moment durchzuckt mich ein ungutes Gefühl, aber dann denke ich: Wenn der Mullah unterschrieben hat, wird es schon seine Richtigkeit haben. Zu ihm habe ich großes Vertrauen, und so höre ich nicht auf meine leise Ahnung, sondern presse meinen Daumen unten auf das weiße Blatt.

„Sehr gut!", lobt mich der Polizist, und ein zufriedenes Lächeln huscht über sein Gesicht. „Siehst du, das ist lediglich eine Formalität. Nachher bringen wir euch zum Gericht. Wartet so lange hier."

Gegen 19 Uhr, die Sonne ist längst untergegangen, steigen wir in zwei Streifenwagen. Der Mullah fährt im ersten mit, wir drei im anderen. Kurz darauf stehen wir vor der Tür des Gerichtsgebäudes und warten. Als der Richter eintrifft, bemerke ich einen Streifenwagen, aus dem Faiz und vier weitere Männer aussteigen. Leider kann ich sie in der Dunkelheit sehr schlecht erkennen. Daher bin ich mir nur bei dem Stammesführer der Mastoi sicher, vermute aber, dass es sich bei den anderen um meine Vergewaltiger handelt. Ich wusste nicht, dass sie ebenfalls vorgeladen sind, und hätte deswegen gern meinen Vater gefragt. Wegen der Polizisten wagen wir es allerdings nicht, miteinander zu sprechen.

Shakkur hat sowieso noch kein einziges Wort gesagt, er wirkt sehr bedrückt, und ich mache mir Sorgen um ihn. Auch wenn die Wunden in seinem Gesicht gut verheilen, trägt es noch immer die Spuren der Tortur, die er durchlebt hat. Ich hoffe, dass auch er sich zu verteidigen weiß. Aber er ist jung, und ich frage mich, ob sie auch ihm geraten haben, niemanden zu beschuldigen.

Zum Glück ist mein Vater da. Er beschützt uns, wie er es immer getan hat, ganz im Gegensatz zu manch anderen Vätern, die, ohne zu zögern, ihren Sohn oder ihre Tochter opfern würden, um nicht selbst in Schwierigkeiten zu geraten. So hat er mich auch bei meiner Scheidung unterstützt, nachdem er begriffen hatte, dass der für mich ausgewählte Ehemann kein guter Mensch war. Mein Vater ist, ebenso wie ich, so lange hart geblieben, bis er die *talaq,* also die Auflösung der Ehe, erwirkt hatte. Allein der Ehemann kann die *talaq* gewähren, und man muss den Antrag vor einem Richter rechtfertigen, was teuer und nicht immer erlaubt ist. Ich habe meine Freiheit dank meinem Vater und meiner Hartnäckigkeit wiedererlangt.

Mein Vater hatte trotz des Urteils zur Vergewaltigung bis zuletzt gehofft, Faiz würde uns nach dem Stammesrecht vor dem Dorfrat Vergebung gewähren. Bevor wir uns auf den Weg zum Anwesen meiner Peiniger machten, hatte er selbst mir noch gesagt, dass dieses Gesetz irgendwo geschrieben stehe. In Wirklichkeit unterstützt dieses Gesetz lediglich den Stärkeren: er kann eine Kränkung verzeihen, ist jedoch in keiner Weise dazu verpflichtet.

Da die Mastoi nicht bereit waren zu vergeben, tue ich es auch nicht. Die Schmach, die sie angeblich erlitten haben, ist nicht mit der meines Bruders oder der meinen vergleichbar. Die Ehre gehört nicht nur den Mächtigen.

Nachdem wir das Gebäude mit einigem Abstand vor Faiz und den anderen Männern betreten haben, stehe ich nun vor dem Richter. Diesmal werde ich gleich zu Beginn befragt.

Der Richter ist ein vornehmer, sehr höflicher Mann – der erste, der einen weiteren Stuhl verlangt, damit ich mich setzen kann. Und statt herrisch auf seiner Richterbank zu thronen, nimmt er mir gegenüber am Tisch Platz. Er lässt sogar eine Karaffe Wasser und Gläser bringen. Als ich an meinem Glas nippe, bin ich ihm sehr dankbar, denn der Tag war lang und anstrengend.

„Hör zu, Mukhtar Bibi", beginnt er und sieht mich aus seinen dunklen Augen ruhig an. „Du darfst nie vergessen, dass du vor einem Richter stehst. Erzähl mir die ganze Wahrheit, alles, was passiert ist. Hab keine Angst. Ich muss wissen, was dir widerfahren ist. Du bist allein mit mir und meinem Assistenten, der aufschreiben wird, was du zu Protokoll gibst. Dies ist ein Gericht, und es ist meine Aufgabe, die Ereignisse zu beurteilen. Hab Vertrauen."

So ruhig wie möglich, aber mit zugeschnürter Kehle beginne ich meinen Bericht. Dabei habe ich mir doch geschworen, nie wieder darüber zu sprechen. Es ist leidvoll, die Vergewaltigung noch einmal Revue passieren zu lassen. Immer wieder muss ich meine Schilderungen unterbrechen, weil mich meine Gefühle überwältigen.

Der Richter hört mir aufmerksam und geduldig zu. Zwischendurch ermutigt er mich und ruft mir immer wieder in Erinnerung: „Denk daran, sag mir die ganze Wahrheit! Kein Druck, keine Angst, erzähl mir alles, und zwar von Anfang an."

Obwohl ich diesen Mann nicht kenne, vertraue ich ihm. An seiner Art, sich auszudrücken, spüre ich, dass er unparteiisch und gerecht ist. Seine Haltung entspricht in nichts derjenigen der Polizeibeamten. Weder droht er mir, noch spricht er an meiner Stelle; er will nur die Wahrheit hören. Und er lauscht meinen Worten andächtig, ohne jede Verachtung. Sobald er sieht, dass meine Gefühle mich übermannen und ich zu zittern oder zu schwitzen beginne, unterbricht er mich. „Nimm dir Zeit, beruhige dich. Trink ein Glas Wasser."

Die Anhörung dauert gut eineinhalb Stunden. Der Richter will sämtliche Einzelheiten wissen, alles, was sich in dem finsteren, kahlen Raum zugetragen hat. Und ich verschweige nichts, sondern berichte wirklich alles. Sogar die Einzelheiten, die ich noch niemandem, nicht einmal meiner Mutter, anvertraut habe.

Nachdem ich geendet habe, nimmt er auf seinem Richterstuhl Platz. „Du hast gut daran getan, mir die Wahrheit zu sagen. Gott wird entscheiden", sagt er und macht sich Notizen.

Inzwischen bin ich so müde, dass ich den Kopf auf die Tischplatte lege und für einen Moment erschöpft die Augen schließe. Ich möchte nur noch nach Hause und schlafen.

Als Nächstes lässt der Richter Abdul Razzak eintreten, und wie schon bei mir wendet er sich auch an den angesehenen Mullah mit großer Höflichkeit. „Sie müssen mir die Wahrheit sagen", verlangt er von dem Mann mit dem langen grauen Bart. „Sie tragen eine große Verantwortung. Sie dürfen nichts vor mir verbergen."

Der Mullah beginnt zu sprechen, und obwohl ich wissen möchte, was er zu Protokoll gibt, höre ich bald schon fast nichts mehr. Kurz darauf schlafe ich ein, von Müdigkeit überwältigt.

Ich komme erst wieder zu mir, als mein Vater mich sanft aufweckt. „Mukhtar, steh auf! Wir müssen gehen."

Als wir den Saal verlassen, erhebt sich der Richter, tritt zu mir und legt mir tröstend die Hand auf den Kopf. „Halte durch", sagt er mit sanfter Stimme. „Ich wünsche dir viel Mut. Euch allen viel Mut."

Schließlich bringt uns die Polizei nach Hause. Ich habe nicht gesehen, wie Faiz und die anderen Männer das Gebäude verlassen haben, und ich weiß nicht, ob sie nach uns verhört werden.

Gleich am nächsten Tag stehen mehrere Journalisten vor unserem Haus, außerdem zahlreiche mir unbekannte Männer und Frauen, alles Abgesandte von Menschenrechtsorganisationen. Unter ihnen ist sogar ein Vertreter des englischen Fernsehsenders BBC, ein Pakistaner, der aus Islamabad angereist ist. Ich kann nicht sagen, wie all die Menschen hergekommen sind oder wer sie über meinen Fall informiert hat. Es sind so viele Fremde, dass ich bald schon den Überblick verloren habe, wer von ihnen wen vertritt.

Doch das war erst der Anfang. Täglich herrscht nun bei uns reges Treiben. Noch nie hat unser kleines Haus einen solchen Zustrom erlebt – die Hühner laufen aufgescheucht im Hof herum, der Hund bellt, und vier Tage lang drängen sich alle um mich.

Ich erzähle meine Geschichte inzwischen ohne Furcht, außer wenn jemand zu genaue Einzelheiten wissen will. Bald schon begreife ich, dass mich dieser Aufruhr im Dorf vor den Drohungen unserer nicht ungefährlichen Nachbarn nur schützen kann. Wenn all diese Menschen von meinem Schicksal erfahren wollen, dann deswegen, weil ich den Aufstand aller vergewaltigten Frauen in meiner Region verkörpere. Zum ersten Mal wird eine Frau in diesem Land zu einem Symbol.

Von all den fremden Menschen erfahre ich Dinge, die mir bisher unbekannt sind. Ich höre von Dramen, über welche die Zeitungen berichtet haben, von anderen Vergewaltigungen, anderen Gewalttaten. Jemand liest mir einen Bericht vor, den einige Hilfsorganisationen den Behörden des Punjab vorgelegt haben und in dem es heißt, dass im Monat Juni des Jahres 2002 mehr als 20 Frauen von 53 Männern vergewaltigt worden sind. Zwei von ihnen sind tot: die erste wurde von ihren Peinigern ermordet, damit sie diese nicht anzeigen konnte, die zweite hat am 2. Juli Selbstmord begangen, weil es der Polizei nicht gelungen ist, ihre Vergewaltiger festzunehmen.

All das bestärkt mich in meiner Entscheidung, meinen Weg fortzusetzen – den Weg der Justiz, den Weg der Wahrheit. Ich werde diesen Weg weiter beschreiten, trotz des Drucks der Polizisten, trotz der „Tradition", die verlangt, dass die Frauen schweigend leiden, während die Männer tun und lassen können, was sie wollen.

Tagtäglich unterhalte ich mich mit fremden Menschen, wissbegierig, neugierig. Ich sauge die Informationen förmlich in mich auf und spüre, wie mein Lebensmut zunehmend zurückkehrt.

Ich denke nicht mehr an Selbstmord.

Ich will kämpfen.

Es ist so unendlich viel zu tun. Eine engagierte Pakistanerin berichtet mir: „Die Hälfte aller Frauen in unserem Land sind Gewalttätigkeiten ausgesetzt. Und die Frauen, fast alle Analphabetinnen, haben keine Möglichkeit, sich zu verteidigen, denn sie wissen nichts über ihre Rechte."

Genau wie bei mir, denke ich und seufze tief. Daran muss sich etwas ändern. Ich will etwas ändern. Ich weiß nur noch nicht, wie.

Sie fährt fort. „Die Männer diktieren den Frauen ihre Aussagen, um jede Auflehnung im Keim zu ersticken. So, wie sie es auch bei dir versucht haben. Aber wir sind auf deiner Seite, sei tapfer."

Sofort fallen mir die Worte des Polizisten ein, der meine Aussage zu Protokoll genommen hat. „Sag nach, was ich dir vorsage, denn das ist gut für dich…"

Kurz darauf erklärt mir ein Journalist, dass die Presse ein weiteres Vergehen von Faiz aufgedeckt habe. Die Polizei habe die Anzeige einer

Mutter aufgenommen, deren noch minderjährige Tochter im Laufe des Jahres entführt und mehrmals vergewaltigt worden sei. Das Mädchen sei erst freigelassen worden, nachdem die Lokalzeitungen von meinem Fall berichtet hätten.

Mir schwirrt der Kopf von all den Neuigkeiten, und ich kann die unzähligen fremden Gesichter bald schon nicht mehr auseinanderhalten. Ich brauchte dringend Ruhe, doch ich muss jede Gelegenheit nutzen, solange das enorme Medieninteresse anhält.

AUSSERHALB von Meerwala existiert eine mir unbekannte Welt. Als Kind bin ich nie weiter gekommen als bis zum nächsten Dorf, in dem Verwandte oder Freunde von uns wohnen. Ich erinnere mich lebhaft an einen Onkel, der uns manchmal besuchen kam. Er lebte seit seiner frühen Jugend in Karatschi, und wir bewunderten ihn sehr. Meine Schwestern und ich lauschten gebannt, wenn er vom Meer erzählte, von den Flugzeugen, den Bergen und von all den Menschen, die von weit her kamen. Ich muss damals sieben oder acht Jahre alt gewesen sein und hatte Mühe, all diese fremden Dinge zu begreifen. Ich wusste, dass mein Dorf in Pakistan liegt, aber mein Onkel behauptete, es gebe noch andere Länder und Kontinente, zum Beispiel Europa.

Ich hatte bisher nur von den Engländern gehört, die unser Land besetzt hatten, doch ich hatte noch nie einen gesehen. Ebenso wenig wusste ich, dass es so etwas wie „Ausländer" gibt, die in Pakistan leben. Unser Dorf liegt tief im Süden des Punjab, weit entfernt von den Städten, und Fernsehen habe ich zum ersten Mal an dem Tag geschaut, als mein Onkel aus Karatschi uns einen Apparat mitbrachte. Diese bewegten Bilder haben mich sehr fasziniert. Vor allem weil ich nicht begriff, was sich hinter dem seltsamen Kasten verbarg, wer da im selben Moment sprach wie ich, wo doch niemand außer mir im Zimmer war.

Nun stehe ich selbst vor der Kamera und lasse mich von Fernsehteams filmen, während mich die Fotografen für ihre diversen Zeitungen ablichten.

Im Dorf heißt es bald, ich hätte mich von den Journalisten „verleiten" lassen, sie würden mich benutzen, um Artikel zu verfassen, die der Regierung des Punjab schaden. Ich sollte mich für das, was ich tue, schämen und mich lieber umbringen, so empören sich einige.

Doch ich erfahre unglaublich viel von diesen Leuten aus aller Welt. Zum Beispiel, dass hinter dem Missbrauch an meinem Bruder und an mir selbst in Wirklichkeit ein Manöver der Mastoi stecken soll, die uns von unserem Land vertreiben wollen. Die Gujjar stünden ihnen im Weg. Ich weiß nicht, ob das die Wahrheit ist, aber einige Mitglieder meiner Familie sind ebenfalls von dieser Theorie überzeugt.

Während dieses viertägigen Presserummels wird mir wieder einmal schmerzlich bewusst, wie hinderlich es ist, nicht lesen und schreiben zu können. Denn so ist es mir fast unmöglich, mir eine eigene Meinung zu all den wichtigen Dingen zu bilden. Ich fühle mich überfordert, und es macht mich wütend, dass ich nicht weiß, was so alles über mich geschrieben wird. Der Koran ist mein einziger Schatz. Ihn trage ich in mir, in meinem Gedächtnis, er ist mein einziges Buch.

Übrigens kommen inzwischen all die Kinder nicht mehr, denen ich die Koranverse vermittelt habe, so wie man sie mir beigebracht hat. Obwohl ich früher sehr geachtet war, gehen mir die Dorfbewohner inzwischen aus dem Weg. Ich bin ihnen irgendwie nicht mehr geheuer: zu viel Aufheben um meine Person, zu viele Journalisten aus der Stadt, zu viele Fotoapparate und Kameras. Und zu viele Skandale.

Für die einen bin ich fast eine Heldin, für die anderen eine Aussätzige, eine Lügnerin, die zu Unrecht den Mastoi-Klan angreift.

Um kämpfen zu können, musste ich alles verlieren. Meinen Ruf, meine Ehre, alles, was mein Leben ausmachte.

Aber ich gebe nicht auf.

Was ich will, ist Gerechtigkeit.

AM FÜNFTEN Tag kommen erneut zwei Polizisten zu uns und informieren mich, dass ich zum Präfekten der Provinz bestellt sei. Sie bringen meinen Vater, den Mullah, Shakkur und mich nach Muzaffargarh.

Ursprünglich hatte ich gehofft, die „Formalitäten" seien vorerst abgeschlossen und die Justiz tue nun ihre Arbeit. Doch im Büro des Präfekten treffe ich auf den Unterpräfekten und den anderen Beamten, die mir vorschreiben wollten, was ich auszusagen hätte.

Bei ihrem Anblick wird mir flau im Magen. Werden sie wieder anfangen, Druck auf mich auszuüben? Doch das flaue Gefühl weicht allmählich unbändigem Zorn. Ich habe dem Mullah und meinem Vater vertraut und meinen Daumen auf das unbeschriebene Blatt gedrückt. Nachträglich glaube ich, dass man uns eine Falle gestellt hat.

Der Präfekt schickt die beiden hinaus, um allein mit mir zu sprechen. „Mein liebes Mädchen", sagt er und lächelt mich freundlich an. „Hast du Schwierigkeiten mit diesen Männern gehabt oder ihnen etwas vorzuwerfen?"

„Nein", erwidere ich. „Es gab keine Schwierigkeiten, außer dass einer der beiden von mir verlangt hat, meinen Daumenabdruck auf ein weißes Blatt zu setzen. Er hat auch für meinen Bruder, meinen Vater und den Mullah ein solches Papier vorbereitet, und wir wissen nicht einmal, was letztlich darauf geschrieben wurde."

„So?", sagt er mit nicht zu überhörender Verwunderung in der Stimme und mustert mich aufmerksam. „Weißt du den Namen des Mannes, der dies von euch verlangt hat?"

„Nein", sage ich. „Aber ich würde ihn wiedererkennen."

„Gut, dann lasse ich jetzt die Männer rufen, und du deutest mit dem Finger auf ihn."

Kurz darauf stehen die beiden bereit. Ich weiß nicht, dass es sich um den Unterpräfekten der Provinzpolizei handelt, als ich auf den betreffenden Mann deute.

Der Präfekt gibt den beiden Beamten wortlos ein Zeichen, sich zu entfernen, und wendet sich dann wieder an mich. „Ich werde mich um die Angelegenheit kümmern. Ich habe die beiden losgeschickt, um die Unterlagen zu holen, damit wir die Sache klären können. Man wird sie später vorladen."

Mit diesen Worten entlässt er mich, und ich gehe wieder nach Hause.

ZWEI oder drei Tage später kommt ein Polizist vom Revier in Meerwala vorbei, um uns Bescheid zu geben, dass mein Bruder Shakkur und ich am nächsten Morgen zu einer weiteren Anhörung abgeholt werden.

Diesmal erwartet uns in Muzaffargarh allerdings zu unserer Überraschung nicht der Präfekt, sondern ein Arzt des örtlichen Krankenhauses, in das man uns zu unserem grenzenlosen Erstaunen bringt.

Inzwischen haben nämlich auch die Mastoi Anklage erhoben. Sie haben ihre Tochter Salma zur Polizei gebracht, wo die junge Frau zu Protokoll gegeben hat, sie sei von meinem Bruder vergewaltigt worden. Der Arzt soll nun Salma und Shakkur untersuchen, um den Anschuldigungen auf den Grund zu gehen.

Während ich mich noch frage, was ich hier eigentlich zu suchen habe, wo es doch um meinen Bruder geht, fährt ein weiterer Streifenwagen vor, und die Tochter der Mastoi steigt aus.

Aus eigener Erfahrung weiß ich, dass es inzwischen recht spät für Salmas Untersuchung ist und der Arzt wohl kaum noch etwas feststellen kann. Ich selbst bin am 30. Juni, acht Tage nach den Vorfällen, einem Arzt vorgestellt worden. Natürlich hätte ich früher, am besten gleich am Tag nach dem schrecklichen Ereignis, zur Polizei gehen sollen, aber ich war nicht in der Lage dazu.

Die Beamten hatten zu meiner Untersuchung meine Kleidung mitgebracht, die meine Mutter zuvor bereits hatte waschen lassen. Später habe ich erfahren, dass der Arzt trotzdem festgestellt hat, was ich bereits wusste: Verletzungen im Intimbereich – ein eindeutiger Beweis für eine Vergewaltigung, auch wenn er mir das damals nicht gesagt hat. Ich war unendlich erleichtert, als sein Befund offiziell belegte, dass ich weder verrückt noch verwirrt war. Trotzdem überwog das seelische Leid, das diese Demütigung angerichtet hatte, und ich schämte mich in Grund und Boden.

Für Salma, die behauptet, ebenfalls am 22. Juni vergewaltigt worden zu sein, kann die Untersuchung kaum noch aufschlussreiche Erkenntnisse liefern. Außer sie wäre noch Jungfrau, was ich angesichts ihres Lebenswandels bezweifle.

Der Mediziner nimmt zunächst bei meinem Bruder einen einfachen Test vor. Er schätzt sein Alter korrekt auf zwölf, höchstens dreizehn Jahre.

Anschließend ist Salma dran. Was sie betrifft, so bin ich natürlich bei der Untersuchung nicht zugegen. Später habe ich allerdings durch eine Indiskretion im Dorf etwas Interessantes erfahren. Sie soll sich nämlich, als der Arzt ihr erklärte, er sei beauftragt, die Ergebnisse von Shakkurs Test mit ihren Abstrichen zu vergleichen, eilig eine neue Version überlegt haben. „Shakkur? Nein, der hat mich nicht vergewaltigt! Er hat mich an den Armen festgehalten, während sein großer Bruder und seine drei Cousins sich an mir vergangen haben!"

Der Arzt war wohl sehr verblüfft. „Was erzählst du da?", stellte er sie zur Rede. „Ein zwölfjähriger Junge soll die Kraft besessen haben, dich ganz allein an den Armen festzuhalten, während dich die vier anderen vergewaltigt haben? Du willst mich wohl zum Narren halten!"

Der Mediziner hat sie dennoch eingehend untersucht – mit erstaunlichem Ergebnis. Er hat ihr Alter auf etwa 27 Jahre geschätzt, bestätigt, dass sie seit circa drei Jahren keine Jungfrau mehr war, und festgestellt, dass sie zwischenzeitlich sogar eine Fehlgeburt hatte. Der letzte Geschlechtsverkehr fand nach Ansicht des Arztes vor dem 22. Juni statt, dem angeblichen Datum der Vergewaltigung.

Ich weiß nicht, wie man so etwas feststellen kann, aber ich lerne jeden Tag dazu. Bei meinem Bruder hat der Arzt jedenfalls eine so genannte DNA-Analyse gemacht. Dank dieser Untersuchung konnte eindeutig bewiesen werden: Shakkur hat Salma nicht vergewaltigt. Er hat sich nur dummerweise zur selben Zeit wie sie in dem Zuckerrohrfeld aufgehalten, und das haben die Mastoi ausgenutzt.

In fast allen Zeitungsberichten steht, er sei in sie verliebt gewesen. In unserem Land reicht allerdings ein kurzer Blick aus, um im Verdacht zu stehen, dass man verliebt ist. Hätte Salma sich korrekt verhalten und den Kopf gesenkt, wäre dennoch nichts weiter passiert. Aber die junge Frau macht, was sie will. Sie fürchtet nicht, dass man sie ansieht, meist provoziert sie es sogar.

BIS ZU diesem Zeitpunkt war mein Leben, das geprägt war von meiner Tätigkeit als Koranlehrerin, weit entfernt von solchen Unziemlichkeiten. Meine Eltern haben meine Schwestern und mich in Achtung vor der Tradition erzogen, und wie alle Mädchen wusste ich ab einem Alter von etwa zehn Jahren, dass es verboten ist, mit Jungen zu sprechen. Dieses Verbot habe ich nie übertreten. Das Gesicht meines Verlobten habe ich am Tag unserer Hochzeit zum ersten Mal gesehen. Hätte ich die Wahl gehabt, hätte ich ihn nicht genommen, aber aus Ehrfurcht vor meiner Familie habe ich gehorcht.

Salma ist unverheiratet, und um ihre Ehre zu retten, hat ihre Familie einen Plan ausgeheckt. An der Tatsache, dass der Stamm der Mastoi meinem kleinen Bruder zuerst den Zuckerrohrdiebstahl, dann ein sexuelles Verhältnis, später sogar eine Vergewaltigung und schließlich die ungeheuerliche Geschichte mit meinem älteren Bruder und meinen Cousins andichten wollte, wird für jedermann ersichtlich, dass hier etwas nicht stimmt.

Obwohl ich tapfer bin, verlässt mich bisweilen die Kraft angesichts all dieser Lügen. Wie soll ein unabhängiger Richter zu einem gerechten Urteil kommen, wenn sich diese Leute, die nächsten Nachbarn meiner Familie, ständig eine neue Version der Geschichte ausdenken und Tag für Tag mehr hinzudichten, bis am Ende etwas ganz anderes herauskommt?

Ich weiß, was ich durchgemacht habe, und auch, was mein Bruder erleiden musste. Ich habe dem Richter erzählt, dass drei Männer dieser Familie Shakkur überwältigt und missbraucht haben, dass er geschrien und gebrüllt hat und dass ihm die Männer daraufhin gedroht haben, ihn zu töten. Ich habe ihm auch berichtet, dass sie meinen Bruder danach zu sich nach Hause geschleppt, eingesperrt, wieder geschlagen und vergewaltigt haben. Und dass sie ihn erst nach dem Einschreiten meines Vaters der Polizei übergeben haben.

Nach unseren Gesetzen ist es so gut wie unmöglich, die Vergewaltigung einer Frau zu beweisen, denn es bedarf dafür vier Augenzeugen. Sowohl bei meinem Bruder als auch bei mir sind unsere Peiniger jedoch die einzigen Augenzeugen!

NOCH während der Arzt meinen Bruder im Krankenhaus eingehend untersucht, bringt man mich zur Präfektur. Nur wenig später stehe ich in einem Raum neben dem Büro des Präfekten, wo mich eine Dame erwartet. Frau Attiya ist Ministerin und erklärt mir, sie sei von der Regierung beauftragt, mir einen Scheck über 500 000 Rupien, etwa 6500 Euro, zu übergeben.

Zunächst bin ich sprachlos vor Erstaunen. 500 000 Rupien – eine gigantisch hohe Summe. Doch sogleich regt sich in mir ein Misstrauen, zu dem mich die Umstände und Erlebnisse der letzten Wochen zwingen, und ich fürchte, es könne sich hierbei wieder einmal um eine Falle handeln. Eine Weile lausche ich den tröstlichen Worten der Ministerin und betrachte schweigend ihre ausgestreckte Hand. Dann nehme ich den Scheck zögerlich entgegen. 500 000 Rupien! Damit kann man viel kaufen ... ein Auto oder einen Traktor und was weiß ich noch alles. Wer in meiner Familie hat jemals 500 000 Rupien besessen? Oder überhaupt schon mal einen Scheck bekommen?

Ohne lange zu überlegen, zerknülle ich das Papier und lasse es auf den Boden fallen. Das ist keine Verachtung gegenüber Frau Attiya, sondern gegenüber dem Scheck. „Ich brauche das nicht!", sage ich mit fester Stimme und versuche meine Aufregung zu verbergen. Man kann nie wissen. Wenn diese Frau mir so viel Geld gibt, dann hat sie vielleicht jemand geschickt, der die Sache unter den Teppich kehren will. Doch sie besteht darauf, einmal, zweimal und sogar ein drittes Mal. Die Ministerin ist gut gekleidet, sie sieht aus wie eine ehrbare Frau, und ich kann in ihren Augen keine Falschheit entdecken.

Plötzlich kommt mir eine Idee. „Ich will den Scheck nicht, ich will eine Schule!"

Sie lächelt. „Eine Schule?"

„Ja, eine Schule für die Mädchen in meinem Dorf. Wir haben nämlich keine. Wenn Sie wirklich darauf bestehen, etwas zu tun und mir zu helfen, dann sage ich Ihnen noch einmal: Ich will den Scheck nicht, aber ich will eine Schule für die Mädchen in meinem Dorf."

„Gut", lenkt sie sofort ein, ohne weitere Fragen zu stellen. „Wir werden den Bau einer Schule unterstützen, aber nehmen Sie doch bitte zunächst einmal diesen Scheck an. Teilen Sie die Summe mit Ihrem Vater, ich verspreche Ihnen, dass Sie trotzdem eine Schule bekommen. Sie brauchen jetzt dringend einen Anwalt, und der ist teuer."

Das weiß ich. Eine Pakistanerin, die für eine Frauenrechtsorganisation arbeitet, hat mir gesagt, ein guter Anwalt könne durchaus bis zu 250 000 Rupien verlangen. Wenn es schlecht laufe und der Prozess lange daure, könne er sogar noch mehr Geld fordern. Darum wenden sich die einfachen Leute im Dorf auch lieber an die *jirga*. Normalerweise ist die Angelegenheit dann innerhalb eines Tages geregelt. Und normalerweise kann auch niemand vor der *jirga* lügen, denn alle Leute im Dorf kennen sich, und der Vorsitzende des Rates spricht das Urteil in der Regel so, dass die Menschen nicht für immer verfeindet bleiben.

Zu meinem Unglück war es in meinem Fall ausgerechnet Faiz, der an dem verhängnisvollen Tag, an dem sich mein Leben ändern sollte, den Vorsitz hatte und gegen die Meinung des Mullahs den Beschluss gefasst hat. Er hat das Dorf entzweit, statt es zu versöhnen.

Ich lasse mich also von der Ministerin überzeugen und nehme den Scheck an, weil sie eine Frau ist und mir ihr Gesicht aufrichtig und ehrlich erscheint. Als sie mir anschließend sehr freundlich einige Fragen stellt, habe ich den Mut, ihr zu sagen, dass ich um mein Leben fürchte. Niemand hat mich darüber informiert, was mit meinen Peinigern geschehen soll, aber ich habe gehört, dass man sie einige Tage zur Befragung auf dem Revier festgehalten und dann wieder freigelassen hat. Alle Mastoi sind inzwischen wieder zu Hause, ganz in unserer Nähe, und sie warten nur auf eins: uns zu zerstören.

„Es sind unsere Nachbarn", erkläre ich Frau Attiya, die sehr besorgt nachfragt. „Sie wohnen im gegenüberliegenden Haus, wir sind nur durch ein Feld voneinander getrennt. Seit dem Vorfall wage ich mich nicht mehr nach draußen. Ich spüre, dass sie mich beobachten."

Sie verspricht mir nichts, aber ich merke sofort, dass sie meine Lage versteht. Wir verabschieden uns sehr herzlich voneinander.

DANN geht alles unglaublich schnell. Meine Geschichte zieht immer weitere Kreise: Die zahlreichen Zeitungsberichte der letzten Tage haben sie tatsächlich im ganzen Land bekannt gemacht und auch die Regierung in Islamabad erreicht, denn Frau Attiya, diese sympathische und hilfsbereite Frau, ist zuständig für Frauenangelegenheiten und tatsächlich von Präsident Pervez Musharraf persönlich geschickt worden. Darüber hinaus ist meine Geschichte mittlerweile auch im Ausland verbreitet, sogar Amnesty International hat schon von mir gehört. Am 4. Juli 2002 schließlich nehmen unzählige Menschen an einer Demonstration der Organisationen zur Verteidigung der Menschenrechte teil und fordern in meinem Fall Gerechtigkeit.

Die pakistanische Justiz kritisiert jetzt die örtliche Polizei in Meerwala, weil sie die Anzeige zu spät aufgenommen und mich ein Blankoprotokoll hat unterzeichnen lassen. Ich bin am 28. Juni aufs Revier gebracht worden, doch sie haben meine Aussage auf den 30. Juni datiert. Das hat auch der Richter, der mich befragt hatte, gegenüber einigen Journalisten angedeutet und erklärt, es sei unmöglich, dass die Sache der Polizei nicht zu Ohren gekommen ist, ehe ich mich entschlossen hatte, Anzeige zu erstatten. Außerdem sagt er, dass das Urteil der *jirga* eine Schande sei. Selbst der Justizminister hat im britischen Fernsehen erklärt, der Schiedsspruch der vom Mastoi-Stamm beherrschten *jirga* müsse als terroristischer Akt gewertet werden und die Schuldigen müssten vor ein Antiterrorgericht gebracht werden. Er redete sogar von kriminellem Machtmissbrauch.

Dank dem öffentlichen Druck macht die pakistanische Regierung den Fall Mukhtar Bibi jetzt zu einer Staatsangelegenheit und fordert die Polizei auf, sich zu erklären. Acht Männer des Mastoi-Stammes sind seit dem 2. Juli endlich in Haft. Man sucht intensiv nach den vier Hauptschuldigen, die flüchtig sind, jedoch wenig später festgenommen werden können. Das Ministerium kommandiert mehrere Polizisten zum Schutz meiner Person und meiner Familie ab. Letztlich werden 14 Männer des Mastoi-Stammes festgenommen. Das Gericht hat 72 Stunden Zeit, um über das Los der mutmaßlichen Schuldigen zu befinden.

VÖLLIG überwältigt von Dankbarkeit und unbändiger Freude, kehre ich mit dem Scheck nach Hause zurück. Die Ministerin hat mir erklärt, mein Vater müsse damit nur zur Bank in Jatoi gehen. Der Direktor sei informiert, und wir könnten ein Konto auf seinen und meinen Namen eröffnen. Ich habe noch nie ein Bankkonto besessen. Mein Vater auch nicht. Wir begeben uns rasch dorthin, um das Geld in Sicherheit zu bringen. Sie verlangen von uns beiden eine Unterschrift und händigen dann meinem Vater ein Scheckheft aus.

Als wir am Abend wieder nach Hause kommen, stehen 15 bewaffnete Polizisten auf unserem Grundstück. Sogar der Provinzgouverneur kommt vorbei, um mich persönlich zu ermutigen und mir zu sagen, dass die Schuldigen unter allen Umständen bestraft würden. Er verkündet, er sehe mich als seine Tochter an, und sagt, dass ich durchhalten müsse und dass er mich schützen werde. Nach einer halben Stunde zieht er mit seinem Gefolge wieder von dannen. Ich bin völlig überwältigt von dem Zuspruch und den Reaktionen, die mein Fall hervorruft.

Den armen Polizisten, die uns bewachen sollen, bleibt nichts anderes übrig, als in unserem Hof unter den Bäumen zu schlafen. Da wir ihnen auch zu essen und zu trinken geben müssen, reichen die 250 000 Rupien meines Vaters nicht sehr lange. Die kleine Polizeiarmee bezieht nämlich für ein ganzes Jahr vor unserem Haus Posten, und leider werden nur ihre Gehälter von der Regierung bezahlt.

Und da jedes Drama immer auch eine lustige Seite hat, taucht zu dieser Zeit ein Onkel, den ich schon jahrelang nicht mehr gesehen habe, mit einem großen Teil seiner Familie im Schlepptau bei uns auf. Er hat einen Sohn in meinem Alter, der längst verheiratet und mehrfacher Vater ist. Nie hat er um meine Hand angehalten. Doch nachdem mein Onkel mich mit dem Provinzgouverneur und dem Scheck gesehen hat, bringt er sein Anliegen lyrisch verpackt vor: „Ein gebrochener Zweig darf nicht weggeworfen werden, er muss in der Familie bleiben. Wenn sie einverstanden ist, nehme ich sie als zweite Frau für meinen Sohn."

Ich danke ihm ohne weiteren Kommentar, doch meine Entscheidung lautet Nein. Was will er für seinen Sohn? Den Scheck der Regierung oder mich?

Keine Ahnung. Ich weiß nur, was ich selbst will: eine Schule.

Das Schweigen brechen

Das pakistanische Recht ermöglicht die Inhaftierung aller Männer, die in eine Vergewaltigung verwickelt sind, egal ob sie direkt beteiligt oder nur Zeugen waren. Sie kommen vor ein Antiterrorgericht, was für diese Art von Straftat äußerst ungewöhnlich ist.

Antiterrorgerichte wurden im Jahr 1997 in Pakistan eigens geschaffen, um über besonders abstoßende Verbrechen zu urteilen. Sie verhandeln hinter verschlossenen Türen und meist in sehr kurzen Verfahren. Die Regierung hat sogar ein Sondergericht für die fünf Provinzen eingerichtet. Für mich wirkt es sich günstig aus, dass mein Fall vor ein Antiterrorgericht kommen soll: Ich brauche nicht – zumindest gehe ich zu diesem Zeitpunkt noch davon aus –, wie so viele gepeinigte Frauen vor mir, die sonst notwendigen vier Augenzeugen, um zu beweisen, dass ich vergewaltigt worden bin. Diese Tatsache hat zum einen bereits die ärztliche Untersuchung bestätigt, zum anderen hat ein Großteil der männlichen Dorfbevölkerung gesehen, wie mich die Mastoi nach dem begangenen Verbrechen halb nackt auf die Straße getrieben haben.

Der Gerichtshof, der mit meinem Fall befasst ist, hat darauf bestanden, dass ihm die gesamte Akte ausgehändigt wird. Eine rasche Entscheidung ist nötig, um die Gemüter zu beruhigen, bei den nationalen Medien ebenso wie bei der internationalen Presse. Letztere hat unmissverständlich kritisiert, dass es in einem so genannten demokratischen Staat wie Pakistan keine verbrieften Rechte für Frauen gibt, weil noch immer vorislamisches Stammesrecht praktiziert wird. Frauenrechtsorganisationen, die in Pakistan arbeitenden NGOs (Nichtstaatliche Organisationen) und Menschenrechtsgruppen nutzen meinen Fall, um in der Presse Geschichten zu veröffentlichen, von denen die Bevölkerung normalerweise nichts erfährt, so wie folgende:

– Eine Mutter, die auf eigene Initiative die Scheidung durchsetzen wollte, weil sie die Brutalität ihres Mannes nicht mehr ertrug, wurde in der Kanzlei ihres Anwalts in Lahore ermordet. Der Anwalt selbst wurde bedroht, der Mörder ist noch immer auf freiem Fuß.

– In einem Dorf in der Nähe von Sukkur haben drei Brüder ihre Schwägerin bei lebendigem Leib verbrannt, weil sie unter dem Verdacht des Ehebruchs stand. Zunächst von ihrem Vater gerettet, erlag sie später im Krankenhaus ihren schweren Verbrennungen.

Das sind nur zwei Beispiele, doch die Liste der Fälle ist unendlich lang. Ganz gleich, ob es sich um Scheidung, mutmaßliche Untreue oder eine Abrechnung zwischen Männern handelt, den Preis zahlen immer die Frauen. Man gibt sie als „Wiedergutmachung" für eine Ehrenverletzung her, sie werden als Vergeltungsmaßnahme von einem Feind ihres Mannes vergewaltigt. Oft reicht es aus, dass zwei Männer über irgendein Problem zu streiten beginnen, und schon rächt sich der eine an der Frau des anderen. In vielen Dörfern ist es üblich, dass die Männer nach dem Prinzip „Auge um Auge, Zahn um Zahn" Selbstjustiz üben. Es geht immer um die Ehre, und alles ist ihnen gestattet: einer Ehefrau die Nase abzuschneiden, eine Schwester zu verbrennen, die Frau des Nachbarn zu vergewaltigen.

Und selbst wenn die Polizei die Täter vor der Verübung eines Mordes verhaftet, lebt der Racheinstinkt fort. Denn es findet sich stets ein männliches Familienmitglied bereit, zur „Ehrenrettung" der Familie an die Stelle eines Bruders oder Cousins zu treten. Ich weiß zum Beispiel, dass einer der Brüder von Faiz, der in jener Nacht von allen der Besessenste und Verrückteste war, allein den Gedanken, man könne mir möglicherweise vergeben, nicht ertragen hätte. Und niemand hätte ihn zügeln können.

Ich verzeihe meinen Peinigern nicht, im Gegenteil. Doch ich versuche, den Fremden, die mich wieder und wieder mit Fragen bedrängen, zu erklären, wie die Gesellschaft des Punjab funktioniert, einer abgeschiedenen Provinz, in der das Ehrenverbrechen leider weit verbreitet ist. Ich bin in diesem Land geboren worden, ich unterstehe seinen Gesetzen, und ich weiß, dass ich, wie alle Frauen, den Männern meiner Familie gehöre – wie ein Objekt, mit dem sie machen dürfen, was sie wollen. Unterwerfung ist bei uns ein Muss.

DAS SONDERGERICHT wird über drei Autostunden von meinem Dorf entfernt in Dera Ghazi Khan abgehalten, dem Verwaltungszentrum westlich des Indus. Da ich jeden Tag vor Gericht erscheinen muss, aber nicht ständig zwischen Dera Ghazi Khan und Meerwala hin- und herpendeln kann, habe ich darum gebeten, dass man mir eine Unterkunft in der näheren Umgebung besorgt.

Meinem Aufenthalt in der großen Stadt sehe ich ein wenig skeptisch entgegen. Ich bin nicht ans Stadtleben gewöhnt, an all den Staub, den Straßenlärm, die Karren, die Rikschas, die Lastwagen, die ohrenbetäubend lauten Motorräder. Drei Wochen werde ich hier leben, und ich bin gespannt, wie es mir ergehen wird.

Der erste Verhandlungstag ist ein Freitag im Juli, ziemlich genau einen Monat nach dem Drama. Es ist erstaunlich, wie schnell alles geht. Wie immer habe ich vor Sonnenaufgang gebetet, bevor ich hierherkam. Ich glaube an die Gerechtigkeit Gottes, mehr als an die der Menschen.

Die Angeklagten werden in Handschellen in den Gerichtssaal geführt, es sind vierzehn Männer. Neun von ihnen sind hier, weil sie meinen Vater mit der Waffe bedroht haben, sodass er nicht eingreifen konnte, Faiz und die anderen vier stehen wegen Vergewaltigung vor Gericht.

Bisher hat in Pakistan noch kein Gericht einen Mann wegen eines Rache- oder Ehrendeliktes verurteilt. Dementsprechend sind die Angeklagten überzeugt, diesen Gerichtssaal als freie Männer zu verlassen. Ich finde sie allerdings weniger hochmütig als sonst, und ich habe keine Angst, ihnen entgegenzutreten. Die Wölfe von gestern sind Schafe geworden, wenn auch nur dem Anschein nach. Immerhin brüsten sie sich nun nicht mehr mit ihrer Tat und bestehen auch nicht mehr darauf, diese für die „Familienehre" begangen zu haben.

Vierzehn Männer, fast alle Angehörige des Mastoi-Stammes, gegen eine Frau eines niederen Klans ... das hat es noch nie gegeben. Faiz und die anderen, die eine ganze Schar von Anwälten engagiert haben – neun im Ganzen –, sagen selbst keinen Ton. Ich habe drei Anwälte, darunter einen sehr jungen und eine Frau. Der Hauptgegner, der Anwalt, der die Verteidigung leitet, ist ein Schönredner. Er wird nicht müde, mich als Lügnerin zu bezeichnen, die alles nur erfunden habe. Schließlich bin ich geschieden, was mich in seinen Augen auf den niedrigsten Rang der achtbaren Frauen stellt. Als ich ihn so reden höre, frage ich mich sogar, ob das nicht der Grund ist, weshalb sie gerade mich für diese vermeintliche „Bitte um Vergebung" ausgewählt haben. Ich weiß es nicht.

Sie behaupten, sie hätten uns einen Austausch der Frauen, Salma für Shakkur und Mukhtar für einen Mann ihres Klans, angeboten. Nach ihren Worten haben mein Vater, mein Onkel und der Vermittler Ramzan abgelehnt. Mehr noch, besagter Ramzan habe vorgeschlagen, mich an sie auszuliefern, damit sie mich vergewaltigen, wodurch die Tat meines Bruders geahndet sein solle! Das habe mein Vater jedoch zurückgewiesen.

Dieser Ramzan wird mir immer suspekter. Die Rolle, die er in der Geschichte gespielt hat, ist äußerst undurchsichtig, und ich will kaum glauben, was ich da höre. Ich dachte immer, er habe uns helfen wollen. Und mein Vater hat mir nie etwas anderes erzählt.

Auf alle Fälle behauptet der Anwalt der Gegenseite, ich hätte von Anfang bis Ende gelogen. In besagter Nacht sei gar nichts geschehen, niemand habe die *zinā-bil-jabar*, also Geschlechtsverkehr ohne Zustimmung, mit der ältesten Tochter von Ghulam Farid Jat, meinem Vater, praktiziert.

Die Verteidigung drängt mich, die Schuld der Angeklagten eindeutig zu beweisen, was nach islamischem Recht meine Pflicht ist. Es gibt zwei Arten, diesen Beweis zu erbringen: entweder ein umfassendes Geständnis des Täters vor Gericht – was im Grunde nie vorkommt – oder die bereits erwähnte Vorführung von vier volljährigen muslimischen, gottesfürchtigen Zeugen, die das Gericht für ehrbar erachtet.

Doch ich stehe hier vor einem Sondergericht – und das bestimmt, weil das Schicksal beschlossen hat, mir den Weg zur Gerechtigkeit zu weisen. Wenn das Urteil angemessen sein sollte, so wird dies mir Rache genug sein. Ich fühle mich stark und habe angesichts dieser in Handschellen gelegten Männer mit den ausweichenden Blicken keine Angst mehr, kühl und sachlich auszusagen – das Vernehmungsprotokoll des Untersuchungsrichters befindet sich ohnehin bereits in den Akten.

Ich erspare mir nichts und erlebe die schlimmen Ereignisse noch einmal, während ich vor Gericht den Ablauf jener Nacht schildere. Meine Stimme ist fest, doch die Schmach schnürt mir nach wie vor Herz und Magen zusammen.

Zum Glück findet die Verhandlung unter Ausschluss der Öffentlichkeit statt. Die zahlreichen Journalisten, die sich für das Verfahren interessieren, warten im Hof. Zugegen sind nur die Angeklagten, die Zeugen und die Anwälte. Hin und wieder, wenn das Wortgefecht der Anwälte zu hitzig wird, greift der Richter ein, ansonsten verläuft alles ohne besondere Vorkommnisse.

Als der Präfekt, der Unterpräfekt – derjenige, der mich meine Aussage auf einem leeren Blatt Papier hat unterzeichnen lassen – und seine Männer verhört werden, bin ich nicht anwesend. Nach ihren Worten soll meine damalige Aussage allerdings anders gelautet haben als die heutige, die Ankläger hätten „die hier dargelegte Version der Ereignisse frei erfunden". Der Richter ist darüber zwar empört, trotzdem lässt er den Präfekten gehen und verschiebt die Beratungen des Gerichts auf den nächsten Tag.

Am 31. August 2002 verkündet der Richter schließlich das Urteil in einer nächtlichen Sondersitzung. Sechs Männer werden zum Tode und zur Zahlung von 50 000 Rupien verurteilt, vier von ihnen wegen Vergewaltigung, die beiden anderen, weil sie während der Versammlung der *jirga* zur Vergewaltigung aufgerufen haben – nämlich Faiz, der Klanchef, und besagter Ramzan, beide in ihrer Funktion als Richter des Stammesgerichts. Letzterer, der die ganze Zeit über vorgegeben hat, zugunsten meiner Familie vermittelt zu haben, ist in Wirklichkeit ein Heuchler und Verräter. Er hat alles getan, um dafür zu sorgen, dass die Mastoi bekamen, was sie wollten, während mein Vater ihm vertraut hat.

Die acht anderen Angeklagten werden freigelassen.

Als ich aus dem Gerichtsgebäude trete, bestürmen mich die wartenden Journalisten mit Fragen, und ich bekunde meine Zufriedenheit mit dem Urteil.

Dennoch legen meine Anwälte und der Oberstaatsanwalt Berufung gegen den Freispruch der acht Mastoi ein. Die sechs Verurteilten wiederum legen Berufung gegen das Todesurteil ein. Die Angelegenheit ist also noch nicht beendet, auch wenn ich (vorerst) gesiegt habe. Die Frauenrechtler aber freuen sich. Ich, Mukhtar Bibi, Symbol dieses Kampfes, bin ein Vorbild für sie.

Nun kann ich erhobenen Hauptes – natürlich unter dem obligatorischen verhüllenden Tuch – in mein Dorf zurückkehren.

ENDLICH kann ich mich meinen Plänen widmen: dem Bau der Schule. Und das ist alles andere als leicht. Obwohl ich mit großem Elan und guter Dinge an die Sache herangehe, verlassen mich bisweilen meine Kräfte. Ich magere ab, mein Gesicht ist eingefallen vor Erschöpfung.

Das Drama, das über mein friedliches Leben hereingebrochen ist, und dieser Sieg, der von der Presse lautstark gefeiert wird, deprimieren mich. Ich bin es leid, zu sprechen und mit all den Menschen und Gesetzen konfrontiert zu werden. Überall feiert man mich als Heldin, dabei bin ich furchtbar müde und würde mich am liebsten in mein Schneckenhaus zurückziehen. Ich war einmal ein heiterer, fröhlicher Mensch, doch das bin ich nicht mehr. Ich liebte es, mit meinen Schwestern zu scherzen, ich mochte meine Arbeit, die Stickerei, den Unterricht, heute bin ich all jener Dinge, bin ich meines Lebens überdrüssig. Mit dieser Barriere von Polizisten vor meiner Tür bin ich gewissermaßen Gefangene meiner eigenen Geschichte geworden, auch wenn ich über meine Peiniger triumphiert habe.

Die Anwälte, die Frauenrechtler beruhigen mich und zerstreuen meine Sorgen: die Berufung wird viel Zeit in Anspruch nehmen – ein Jahr, vielleicht sogar zwei –, und so lange bin ich in Sicherheit. Selbst diejenigen, die das Gericht hat laufen lassen, werden sich nicht in meine Nähe wagen.

Dank meinem Mut, so heißt es, hätte ich die Lebensbedingungen der Frauen in meinem Land aufgedeckt, und andere Frauen würden meinem Beispiel folgen. Wie viele? Wie viele werden von ihren Familien unterstützt, so wie ich? Wie viele werden das Glück haben, dass ein Journalist ihre Geschichte an die Öffentlichkeit trägt, dass die Menschenrechtsorganisationen aktiv werden und so großen Druck ausüben, dass die Regierung gezwungen ist einzugreifen?

In den Dörfern des Industals gibt es so viele Frauen, die weder lesen noch schreiben können. So viele Frauen, die von ihren Männern und ihren Familien verstoßen, ihrer Ehre und ihres Unterhalts beraubt werden. So viele Frauen, denen nur der Weg in den Selbstmord bleibt.

Diese Mädchenschule zu gründen ist mir ein dringendes Anliegen. Die Idee kam mir fast wie eine göttliche Eingebung. Ich suchte verzweifelt nach einem Weg, die Mädchen in Meerwala auszubilden, sie zum Lernen zu ermutigen. Die Mütter im Dorf unternehmen nichts, um ihre Töchter zu unterstützen, weil sie es nicht können. Ein Mädchen muss im Haus arbeiten, und der Vater sieht nicht ein, ihm eine Schulbildung zukommen zu lassen. Aus Prinzip.

Und was lernen die Mädchen schon von ihren Müttern in einem abgelegenen Dorf wie dem meinen? *Chapatis* bereiten, Reis oder *dal* (Hülsenfrüchte) kochen, Wäsche waschen, sie zum Trocknen an die Palmwedel hängen, Gras schneiden, Weizen und Zuckerrohr ernten, Tee kochen, die Kleinsten in den Schlaf wiegen, Wasser an der Pumpe holen. Unsere Mutter hat all das vor uns getan und ihre Mutter vor ihr. Irgendwann wird es dann Zeit, verheiratet zu werden, Kinder zu bekommen, und so geht es weiter von Generation zu Generation.

In den großen Städten und einigen anderen Provinzen studieren Frauen. Sie werden Anwältinnen, Lehrerinnen, Ärztinnen, Journalistinnen – ich bin einigen von ihnen begegnet. Sie kamen mir ganz gewiss nicht unwürdig vor. Sie achten ihre Eltern und selbstverständlich auch ihren Mann, doch sie dürfen ihre Stimme erheben, weil sie gebildet sind. Für mich gibt es nur eine Lösung: Man muss den Mädchen Wissen vermitteln – und zwar so früh wie möglich, im Grunde noch bevor die Mütter sie so erziehen können, wie sie selbst erzogen wurden.

Nie werde ich die Bemerkung dieses Polizisten vergessen, der sich bei dem Präfekten eingeschaltet hat, während ich meine Aussage machte. „Lassen Sie mich das erklären", sagte er. „Sie weiß sich nicht richtig auszudrücken."

Ich aber habe das nicht zugelassen. Weil ich Willensstärke besitze? Weil ich gedemütigt wurde? Weil ich plötzlich frei reden kann?

Wohl aus allen diesen Gründen zugleich.

Ich werde Lesen lernen und es den Mädchen beibringen. Nie wieder werde ich per Daumenabdruck meine Unterschrift auf ein unbeschriebenes Blatt setzen.

Als ich der Ministerin Attiya gegenüberstand, sagte ich spontan: „Ich will eine Schule", obwohl ich vor diesem Ereignis nie an dergleichen gedacht hatte. Während dieses Dramas war ich mir wie gefesselt vorgekommen, außerstande, in irgendeiner Form zu reagieren. Hätte ich lesen können, was der Polizist geschrieben hatte, wären die Dinge anders verlaufen. Er hätte sicher auf andere Weise versucht, mich zu manipulieren, aber bestimmt nicht so extrem.

In manchen Regionen sind Polizei und hohe Beamte Gefangene des

Stammessystems und stehen unter dem Einfluss der Großgrundbesitzer. Letztendlich haben diese das Sagen. Ich kann mich als eine Überlebende dieses Systems betrachten – dank meiner Familie, der Medien, eines scharfsinnigen Richters und der Intervention der Regierung. Mein Mut bestand ausschließlich darin, nicht länger geschwiegen zu haben. Obwohl man mich das Schweigen gelehrt hatte.

Eine Frau hat hier keinen Boden unter den Füßen. Wenn sie bei ihren Eltern lebt, verhält sie sich so, wie ihre Eltern es befehlen. Sobald sie bei ihrem Ehemann ist, tut sie das, was ihr Mann ihr gebietet. Wenn die Kinder groß sind, übernehmen die Söhne das Regiment. Mein Verdienst ist es, mich von dieser Unterwerfung befreit zu haben. Ich habe mich von einem Ehemann befreit, und da ich keine eigenen Kinder habe, bleibt mir die Ehre, mich um die Kinder anderer Menschen zu kümmern.

MEINE erste Schule, die mit der versprochenen Hilfe der Regierung von Pakistan gebaut werden kann, nimmt Ende 2002 ihre Arbeit auf. Der Staat leistet einen erheblichen Beitrag, verbreitert die Straße, legt Stromleitungen, baut Abwasserkanäle, ich bekomme sogar einen Telefonanschluss. Mit dem, was mir von meinem Teil der 500 000 Rupien geblieben ist, habe ich zwei Grundstücke von jeweils eineinhalb Hektar Größe ganz in der Nähe unseres Hauses erworben. Ich verkaufe sogar meinen Schmuck, um mein Lebensprojekt zu realisieren. Anfangs sitzen die Mädchen während des Unterrichts noch unter freiem Himmel auf dem Boden. Es ist meine „Schule unter den Bäumen", bis das Gebäude, ein schlichter, aber zweckmäßiger Backsteinbau, fertig errichtet ist. In dieser Zeit geben meine kleinen Schülerinnen mir den Namen Mukhtar Mai, „große geachtete Schwester".

Jeden Morgen sehe ich die vielen Mädchen mit ihren Heften und ihren Stiften in die Schule gehen. Vor Unterrichtsbeginn ruft die Lehrerin die Namen jeder einzelnen Schülerin auf. Wir stehen zwar erst am Anfang, die Schule ist gerade erst gegründet, doch dieser erste Erfolg, auch wenn er noch unvollkommen ist, erfüllt mich mit großer Freude. Wer hätte gedacht, dass Mukhtaran Bibi, die Tochter eines Bauern und Analphabetin, eines Tages Schuldirektorin sein würde?

Die Regierung bezahlt außerdem einen Lehrer für die Abteilung der Jungen, zu der ich mich nachträglich entschlossen habe. Später folgen weitere Zuschüsse, zum Beispiel ein Betrag aus Finnland, der ausreichte, um für drei Jahre das Gehalt einer Lehrkraft zu sichern.

Nachdem Mitte des Jahres 2002 meine Ehre durch den Schmutz gezogen wurde, erhalte ich am Jahresende eine Auszeichnung, die ich eingerahmt auf meinen Tisch gestellt habe:

> Welttag der Menschenrechte
> Erste nationale Zeremonie der Frauenrechte
> Der Preis
> des Internationalen Komitees für Menschenrechte
> geht am 10. Dezember 2002
> an Frau Mukhtaran Bibi

Ich existiere tatsächlich in der Welt, stellvertretend für alle pakistanischen Frauen.

Im Jahr 2005, fast 24 Monate später, wird die Schule schon hervorragend laufen. Die Gehälter der Lehrer können pünktlich bezahlt werden, und ich habe vor, einen Stall zu bauen, Kühe und Ziegen zu kaufen und dadurch die Schule finanziell abzusichern.

Doch davon weiß ich 2002 noch nichts, und obwohl ich von zahlreichen Stellen wertvolle moralische Unterstützung erhalte, erscheint mir meine Aufgabe an manchen Tagen recht schwer.

Eine Frauenrechtsorganisation, der Women's Club 25, lädt mich nach Spanien ein, um an der Internationalen Frauenkonferenz unter dem Vorsitz von Königin Rania von Jordanien teilzunehmen. Dies erfüllt mich mit großem Stolz. Zum ersten Mal besteige ich, begleitet von meinem ältesten Bruder, ein Flugzeug. Wir sind beide unglaublich aufgeregt, als der Jet sich in die Lüfte hebt, vor allem wegen der vielen Menschen und der unbekannten Sprache. Zum Glück werden wir bei unserem Zwischenstopp in Dubai herzlich empfangen und während der restlichen Reise begleitet.

Zahlreiche Referenten aus aller Welt halten Vorträge auf dieser Konferenz mit dem Thema „Gewalt gegen Frauen". Den einzelnen Beiträgen entnehme ich, dass die Aufgabe jener Menschen äußerst schwer ist, und ich bewundere sie sehr für ihr Engagement. Während ich den Vorträgen lausche, gehen meine Gedanken immer wieder auf Abwege. Wie viele Frauen, die sich gegen Gewalt auflehnen, müssen wohl sterben? Wie viele werden im Sand verscharrt, ohne Grab, ohne Würde?

Meine Schule kommt mir plötzlich sehr klein vor im Meer dieses Unglücks. Was tue ich da schon? Was ist mein Beitrag? Einer Handvoll kleiner Mädchen das Alphabet beibringen, etwas, was erst von Generation zu Generation langsam seine Wirkung tut. Ein paar Jungen Respekt vor ihrer Gefährtin, ihrer Schwester, ihrer Nachbarin lehren. Das ist noch so wenig.

Aber jetzt bin ich in Europa, in jenem Teil der Erde, so viele Tausend Kilometer westlich von meiner Heimat, von dem mein Onkel mir erzählt hat, als ich noch klein war. Und dort, fast am anderen Ende der Welt, stelle ich fest, dass diese Fremden meine Geschichte kennen! Ich bin überwältigt, und plötzlich bin ich furchtbar schüchtern und wage nicht recht, den Stolz darüber zu zeigen, einfach da zu sein, eine Frau unter anderen Frauen dieser großen Welt.

WIEDER zurück in meinem Heimatdorf, gehe ich meinen Plan, die Schule zu vergrößern, noch mutiger und engagierter an. Mein Leben hat einen Sinn, seit ich höre, wie die jungen Mädchen unter den Bäumen von Meerwala Koranverse aufsagen, dazu das Einmaleins und das englische Alphabet. Bald wird es auch Geschichts- und Geografieunterricht geben. Meine Mädchen, meine kleinen Schwestern, werden dasselbe lernen wie die Jungen.

Dennoch findet dieses Leben irgendwie außerhalb von mir selbst statt, und ich habe in Wirklichkeit niemanden, dem ich mich anvertrauen kann. Ich bin argwöhnisch geworden, außerstande, mein Leben von früher wiederzufinden – die Gelassenheit und die Ruhe, das Lachen, den ruhigen Fluss der Tage und der Nächte.

Gewiss, elektrisches Licht erleuchtet jetzt die Schwelle meines Hauses, und das Telefon klingelt. Es hört übrigens gar nicht mehr auf zu klingeln, denn ich werde ständig von NGOs oder den Medien kontaktiert. Und ich bin es mir schuldig, zu antworten und den Anfragen nachzukommen, denn ich brauche fremde Hilfe, um mein Schulprojekt voranzutreiben. 2003, ein Jahr nach dem schmachvollen Drama, verfüge ich noch nicht über ausreichende Mittel.

Eines Tages meldet sich eine Frau per Telefon, die in meinem weiteren Leben eine entscheidende Rolle spielen soll. „Hallo? Guten Tag, ich grüße dich, Mukhtar. Ich bin Naseem aus Peerwala. Mein Vater ist Polizist, und er steht Wache vor deinem Haus. Ich wüsste gern, wie es ihm geht."

Peerwala liegt etwa zwanzig Kilometer von Meerwala entfernt. Naseems Vater wurde zu meinem Schutz beordert, und sein Onkel arbeitet am Kanal, fünf Kilometer weiter. Sie erklärt mir, dass wir in gewisser Weise verwandt sind, weil ihre Tante und meine derselben Familie angehören und beide in Peerwala leben. Naseem ist gerade aus Alipur zurückgekommen, wo sie ein Jurastudium begonnen hatte – Alipur ist die Stadt, wo ich zum ersten Mal auf einen verständnisvollen Richter gestoßen bin. Jetzt will sie Journalistik studieren.

Eilig lasse ich ihren Vater ans Telefon holen, damit sie mit ihm sprechen kann, vorher unterhalten wir uns ein wenig, mehr aber nicht.

Sie ruft mich ein zweites Mal an, als ich gerade unterwegs nach Mekka bin – ich habe das große Glück, eine Pilgerreise dorthin zu unternehmen –, dann ein drittes Mal. Wir haben das Gefühl, wir müssten uns endlich einmal persönlich kennen lernen, und sie lädt mich ein, sie zu besuchen. Doch ich empfange zu diesem Zeitpunkt so viele Leute und kann daher so selten fort, dass ich sie bitte, lieber zu mir zu kommen. Ich ahne noch nicht, dass Naseem nicht nur eine Freundin, sondern auch eine wertvolle Hilfe werden soll. Sie hat viel in den Zeitungen gelesen, und meine Geschichte interessiert sie besonders vom juristischen Standpunkt aus. Zu diesem Zeitpunkt, im Mai 2003, wird mein Fall noch immer vom Obersten Gerichtshof geprüft.

Gleich bei unserem ersten Treffen spüre ich, was für eine außergewöhnliche Frau Naseem ist. Genau das Gegenteil von mir – aktiv, lebhaft, klarsichtig, redegewandt, ohne Scheu vor Worten oder Menschen. Bereits eine ihrer ersten Bemerkungen verblüfft mich ungemein: „Du hast Angst vor allem und jedem. Wenn du so weitermachst, schaffst du es nicht", warnt sie mich und spornt mich gleich darauf an: „Du musst endlich reagieren!"

Sie begreift sofort, dass ich die ganze Zeit nur durch eine Art Wunder durchgehalten habe. In Wirklichkeit bin ich völlig erschöpft. Ich brauche viel Zeit, um gewisse Dinge zu verstehen – was über mich gesagt wird, was passieren wird, wenn das Gericht den Berufungsantrag der Mastoi geprüft hat. Ich habe noch immer große Angst vor der Macht dieses Stammes, vor den Beziehungen seiner Mitglieder.

Die Polizei beschützt mich, die Regierung auch, doch Islamabad ist weit von Meerwala entfernt ... Acht Männer des Mastoi-Klans sind noch immer auf freiem Fuß, können mir noch immer schaden. Manchmal suche ich nachts die Dunkelheit ab, zucke beim Bellen eines Hundes zusammen oder wenn ich eine männliche Gestalt auftauchen sehe. Jedes Mal wenn ich das Haus verlasse, bin ich von bewaffneten Männern umgeben. Ich steige hastig in ein Taxi, das ich erst weit von Meerwala entfernt wieder verlasse. Zum Glück muss ich das Dorf nicht durchqueren, der Hof meiner Familie liegt gleich am Ortseingang.

Aber in meinem Dorf sind die Mastoi nach wie vor in der Mehrheit. Und regelmäßig erscheinen in der lokalen Presse böswillige Unterstellungen. So heißt es etwa, ich sei „vom Geld angezogen". Ich habe schließlich ein Bankkonto!

Derart in der Öffentlichkeit zu stehen belastet mich sehr, und irgendwann habe ich nicht mehr die Kraft, dem ständigen Druck standzuhalten. Ich fühle mich ausgelaugt, leer, überfordert, nehme sehr viel ab und bin plötzlich wieder furchtbar ängstlich und zögerlich.

Als Naseem merkt, was mit mir los ist, liest sie mir die Leviten. Ich sei im Begriff, paranoid zu werden, meint sie, und müsse endlich mal mit jemandem sprechen, zu dem ich Vertrauen habe.

Und diese Person ist Naseem. Endlich kann ich ehrlich über die Vergewaltigung sprechen, mir alles von der Seele reden, über die Brutalität, über diese barbarische Rache, die den Körper einer Frau zerstört.

Naseem weiß zuzuhören, wann und solange es nötig ist. „Du bist wie ein kleines Baby, das laufen lernt", sagt sie. „Es ist ein neues Leben, du musst bei null wieder anfangen. Erzähl mir, wie dein Leben früher war, deine Kindheit, deine Ehe, ja sogar, was du Schreckliches hast erdulden müssen. Du musst reden, Mukhtar, nur wenn man redet, kann man das Gute und das Schlechte herauslassen. Man befreit sich. Es ist so, als würde man ein schmutziges Kleidungsstück waschen: Wenn es sauber ist, kann man es ohne Bedenken wieder überstreifen."

Ihre Worte tun so unendlich gut.

Naseem ist die Älteste der Familie und hat beschlossen, ihr Jurastudium aufzugeben und stattdessen im Fernstudium Journalistik zu studieren; ihre vier Brüder und Schwestern besuchen ebenfalls die Universität. Doch obwohl unsere Dörfer gerade mal zwanzig Kilometer trennen, ist unser Leben grundverschieden. Naseem hat selbst über ihre Zukunft entscheiden können. Sie ist politisch aktiv, sie weiß ihr Wort zu führen, und wenn sie etwas mitzuteilen hat, fürchtet sie nichts und niemanden. Selbst die Polizisten vor unserem Haus sehen sie mit großen Augen an.

„Sagst du eigentlich immer, was du denkst?", frage ich sie einmal bewundernd.

„Ja, immer!"

Ich muss jedes Mal lachen, wenn ich sie so reden höre. Aber ich denke auch viel darüber nach, dass ich nach innen gekehrt lebe, ohne jemals aus mir herauszugehen. Meine Erziehung hindert mich daran, meine lange Unterwerfung blockiert mich.

Naseem dagegen ist nie um ein Argument verlegen. „Männer und Frauen sind gleichwertig", sagt sie immer. „Wir haben dieselben Pflichten. Ich bin mir bewusst, dass der Islam den Mann über die Frau gestellt

Mukhtars Freundin Naseem

hat, aber das nutzen die Männer bei uns aus, um uns zu unterdrücken. Du musst deinem Vater gehorchen, deinem Bruder, deinem Onkel, deinem Ehemann und schließlich allen Männern deines Dorfes, der Provinz und des ganzen Landes!"

Ich nicke zustimmend.

„Unglaublich viele Menschen sprechen von dir", fährt sie fort. „Aber was ist mit dir? Sprichst du auch von dir? Du redest mit Würde von deinem Unglück, und du verschließt dich wie eine Auster. Dein tragisches Schicksal wird von der Hälfte aller Frauen in unserem Land geteilt. Sie leben in Unglück und Unterwerfung und wagen es niemals, ihre Gefühle zum Ausdruck zu bringen oder die Stimme zu erheben. Wenn eine von ihnen Nein sagt, riskiert sie ihr Leben oder im besten Fall Prügel. Ich werde dir ein Beispiel geben. Eine Frau will einen Film sehen, ihr Mann hindert sie daran. Warum? Weil er will, dass sie unwissend bleibt. Dann nämlich ist es für ihn sehr viel leichter, ihr etwas vorzumachen, ihr etwas zu verbieten. Ein Mann sagt zu seiner Frau: ‚Du musst mir gehorchen und fertig!' Und sie erwidert nichts. Ich aber antworte an ihrer Stelle."

„Das ist gut so", sage ich. „Denn die meisten Frauen sind nicht so mutig wie du."

„Wo steht das geschrieben? Und was, wenn der Mann ein Dummkopf ist? Wenn er sie schlägt? Sie wird ihr ganzes Leben lang mit einem Dummkopf leben, der sie verprügelt. Und er wird weiter an seine Intelligenz glauben."

„Ich weiß", erwidere ich. „Es ist noch ein langer Weg für uns."

„Die Frau kann nicht lesen", fährt sie fort. „Die Welt existiert nur über ihren Mann. Wie soll sie sich da zur Wehr setzen? Ich behaupte nicht, alle Männer in Pakistan seien gleich, doch man kann ihnen einfach nicht vertrauen. Zu viele ungebildete Frauen kennen ihre Rechte gar nicht. Du hast die deinen kennen gelernt, weil du allein vor der Situation standest, für die vermeintliche Schuld deines Bruders zu zahlen – für etwas, was du nicht einmal selbst getan hast! Und weil du den Mut hattest, dich zu widersetzen. Jetzt musst du dich weiter widersetzen. Aber dieses Mal musst du gegen dich selbst ankämpfen. Du bist zu still, zu verschlossen, zu argwöhnisch, du leidest! Du musst dich aus diesem Gefängnis befreien, in dem du eingeschlossen bist. Mir kannst du alles sagen."

Es IST mir tatsächlich gelungen, vor Naseem zu reden, ihr alles zu erzählen. Natürlich kennt sie meine Geschichte bereits, aber nur so, wie die Journalisten, die Polizei und der Richter sie wiedergegeben haben. All das, was ich bisher für mich behalten habe, hat sie mit Geduld und Mitgefühl angehört. Das seelische und körperliche Leid, die Scham, der Wunsch zu sterben, dieses Chaos in meinem Kopf, als ich allein den Weg zu unserem Haus zurückgelegt habe, um mich wie ein sterbendes Tier auf die Pritsche zu werfen. Ihr konnte ich all das sagen, was ich meiner Mutter oder meinen Schwestern nicht anvertrauen konnte, weil ich von frühester Kindheit an nur zu schweigen gelernt hatte.

Wenn ich das Album mit den Fotos aus dieser schweren Zeit durchblättere, erkenne ich mich manchmal selbst nicht wieder. Nur noch Haut und Knochen, das Gesicht abgezehrt, der Blick ängstlich – so sehe ich aus bei meiner ersten Begegnung mit dem Hauptverantwortlichen der SPO ("Strengthening Participatory Organization"), einer Organisation zur Förderung kommunaler Initiativen mit Stammsitz in Islamabad. Er ist extra hierher nach Meerwala gekommen, um mich zu sprechen, und ihm ist es zu verdanken, dass sich Kanada für mein Schulprojekt interessiert. Auf dem Foto wirke ich verschlossen, in mich gekehrt, ich wage kaum, in die Kamera zu blicken.

Seitdem Naseem meine Mitstreiterin geworden ist, habe ich mein Selbstvertrauen zurückgewonnen, haben sich meine Wangen gerundet, weil ich wieder esse, ist mein Blick ruhig geworden, weil ich wieder regelmäßig schlafe.

Ich wusste nicht, wie sehr es Geist und Körper befreit, seinen Schmerz – ein Geheimnis, das man für eine Schande hält – in Worte zu fassen. Und ich bin unendlich dankbar, dass ich diese Erfahrung machen durfte.

Schicksal

Ich bin aufgewachsen, ohne zu wissen, wer ich war. Mit derselben seelischen Einstellung wie alle Frauen im Haus. Unsichtbar. Was ich erfuhr, entnahm ich den zufällig aufgeschnappten Worten der anderen.

Zum Beispiel sagte einmal eine Frau zu meiner Mutter: „Hast du gesehen, was dieses Mädchen getan hat? Sie hat mit einem Jungen gesprochen! Nun hat sie keine Ehre mehr, und sie hat auch ihre Familie entehrt."

Daraufhin wandte sich meine Mutter an mich: „Siehst du, meine Tochter, wie es dieser Familie ergangen ist? Das kann auch uns passieren. Sei auf der Hut!"

Schon kleinen Mädchen ist es verboten, mit einem Jungen zu spielen. Und wird ein Knabe dabei ertappt, dass er mit seinen Cousinen Murmeln schießt, bekommt er Schläge von seiner Mutter.

Später geben die Mütter bisweilen laut vernehmlich Kommentare über andere Frauen von sich, die vor allem für die eigenen Töchter bestimmt sind. Oft wird die Schwiegertochter kritisiert: „Du hörst nicht auf deinen Mann! Du bedienst ihn nicht schnell genug!" So lernen die Jüngsten, die noch nicht verheiratet sind, was sie später tun oder unterlassen müssen. Außer dem Beten und Aufsagen von Koranversen ist das die einzige Erziehung, die wir bekommen. Und man lehrt uns Misstrauen, Gehorsam, Unterwerfung und bedingungslose Ehrfurcht vor dem Mann.

Und damit das Vergessen der eigenen Person.

Als Kind war ich nicht argwöhnisch, verschlossen oder schweigsam. Ich lachte viel. Meine engste Vertraute war meine Großmutter väterlicherseits, sie hat mich erzogen und lebt noch immer mit uns unter einem Dach, wenn auch in ihrem Bereich. Bei uns ist es üblich, dass sich auch andere Frauen als die eigene Mutter um die Kinder kümmern.

Meine Großmutter ist inzwischen sehr betagt und sieht schlecht. Ihr genaues Alter kennt sie ebenso wenig, wie mein Vater oder meine Mutter ihres kennen. Ich habe jetzt einen Ausweis, aber meine Großmutter behauptet immer, ich sei ein Jahr älter, als darin vermerkt ist. Irgendwann vor Jahren hat zur Getreideernte mal jemand von meiner Familie zu mir gesagt: „Du bist jetzt zehn Jahre alt!" Sechs Monate oder ein Jahr hin oder her, das weiß hier niemand so genau. Ein Standesamt gibt es in den Dörfern nicht. Ein Kind wird geboren, es lebt, es wächst heran. Das ist alles, was zählt. Das Alter ist das Leben, die Tage, die vergehen, das Wetter draußen.

Mit etwa sechs Jahren fing ich an, meiner Mutter oder meiner Tante bei der Hausarbeit zu helfen. Wenn mein Vater Mais für das Vieh brachte, half ich beim Schneiden. Manchmal ging ich auch mit auf die Wiesen zum Grasmähen. Mein Bruder Hazoor Bakhsh kümmerte sich um die Getreideernte, wenn mein Vater in seinem kleinen Sägewerk arbeitete.

Mit der Zeit vergrößerte sich die Familie. Zuerst kam eine Schwester, Naseem. Dann eine weitere Schwester, Jamal, die leider von uns gegangen ist. Danach Rahmat und Fatima. Und schließlich ein zweiter Sohn, Shakkur. Der Jüngste.

Manchmal hörte ich meine Mutter sagen, wenn Gott ihr als Nächstes noch einen Sohn und anschließend kein weiteres Kind mehr schenken würde, wäre sie zufrieden. Eine Art Eingeständnis, dass sie genügend Kinder zur Welt gebracht hatte. Aber nach Shakkur kam noch Tasmia, die letzte Tochter.

Zwischen meinen beiden Brüdern besteht ein großer Altersunterschied, bei uns Mädchen ist er geringer. Ich erinnere mich an die Spiele, die wir mit unseren Stoffpuppen erfanden, wenn wir Zeit hatten. Das war in unseren Augen eine sehr ernste Angelegenheit. Wir stellten sie aus allen greifbaren Stoffresten selbst her, und es gab Mädchen- und Jungenpuppen, die sich durch ihre Kleidung unterschieden. Für die Jungen machten wir Hosen und große weiße Hemden. Der Kopf der Mädchen war mit einem Tuch oder einer Art Schal umhüllt, das Gesicht malten wir mit etwas Schminke auf, dazu fertigten wir kleine Schmuckstücke für die Nase und Ohrringe. Das war das Schwierigste, denn Schmuckstücke konnten wir nur aus mit Perlen besticktem Stoff oder glänzenden Dingen herstellen, welche die Erwachsenen wegwarfen, wenn sie zu abgetragen waren. Das Spiel bestand darin, die künftigen Eheverbindungen unter den Puppen zu diskutieren. Ich nahm zum Beispiel eine Jungenpuppe, meine Schwester eine Mädchenpuppe, und schon konnten die Verhandlungen beginnen.

„Willst du deine Tochter meinem Sohn zur Frau geben?", fragte ich mit ernster Miene, wie ich es mir von den Erwachsenen abgeschaut hatte.

„Ja", erwiderte meine Schwester und runzelte nachdenklich die Stirn. „Aber nur unter einer Bedingung, und zwar der, dass auch du deinen Sohn meiner Tochter gibst."

„Nein." Ich schüttelte energisch den Kopf. „Ich gebe ihr meinen Sohn nicht. Mein Sohn ist schon mit der Tochter meines Onkels verlobt."
Wir erfanden um die von den Eltern arrangierten Hochzeiten Auseinandersetzungen, die auf dem basierten, was wir so von den Erwachsenen hörten. Einige der Puppen stellten dann die „Großen" dar – die Eltern, die älteren Brüder, sogar die Großmütter –, andere die „Kleinen" bis hin zu den Enkelkindern. Manchmal spielten wir mit zwanzig Puppen gleichzeitig. Dann setzten wir uns mit der ganzen Stofffamilie in den Schatten, weit von den Eltern entfernt, denn wenn es zu Hause Streit gegeben hatte, spielten wir die Szene begeistert mit unseren Puppen nach, was natürlich niemand hören durfte! Um unsere Schätze vor Staub zu schützen, setzten wir sie auf Ziegelsteine. Dann konnte die schöne und komplizierte Hochzeitsvorbereitung beginnen.
„Willst du einen Verlobten für deine Nichte? Er ist noch im Mutterleib!"
„Wenn es ein Sohn wird, gib ihn mir. Wenn es eine Tochter wird, gebe ich dir meinen jüngsten Sohn."
„Aber dein Sohn muss in meinem Haus leben. Und er muss ein Gramm Gold mitbringen. Und Ohrringe!"

Ich habe seit Langem nicht mehr so gelacht wie in dem Moment, als ich Naseem von der Hochzeit eines Cousins erzähle. Ich war damals etwa sieben oder acht Jahre alt. Es war meine erste große Reise. Ich fuhr mit einem Onkel in das etwa fünfzig Kilometer entfernte Dorf. Wie gewöhnlich reisten wir mit dem Fahrrad: drei Räder, auf denen die ganze Familie untergebracht war. Ich saß bei meinem Onkel auf der Stange, ein anderes Kind auf dem Lenker und wieder jemand anders auf dem Gepäckträger. Es regnete die ganze Fahrt über, doch wir waren glücklich, zu diesem Fest fahren zu können.
Aber während dieses Abenteuers fiel eine meiner Tanten, gut angezogen und mit schönen Glasarmbändern geschmückt, vom Gepäckträger. Die Armbänder rissen, alle Steine lagen auf dem Boden verstreut, und sie war leicht verletzt. Im ersten Augenblick gerieten alle in Panik, weil sie furchtbar laut schrie und um die bunten Glasstücke weinte ... Ihre Arme mussten bandagiert werden, und plötzlich sahen wir Kinder uns an und lachten laut los, und alle anderen stimmten ein. Die Reise, die noch lang war, war bis zum Ende von schallendem Gelächter geprägt. Selbst die arme Tante mit ihren bandagierten Armen lachte mit.

NASEEM und ich reden und reden. Und so erfahre ich ebenfalls einiges über meine neue Freundin. Auch wenn Naseem gebildeter ist als ich, muss sie sich der Tradition beugen, und seit Langem hat ihre Familie einen Mann für sie ausgewählt. Allerdings entspricht er nicht ihren Vorstellungen. Deshalb versucht sie, natürlich ohne es an der nötigen Ehrfurcht ihren Eltern gegenüber mangeln zu lassen, dieser Verbindung zu entkommen. Ohne Streit, ohne Diskussionen. Sie ist 27 Jahre alt, sie studiert, und da er bislang nicht aufgetaucht ist, hofft sie, dass er selbst verzichten, vielleicht des Wartens überdrüssig sein wird oder sogar eine andere Frau kennen lernt. Auf alle Fälle will sie möglichst lange widerstehen. Bislang ist sie ihrem Traummann jedenfalls noch nicht begegnet.

Übrigens darf sich eine junge Frau bei uns ihren Mann nicht selbst aussuchen, das ist eines der großen Verbote in unserer Tradition. Einige Frauen, die das Risiko eingegangen sind und sich dem widersetzt haben, wurden bedroht, gedemütigt, geschlagen, manchmal sogar getötet. Dabei müsste eine solche Wahl nach den neuen Gesetzen eigentlich anerkannt werden. Aber jeder Stamm hat seine Traditionen, und nach islamischem Recht ist dies nicht erlaubt.

Paare, bei denen die Partner einander gewählt haben, haben größte Schwierigkeiten, die Rechtmäßigkeit ihrer Beziehung zu beweisen. So kann die Frau jederzeit der *zinā* (Unzucht) beschuldigt werden. Und dafür kann sie zum Tod durch Steinigung verurteilt werden, auch wenn Steinigung bei uns in Pakistan eigentlich verboten ist. Wir stehen immer zwischen zwei juristischen Systemen: dem religiösen und dem offiziellen. Nicht zu vergessen die Stammesgerichte mit ihren eigenen Regeln, die im Allgemeinen nicht dem offiziellen Gesetz entsprechen und oft auch nicht dem religiösen, was alles nur noch komplizierter und unüberschaubarer macht.

Die Scheidung ist ebenfalls eine vertrackte Sache – zumindest aus Sicht der Frau, da sie, wie erwähnt, nur vom Ehemann gewährt werden kann. Strengt eine Frau die Scheidung vor einem staatlichen Gericht an, kann sich die Familie des Ehemannes „entehrt" fühlen und offiziell eine „Bestrafung" vornehmen. Außerdem führen die Verhandlungen vor Gericht nicht immer zu einer eindeutigen juristischen Entscheidung.

Als Naseem hört, dass ich geschieden bin, will sie alles ganz genau wissen, und ich erzähle ihr auch diese Geschichte von Anfang an, beginnend bei meiner Hochzeit.

Meine Eltern haben mir gesagt, dass ich damals etwa 18 Jahre alt war. Eines Tages kam meine Schwester Jamal lachend zu mir, als ich gerade an der Feuerstelle im Hof stand und *chapatis* backte. Sie beugte sich im Vorbeigehen zu mir herüber und flüsterte mir zu: „Deine Schwiegerfamilie ist da."

Die Nachricht überraschte mich vollkommen, und mir stieg das Blut in den Kopf. Mit glühenden Wangen stand ich da und schwankte zwischen Freude und Scham. Freude, weil ich heiraten, ein neues Leben beginnen würde, und Scham, weil meine Schwester und meine Cousinen kicherten und ich nicht wusste, wie ich mich verhalten sollte. Am besten so tun, als würde mich das alles nicht interessieren, und einfach weiterbacken, beschloss ich und drehte ihnen den Rücken zu.

Währenddessen sprangen sie um mich herum und riefen: „Dein Märchenprinz ist da, er ist da-ha!"

„Er soll sich wegscheren!", zischte ich nur. Doch tun konnte ich zu diesem Zeitpunkt ohnehin nichts mehr, egal, ob mir mein zukünftiger Mann nun gefallen würde oder nicht. Denn es war alles längst beschlossen, ohne mich darüber zu informieren ... beschlossen unter Männern. Das Ganze läuft ungefähr folgendermaßen ab: Sämtliche beteiligten Cousins, Brüder und Onkel, auch die des künftigen Ehemannes, müssen sich versammeln. Wenn einer ein Hochzeitsdatum vorschlägt, geht eine große Diskussion los, weil der Tag natürlich nicht jedem passt. Schließlich ist es von unzähligen Faktoren abhängig, etwa dem Mond, der Getreideernte oder der Feldarbeit, wer es wann einrichten kann. Die Frauen haben dabei kein Mitspracherecht, sie erfahren oft nicht einmal etwas davon. Am Abend kommt dann das Familienoberhaupt nach Hause und verkündet seiner Frau die Neuigkeit. Die erzählt es dann ihrer Tochter, und so erfährt ein junges Mädchen, dass es an diesem oder jenem Tag verheiratet wird.

Ich erinnere mich nicht genau an den Tag, an dem ich erfuhr, dass ich heiraten sollte. Ich weiß nur noch, dass es im Monat vor dem Ramadan war. Als ich hörte, wer mein künftiger Ehemann sein sollte, dachte ich angestrengt nach. Ich war ihm zufällig schon mal auf der Straße oder bei einer Feierlichkeit begegnet. Ich erinnerte mich, dass er stark hinkte, so als hätte er Kinderlähmung gehabt. Natürlich habe ich keinen Kommentar abgegeben, das hätte meinen Vater nur erzürnt. Ich habe mir nur gedacht: Aha, der ist es also! Trotzdem war ich beunruhigt. Diesen Ehemann hatte nicht mein Vater, sondern ein Onkel für mich ausgewählt. Und ich fragte mich, warum er mich mit diesem Mann verheiraten wollte. Er hatte ein recht attraktives Gesicht, aber ich kannte ihn nicht, außerdem hinkte er!

Naseem unterbricht mich in meinem Bericht und will wissen, ob er mir trotz allem gefallen habe.

Ich bin es nicht gewohnt, auf derart direkte Fragen zu antworten, doch sie beharrt lachend darauf. „Nicht wirklich", gestehe ich und muss an den Tag zurückdenken, als ich ihm zum ersten Mal gegenüberstand und am liebsten davongelaufen wäre. „Wenn ich hätte Nein sagen können, hätte ich es sicher getan."

Sie nickt verständnisvoll und drängt mich weiterzuerzählen.

Ich wusste nichts von meinem zukünftigen Mann, außer dass seine Eltern bereits verstorben waren und dass er mit seinem älteren Bruder zu uns gekommen war. Seit das Datum für unsere Hochzeitsfeier feststand, war ich automatisch verlobt.

Sofort hagelten unzählige wohlgemeinte Tipps und Ratschläge, seit Generationen dieselben, auf mich nieder, und die Frauen überschlugen sich mit ihren Kommentaren förmlich.

„Du wirst jetzt bei deinem Mann leben", hieß es da zum Beispiel. „Versuch, dem Namen deiner Eltern, deiner Familie Ehre zu machen."

„Tu immer, was er dir sagt", empfahl mir eine andere mit wichtiger Miene, als würde sie eine völlig neue Weisheit verkünden. „Und sei stets ehrerbietig gegenüber seiner Familie."

Die Vorstellung, meinem Mann untertan sein zu müssen, bereitete mir keine Angst, denn alle Frauen in Pakistan gehorchen ihren Männern, und man hinterfragt diese Situation nicht. Der Rest ist ein Geheimnis, das die verheirateten Frauen nicht mit den jungen Mädchen teilen. Und wir dürfen keine Fragen stellen. Heiraten und Kinder in die Welt setzen sind Banalitäten. Als ich heiraten sollte, hatte ich schon mehrere andere Frauen entbinden sehen und war der Meinung, ich wisse alles, was ich wissen müsse.

In anderen Ländern und in Liedern ist häufig von Liebe die Rede, das trifft bei uns nicht zu. Nicht in meinem Land. Bei uns ist eben alles von vornherein festgelegt. Meine Eltern kümmerten sich um die Mitgift, und meine Mutter sammelte schon seit Jahren Kleinigkeiten für meine Hochzeit. Schmuckstücke, Wäsche, Kleidung. Das Mobiliar für unser gemeinsames Zuhause stellten sie im letzten Moment her. So hat mein Vater beispielsweise eigenhändig ein Bett für mich geschreinert.

An meinem Hochzeitstag trug ich der Tradition entsprechend das Kleid, das mein Verlobter mir zuvor gekauft hatte. Etwas anderes darf eine Braut nicht anziehen. Bei uns ist das Brautkleid rot.

Etwa eine Woche vor der Zeremonie musste ich mir das Haar zu zwei

Zöpfen flechten. Am Tag vor der Hochzeit kamen dann die Frauen der Familie meines Verlobten bei uns vorbei, öffneten mir das Haar und brachten mir etwas zu essen. Auch wenn ich nicht wusste, wozu dieses Ritual gut sein sollte, machte ich es wie alle anderen. So war mein Haar am Hochzeitstag zumindest schön gewellt.

Nach dem Ritual mit den Zöpfen folgte die Henna-Zeremonie, *mehndi* genannt. Dabei trugen die Frauen meiner zukünftigen Familie mir verschiedene Motive auf die Handflächen und die Füße auf. Danach erfolgten die traditionelle Dusche und das Ankleiden. Eine weite Pumphose, eine lose Tunika und ein großer Schal lagen für mich bereit – alles in Rot.

Außerdem legte ich zu diesem Anlass auch eine *burka* an. Ich war daran gewöhnt, denn ich hatte sie schon früher getragen. Manchmal ging ich korrekt verhüllt mit der *burka* nach draußen, und sobald ich mich ein wenig von unserem Haus entfernt hatte, enthüllte ich mein Gesicht. Traf ich jemanden aus meiner Familie, setzte ich den Sichtschutz aus Ehrfurcht sogleich wieder auf. Eigentlich kam ich ganz gut damit zurecht, zumindest behindert sie nicht die Sicht, denn die Löcher sind wesentlich größer als beispielsweise die der afghanischen *burka*. Natürlich ist dieses Gewand nicht sehr bequem, aber bei uns wird es zum Glück nur bis zur Hochzeit getragen. Danach legen die meisten Frauen es ab.

Normalerweise besiegelt der Imam die Verbindung entweder am Tag des *mehndi* oder am Tag der Hochzeit selbst. Bei mir war es am Tag des *mehndi*. Als er mich fragte, ob ich meinen Mann zum Gemahl nehmen wolle, war ich im ersten Moment so beeindruckt, dass ich wie zur Salzsäule erstarrt dastand und keinen Ton hervorbrachte. Irgendwann wurde der Imam ungeduldig und beharrte auf einer Antwort. „Nun, was ist? Antworte endlich!" Die Frauen, die neben mir standen, mussten meinen Kopf zu einem Nicken bewegen und erklärten: „Sie ist schüchtern, aber sie hat Ja gesagt, ganz eindeutig."

Nach dem Festessen, das aus Reis und Fleisch bestand und von dem ich nicht einen Bissen hinunterbrachte, musste ich warten, bis meine Schwiegerfamilie zu mir kam, um mich abzuholen.

Während des Festes fanden verschiedene Rituale statt. Mein ältester Bruder zum Beispiel musste etwas Öl aus einem Töpfchen auf mein Haar streichen und mir ein Armband aus besticktem Stoff umlegen. Nachdem er fertig war, tauchten alle Familienmitglieder den Finger in den kleinen Topf und strichen mir das Öl auf den Kopf.

Nun erst war es dem Ehemann erlaubt, unser Haus zu betreten. Ich saß mit meinen Schwestern und Cousinen zusammen und wartete auf ihn. Er konnte mein Gesicht unter der *burka* nicht erkennen und wusste also gar nicht, wie ich aussah, da wir uns vorher nicht getroffen hatten.

Meine Cousinen und Schwestern mussten ihn so lange am Betreten des Raums hindern, bis er ihnen einen kleinen Geldschein zugesteckt hatte. Sobald er diesem Brauch nachgekommen war, durfte er über die Schwelle treten. Langsam kam er herein und setzte sich wortlos neben mich. Meine Schwestern brachten ihm auf einem Tablett ein Glas Milch. Er trank es aus und stellte es, wiederum von einem Geldschein begleitet, auf den Tisch zurück.

Danach wurde das Ritual des Öls wieder aufgenommen: Die Frauen tauchten kleine Baumwollstückchen in das Öltöpfchen, warfen sie dem Bräutigam ins Gesicht und riefen: „Hier sind Blumen für dich!"

Dann legten sie ein anderes Baumwollstück in meine rechte Hand, die ich nun fest schließen sollte. Das ist eine Art Kraftprobe: Gelingt es meinem Mann, meine Hand zu öffnen, ist alles in Ordnung. Gelingt es ihm dagegen nicht, machen sich alle über ihn lustig.

Mein Ehemann startete mehrere Versuche, doch er konnte meine Hand beim besten Willen nicht öffnen. „Du bist kein Mann", sagte meine Schwester, und die Enttäuschung war ihrer Stimme deutlich anzumerken. „Du schaffst es nicht, ihre Hand zu öffnen!"

In diesem Fall musste er mich fragen: „Sag mir, was du willst."

Ich sah ihn an und sagte: „Wenn du willst, dass ich die Hand öffne, so gib mir ein Schmuckstück."

Wenn sie möchte, kann die Braut das Spiel anschließend noch einmal von vorn beginnen. Ich schloss also erneut die Hand und streckte sie meinem Bräutigam hin. Als er auch beim zweiten Mal erfolglos blieb, lachten ihn die anwesenden Frauen lauthals aus.

Ich weiß nicht, ob dieses Ritual eine symbolische Bedeutung hat oder ob der Mann scheitern soll, da er der Braut unbedingt mindestens ein Schmuckstück geben muss. Aber es findet trotzdem ein richtiger Kampf statt. Man braucht schon eine unglaubliche Kraft.

Währenddessen intonieren die Mädchen verschiedene Gesänge, die sie an den älteren Bruder der Braut richten. Denn er ist es, der seine Schwester symbolisch einem anderen Mann übergibt, und er wird von den Mädchen der Familie nach dem Vater am meisten geliebt und respektiert.

Die ganze Familie, ich eingeschlossen, hatte sich auf unser Hochzeitsfest gefreut. Dennoch war ich auch ein bisschen ängstlich und traurig. Vorbei die Kinderspiele, die Freundinnen, die Brüder, die Schwestern, ich tat einen Schritt, und alles blieb hinter mir zurück. Die Zukunft machte mir Angst.

Irgendwann erhob sich der Bräutigam. Der Tradition gemäß hakten mich meine Cousinen unter und zogen mich ebenfalls hoch. Sie führten mich zu einem großen Wagen, der von einem Traktor gezogen wurde. Ebenfalls nach altem Brauch hob mich mein Bruder auf den Wagen.

Vor dem Haus, in dem mein Mann wohnte, wartete ein kleines Kind auf uns. Er nahm es bei der Hand und führte es hinein, während man mir den *mandhani* in die Hand gab, das Gerät, mit dem die Butter hergestellt wird. Nun durfte auch ich eintreten, womit die letzte aller mit den Hochzeitsfeierlichkeiten verbundenen Zeremonien begann, die *ghund kholawi*: Die Braut darf die *burka* nicht abnehmen, ehe der Bräutigam den kleinen Mädchen etwas gegeben hat. Sie necken ihn und rufen: „Gib uns was, nimm den *ghund* nicht ab, bevor er uns nicht hundert Rupien gegeben hat..." Auch bei meiner Hochzeit riefen alle laut durcheinander: „Nein, nein, fünfhundert Rupien..." – „Nein, nimm den *ghund* nicht ab, wenn er nicht tausend Rupien gibt..." Mein Bräutigam ist bis fünfhundert Rupien gegangen, das war damals viel Geld, etwa der Gegenwert eines Zickleins. Und dann durfte er endlich – zum ersten Mal – mein Gesicht sehen.

Die nächsten drei Nächte verbrachten wir bei meinem Schwager, ehe wir endgültig in das Haus meines Mannes gingen, das lediglich aus einem Raum bestand. Kaum waren wir dort, wollte mein Mann auch schon wieder zu seinem Bruder zurückkehren. Offenbar konnte er ohne ihn nicht leben! Doch leider gab es ein Problem: die Frau meines Schwagers mochte mich nicht. Ständig suchte sie Streit, warf mir vor, ich würde nichts tun, obwohl sie mich selbst immer wieder daran hinderte.

Da der von meiner Familie aufgesetzte Ehevertrag, wie man mir nun mitteilte, ohnehin vorsah, dass mein Mann und ich bei meiner Familie leben sollten, kehrte ich nach kaum einem Monat dieser seltsamen Ehe wieder zu meinen Eltern zurück. Allerdings weigerte sich mein Mann, mir zu folgen. Er wollte bei seinem Bruder bleiben und war auch nicht bereit, mit meinem Vater zu arbeiten. Im Nachhinein frage ich mich, ob er mich überhaupt wollte, denn er billigte mir den *talaq*, die Eheauflösung, durch die er mich sozusagen „freisprach", problemlos zu. Also gab ich ihm seinen Schmuck zurück, und die Sache war erledigt.

Ich war unendlich froh, wieder frei zu sein, auch wenn eine geschiedene Frau in unserer Gesellschaft schlecht angesehen ist. Ich musste wieder bei meinen Eltern leben, denn es ist unmöglich, dass eine Frau allein lebt, ohne in Verruf zu geraten.

Damals fing ich an, ehrenamtlich mit Kindern und, um meine Familie zu unterstützen, als Sticklehrerin für Frauen zu arbeiten. Durch meine Tätigkeiten gewann ich Ehre und Ansehen in der Gemeinde zurück und mein Leben verlief friedlich und in geordneten Bahnen.

Bis zu jenem verfluchten 22. Juni – jenem Tag, an dem die folgenschwere Entscheidung der *jirga* alles auf den Kopf stellen sollte.

DAS VERFAHREN, das Stammesrecht in einer *jirga* zu praktizieren, ist ein alter Brauch, der weder mit der Religion noch mit dem Gesetz vereinbar ist. Die Regierung hat reagiert, indem sie den Provinzgouverneuren und der Polizei empfohlen hat, „obligatorisch" ein so genanntes „erstes Informationsprotokoll" aufzunehmen, das eine Untersuchung der Ehrenverbrechen ermöglicht. So soll verhindert werden, dass sich die Schuldigen hinter dem Urteilsspruch der *jirga* verschanzen, um ihre Untat oder ihr Blutverbrechen zu rechtfertigen. Und genau dieses erste Protokoll habe ich, wie so viele andere Frauen vor mir, unwissend und im Vertrauen auf den Mullah blanko unterschrieben! Die örtliche Polizei hat daraufhin meine Klage nach ihrem Gutdünken formuliert, damit sie selbst keine Schwierigkeiten mit der herrschenden Kaste bekommt.

So viel menschliche Feigheit, gepaart mit Ungerechtigkeit! Die Männer, die sich in den Ältestenräten versammeln, um Familienkonflikte zu regeln, sollten eigentlich Weise sein und keine gewissenlosen Unmenschen. In meinem Fall hat einfach ein Hitzkopf, der stolz war auf seinen Klan, der durch und durch von seiner Gewalttätigkeit beherrscht war, über alle anderen bestimmt. Die weisen älteren Männer waren leider nicht in der Mehrzahl, und so hat sich ihm niemand ernsthaft widersetzt.

Frauen sind von diesen Versammlungen ohnehin von jeher ausgeschlossen. Dabei kennen gerade Mütter und Großmütter, die all die großen und kleinen Schwierigkeiten des Alltags regeln, die Familienkonflikte am besten. Doch das interessiert niemanden.

Die Tatsache, dass Frauen von diesen Versammlungen ausgeschlossen sind, ist zwar traurig, aber wirklich schlimm ist, dass Frauen nach wie vor als Tauschware bei der Konfliktregelung dienen. Stets sind sie es, die den Männern ausgeliefert sind und die jeweilige Strafe erleiden. Und diese Strafe ist immer gleich. Obwohl in der pakistanischen Gesellschaft die Sexualität ein Tabu ist und die Ehre der Männer eben die tugendhaften Frauen sind, finden sie kein anderes Mittel der Abrechnung als

Zwangsheirat oder Vergewaltigung. Dabei lehrt uns der Koran solches Verhalten überhaupt nicht.

Hätte mein Vater oder mein Onkel eingewilligt, mich mit einem Mastoi zu verheiraten, wäre mein Leben die Hölle geworden. Ursprünglich war eine solche Lösung dazu gedacht, die Auseinandersetzungen zwischen den einzelnen Klans und Stämmen durch eine Vermischung zu schlichten. Doch die Realität sieht anders aus. Eine Frau, die unter diesen Umständen verheiratet wird, wird schlecht behandelt, von den Frauen des verfeindeten Klans zurückgewiesen und zur Sklavin degradiert. Schlimmer noch, manche Frauen werden aus materiellen Gründen oder einfach aus Neid unter Nachbarn vergewaltigt, und wenn sie Gerechtigkeit verlangen, beschuldigt man sie des Ehebruchs und der Anstiftung zu einer unzulässigen Beziehung.

Aber meine Familie unterscheidet sich da vielleicht von der großen Masse. Ich kenne die Geschichte der Gujjar-Kaste im Punjab nicht, und ich weiß auch nicht, woher mein Stamm gekommen ist oder was vor der Teilung von Indien und Pakistan seine Sitten und Gebräuche waren. Unsere Gemeinschaft besteht sowohl aus Kriegern als auch aus Bauern. Während die offizielle Landessprache Urdu ist und viele gebildete Pakistaner außerdem Englisch beherrschen, sprechen wir einen Minderheitendialekt, Siraiki, der vor allem im Süden des Punjab verbreitet ist. Diese Tatsache schüchtert mich oft ein, da ich nicht alles verstehe, was um mich herum geschieht, und daher Angst habe, erneut in irgendwelche Fallen zu tappen.

Doch seit Naseem meine Freundin ist, geht es mir in dieser Hinsicht deutlich besser. Ihr habe ich mich restlos anvertraut, sie weiß alles über mich, und sie hilft mir, wo sie nur kann. Während ich den Männern nach wie vor großes Misstrauen und Furcht entgegenbringe, hat sie vor nichts Angst. Und das beeindruckt mich sehr.

Aber das Wichtigste, was ich in jüngster Zeit für mich entdeckt habe – neben der Notwendigkeit, den Mädchen meines Dorfes Bildung zu vermitteln und ihnen so die Möglichkeit zu geben, sich nach außen zu öffnen –, ist die Selbstfindung. Nicht zuletzt dank Naseem habe ich gelernt, zu leben und mich als Frau zu respektieren. Bis dahin war meine Auflehnung instinktiv, ich habe gehandelt, um mich und meine bedrohte Familie zu retten. Irgendetwas in mir, eine unbändige Wut und Kraft, hat mich daran gehindert aufzugeben. Sonst hätte ich mit Sicherheit der Versuchung des Selbstmords nachgegeben. Wie sonst kann eine Frau diese Schande überwinden? Diese Verzweiflung? Im ersten Zorn rettet einen der Wunsch nach Rache vor dem lockenden Tod. Er ist es, der einen aufrichtet, der es einem erlaubt, vorwärtszugehen, zu handeln. Ein vom Gewitter niedergedrückter Weizenhalm kann sich entweder wieder aufrichten oder verfaulen. Zunächst habe ich mich allein wieder aufgerappelt, und nach und nach wurden mir meine Existenzberechtigung als Mensch und meine Rechte bewusst.

Ich bin ein gläubiger Mensch, ich liebe mein Dorf, den Punjab und mein Land, und mein erklärtes Ziel ist es, für dieses Land, für all die Frauen, denen Gewalt angetan worden ist, für die neue Generation von Mädchen einen anderen Status zu erreichen. Anfangs war ich keine militante Feministin, selbst wenn mich die Medien gelegentlich als solche dargestellt haben. Allerdings bin ich durch all die Erfahrungen der letzten Jahre dazu geworden. Denn ich bin eine Überlebende, eine einfache Frau in einer von Männern beherrschten Gesellschaft.

Aber die Männer zu verachten ist nicht der richtige Weg für uns Frauen, um selbst endlich respektiert und geachtet zu werden. Was wir brauchen, ist eine Auseinandersetzung unter Gleichgestellten.

Die Zeit vergeht in Meerwala

Bis meine Geschichte in den Medien für Furore sorgte, war mein Dorf im Industal, das im Süden des Westpunjabs im Muzaffargarh-Distrikt gelegen ist, sowohl in Pakistan als auch in der übrigen Welt völlig unbekannt.

Die nächste Polizeiwache befindet sich in der nur wenige Kilometer entfernten Stadt Jatoi. Um Dera Ghazi Khan und Multan, die beiden nächstgelegenen Großstädte, zu erreichen, braucht man ungefähr drei Stunden mit dem Auto, weil die Straße immer mit großen Lkws, überladenen Motorrädern und schweren Karren verstopft ist. In Meerwala gab es lange Jahre weder Geschäfte noch eine Schule. Deshalb habe ich ja auch ehrenamtlich als Koranlehrerin gearbeitet.

Die Errichtung meiner Schule hat die Einwohner von Meerwala neugierig gemacht. Dennoch blieben sie misstrauisch, und ich hatte anfangs nur sehr wenige Schüler. Mit Naseems Hilfe ging ich hausieren, um die Eltern in langen Gesprächen davon zu überzeugen, uns ihre Töchter zu überlassen. Die Menschen schlugen uns nicht die Tür vor der Nase zu, aber die Väter gaben uns zu verstehen, dass Mädchen nun mal ins Haus gehörten und nicht in die Schule. Die Jungen hatten da eindeutig mehr Möglichkeiten. Diejenigen, die nicht auf dem Feld arbeiteten, durften die Schule in einem anderen Dorf besuchen. Natürlich nur, sofern sie das auch wollten, denn so etwas wie Schulpflicht kennen wir hier nicht. Die diplomatischen Verhandlungen mit den Eltern haben mich und Naseem, ohne deren Unterstützung ich das alles nie geschafft hätte, viel Zeit und Mühe gekostet.

Natürlich kam es unter keinen Umständen infrage, dass wir auch die Angehörigen der Mastoi ansprachen. Meinetwegen saßen schließlich die ältesten Söhne des Klans im Gefängnis. Und sollte mich eines Tages die Polizei ohne Schutz zurücklassen, weiß ich, dass sie die erstbeste Gelegenheit ausnutzen würden, um Vergeltung zu üben.

Am Anfang war die Schule wie erwähnt aufgrund unserer bescheidenen Mittel sehr einfach ausgestattet. Die Kinder saßen dicht gedrängt auf bunten Matten auf dem Boden und lauschten dennoch andächtig den Worten der Lehrerin. Das Schulmobiliar kam erst später, und zu meinem Bedauern müssen manche Kinder, vor allem die jüngeren, noch immer auf dem Boden sitzen. Zum Glück konnte ich inzwischen mehrere große Ventilatoren kaufen, um die Schüler zumindest vor der Hitze und den Fliegen zu schützen. Doch ihrem Arbeitseifer tun die widrigen Umstände keinen Abbruch, und wenn sie mit strahlenden Augen im Chor laut das Alphabet aufsagen, treten mir regelmäßig Tränen der Rührung in die Augen.

ANFANGS konnte ich nur eine Lehrerin beschäftigen, aber dank einem Artikel von Nicolas D. Kristof, der im Dezember 2004 in der *New York Times* erschien, war Margaret Huber, die kanadische Hochkommissarin in Islamabad, auf die Schule aufmerksam geworden.

Seit 1947 kooperiert Kanada mit dem pakistanischen Staat und engagiert sich vor allem in den Bereichen Bildung, Gesundheit und Demokratie. Dank der Hartnäckigkeit der Vertreter der pakistanischen NGOs haben die bisherigen Regierungswechsel diese langjährige und gute Zusammenarbeit nicht gefährden können. Kanada hat Millionen von Dollar in die Entwicklungshilfe meines Heimatlandes gesteckt – und einiges bewegt.

Zuerst kam Mustapha Baloch, der Vertreter der SPO, nach Meerwala, um die Schule zu begutachten. Anfang 2005 ist die Hochkommissarin dann höchstpersönlich, in Begleitung zahlreicher Journalisten, in mein Dorf gereist. Zu meiner grenzenlosen Freude hat sie mir einen Scheck im Gegenwert von mehr als zwei Millionen Rupien (das entspricht etwa 25 000 Euro) überreicht – die Beteiligung ihres Landes an der Errichtung meiner Schule. Sprachlos habe ich ihn entgegengenommen, und es hat einen langen Moment gedauert, bis ich ihr freudestrahlend meinen Dank aussprechen konnte.

Den Journalisten, die sie begleiteten, erklärte Margaret Huber: „Über die kanadische Agentur für internationale Entwicklungshilfe wird Kanada die Kosten für die Erweiterung der Schule für die bereits eingeschriebenen Schülerinnen übernehmen, ebenso für diejenigen, die auf der Warteliste stehen. Mein Land hat sich zu dieser Spende entschieden, um das außerordentliche Engagement der Aktivistin Mukhtar Mai für den Kampf um die Gleichstellung von Männern und Frauen und für die Frauenrechte in Pakistan und anderen Ländern zu unterstützen. Die Gewalt gegen Frauen bleibt eine der schlimmsten Geißeln in der Welt. Die Gewalt, deren Opfer Mukhtar Mai war, hätte viele andere Menschen gebrochen. Doch diese mutige Frau hat sich geweigert zu schweigen, sie hat ihr Schmerzensgeld in den Bau einer Schule in ihrem Heimatort investiert. Sie will tagtäglich dafür sorgen, dass die jungen Mädchen ihres Dorfes nicht eines Tages das gleiche Schicksal erleiden müssen wie sie."

Diese Würdigung hat mich unglaublich stolz gemacht.

Da ich bereits 500 000 Rupien von der pakistanischen Regierung und Privatspenden aus den Vereinigten Staaten bekommen hatte, war der Ausbau zügig vorangegangen; der Unterricht hatte nicht mehr unter freiem Himmel stattfinden müssen, sondern war in einem richtigen, aus festen Steinen gebauten Klassenzimmer gehalten worden.

Dank der Spende der kanadischen Agentur für internationale Entwicklungshilfe konnte ich nun erstmals ein Jahr lang fünf Lehrer beschäftigen sowie ein Schuldirektorbüro und zwei zusätzliche Klassenzimmer bauen lassen, in denen die Jungen unterrichtet wurden. Um trotz der Spenden so wenig Geld wie möglich auszugeben, habe ich keine teuren Möbel angeschafft, sondern kurzerhand Holz gekauft und eine Schreinerwerkstatt finanziert, die für meine Schüler Schreibtische und Stühle anfertigte. Darüber hinaus ließ ich einen Stall für Ziegen und Rinder errichten, um uns ein regelmäßiges Einkommen zu sichern. Es war mir sehr wichtig, dass wir von den Spenden unabhängig waren. Denn mir war klar, dass die fremden Hilfsgelder nicht ewig fließen würden.

Nachdem das Schulgebäude stand, verloren auch die meisten Eltern im Dorf ihr Misstrauen, und bald besuchten zwischen 40 und 45 Mädchen und Jungen die Schule. Der Unterricht ist für alle kostenlos. Trotzdem muss ich die Eltern immer wieder davon überzeugen, dass sie ihre

Der Eingang zur Mädchenschule

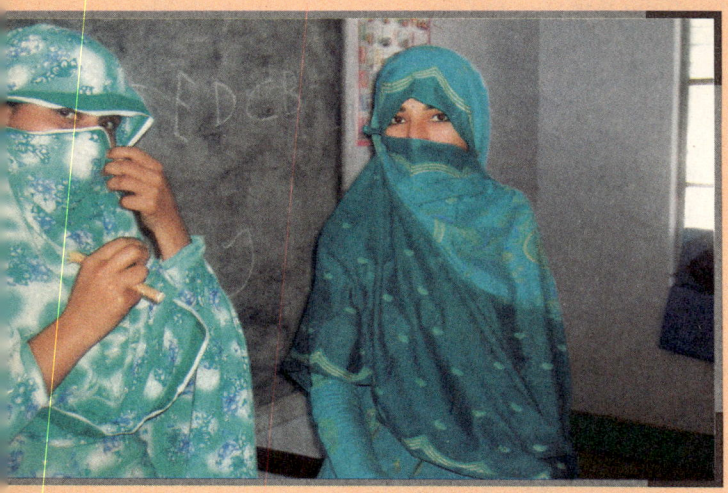

Zwei Lehrerinnen der Schulklasse

Im Hof der Mädchenschule
warten die Schülerinnen
auf den Unterrichtsbeginn.

In der Klasse der Jüngsten findet der Unterricht noch auf dem Boden statt.

Schülerinnen bei der Vorbereitung der Schulstunde

Von Spendengeldern finanzierte Mukhtar Mai eine Werkstatt, die Stühle für die Schule herstellt.

Mukhtar Mai mit Schülerinnen der von ihr gegründeten Schule

Töchter auch tatsächlich regelmäßig am Unterricht teilnehmen lassen. Allzu oft werden nämlich gerade die älteren Mädchen mit so viel Hausarbeit überhäuft, dass sie den Schulbesuch ausfallen lassen müssen. Um dem entgegenzuwirken, sind wir auf die Idee gekommen, eine besondere Auszeichnung für Fleiß einzuführen, und zwar für die Schüler und Schülerinnen, die keinen einzigen Schultag verpassen würden. Der Preis wird jeweils am Ende des Schuljahres überreicht: eine Ziege für die Mädchen und ein Fahrrad für die Jungen.

Die Situation verbessert sich immer weiter: Inzwischen verfüge ich sogar über ein eigenes kleines Stück Land. Es umfasst unter anderem den Grund und Boden, auf dem das Haus meiner Eltern steht, in dem ich geboren wurde und weiterhin wohne. Der große Hof darf auch von den Frauen genutzt werden, zusätzlich zu den Räumen, die ohnehin für sie reserviert sind.

Für die Schule stehen uns ein großer Pausenhof unter freiem Himmel und vier Klassenzimmer zur Verfügung. Zu meiner großen Freude kümmern sich nun mittlerweile dauerhaft fünf Lehrerinnen, deren Gehälter von fremden Organisationen übernommen werden, um die Mädchen, während die Jungen von einem Lehrer betreut werden, dessen Lohn vom pakistanischen Staat bezahlt wird. Eines Tages wird die Regierung vielleicht auch für die Gehälter der Frauen aufkommen. Ich wünsche es mir jedenfalls sehr. Doch ich kann nichts weiter tun als hoffen...

Es gibt seit kurzer Zeit auch ein großes Büro mit einer übersichtlichen, gut sortierten Bibliothek, in der ich wichtige Unterlagen sowie die Schul- und Klassenbücher aufbewahre. Draußen haben wir einen Wasserspender für alle installiert und außerdem einen Waschraum für die Männer einrichten lassen. Auf dem Hof gibt es auch noch eine Wasserpumpe für den täglichen Bedarf und eine Feuerstelle.

Naseem ist die offizielle Leiterin der Schule, während sich Mustapha Baloch als technischer Leiter sowohl um die Bauarbeiten als auch um sämtliche organisatorische Fragen kümmert. Die kanadische Agentur für Internationale Entwicklungshilfe hat den Fortgang der Arbeiten nämlich regelmäßig kontrolliert und sich vor Ort ein Bild von den Fortschritten gemacht.

Alles läuft perfekt.

Zwischen Dattelpalmen, Zuckerrohr- und Weizenfeldern agiere ich als Direktorin der einzigen Mädchenschule in meiner Region und habe inzwischen selbst ein bisschen lesen und schreiben gelernt. Von der Schwelle meines Büros aus kann ich die Moschee erblicken, und auf der anderen Seite des Hauses, hinter dem Ziegenstall, ist das Anwesen der Mastoi zu sehen.

Die Kinder drücken regelmäßig die Schulbank, und zwar Mädchen und Jungen gleichermaßen, und ich habe seit längerer Zeit keine direkten Drohungen erhalten. In meiner Schule herrschen Ruhe und ein friedliches Miteinander. Unsere Schüler gehören den verschiedensten Stämmen an, sowohl den höheren als auch den niedrigeren. Aber in ihrem Alter gehen sie noch sehr freundlich miteinander um, und die Konflikte der Erwachsenen sind noch nicht sichtbar. Vor allem bei den Mädchen nicht. Bei ihnen ist mir bisher keine bösartige Bemerkung zu Ohren gekommen. Bei den Jungen weiß ich nicht ganz so gut Bescheid. Deren Klassenzimmer liegen jenseits meiner kleinen Frauendomäne, damit sich Mädchen und Jungen nicht zufällig über den Weg laufen und es zu Problemen kommt.

Tagtäglich höre ich zu, wenn die Mädchen ihre Lektionen aufsagen, wenn sie unter dem inzwischen zum Teil überdachten Pausenhof diskutieren, lauthals lachen oder umherrennen. All diese Stimmen stärken mich und geben mir Kraft und Hoffnung. Heute hat mein Leben endlich einen Sinn. Es war vorherbestimmt, dass diese Schule entstehen würde, und ich werde ein Leben lang für ihre Erhaltung kämpfen. In ein paar Jahren werden diese kleinen Mädchen über genug Wissen verfügen, um ihr Dasein anders zu gestalten, als es zum Beispiel mir und meinen Schwestern möglich war.

Das ist meine größte Hoffnung.

OBWOHL Meerwala wegen meiner Geschichte in der ganzen Welt berühmt wurde, hat sich in Pakistan leider so gut wie nichts geändert. Frauen sind nach wie vor Opfer von Gewalt. Jede Stunde wird in diesem Land eine Frau misshandelt, geschlagen, mithilfe von Säure entstellt, oder sie stirbt zufälligerweise bei einer Gasflaschenexplosion ... Die pakistanische Menschenrechtsorganisation hat allein in der Provinz Punjab etwa 150 Vergewaltigungsfälle innerhalb der letzten sechs Monate registriert.

Auch ich empfange regelmäßig Frauen, die mich um Hilfe bitten, denn ich habe außerdem eine Zufluchtsstätte für missbrauchte Frauen eingerichtet. Meine gute Freundin Naseem gibt ihnen juristische Ratschläge, empfiehlt ihnen, niemals irgendwelche Aussagen ohne Zeugen zu unterschreiben und sich an Frauenschutzorganisationen zu wenden. Naseem hält mich auf dem Laufenden über die Fälle, die in der Presse besprochen werden, denn mit dem Schreiben und Lesen komme ich nur langsam voran; ich kann inzwischen bereits mit meinem Namen unterschreiben und sogar kleine Reden verfassen, aber Naseem liest nach wie vor schneller als ich.

Als Naseem und ich wieder einmal zusammensitzen und über die Situation der Frauen in unserem Land sprechen, berichtet sie mir von folgendem Fall: Faheemuddin aus der Kaste der Muhajir und Hajira aus der Kaste der Manzai hatten geheiratet. Hajiras Vater war damit jedoch nicht einverstanden und erstattete gegen den Ehemann Anzeige wegen Vergewaltigung. Daraufhin verhaftete die Polizei das verheiratete Paar. Während des Prozesses gegen ihren geliebten Mann beteuerte die junge Frau mehrfach, dass sie die Ehe mit ihm aus freien Stücken eingegangen sei und er sie keineswegs vergewaltigt habe. Der Oberste Gerichtshof schickte sie daraufhin in ein Frauenschutzzentrum, um über ihr Schicksal zu beraten. An dem Tag, an dem der Urteilsspruch zugunsten des Paares verkündet wurde und die beiden als freie Menschen aus dem Gerichtsgebäude in Hyderabad traten, tauchte eine Gruppe Männer auf, unter ihnen der Vater, der Bruder und der Onkel von Hajira. Die verliebten jungen Leute versuchten mit einer Rikscha zu fliehen, als sie auf offener Straße erschossen wurden.

An jenem Nachmittag berichtet Naseem mir auch von einer Christin, die zum Islam konvertiert war, nachdem sie einen Moslem geheiratet hatte. Mischehen sind in Pakistan sehr selten. Die beiden bekamen ein Kind, nannten es Maria und lebten viele Jahre glücklich und unbeschwert zusammen. Eines Tages, Maria war inzwischen 17 Jahre alt, kam ein Onkel der Familie zu Besuch und behauptete, seine Frau sei krank und verlange nach dem Mädchen. Selbstverständlich ließen die Eltern ihre Tochter mit dem Onkel gehen, was sie bald bitter bereuen sollten. Denn an jenem Tag verschwand das Mädchen. Wochenlang suchte ihre Mutter vergeblich nach ihr und setzte dabei Himmel und Hölle in Bewegung. Die Verwandten hatten Maria einfach in einem Zimmer eingesperrt, ohne ihr zu sagen, warum. Die einzige Person, die sie in jenen schweren Monaten sah, war eine alte Frau, die ihr etwas zu essen und zu trinken brachte.

Eines Tages kamen mehrere bewaffnete Männer, begleitet von einem Religionsgelehrten, herein und zwangen sie, zwei Verträge zu unterschreiben: einen Ehevertrag und einen, in dem sie bestätigte, dass sie ihren christlichen Namen ablege. Kurz darauf wurde Maria in Kalsoom umbenannt und zum Haus ihres neuen Mannes geführt, einem Extremisten, der 20 000 Rupien, etwa 250 Euro, für ihre Entführung bezahlt hatte. Dort hielt man sie wie eine Gefangene, und die anderen Frauen, die in dem Haushalt lebten, überwachten, misshandelten und beschimpften sie, weil sie Maria für eine Christin hielten. Nachdem die arme junge Frau ihrem Ehemann ein Kind geboren hatte, versuchte sie zum ersten Mal zu fliehen. Doch sie kam nicht weit, ihre Peiniger schnappten und verprügelten sie. Als sie erneut schwanger wurde, gelang es ihr schließlich, sich unbemerkt aus dem Haus zu stehlen. Nach drei Jahren Gefängnis fand sie mit ihrem Kind Zuflucht bei ihrer Mutter und versteckte sich in ihrem Elternhaus. Aber ihr Mann weigerte sich, der Scheidung zuzustimmen, und wollte sein Kind unter allen Umständen behalten. Ihr Anwalt, der auf solche Scheidungsverfahren spezialisiert war, gab den Fall auf und warnte Mutter und Tochter: die Familie ihres Mannes sei sehr mächtig, sie seien in Gefahr, der Ehemann habe bereits mehrere Männer engagiert, um sie entführen zu lassen. Das Einzige, was er für Maria noch tat, war, ein Versteck zu finden, in dem sie von da an lebte.

Die Geschichte dieser jungen Frau stand in der Zeitung. Eine Menschenrechtsorganisation berichtet, dass 226 minderjährige Frauen im Punjab Marias Schicksal teilten, sie alle seien entführt und zwangsverheiratet worden.

Wenn eine junge Frau sich weigert, einer Heirat zuzustimmen, bemüht sich ihre Familie fast immer, die Angelegenheit irgendwie in Ordnung zu bringen. Da eine Ablehnung als Beleidigung betrachtet wird und oft zu tödlichen Abrechnungen führt, treffen sich die Familien vor der *jirga*, um die Sache zu klären. Für den Fall, dass es auf beiden Seiten Tote gab, besteht die Entschädigung entweder in einer gewissen Summe Geld oder in der Übergabe einer Frau, wenn nicht sogar zweier Frauen, je nachdem wie die Mitglieder der *jirga* entschieden haben.

Naseem sagt, dass wir Frauen weniger wert seien als Ziegen, dass wir im Grunde sogar noch weniger wert seien als die alten, abgetragenen Sandalen, welche die Männer einfach achtlos wegwerfen und erneuern, wie es ihnen beliebt.

In einem Mordfall traf eine *jirga* zum Beispiel die Entscheidung, der Familie des Opfers zwei kleine Mädchen von jeweils elf und sechs Jahren zu übergeben. Die größere der beiden wurde mit einem 46 Jahre alten Mann verheiratet, die kleine mit dem Bruder des Opfers, der gerade mal acht Jahre alt war. Beide Familien stimmten dem Tausch zu – und das, obwohl er die Folge eines völlig lächerlich begründeten Mordes war, denn ursprünglich ging es um einen Streit zwischen Nachbarn wegen eines Hundes, der zu oft bellte.

Zu solch grausamen Entscheidungen kommt es, weil die *jirga*-Mitglieder noch immer von der absurden Vorstellung ausgehen, tödliche Streitereien innerhalb eines Dorfes ließen sich am besten schlichten, indem man eine oder zwei Töchter verheiratet, um Familienbande zwischen den Gegnern zu knüpfen. Die Entscheidung des Stammesgerichts ist nichts als pures Feilschen: die versammelten Männer haben lediglich eine Schlichterrolle und können nur im Einverständnis mit den gegnerischen Parteien einen Streit beilegen. Sie können nicht wie ein offizielles Gericht Recht sprechen. In der Regel wird ohnehin Gleiches mit Gleichem vergolten. Wenn also Angehörige eines Stammes zwei Männer eines anderen Klans getötet haben, dürfen die Angehörigen der Opfer im Gegenzug ebenfalls zwei Menschen ermorden ... Wenn eine Frau vergewaltigt wurde, hat ihr Mann, der Vater oder der Bruder das Recht, zur Vergeltung eine andere zu vergewaltigen.

Die meisten Konflikte, welche die Ehre der Männer nicht infrage stellen, lassen sich finanziell regeln. Das gilt manchmal sogar für Mordfälle. Es ist durchaus nicht selten – und vielleicht bin ich sogar der lebende Beweis dafür –, dass ein früherer Streitfall um Land sich im Laufe der Jahre unerklärlicherweise in eine Ehrenaffäre verwandelt. Letztere ist von dem Dorfrat natürlich viel leichter zu klären, und man braucht keine einzige Rupie auszugeben.

IM JANUAR 2005, während ich schon seit zwei Jahren auf das Urteil des Berufungsgerichts von Multan warte, macht ein anderer Fall Schlagzeilen, den die Berichterstatter gern mit meinem vergleichen, obwohl sie sich sehr voneinander unterscheiden.

Frau Dr. Shazia Khalid, eine gebildete 32-jährige verheiratete Mutter, arbeitete bei Pakistan Petroleum Limited (PPL), einem Staatsunternehmen in Belutschistan. Am 2. Januar, als die schreckliche Tat geschah, war ihr Mann im Ausland. Sie war allein in ihrem Haus auf einem abgesperrten und bewachten Grundstück, da sich das Förderareal der PPL auf einem isolierten Stammesgebiet befindet.

Sie schlief, als ein Mann in ihr Zimmer eindrang. Wie es weiterging, hat sie selbst erzählt: „Ich habe mich gewehrt, als er mich an den Haaren gezogen hat, und laut geschrien, aber niemand ist gekommen, um mir zu helfen. Als ich nach dem Telefon gegriffen habe, hat er mir mit dem Hörer auf den Kopf geschlagen und dann versucht, mich mit der Schnur zu erdrosseln. Ich habe ihn angefleht: ‚Um Gottes willen, ich habe Ihnen doch nichts Unrechtes getan! Warum behandeln Sie mich so?' Worauf er geantwortet hat: ‚Sei still! Draußen wartet jemand mit einem Benzinkanister. Wenn du dich nicht ruhig verhältst, wird er dich bei lebendigem Leib verbrennen.' Dann hat er mich vergewaltigt und mir die Augen mit meinem Schal verbunden, bevor er mich mit einem Gewehrkolben geschlagen und sich ein zweites Mal an mir vergangen hat. Später hat er mich mit einer Decke zugedeckt, mir die Hände mit der Telefonschnur gefesselt und sich einfach vor den Fernseher gesetzt. Ich hörte, wie Leute im Hintergrund auf Englisch sprachen."

Frau Dr. Shazia Khalid fiel daraufhin in Ohnmacht. Später schaffte sie es, sich von ihren Fesseln zu befreien und Zuflucht bei einer Krankenschwester der Firma zu finden. „Ich konnte nicht reden, aber die Frau hat sofort verstanden, was geschehen war. Kurz darauf sind einige Ärzte der PPL vorbeigekommen. Ich habe erwartet, dass sie meine Wunden versorgen, doch sie haben nichts dergleichen getan, im Gegenteil: Sie haben mir Beruhigungsmittel gegeben und mich heimlich mit einem Flugzeug in ein psychiatrisches Krankenhaus in Karatschi gebracht. Sie haben mir sogar empfohlen, keinen Kontakt zu meiner Familie aufzunehmen. Ich habe es jedoch zum Glück geschafft, meinen Bruder zu erreichen, und die Polizei hat am 9. Januar meine Aussage zu Protokoll genommen. Der militärische Nachrichtendienst hat mir versichert, der Täter würde binnen achtundvierzig Stunden verhaftet. Sie haben meinen Mann und mich in einem anderen Haus untergebracht und uns verboten, den Ort zu verlassen. Der Präsident hat im Fernsehen gesagt, mein Leben sei in Gefahr. Das Schlimmste war aber, dass der Großvater meines Mannes gesagt hat, ich sei eine Schande für die ganze Familie, mein Mann solle sich von mir scheiden lassen und mich verstoßen. Ich dachte, man würde planen, mich umzubringen, deswegen wollte ich einen Selbstmordversuch unternehmen, aber mein Mann und mein Sohn haben mich daran gehindert. Später haben mir die Behörden dringend empfohlen, eine Erklärung zu unterschreiben, die besagt hat, dass ich vom Staat Hilfe bekommen hätte und in dieser Affäre nicht weiter agieren wolle. Sie haben mir gedroht, wenn ich nicht unterschriebe, würden mein Mann und ich wahrscheinlich ermordet. Darüber hinaus sollte ich lieber das Land verlassen und von der PPL keine Entschädigung fordern, andernfalls hätte ich mit ernsten Schwierigkeiten zu rechnen. Sie haben mir außerdem nahegelegt, keinen Kontakt zu Hilfs- oder Menschenrechtsorganisationen aufzunehmen."

Dieser Fall hatte in Belutschistan, einer Provinz, in der die Arbeiter oft ihren Unmut gegenüber der Erdgasförderung auf ihrem Grund und

Boden zum Ausdruck bringen, für sehr viel Unruhe gesorgt. Als das Gerücht umging, der Vergewaltiger von Frau Shazia Khalid habe der Armee angehört, wurde eine militärische Einheit in der Gegend überfallen. Es sollen dabei etwa 15 Männer umgekommen und zahlreiche Gaspipelines beschädigt worden sein.

Zurzeit lebt Frau Dr. Shazia Khalid in England im Exil innerhalb einer extrem strengen pakistanischen Gemeinde, in der sie sich nicht wohlfühlt. Ihr Mann unterstützt sie, aber den größten Schmerz bereitet es den beiden, dass sie ihren Sohn in Pakistan zurücklassen mussten und er sie nicht begleiten durfte.

Somit haben sie nicht nur ihr Land, sondern auch noch ihren Lebensinhalt verloren. Ihre einzige Hoffnung ist nun, nach Kanada auswandern zu dürfen, wo sie Familie haben.

Wann immer Naseem auf diesen Fall zu sprechen kommt, findet sie sehr klare und deutliche Worte. „Egal welchen sozialen Status eine Frau hat, egal ob sie gebildet oder ungebildet, reich oder arm ist – sobald sie ein Opfer von Gewalt war, wird sie auch noch ein Opfer der Einschüchterung sein. Bei dir hat der Polizist einfach gesagt: ‚Drück deinen Daumen hierhin, wir werden das Nötige hinschreiben!' Bei ihr hieß es: ‚Unterschreiben Sie hier, sonst werden Sie sterben!'" Wieder einmal gestikuliert sie wild und wirft die Arme vor Ärger und Verzweiflung in die Luft, bevor sie fortfährt: „Sei es ein Bauer oder ein Soldat, ein Mann vergewaltigt, wie und wann er will. Er weiß, dass er in den meisten Fällen davonkommen wird, weil er von dem gesamten politischen, religiösen, militärischen oder Stammessystem beschützt wird. Es ist noch ein weiter Weg, bis wir Frauen die uns zustehenden Rechte auch tatsächlich bekommen und einfordern dürfen."

„Ja, aber wir dürfen nicht aufgeben. Auch wenn der Weg hart und steinig ist", sage ich entschlossen.

„Du hast Recht", erwidert sie. „Aber noch werden wir Frauenrechtlerinnen von der Gesellschaft unseres Landes verachtet, man hält uns schlimmstenfalls für gefährliche Revoluzzerinnen und bestenfalls für lästige Störfaktoren der männlichen Ordnung. Dir hat man doch auch vorgeworfen, dass du dich an die NGOs gewendet hast, und in gewissen Medien wird sogar behauptet, dass du von den Journalisten und den NGOs manipuliert wirst. Als wärst du nicht intelligent genug, um zu verstehen, dass die einzige Möglichkeit, Gerechtigkeit zu erlangen, darin besteht, sie lauthals einzufordern."

Eine Freundschaft, die Kraft gab zu kämpfen: Naseem und Mukhtar

ICH BIN tatsächlich eine Aktivistin geworden, ein Symbol für den Kampf der Frauen meines Landes.

Im Oktober 2004 haben sich anlässlich einer großen Demonstration Hunderte von Aktivisten und Vertretern der zivilen Gesellschaft versammelt, um eine bessere Gesetzgebung bezüglich der Ehrenverbrechen zu verlangen. Mein Anwalt hat mit anderen prominenten Persönlichkeiten daran teilgenommen. Seit Langem verspricht die Regierung, Ehrenverbrechen zu verbieten, aber bis jetzt hat niemand etwas unternommen. Dabei würde es durchaus genügen, die wenigen Gesetze zu verändern, die es den Kriminellen ermöglichen, mit den Familien der Opfer zu verhandeln und sich somit den strafrechtlichen Maßnahmen zu entziehen. Die pakistanische Regierung brauchte lediglich die Prozesse der unzähligen Dorfräte für rechtswidrig zu erklären.

Angeblich arbeiten manche Provinzregierungen an einem Gesetzentwurf, um gegen dieses private Rechtssystem vorgehen zu können. Jedoch nutzen die meisten Mitglieder der einzelnen *jirgas* weiterhin ihre Macht aus, und Tausende von Frauen sind in diesem Stammessystem nach wie vor Opfer von Vergewaltigung oder Mord.

Die Mühlen der Gesetzgebung arbeiten eben langsam, auch wenn ich das nicht nachvollziehen kann. Genauso wenig wie die Tatsache, dass das Berufungsverfahren in meinem Fall noch immer auf sich warten lässt. Ich kann mir nicht erklären, wieso ganze zwei Jahre verstrichen sind, seitdem die ersten Todesstrafen verhängt wurden, ohne dass irgendetwas geschieht. Wenn sich die Gesetze nicht geändert haben, wenn der Gerichtshof in Islamabad die Strafen nicht bestätigt, wenn die acht Angeklagten diesmal nicht bestraft werden, wie ich es in meinem Antrag auf ein Berufungsverfahren verlangt habe, dann frage ich mich, warum man nicht gleich alle Beteiligten freilässt und damit mein Schicksal in meinem Dorf in die Hände der Mastoi legt.

Ich wage nicht, daran auch nur zu denken.

Naseem dagegen ist deutlich zuversichtlicher als ich. Sie steht hundertprozentig hinter mir, und ich weiß, dass sie ein ebenso großes Risiko eingeht wie ich. Trotzdem ist sie unglaublich optimistisch und glaubt fest an meine Widerstandskraft. Sie weiß, dass ich bis zum bitteren Ende gehen werde, dass mir mein Fatalismus, der mir als Schutzschild dient, hilft, die Drohungen zu verkraften. Ich denke – und sage es inzwischen auch oft –, wenn die menschliche Justiz diejenigen, die mir all das angetan haben, nicht bestraft, so wird gewiss Gott früher oder später dafür sorgen. Dennoch wünsche ich mir nichts sehnlicher, als dass mir offiziell Gerechtigkeit widerfährt. Wenn es sein muss, vor der ganzen Welt.

Schande

Am 1. März 2005 muss ich wieder vor Gericht erscheinen, diesmal vor dem Berufungsgericht von Multan.

Zu meiner grenzenlosen Erleichterung bin ich dabei nicht allein: Die NGOs, die nationale und die internationale Presse warten gespannt auf den Urteilsspruch der Richter.

Der Klan der Mastoi leugnet nach wie vor alles. Und wir alle wissen, mit welcher Regelmäßigkeit in diesem Land Vergewaltiger freigesprochen werden. Das erste Urteil war bis auf den Freispruch von acht Klanmännern, auf deren Verurteilung ich weiterhin beharre, ein Sieg für mich.

Ich bin furchtbar nervös und würde am liebsten hektisch im Gerichtssaal auf und ab gehen, doch ich setze mich brav hin und höre zu, wie der Richter einen endlos langen Text auf Englisch vorliest, von dem ich natürlich kein einziges Wort verstehe.

> Laut dem Urteil vom 31. August 2002, das im Antiterrorgericht von Dera Ghazi Khan verkündet wurde, hat man die sechs unten erwähnten Beklagten für schuldig befunden und zu folgenden Strafen verurteilt (...):
> Sechs Männer wurden zum Tode verurteilt.
> Die anderen acht Beschuldigten wurden in allen Anklagepunkten freigesprochen ...

Naseem und ich flüstern die ganze Zeit. Und während die unverständlichen Worte mit ihrem eigenen Rhythmus an mir vorbeiziehen, setzt sich langsam, aber sicher eine willkürliche Justiz in Gang.

Es vergehen zwei Verhandlungstage, während deren mein Anwalt immer mal wieder das Wort ergreift und ich hin und wieder vor Erschöpfung einnicke. Oft habe ich das Gefühl, dass der gesamte Prozess in diesem riesigen, hallenden Saal irgendwie ohne mich stattfindet.

Wenn ich doch nur verstehen könnte, was geredet wird! Doch leider muss ich jedes Mal bis zum Abend warten, bis mein Anwalt mir die Argumentation der Verteidigung in meine Sprache übersetzt. So erfahre ich, dass „meine Aussage voller Widersprüche ist und es nicht ausreichend Beweise gibt, um eine Massenvergewaltigung zweifelsfrei festzustellen". Und das, obwohl mindestens die Hälfte der Bewohner von Meerwala die Tat bezeugen könnte!

Sie werfen mir vor, dass ich nicht unmittelbar nach der vermeintlichen Straftat Anzeige erstattet habe, zumal ihrer Meinung nach kein ersichtlicher Grund für diese Verzögerung erkennbar sei. Man muss wohl eine Frau sein, um nachvollziehen zu können, wie sehr eine von vier Männern vergewaltigte Frau physisch und psychisch zerrüttet ist. Den mit meinem Fall befassten Männern erscheint offenbar ein automatischer Selbstmord logischer.

Außerdem bemängeln sie die Art und Weise, wie der Polizist auf dem Revier meine Aussage aufgenommen hat. Angeblich sei sie zweifelhaft, denn die Darstellung des Sachverhalts soll der vom Generalstaatsanwalt vorgetragenen Version widersprechen.

Selbstverständlich kann meine Darstellung der Fakten mit der des Polizisten nicht übereinstimmen, denn ich weiß gar nicht, was er alles aufgeschrieben hat.

Als die Ungereimtheiten zur Sprache kommen, streitet die Verteidigung sofort alles ab, um zu zeigen, dass die Schuld der Angeklagten keinesfalls bewiesen ist. Es wird behauptet, die ganze „Geschichte" sei von einem Journalisten auf der Suche nach aufsehenerregenden Schlagzeilen erfunden worden. Die Presse habe sich des Falls angenommen und ihn weltweit verbreitet, obwohl der angebliche Tatbestand gar nicht stattgefunden habe! Zudem wird darauf hingewiesen, dass ich mehrfach Gelder aus dem Ausland erhalten habe und darüber hinaus auch noch über ein Bankkonto verfüge.

Ich kenne all diese Vorwürfe, vor allem die letzteren. Mein Wunsch, mit diesem Geld eine Schule zu gründen, Mädchen und Jungen eine Ausbildung zu ermöglichen, ist meinen Gegnern egal.

Man hat mir Berichte übersetzt, die in der nationalen Presse erschienen sind und beweisen sollen, dass die pakistanische Frau nur ein einziges Recht habe, und zwar das, ihrem Mann zu dienen, und dass sie die einzige Ausbildung, die sie dafür benötige, von ihrer Mutter erhalten solle. Darüber hinaus brauche sie, abgesehen von den heiligen Texten, nichts zu lernen. Es reiche völlig, wenn sie das Schweigen der Unterwürfigkeit beherrsche. Im Verlauf dieses Verfahrens soll deutlich gemacht werden, dass ich schuldig bin, dieses Schweigen nicht respektiert zu haben.

Vor den Journalisten habe ich oft beteuert und wiederholt, dass ich mit der Kraft meines Glaubens, meiner Ehrfurcht vor dem Koran und der *sunna** kämpfe. Diese Form der Stammesjustiz, die darin besteht, Leute zu terrorisieren und zu vergewaltigen, um sich die Herrschaft über ein Dorf zu sichern, hat mit dem Koran nicht das Geringste zu tun.

Leider wird mein Land nach wie vor von diesen barbarischen Traditionen regiert, die der Staat aus den Köpfen der Menschen nicht vertreiben kann. Je nach Überzeugung schwanken die Richter zwischen der offiziellen Gesetzgebung der Islamischen Republik einerseits, die eine glaubwürdige Gleichstellung zwischen Bürgern, zwischen Männern und Frauen, zu langsam durchsetzt, und den *hudūd*-Gesetzen** andererseits, die hauptsächlich die Frauen benachteiligen.

Am 3. März wird das Urteil endlich gefällt, zur Verwunderung aller gegen die erste Entscheidung des Antiterrortribunals: Das Gericht von Lahore spricht fünf der Angeklagten frei und ordnet ihre sofortige Entlassung an. Nur einer von ihnen bleibt lebenslänglich in Haft.

Die Entscheidung ist ein schrecklicher Schock für mich.

---

* Die Gesamtheit der Berichte über Äußerungen und Handlungen des Propheten Mohammed; die zweite Quelle des islamischen Rechts nach dem Koran
** Die von der Scharia vorgesehene Bestrafung für eine direkt vom Koran verbotene Handlung wie zum Beispiel Unzucht (*zinā*)

Noch während der Richter das Urteil verliest, bricht tosende Wut im Gerichtssaal aus, und die Menge weigert sich, den Raum zu verlassen. Ich sitze die ganze Zeit nur reglos da und realisiere nicht, was ich da gerade gehört habe. Naseem umarmt mich und drückt mich ganz fest, Schweißperlen auf der Stirn.

Die Journalisten werden auf ihren Bänken unruhig, und Kommentare sind von allen Seiten zu hören. „Was für eine dramatische Entscheidung für das Land... eine Schande für alle Frauen... wieder einmal wird das Zivilgesetz verhöhnt..."

Ich bin völlig niedergeschlagen. Zitternd stehe ich schließlich vor den Journalisten und bekomme kein Wort heraus, als sie mich mit ihren Fragen bestürmen.

Was soll ich sagen? Was soll ich tun? Mein Anwalt wird in Berufung gehen, keine Frage, aber was soll in der Zwischenzeit geschehen? Meine Peiniger werden nach Hause zurückkehren, auf ihr Anwesen, das gerade mal hundert Meter von meinem Haus und meiner Schule entfernt liegt.

Ich wollte Gerechtigkeit, ich wollte, dass sie gehängt oder zumindest den Rest ihres Lebens im Gefängnis verbringen würden. Ich habe nicht mehr nur für mich gekämpft, sondern auch für all die Frauen, die von der Justiz meines Landes verhöhnt und alleingelassen werden. Einer Justiz, die auf die Anwesenheit von vier Augenzeugen beharrt, damit eine Vergewaltigung als bewiesen gilt!

Sämtliche mich betreffenden Zeugenaussagen werden zurückgewiesen, obwohl das ganze Dorf Bescheid weiß. Den Mastoi wird ihre angeblich verlorene Ehre zurückgegeben! Indem dieses Tribunal sich hinter Argumenten versteckt, die eins zu eins denen der Verteidigung entsprechen, macht es aus mir die Angeklagte: Die Ermittlung wurde schlecht durchgeführt, die Vergewaltigung ist nicht bewiesen.

Geh nach Hause, Mukhtar Mai, du hättest besser schweigen sollen, der mächtige Stamm der Mastoi hat dich besiegt.

Es ist wie eine zweite Vergewaltigung für mich.

Meine Augen füllen sich vor Wut und Angst mit Tränen. Angesichts des Protestgeschreis der unzähligen Demonstranten und der Journalisten sieht sich der Richter wenige Stunden später gezwungen, öffentlich zu seinem Urteilsspruch Stellung zu nehmen. „Ich habe ein Urteil verkündet, jedoch habe ich seine Vollstreckung noch nicht veranlasst. Die Tatverdächtigen sind noch nicht frei", sagt er in die Mikrofone.

Das Urteil ist am Abend des 3. März 2005 gefällt worden, und der darauffolgende Freitag ist ein Feiertag. Bevor der Richter dazu kommt, das Urteil abtippen und per Post eine Kopie an die Präfekten und verschiedenen Gefängnisdirektoren schicken zu lassen, verbleiben uns ein paar Tage, um zu handeln. Das erklärt mir zumindest Naseem, die sich wie die Aktivisten aller anwesenden Menschenrechtsorganisationen nicht geschlagen geben will.

Als der erste Schock vorüber ist, weigere auch ich mich aufzugeben. Überall um uns herum bringen die Frauen die gleiche Wut und das gleiche Gefühl von Demütigung lauthals zum Ausdruck. Die NGOs und die Menschenrechtsorganisationen handeln augenblicklich, die gesamte Provinz ist in Aufruhr.

Am 5. März gebe ich eine ausführliche Pressekonferenz. Ja, wir werden Berufung einlegen. Nein, ich werde nicht ins Exil gehen. Ich will weiterhin bei mir zu Hause in meinem Dorf wohnen. Meine Heimat ist hier in Pakistan. Dieses Land ist mein Land – ich werde mich an Präsident Musharraf persönlich wenden, wenn es sein muss!

Am nächsten Tag bin ich wieder zu Hause, und am 7. März komme ich in Multan an, um an einer großangelegten Demonstration gegen dieses skandalöse Urteil teilzunehmen. Unter der Federführung verschiedener Frauenrechtsorganisationen beteiligen sich ungefähr dreitausend Menschen daran. Ich laufe in einem Meer von Plakaten, die in meinem Namen Recht sowie die Abschaffung der besagten *hudūd*-Gesetze fordern. Stillschweigend gehe ich inmitten dieser entfesselten Menge und werde die ganze Zeit über von diesem demütigenden Satz verfolgt: „Die Tatverdächtigen sind noch nicht frei..." Aber wann?

Währenddessen nutzen die Organisatoren der Demonstration die Anwesenheit der Presse, um lautstark zu protestieren. Der Vorsitzende einer Menschenrechtsorganisation erklärt: „Die Regierung hat ihre Theorie über die Frauenrechte noch nicht in die Praxis umgesetzt. Dass ein Gericht Frau Dr. Shazia Khalid verurteilt hat, indem es die Frau gezwungen hat, ins Exil zu gehen, und Mukhtar Mai ebenfalls, indem es ihre Angreifer freigelassen hat, zeigt uns, dass wir noch einen langen Weg zurücklegen müssen, bis in diesem Land endlich Gerechtigkeit herrscht."

Die Gründerinnen der AGHS – eines Vereins, der seit 1980 existiert und für die Menschenrechte sowie die demokratische Entwicklung des Landes kämpft – sind immer an Ort und Stelle und halten Kontakt zu den Frauen mit den schlimmsten Schicksalen. Die Vertreterin der AGHS wirkt noch verbitterter als ihr Vorredner, als sie ans Mikrofon tritt und zu den Versammelten spricht: „Wenn sich die Lage der Frauen jemals auch nur geringfügig verbessert hat, so ist das nicht auf staatliches Betreiben zurückzuführen. Hauptsächlich sind diese Fortschritte der Gesellschaft und den Frauenrechtsorganisationen zu verdanken. Viele Menschen haben ihr Leben riskiert, um ihre Ziele zu erreichen! Seit Jahren werden wir ernsthaft bedroht und unterdrückt. Die derzeitige Regierung nutzt die neu geschaffenen Frauenrechte aus, um der internationalen Gemeinschaft ein fortschrittliches und liberales Bild unseres Landes zu präsentieren. Doch das ist reine Illusion! Die Vergewaltigung von Frau Dr. Shazia Khalid sowie der Ausgang von Mukhtar Mais Prozess zeugen von dem fehlenden Willen der pakistanischen Regierung, der Gewalt gegen Frauen definitiv ein Ende zu setzen. Der Präsident beschützt die Angeklagten und beeinflusst die Ermittlungen. Der Staat hat seine Glaubwürdigkeit eingebüßt."

Der Direktor des Aurat-Vereins, der auf die Ausbildung von unterdrückten Frauen spezialisiert ist und zudem juristischen Beistand vermittelt, erklärt: „Die Lage der Frauen hat sich drastisch verschlechtert und wird sich auch weiterhin verschlimmern. Die Regierung beteuert immer wieder, dass die Frauenvertretung im Parlament 33 Prozent beträgt, aber diese Tatsache ist nur dem Druck der Gesellschaft zu verdanken. Mukhtar Mais Prozess ist der Beweis dafür, dass nichts unternommen wurde, um die Gewalt gegen Frauen zu unterbinden, er ist im Grunde eine Ermutigung für alle Vergewaltiger. Die jüngste Ablehnung eines Gesetzentwurfes zum Verbot der Ehrenverbrechen in diesem Land bedeutet, dass wir noch lange solche Protestmärsche wie den heutigen veranstalten müssen, um hoffentlich irgendwann soziale Gerechtigkeit zu erreichen."

Die gesamte Presse, die Radio- sowie die Fernsehsender stürzen sich auf diesen Skandal und berichten Tag und Nacht über den empörenden Richterspruch. Bald schon kommen zahlreiche Fragen auf, die niemand auf Anhieb klären kann: Wer hat da seinen Einfluss spielen lassen? Wie kann ein Richter eine vom Antiterrorgericht erwirkte Verurteilung wegen organisierter Massenvergewaltigung gänzlich aufheben? Nach welchen Kriterien?

Ich habe ebenfalls keine Antwort darauf. Das ist die Aufgabe meines Anwalts.

Am selben Abend treffe ich wieder in Meerwala ein, denn wir haben erfahren, dass die kanadische Hochkommissarin Margaret Huber am nächsten Tag eintreffen wird – es geht um den Besuch zur Unterstützung meiner Schule, von dem bereits die Rede war. Margaret Huber bleibt ganze vier Stunden bei uns. Ihr Besuch gibt mir Mut, aber es ist dennoch ein belastender Tag für mich, denn ich bin ständig am Telefon und warte auf Nachrichten von meinem Anwalt, der alles Erdenkliche unternimmt, um sich eine Kopie des Urteils zu verschaffen.

Schließlich bringt er in Erfahrung, dass meine Peiniger eigentlich am 14. März aus dem Gefängnis kommen sollten – eigentlich, denn die militanten Aktivisten der NGOs und die Medien stehen seit Tagen vor den Gefängnistoren, und die Polizei kann den Mastoi angesichts der rasenden Meute keinen ausreichenden Schutz gewährleisten.

Die Freilassung der Männer droht einen Aufstand zu provozieren, auf den die Regierung gern verzichten würde. Aber da man mir bereits vorwirft, von den NGOs und den Medien Hilfe zu bekommen, werde auch ich nicht schweigen. Wenn ich mich weinend und voll Selbstmitleid zu Hause verkriechen würde, könnte ich nicht mehr in den Spiegel schauen. Ich trage Verantwortung: für die Sicherheit meiner Angehörigen, für mein Leben und meine Schule, die inzwischen über zweihundert Schülerinnen beherbergt. Gott weiß, dass ich immer die Wahrheit gesagt habe. Meinen Mut zu handeln schöpfe ich aus ebendieser Wahrheit, und ich will, dass sie endlich aus dem abscheulichen Nest herauskommt, in dem sich die Männer samt ihrer Scheinheiligkeit verstecken.

Am 10. März fahren Naseem und ich nach Muzaffargarh, der Hauptstadt des Kantons, wo eine weitere Demonstration gegen Gewalt gegen Frauen stattfinden soll. Ungefähr 1500 Menschen nehmen daran teil. Die Präsidentin der Menschenrechtsorganisation in Pakistan erscheint höchstpersönlich und spricht mit den Journalisten. Auf mehreren Riesenplakaten steht: HABE MUT, MUKHTAR MAI, WIR HALTEN ZU DIR! Die Organisatoren der Versammlung teilen mir mit, dass ein weiterer Protestmarsch gegen die *hudūd*-Gesetze am 16. März in Muzaffargarh stattfinden wird. Allerdings weiß ich nicht, wo ich an jenem Tag sein werde. Die Mastoi werden dann zu Hause und frei sein, aber ich nicht! Wir nämlich werden bei jedem unserer Ausflüge von der Polizei begleitet, wobei ich mich frage, ob die Männer dazu da sind, mich zu beschützen oder zu überwachen. Ich kann nur noch mühsam aufrecht stehen, seit der Verkündung des Urteils lässt mich ein seltsames Fieber frösteln, und ich bin kaum zur Ruhe gekommen.

Naseem und ich müssen uns erneut auf den Weg nach Multan zum Büro meines Anwalts machen, um die Kopie des Urteils abzuholen, die er endlich bekommen hat. Wieder drei Stunden Fahrt, dabei fühle ich mich doch schon so schlecht ... Mein Kopf ist schwer wie ein Stein, meine Beine tragen mich nicht mehr, mein ganzer Körper ist es leid, diesen unendlichen Kampf auszufechten. Naseem muss den Fahrer unterwegs anhalten lassen, um ein Medikament zu besorgen, das mir vorübergehend Linderung verschafft.

Kaum betrete ich das Büro meines Anwalts, klingelt auch schon mein Handy. Es ist mein Bruder Shakkur. Hysterisch schreit er: „Kommt schnell nach Hause zurück, die Polizei hat uns befohlen, hierzubleiben und uns nicht zu rühren! Die Mastoi sind vor einer Stunde aus dem Gefängnis entlassen worden! Sie werden bald hier sein! Das ganze Dorf ist voller Polizisten! Mukhtar, du musst zurückkommen! Schnell!"

Diesmal habe ich das Gefühl, das Spiel verloren zu haben. Ich hatte gehofft, die Justizbehörden würden etwas unternehmen und mein Anwalt hätte genügend Zeit, Berufung einzulegen. Ich hatte gehofft, irgendetwas würde geschehen und die Mastoi müssten zumindest wegen des von den Medien, den NGOs und den Politikern ausgeübten Drucks im Gefängnis bleiben.

Ich hatte mir wohl das Unmögliche erhofft.

Während ich am späten Abend nach Meerwala zurückkehre, spüre oder, besser gesagt, ahne ich, dass wir nicht weit von dem Streifenwagen entfernt sind, der meine Peiniger nach Hause, in die Freiheit bringt. Plötzlich halte ich es fast nicht mehr aus. Eingehend untersuche ich die Rücklichter der Autos vor uns und zittere vor Wut bei dem Gedanken, dass diese Unmenschen uns vermutlich vorausfahren.

Bei unserer Ankunft ist es elf Uhr abends. Das Haus meiner Familie ist von ungefähr zehn Polizeifahrzeugen umstellt. Und uns gegenüber, in der dunklen Nacht, erkenne ich um das Anwesen der Mastoi denselben regen Betrieb.

Sie sind da!

Die Polizei will offenbar sichergehen, dass die fünf Männer nicht entkommen, da das Berufungsverfahren noch läuft. Sie will vor allem jeglichen Aufruhr verhindern und die Journalisten sowie die wütenden Demonstranten aufhalten. Die Ein- und Ausfallstraße Meerwalas – zum Glück gibt es nur eine einzige – wird überwacht.

Naseem versucht mich zu beruhigen. Wie schon so oft in den letzten Tagen nimmt sie mich in den Arm und drückt mich fest. „Sie können ihr Haus momentan nicht verlassen. Zieh dich schnell um, wir müssen weiterfahren!"

In aller Eile haben wir gemeinsam mit meinem Anwalt den verrückten Entschluss gefasst, die Straße Richtung Multan zu nehmen. Mein Rechtsvertreter hat uns eindringlich geraten, uns direkt an Präsident

Musharraf in Islamabad zu wenden und um Schutz für mich und meine Familie zu bitten. Aber ich verlange mehr. Viel mehr. Ich will, dass sie alle ins Gefängnis zurückkehren, dass der Bundesgerichtshof den Fall wieder aufnimmt – ich will Gerechtigkeit!

Mit einem Mal habe ich vor nichts mehr Angst. Die Wut ist offenbar eine gute Waffe, und ich bin sehr wütend auf dieses System, das mich dazu zwingen will, in meinem eigenen Dorf, nur wenige Hundert Meter von meinen unbestraften Vergewaltigern entfernt, in Angst und Schrecken zu leben. Längst vorbei ist die Zeit, in der ich resigniert diesen Weg entlanglief, um wegen der „Ehre" dieser Leute im Namen meiner Familie um Verzeihung zu bitten. *Sie* sind es, die mein Land entehren.

Nach drei Stunden Autofahrt haben wir Multan erreicht und fahren von dort mit dem Bus in neun Stunden nach Islamabad. Am Morgen des 17. März kommen wir, gefolgt von zahlreichen Aktivisten und Journalisten aus aller Herren Länder, in der Hauptstadt an.

Ich bitte um eine Audienz beim Innenminister, damit er mir zwei Anliegen offiziell bewilligt: erstens, dass meine Sicherheit gewährleistet wird, und zweitens, dass es den Mastoi verboten wird, ihr Domizil zu verlassen – zumindest solange mein Antrag auf Berufung läuft. Sollte es ihnen gelingen, das Land zu verlassen, werde ich niemals Recht bekommen, und ich weiß, wozu diese Unmenschen fähig sind. Ich stelle mir alle möglichen Arten der Vergeltung vor – Feuer, Säure, Entführung. Vor meinem geistigen Auge sehe ich bereits mein Haus in Flammen aufgehen oder, noch schlimmer, meine Schule.

Dennoch bleibe ich gefasst, als der Minister uns endlich empfängt. Ich fühle mich unendlich erschöpft und unerschütterlich zugleich.

Der Mann versucht als Erstes, mich zu beruhigen. „Wir haben bereits den Grenzschutz alarmiert, die Mastoi können das Land nicht verlassen. Sie müssen verstehen, dass man sich über ein Urteil des Gerichtshofes von Lahore nicht einfach so hinwegsetzen kann."

„Aber Sie müssen etwas unternehmen! Mein Leben ist in Gefahr!", rufe ich aufgebracht, und meine Stimme überschlägt sich fast.

„Keine Sorge", erwidert er. „Als Innenminister kann ich einen neuen Haftbefehl gegen diese Männer erlassen, indem ich erkläre, dass sie eine Gefahr für die öffentliche Ordnung darstellen. Es ist die einzige Möglichkeit, um sie ins Gefängnis zurückzubringen. Jedoch darf ich von diesem Recht erst von der Stunde an Gebrauch machen, in der sie freigelassen wurden. Ab diesem Zeitpunkt bleiben dem Staat zweiundsiebzig Stunden, um zu handeln. So lautet die Vorschrift."

Zweiundsiebzig Stunden, das sind drei Tage. Die Mastoi sind am Abend des 15. in Meerwala angekommen, und jetzt haben wir den Morgen des 18. März. Wie viele Stunden bleiben uns da noch?

„Herr Minister", sage ich deutlich gefasster als vorher. „Ich kenne weder die Gesetze noch die Vorschriften, aber die Mastoi sind frei, und das bedeutet, ich bin in großer Gefahr. Sie müssen etwas tun!"

„Ich kümmre mich darum!", verspricht er mir. „Der Präsident weiß schon Bescheid, er wird Sie morgen empfangen."

Damit entlässt er uns. Wie gelähmt verlassen wir das Ministerium.

Immerhin hat er uns angehört und versprochen, etwas zu tun. Das ist besser als nichts. Wohl fühle ich mich trotzdem nicht.

WIEDER habe ich nur zwei oder drei Stunden geschlafen, und wir sind jetzt schon seit drei Nächten unterwegs. Außerdem habe ich eine Pressekonferenz gegeben, nachdem ich das Büro des Innenministers verlassen habe. Naseem und ich machen keinen Unterschied mehr zwischen Tag und Nacht, und wir wissen auch nicht mehr, wann wir das letzte Mal etwas gegessen haben.

Am nächsten Morgen um elf Uhr stehen wir im Büro des Staatspräsidenten. Mehr als zehnmal haben wir gemeinsam nachgerechnet, und wenn unsere Überlegungen stimmen, dann sind die zweiundsiebzig Stunden seit zehn Uhr vorbei.

Präsident Musharraf will uns ebenfalls beruhigen. „Alles Notwendige wurde veranlasst. Ich bin mir sicher, dass die Männer vor Ablauf der zweiundsiebzig Stunden verhaftet worden sind. Vertrauen Sie mir!"

„Nein", erwidere ich unruhig. „Ich verlange eine genaue Auskunft. Entweder habe ich die Gewissheit, dass die Mastoi im Gefängnis sind, oder ich setze keinen Fuß vor Ihr Büro." Mit demselben dezidierten Ton übersetzt Naseem meine Worte für das pakistanische Staatsoberhaupt.

Wer hätte gedacht, dass ich jemals in diesem Ton mit dem Präsidenten meines Landes reden würde? Ich, Mukhtaran Bibi aus Meerwala, eine gehorsame und schweigsame Bäuerin, die durch ein grausames Erlebnis zu Mai wurde, der verehrten großen Schwester, habe mich sehr verändert!

Und so sitze ich nun zwar respektvoll, aber auch entschlossen und bestimmt dem mächtigsten Mann Pakistans gegenüber – und nur eine Armee könnte mich von hier wegbringen, bevor ich nicht die Gewissheit habe, dass diese Barbaren wieder hinter Gitter sind.

Der Präsident hebt sein Telefon ab und ruft den Präfekten von Muzaffargarh an, fünfhundert Kilometer von der Hauptstadt entfernt. Ich höre aufmerksam zu, während Naseem simultan dolmetscht: „Er sagt, dass die Anweisung bereits ausgeführt worden ist. Die Polizei hat den neuen Haftbefehl bekommen, und ein Streifenwagen ist sofort nach Meerwala gefahren, um die Mastoi abzuholen. Um zehn Uhr haben sie ihnen an Ort und Stelle Handschellen angelegt, und der Präfekt wartet auf sie. Bald werden sie bei ihm eintreffen."

„Ist das wirklich sicher?", frage ich noch immer skeptisch.

„Er hat sein Wort gegeben, Muhktar. Die Mastoi sind auf dem Weg zum Gefängnis. Die fünf Männer, die freigelassen worden waren, und auch die acht anderen, die noch nicht inhaftiert worden waren."

Als ich das Büro des Präsidenten verlasse, will ich mich persönlich vergewissern und den Präfekten anrufen, doch er ist nicht mehr da. Also versuche ich Shakkur zu erreichen, aber die Telefonleitungen funktionieren nicht, da Monsunzeit ist. Es ist unmöglich, meinen Bruder an den Apparat zu bekommen.

Schließlich erreiche ich meinen Cousin, der einen kleinen Laden besitzt. „Doch, doch!", bestätigt er. „Heute Nachmittag haben wir die Polizei gesehen, sie haben alle fünf kurz nach dem Freitagsgebet verhaftet und die anderen acht auch noch. Die toben vielleicht vor Wut! Das gesamte Dorf weiß Bescheid."

Das hoffe ich sehr. Diesmal bin ich diejenige, die sie verhaften lässt.

AM 20. MÄRZ sind wir wieder zu Hause, und die Drohungen fangen von Neuem an. Die Cousins der Mastoi erzählen überall, dass es unsere Schuld sei, dass die Polizei sie wieder verhaftet hat. Sie behaupten, dass sie ebenfalls etwas gegen uns unternehmen würden. Jetzt haben sie es vor allem auf Naseem abgesehen: Ihrer Meinung nach hätte ich ohne sie nichts unternehmen können.

Und das stimmt sogar. Wir sind Freundinnen und haben die ganze Sache gemeinsam durchgestanden, haben Angst, Wut und Freude geteilt. Schulter an Schulter haben wir geweint und Widerstand geleistet. Die Angst lauert nach wie vor, aber wir sind guten Mutes.

Am 16. März, während einer Pressekonferenz, hatten mich Journalisten erneut gefragt, ob ich Pakistan nicht verlassen und anderswo Asyl beantragen wolle. Ich habe geantwortet, dass ich das keinesfalls vorhätte und dass ich nach wie vor hoffte, in meinem eigenen Land Recht zu bekommen. Ich habe außerdem betont, dass meine Schule gut läuft und ich die Mädchen und Jungen nicht im Stich lassen wolle.

Die Polizei bildet unverändert einen Schutzwall um mich herum. Das

Neuer Mut zu leben: Mukhtar Mai

ist manchmal lästig, weil ich in meiner Bewegungsfreiheit eingeschränkt werde, doch mittlerweile bin ich daran gewöhnt.

Am 11. Juni erfahre ich, dass es mir „aus Sicherheitsgründen" verboten wird, aus Pakistan auszureisen. Amnesty International in Kanada und in den USA hat mich eingeladen, doch als ich nach Islamabad fahre, um die Formalitäten zu klären, informiert man mich, dass mein Name auf der Ausreiseverbotsliste steht. Kaum habe ich die Verwaltungsbüros verlassen, nimmt man mir meinen Pass weg.

Nicht nur, dass während einer Debatte im Parlament eine Abgeordnete behauptet, ich sei eine „westliche Frau" geworden und solle „mehr Demut und Diskretion zeigen, nicht ins Ausland reisen und auf die göttliche Justiz warten", oder dass manche Extremisten möchten, dass man mich gewaltsam knebelt, weil ich ihrer Meinung nach das Gesetz der Islamischen Republik Pakistans nicht respektiere – es scheint, als wäre der Präsident persönlich der Meinung, dass „wir dem Ausland kein schlechtes Bild von unserer Heimat liefern dürfen".

Dieses Ausreiseverbot versetzt die Menschenrechtler und die internationale Presse erneut in Aufruhr.

Am 15. Juni erfahre ich schließlich, dass auf Anordnung des Staatspräsidenten mein Name von der Ausreiseverbotsliste gestrichen wurde.

AM 28. JUNI bin ich überglücklich: Der Bundesgerichtshof von Islamabad hat nach einer zweitägigen Verhandlung akzeptiert, dass eine neue strafrechtliche Voruntersuchung eröffnet wird.

Mein Anwalt hatte mich nach meinem Ausreiseverbot gebeten, nicht mehr mit Journalisten zu sprechen, und der Presse erklärt, dass ihre Unterstützung für mich schädlich sein könnte, solange der Entschluss, den Fall wieder aufzurollen, nicht getroffen worden sei. Nun ist er ebenfalls sehr zufrieden. „Jetzt können Sie ihnen sagen, was Sie wollen! Ich verbiete Ihnen nichts mehr."

Mein Anwalt bestätigt den Journalisten, dass die acht Männer, die zuvor freigelassen worden waren, und die Mitglieder des Dorfrates, welche die Vergewaltigung vorsätzlich geplant hatten, im Gefängnis sitzen. „Es ist kein einfacher Vergewaltigungsfall mehr, sondern ein wahrer Terrorakt. Dieses Verbrechen wurde begangen, um Angst und Schrecken unter den Mitgliedern der Dorfgemeinde zu verbreiten. Der Entschluss, diese Männer vor eine neue Instanz, die höchstrangige unseres Landes, zu führen, um die Beweise neu zu untersuchen, ist eine weise Entscheidung."

Ich bin beruhigt. Ich kann in mein Dorf zurück, zu meiner Familie, meinen Eltern und den Kindern in meiner Schule. Die polizeiliche Überwachung soll noch lange anhalten – besonders wenn ich ausländischen Journalisten Interviews gebe. Aber mit der Zeit wird der Druck immer weniger, sodass die Überwachung auf einen einzigen bewaffneten Polizisten begrenzt wird. Sobald jedoch ein ausländischer Journalist zu mir kommt, ist „mein Sicherheitsdienst" wieder anwesend.

Nach wie vor bin ich nach Kanada und in die USA eingeladen. Aber ich habe erklärt, dass ich dieses Projekt momentan aufgeben wolle, um die bösen Geister zu besänftigen. In Wahrheit ist mir jedoch das Visum nicht genehmigt worden. Ich darf im Ausland kein negatives Bild von Pakistan verbreiten. Außerdem hat man „an höherer Stelle", wie Naseem zu sagen pflegt, behauptet, dass man nur Vergewaltigungsopfer zu sein brauche, um Millionärin zu werden und ein Visum zu bekommen. Als würden sich die pakistanischen Frauen auf diese „einfache Formalität" stürzen, um ins Ausland zu fliehen! Ich bedaure zutiefst diese unschickliche Bemerkung. Wieder ist die nationale und internationale Presse sehr aufgebracht. Danach heißt es, die Journalisten hätten diese Aussage falsch gedeutet und sie bedeute nicht das, was man hineininterpretiert habe.

Das hoffe ich. Ich kämpfe für mich und all die Frauen, die in meinem Land Opfer der Gewalt sind. Ich habe keineswegs vor, mein Dorf, mein Haus, meine Familie oder meine Schule zu verlassen, so wenig wie ich vorhabe, im Ausland ein schlechtes Bild meines Landes zu verbreiten. Ganz im Gegenteil bin ich der Überzeugung, dass ich, indem ich meine Menschenrechte verteidige und gegen die Stammesjustiz kämpfe, die gegen die Gesetze unserer Islamischen Republik verstößt, die Vorhaben der Politik meines Landes unterstütze. Kein pakistanischer Mann, der dieser Bezeichnung würdig ist, kann einen Dorfrat in seiner Entscheidung unterstützen, eine Frau zu bestrafen, um einen Ehrenkonflikt zu lösen.

Ungewollt bin ich zum Sinnbild für all die Frauen geworden, die unter der Gewalt der Patriarchen und Stammesführer leiden, und wenn dieses Bild über die Grenzen hinaus Verbreitung findet, dann soll das meinem Land dienen. Dies ist die wahre Ehre meiner Heimat: es einer Frau zu ermöglichen, sei sie gebildet oder nicht, gegen das Unrecht zu kämpfen, das ihr angetan wurde.

Denn die wahre Frage, die sich mein Land stellen sollte, ist ganz einfach: Wenn die Frau die Ehre des Mannes ist, warum will er dann diese Ehre durch Vergewaltigung oder Mord zerstören?

Die Tränen von Kausar

Fast jeden Tag empfangen Naseem und ich mittlerweile traumatisierte Frauen, die verzweifelt Hilfe suchen. Einmal habe ich einer pakistanischen Journalistin, die mich fragte, wie ich denn mit dieser eigenartigen Berühmtheit zurechtkäme, geantwortet: „Manche Frauen vertrauen mir an, dass sie, wenn ihr Mann sie schlagen würde, keine Sekunde zögern würden, ihm zu drohen und zu sagen: ‚Ich warne dich, ich werde mich bei Mukhtar Mai beschweren!' Es ist ein Scherz, aber in Wahrheit erleben wir regelmäßig tragische Situationen."

Auch an diesem heißen Oktobertag, als Naseem und ich meine Geschichte zu Ende niederschreiben, unterbrechen uns zwei Frauen. Sie haben viele Kilometer zurückgelegt, um mich zu besuchen. Es ist eine Mutter mit ihrer Tochter, einer zwanzigjährigen verheirateten Frau namens Kausar. In ihren Armen hält Kausar ihr erstes Kind, ein ungefähr zweieinhalb Jahre altes Mädchen, und sagt uns, dass sie bald ein zweites Baby bekommen wird. Tränen kullern aus ihren verschreckten Augen und benetzen ihr erschöpftes, aber wunderschönes Gesicht. Sie erzählt uns von einer Art der Grausamkeit, die in Pakistan sehr geläufig ist.

„Mein Mann hat sich kürzlich mit unserem Nachbarn gestritten. Dieser ist ständig zu uns gekommen, um bei uns zu essen oder sogar zu schlafen, und irgendwann hat mein Mann ihm zu verstehen gegeben, dass wir ihn nicht immer empfangen können.

Eines Tages, während ich die *chapatis* vorbereitet habe, sind vier Männer in unser Haus eingebrochen. Einer von ihnen hat meinem Mann eine Waffe an den Kopf gehalten, ein anderer hat mir sein Gewehr auf die Brust gerichtet. Blitzschnell haben mir die letzten beiden ein Tuch über den Kopf gezogen, sodass ich nichts mehr sah. Ich hörte meinen

Mann schreien, als sie mich zu Boden warfen, und hatte große Angst um das Kind in meinem Bauch.

Anschließend haben sie mich in ein Auto gezerrt und sind mit mir sehr lange durch die Gegend gefahren. Ich habe erkannt, dass sie mich in eine Stadt gebracht hatten, als ich den Verkehrslärm hörte. Sie haben mich in ein Zimmer eingesperrt, und zwei Monate lang kamen sie Tag für Tag, um mich zu vergewaltigen.

Ich hatte nicht die geringste Chance zu fliehen. Der Raum war klein und fensterlos, und mehrere Männer hielten rund um die Uhr Wache vor der Tür. Von Anfang März bis Ende April haben sie mich in diesem Zimmer gefangen gehalten. Immer wieder dachte ich an meinen Mann sowie an mein Kind und befürchtete, sie wären beide längst tot.

Irgendwann war ich vor Angst fast wahnsinnig. Ich wollte Selbstmord begehen, aber ich wusste nicht, wie. Der Raum war völlig leer, sie gaben mir lediglich wie einem Hund in einem Napf zu essen und zu trinken. Zwischendurch fielen sie einer nach dem anderen über mich her.

Und dann, eines Tages, haben sie mich mit einem Tuch über dem Kopf wieder in ein Auto gepackt und sind mit mir aus der Stadt hinausgefahren. Irgendwo am Straßenrand haben sie mich aus dem Wagen geworfen und sind schnell weitergefahren. Sie haben mich einfach mutterseelenallein im Straßenstaub liegen lassen. Lange bin ich gelaufen, bis ich in meinem Dorf in der Nähe von Muhammadpur ankam.

Als ich zu Hause eintraf, lebte mein Mann zum Glück noch, mein Vater und meine Mutter hatten sich um meine kleine Tochter gekümmert und bei der Distriktpolizei Anzeige erstattet. Ich bin ebenfalls zur Polizei gegangen, um zu erzählen, was mir angetan wurde. Ich habe die Gesichter meiner Peiniger genau beschrieben und konnte sie sogar identifizieren. Mein Mann wusste, dass der Nachbar, der seit dem Streit unser Feind geworden war, derjenige war, der sich durch dieses grausame Verbrechen an mir „gerächt" hatte. Auf dem Revier haben sie mir stumm zugehört, anschließend hat der Offizier einen Bericht aufgesetzt, und da ich weder lesen noch schreiben kann, musste ich mit dem Daumen unterzeichnen.

Als ich bei der anschließenden Verhandlung dem Richter erklärte, was mit mir geschehen war, sagte er nur zu mir: ‚Du erzählst mir nicht dasselbe, was du der Polizei gesagt hast. Lügst du etwa?'

Er hat mich zwölfmal zu sich zitiert, und jedes Mal musste ich ihm wiederholen, dass ich nicht wisse, was der Polizist geschrieben habe, aber dass ich die Wahrheit gesagt hätte.

Anschließend hat der Richter die angeklagten Männer befragt. Natürlich haben sie ausgesagt, ich hätte gelogen. Vor der Verhandlung hatten sie meine Eltern bedroht und behauptet, sie seien nicht schuldig und meine Familie müsse dies dem Richter sagen. Als mein Vater sich geweigert hatte, verprügelten sie ihn und brachen ihm die Nase.

Schließlich hat der Richter nur einen Mann zu einer Gefängnisstrafe verurteilt und die anderen freigesprochen. Ich weiß nicht, warum nur einer für die Tat büßen muss, denn er war nicht der Einzige, der sich an mir vergangen hat. Diese Männer haben mein Leben und meine Familie zerstört. Ich war im zweiten Monat schwanger, als sie mich vergewaltigt haben, mein Ehemann weiß es und glaubt mir, aber bei uns im Dorf werden schlimme Gerüchte über mich verbreitet.

Und diese Unmenschen, die zum Stamm der Belutschen gehören, sind noch immer auf freiem Fuß. Sie sind viel mächtiger als wir und verachten meine Familie, obwohl wir niemandem etwas getan haben. Mein Mann ist mein Cousin, wir wurden verheiratet, als wir noch klein waren, und er ist ein ehrlicher Mensch. Als er Anzeige erstattet hat, hat ihm anfangs überhaupt niemand zugehört."

Kausar weint lautlos und unaufhörlich, während sie uns ihre Geschichte erzählt. Nachdem sie geendet hat, fordere ich sie auf, etwas zu trinken und zu essen, aber es fällt ihr schwer. Ein unüberwindbarer Schmerz ist aus ihrem Blick herauszulesen und eine schmerzhafte Resignation in den Augen ihrer Mutter ...

Naseem erläutert den beiden nun das Gesetz und sagt ihnen, an welche Vereine sie sich wenden müssen, um einen Anwalt zu bekommen. Wir geben ihr schließlich noch etwas Geld, damit sie in ihr Dorf zurückkehren kann, aber ich weiß, dass ihr Weg sehr lang sein wird. Falls sie tatsächlich den Mut hat, auf ihr Recht zu pochen, werden sie und ihre Familie ständig bedroht werden, solange ihre Entführer nicht hinter Schloss und Riegel sitzen – wenn sie das überhaupt je erreicht. Die Familie hat keine Möglichkeit, woandershin zu gehen – ihr ganzes Leben ist auf dieses Dorf konzentriert. Ihr Kind wird in wenigen Monaten zur Welt kommen, und diese Tragödie wird sie ein Leben lang verfolgen. Sie wird nie vergessen können, so wie auch ich nicht vergessen kann ...

Noch während wir uns von Kausar verabschieden, wartet bereits eine andere Frau auf mich. Ihr Gesicht ist von einem abgenutzten Schleier halb bedeckt, sie wirkt alterslos, und man sieht ihr die Erschöpfung von der harten Hausarbeit deutlich an.

Das Sprechen fällt ihr sehr schwer. Beschämt und diskret zieht sie schließlich den Schleier hoch.

Sofort verstehe ich. Die Säure hat die Hälfte ihres Gesichts entstellt. Sie kann nicht einmal mehr weinen.

„Wer hat das getan?", frage ich sie entsetzt und wütend zugleich.

„Mein Mann", antwortet sie kaum hörbar.

„Warum?"

Er hat sie wohl schon oft verprügelt, weil sie ihn für seinen Geschmack nicht schnell genug bedient hat. Diesmal hat er sie für immer entstellt und verachtet sie nun. Für diese Frau können Naseem und ich nur wenig unternehmen – wir geben ihr etwas Trost und ein bisschen Geld, damit sie zu ihrer Familie zurückkehren und ihren Mann verlassen kann, wenn sie dazu in der Lage ist.

Nachdem sie gegangen ist, sitzen wir noch lange stumm zusammen. Ich sehe auf das Zuckerrohrfeld hinter unserem Haus und frage mich, was noch alles passieren muss, bis die Verantwortlichen in diesem Land endlich handeln.

MANCHMAL bin ich mit dem Ausmaß meiner Aufgabe überfordert. Dann wieder ersticke ich fast vor Wut.

Jedoch verzweifle ich nie.

Mein Leben hat einen Sinn. Mein Unglück dient der Gemeinschaft.

Die Erziehung der Mädchen ist eine einfache Aufgabe, aber was die kleinen Jungen betrifft, die in dieser brutalen Welt aufwachsen und sehen, wie die erwachsenen Männer um sie herum handeln, ist sie ungleich schwieriger.

Ich warte auf das endgültige Urteil des Bundesgerichtshofes. Ich hoffe auf die diesseitige Rechtsprechung, so wie ich auf Gottes Gerechtigkeit im Jenseits hoffe. Denn selbst wenn mir persönlich kein Recht widerfahren sollte, wenn in Meerwala zu bleiben für mich bedeutet, dass ich ein Leben lang Krieg führen und sogar mit meinem Leben dafür zahlen muss – eines Tages werden die Schuldigen bestraft. Dessen bin ich mir sicher.

WÄHREND dieser Oktobertag des Jahres 2005 mit all seinen Leiden und Nöten zu Ende geht, fördert die Morgendämmerung des darauffolgenden Tages andere Leiden ans Licht.

Die Erde hat im Norden des Landes gebebt. Es ist die Rede von Tausenden Toten und Verletzten, von unzähligen Obdachlosen und hungernden Kindern, die in den Ruinen ihres nicht mehr vorhandenen Lebens umherirren.

Meine Heimatprovinz Punjab ist von der Katastrophe zum Glück verschont geblieben, und ich bete für all die Notleidenden, für all die Kinder, die in den Trümmern ihrer Schulen ums Leben gekommen sind. Aber für sie zu beten wird nicht genügen. Pakistan braucht internationale Hilfe. Und ich versuche, diese Hilfe zu bekommen.

Diesmal darf ich mit Frau Dr. Amina Buttar, der Präsidentin des Asian-American Network Against Abuse of Human Rights, ins Ausland reisen. Eine amerikanische Zeitschrift hat mich kürzlich zur „Frau des Jahres" gekürt. Ich fühle mich geehrt, aber die Preisverleihung ist nicht das Hauptziel meiner Reise in die USA. Ich will die Gelegenheit nutzen, um mich in diesen schweren Zeiten nicht nur für die Interessen der Frauen in meiner Heimat einzusetzen, sondern auch für die der Erdbebenopfer. Mein Herz blutet vor allem für die Frauen und Kinder, deren Leben zerstört ist, für die Überlebenden, die Hilfe brauchen, um diese Tragödie zu überwinden.

Und so nehme ich das Flugzeug nach New York zur Preisverleihung und begebe mich anschließend nach Washington vor den amerikanischen Kongress, um für diese beiden Anliegen zu plädieren und zusätzliche Spendengelder für die Opfer des grausamsten Erdbebens, das mein Land seit Jahren erlebt hat, zu erbitten.

Die internationale Hilfe lässt auf sich warten. Der schlechte Ruf meines Landes zeigt sich in der mehr als zögerlichen ausländischen Hilfsbereitschaft.

Wie immer folgen mir die Journalisten auf Schritt und Tritt, ich gebe zahllose Interviews, und stets aufs Neue fragen sie mich, ob ich beabsichtige, im Exil zu bleiben. Ich antworte dann einfach jedes Mal: „Mein Aufenthalt im Ausland wird nur von kurzer Dauer sein, ich werde so schnell wie möglich in mein Heimatdorf zurückkehren. Die Wahl der amerikanischen Zeitschrift, die schon viele berühmte Menschen ausgezeichnet hat, freut mich sehr. Es ist eine hohe Anerkennung, die mich zutiefst rührt. Aber ich wurde als Pakistanerin geboren und werde immer eine Pakistanerin bleiben."

Ich reise als Aktivistin durch die Welt, um zur Linderung des Unglücks, das mein Land erschüttert hat, einen kleinen Beitrag zu leisten. Wenn ich mit meinem persönlichen Schicksal meinem Land und seiner Regierung helfen kann, ist es mir eine Ehre.

Möge Gott mich und meine Aufgabe beschützen.

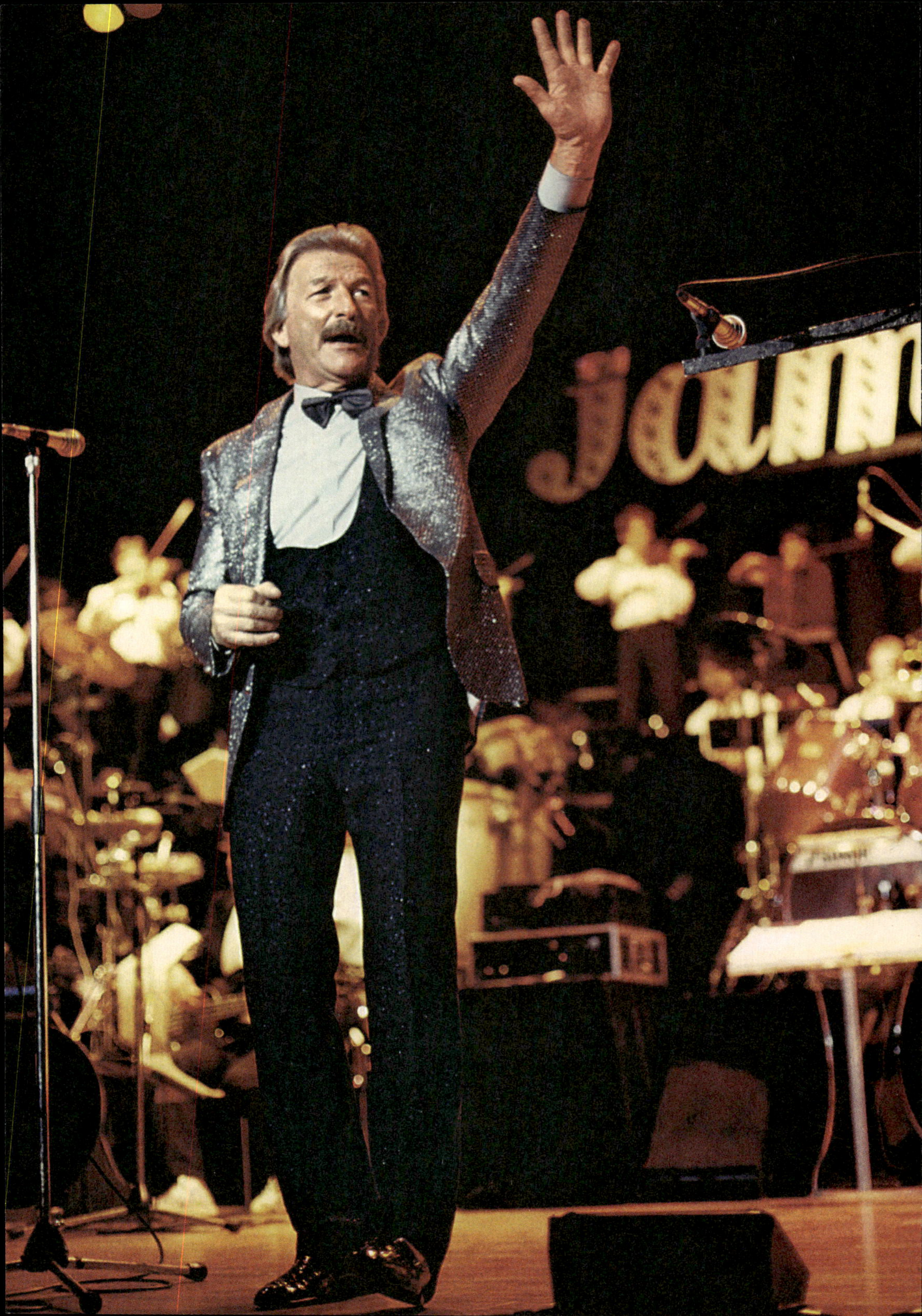

James Last
mit Thomas Macho

Mein Leben

Die Autobiografie

„*Ein sehr persönlicher und mit zahlreichen Fotos bebilderter Rückblick. Locker geschrieben, unterhaltsam, genau das Richtige für den Feierabend.*"

ARD.de

Prolog in Palm Beach

Heute ist der 16. April 2006. Der Vorabend meines 77. Geburtstages. Mein Weg war schon ein ziemlich langer, und der Horizont meiner Zukunft wird mit jedem Tag enger. Wenn ich mich in meinem Raum umsehe, türmen sich überall Noten, Partituren, Goldene Schallplatten und andere Auszeichnungen, Fotos, Briefe, Konzertprogramme, Berge von CDs – die Essenz eines Lebens. *Meines* Lebens.

Und wieder Bilder ... Meine Eltern in Bremen. Meine Brüder Werner und Robert. Waltraud, meine erste Frau. Die Kinder Ron und Caterina; im Sommer wird sie mich besuchen kommen, Caterina, mit ihrem Mann und meinen beiden Enkelkindern Lenny und Jeremy. Die Jungs sind meine liebsten Freunde und besten Kritiker: wenn ich ihnen eine neue Nummer vorspiele und sie mich bloß mit einem nichtssagenden Blick bedenken, dann weiß ich, dass ich noch etwas besser machen muss. Oder sie tanzen sich einen ab, dass die Bude brennt. Dann liege ich wohl richtig. Für die beiden sind die Sommerferien hier in Florida wie Urlaub im Paradies: der Pool, der Golfplatz, das herrliche Klima – und Opa, der nun endlich rund um die Uhr Zeit für sie hat.

Seit über dreißig Jahren zieht es mich in dieses sonnige, entspannte Land. Unser Haus steht inmitten einer herrlichen Golfanlage. Früher war die ganze Gegend hier ein riesiger Sumpf, der vor Jahren trockengelegt wurde. Noch heute bevölkern viele exotische Tierarten den Golfplatz: Sandhill-Kraniche, Kormorane, Fischreiher, Bachstelzen, Luchse, Geier – sogar ein Puma taucht hin und wieder auf. Und am ersten Abschlag sonnt sich gelegentlich ein träger Alligator.

Am Morgen stehen wir gegen sieben Uhr auf. Ehe wir uns an den Frühstückstisch setzen, ist Sport angesagt: Joggen für Christine, Schnellgehen – oder „Walking", wie das jetzt so schön heißt – für mich. Anschließend schwimmen wir beide einige Bahnen in unserem Pool, und dann gibt's Müsli mit Joghurt. Auf meine „alten Tage" lebe ich – dank Christine – unglaublich gesund.

Unser tägliches Morgenprogramm hält mich fit: Walking mit meiner Frau Christine

Die Vormittage verbringe ich in meinem Arbeitszimmer: ich komponiere, arrangiere, bereite die nächste Tournee oder einen TV-Auftritt vor. Das ist mein Leben, ohne Musik könnte ich nicht atmen.

Ich arbeite heute genauso viele Stunden wie früher, aber ich nehme mir für jedes Arrangement wesentlich mehr Zeit, manchmal sogar Monate. Da noch eine Figur in den Streichern, dort noch ein Crescendo ... Wenn man ohne Songtext arbeitet, muss man die Gefühle mit anderen Mitteln über die Rampe bringen. Funktioniert das nicht, dann gleicht die Musik einem kahlen Zimmer. Dieses Zimmer so auszustatten, dass sich mein Publikum darin wohlfühlt, das ist eine schöne, wenn auch manchmal schwierige und langwierige Aufgabe. Jeder, der meint, der Computer erleichtere einem die Arbeit, täuscht sich gewaltig. Das Ergebnis wird lediglich perfekter, weil man so unendlich viele Möglichkeiten hat.

Für die Bühne kommt auch noch die Lightshow hinzu. Schon seit Monaten – mehr als ein Jahr vor dem Start der nächsten Tournee – liegt ein dickes Lichtkonzept vor mir. Früher war in dieser Hinsicht viel dem Zufall überlassen, da hat die Lightshow manchmal erst am Ende der Tournee so richtig geklappt. Jetzt aber verlange ich, dass vom ersten Takt an alles stimmt.

Ganz wichtig ist die Eröffnungsnummer, unser Prolog, und der wird diesmal richtig heiß: ich habe den Song „Somewhere Over The Rainbow" aus dem Film *Der Zauberer von Oz* ausgewählt. Judy Garland hat ihn 1939 gesungen, der Titel ist gerade mal zehn Jahre jünger als ich. Aber wir werden daraus einen tierisch guten Opener machen, im Klangkostüm des Jahres 2006: ein Gewirr von Streicherstimmen in Moll, dazu das Geräusch des Regens. Dann geht über der Halle ein Regenbogen auf, die Stimmung wechselt nach Dur. Zwei Trompeten nehmen links und rechts vom Schlagzeug Aufstellung und spielen die Melodie. Da muss es dich zerreißen, da muss jedem Zuschauer eine Gänsehaut über den Rücken laufen. So wie mir, wenn ich die Partitur dazu schreibe!

Heute Nachmittag werde ich mit Christine eine Runde Golf spielen gehen. Danach wird gekocht, denn wir haben gerade Besuch aus Wien. Das ist auch der Grund, warum es am Abend wohl wieder etwas später werden wird. Bei einer Flasche gutem Rotwein werden wir auf unserer Terrasse sitzen und die laue Nacht Floridas genießen.

Pünktlich um 18 Uhr klingelt das Telefon. In Europa ist jetzt Mitternacht, dort hat soeben der 17. April begonnen, mein Geburtstag. Peter aus der Schweiz ist am Apparat, einer meiner treuesten Fans. Der erste Gratulant. Das Telefon wird wohl die nächsten Stunden nicht mehr aufhören zu läuten, vielleicht wird der Abend auf der Terrasse doch nicht ganz so geruhsam.

Gedanken an vergangene Geburtstagsfeste gehen mir durch den Kopf. Mein Fünfzigster in der ausverkauften Royal Albert Hall in London – Tausende Fans brachten mir ein Geburtstagsständchen. Mein Sechzigster in Bremen – wir spielten ein Open-Air-Konzert auf dem Marktplatz; 5000 Menschen kamen, um mir auf ihre Art zu gratulieren. Mein Siebzigster in Hamburg, als meine Musiker eine große Erinnerungstafel an der Kirche von Sankt Michael für mich stifteten ... ist das wirklich schon sieben Jahre her?

Ich werde nicht großartig feiern. Gemeinsam mit Christine und meiner Familie werde ich in ein nettes Restaurant zum Essen gehen, wir werden mit einem Gläschen Sekt anstoßen – und ich werde ungläubig feststellen, dass tatsächlich mein 78. Lebensjahr angebrochen ist.

Ein Bremer Stadtmusikant

Hänschen klein

Ein Schiff mit dem Namen meiner Heimatstadt errang 1929 – im Jahr meiner Geburt – das Blaue Band für die schnellste Atlantiküberquerung. Die *Bremen* war ein prächtiger Passagierdampfer, und die Tanzkapelle, die zur Unterhaltung der wohlhabenden Gäste an Bord aufspielte, könnte Titel wie „Ich küsse Ihre Hand, Madame", „Siboney" und wahrscheinlich auch den großen Schlager des Jahres „Happy Days Are Here Again" angestimmt haben – obwohl angesichts des berüchtigten Schwarzen Freitags an der New Yorker Börse und der beginnenden Weltwirtschaftskrise von glücklichen Tagen eher kaum die Rede sein mochte.

Als ich am 17. April geboren wurde, war unser Haus in der Helmholtzstraße 33 im Bremer Stadtteil Sebaldsbrück noch längst nicht fertiggestellt. Die Treppe in den ersten Stock war noch im Bau, sodass mein Vater mich des Abends über eine Hühnerleiter zu Bett bringen musste. Dieses Schweben in den Armen meines Vaters ist meine erste konkrete Kindheitserinnerung – obwohl es eigentlich kaum möglich ist, denn ich war damals noch nicht einmal ein Jahr alt.

Ich kam als jüngster Spross einer richtigen Großfamilie zur Welt. Die erste Frau meines Vaters Louis Last war in jungen Jahren gestorben, und so hatte er drei Kinder in die zweite Ehe mitgebracht: Bernhard, Fred und Minna, die ihren Namen aber so fürchterlich fand, dass sie sich von jedermann nur Gitta nennen ließ. Bernhard war 15 Jahre älter als ich, für mich war er immer nur „der Bruder". Ich hingegen war sein „Boy"; er kommandierte mich herum, und ich war stolz darauf, für ihn die Bude sauber machen zu dürfen.

Für meine Mutter Martha war es bestimmt nicht einfach, eine solche „Mitgift" ins Haus geliefert zu bekommen, aber sie hatte ein riesengroßes Herz und war der Meinung, dass in unserer Familie Platz genug für weitere Kinder sei. Und so kamen noch wir drei dazu: Robert, Werner und ich, das Nesthäkchen der Lasts.

Mein Vater war ein kleiner Beamter bei den Bremer Stadtwerken, und Mutter war Hausfrau. Bei einem so üppigen Kindersegen war es klar, dass es in unserer Familie nicht besonders luxuriös zugehen konnte: Unter der Woche gab es meistens Eintopf, tagelang aus demselben Kessel, immer wieder aufgewärmt. Freitags machte sich meine Mutter mit mir auf den Weg zu den Bremer Stadtwerken, um Vaters Lohntüte abzuholen. Mit diesem Geld ging sie dann von Laden zu Laden, um Reste einzukaufen: Wurstzipfel, Kuchenränder, all das, was die „besseren" Leute verschmähten. Aber wenn wir an den Wochenenden Wurst aufs Brot bekamen, war das für uns ein gehöriges Festessen. Erst als ich um einiges älter war, gab es hin und wieder sogar mal ein Kotelett. Bei uns wurde immer gemeinsam gegessen: Abends pünktlich um fünf Uhr kam Vater heim, dann versammelte sich die ganze Familie um den Tisch, und los ging's.

Sebaldsbrück lag damals noch am Stadtrand von Bremen. In unserer Straße gab es lauter Doppelhäuser, nur das Haus der Lasts stand für sich allein. Es war, wie gesagt, ein Neubau, für den meine Eltern sich jeden Ziegelstein vom Munde abgespart hatten. Im Erdgeschoss befanden sich die Küche und zwei Zimmer, im ersten Stock gab es drei Schlafzimmer. Als Jüngster durfte ich im Zimmer meiner Eltern schlafen.

An das Haus angebaut war eine Waschküche, und an diesem Anbau hing noch ein Anbau: unser Klosett mit Sickergrube. Ein Paradies für mich und meine Freunde war der Garten vor dem Häuschen: dort konnten wir nach Herzenslust herumtollen und Krach machen.

Als ich zu meinem zehnten Geburtstag ein Schuco-Auto bekam, war ich überglücklich und verlegte meinen Spielplatz auf die Straße. Die war damals noch längst nicht asphaltiert, und den Löwenanteil am Verkehrsgeschehen bestritt wohl ich mit dem Schuco. Es hatte einen richtigen Schalthebel, ich kam mir damit vor wie ein Erwachsener.

Von teurerem Spielzeug wie einer elektrischen Eisenbahn – meinem allergrößten Wunsch – konnte ich selbst zu Weihnachten nur träumen. Aber wir hatten stets einen riesengroßen Christbaum, der bis zur Zimmerdecke reichte. Und jedes Jahr lief zu Weihnachten eine Schellackplatte mit dem berühmten Zwischenspiel aus der Oper *Notre-Dame* von Franz Schmidt, Vaters Lieblingsstück. Viele Jahre später habe ich diesen Titel für ihn auf einer meiner Klassik-LPs aufgenommen.

Sobald Vater von der Arbeit heimkam, war er für uns Kinder da. Im Sommer, wenn das Wetter mitspielte, packten wir die kalten Reste des Essens vom Vorabend und ein „Apfelsinchen" ein und fuhren mit Papa zum Schwimmen an die Weser – einfach herrlich! Die größte Leidenschaft meines Vaters aber war die Musik: Jedes Wochenende zog er los, um auf irgendeiner Hochzeit, einer Taufe oder einem Dorffest zu spielen. Er besaß einen Fahrradanhänger, in dem er sein Bandoneon und sein Schlagzeug verstaute. Manchmal spielte er „kombiniert", das heißt, er bediente zwei Instrumente gleichzeitig. An den Füßen hatte er eine Hi-Hat und eine Bass Drum, an den Händen das Bandoneon. Erstaunlicherweise hatte mein Vater ein absolutes Gehör – und er war der Erste, der mir Tricks beibrachte, die ich später beim Arrangieren gebrauchen konnte: „Beim Tonartwechsel musst du eine kleine Terz hochgehen ..." Und obwohl wir eine Menge Noten zu Hause hatten, spielte er meist aus dem Gedächtnis.

„Muggen" hießen diese Veranstaltungen, und für vier Mark haute er die ganze Nacht lang rein. Manchmal spielte er kleine „Eigenkompositionen",

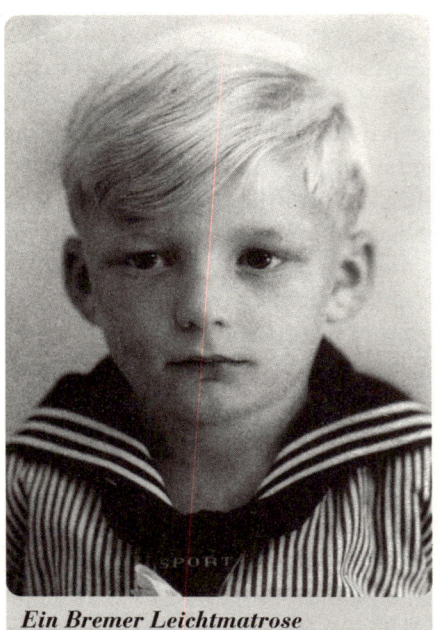

Ein Bremer Leichtmatrose in jungen Jahren

einfach so, aus dem Hut, die nannte er dann „Delmenhorster" – bis heute ist es mir ein Rätsel, warum gerade der Ort Delmenhorst als Namensgeber für seine Improvisationen herhalten musste. Um drei oder vier Uhr früh kam Vater todmüde nach Hause, setzte sich einfach an den Küchentisch, legte den Kopf auf die Tischplatte und schlief eine Runde. Um sechs Uhr musste er schon wieder zur Arbeit ins E-Werk.

Diese Mucken waren für meinen Vater ein wichtiger Teil seines Lebens – in doppelter Hinsicht: Da er nie auch nur einen Pfennig aus seiner Lohntüte nahm, verdiente er sich mit seinen Auftritten ein eigenes Taschengeld – und selbst davon gab er uns Kindern noch etwas ab. Für sich selbst benötigte er nicht viel: Ging er in die Kneipe auf ein Bier, wurde er sowieso immer eingeladen, weil er am besten erzählen konnte. In seiner Jugend war er zur See gefahren, und von jener Zeit hatte er so viele Geschichten auf Lager, dass ihm der Stoff nie ausging. Damit konnte er seine Kumpels stundenlang unterhalten.

Wenn er mal einkaufen ging, dauerte es Stunden, bis er wiederkam. „Wozu lebe ich, wenn ich nicht lebe!", lautete seine Devise, ein Wahlspruch, den auch ich für mein Leben übernommen habe. Als ich – als erwachsener Mann – einmal im Krankenhaus lag, sollte mein Vater mich besuchen. Es war zur Zeit der Visite, doch niemand kam, weder mein Vater noch der Arzt. Die saßen nämlich beide im Nebenzimmer, und Vater erzählte und erzählte – und als sie dann vor meinem Bett standen, war der Doktor schwer beeindruckt: „Ihr Vater ist ja ein toller Mann!" Er war ein Mensch, der das Bedürfnis hatte, alles, was er besaß, herzugeben, alles zu teilen. Diese Eigenschaft habe ich wohl von ihm mitbekommen.

Das Verhältnis zu meinen Brüdern war wunderbar. Wir waren nie wirklich Spielgefährten, dazu war der Altersunterschied zu groß. Aber wir waren eine Komikerfamilie, es wurde andauernd Unsinn gemacht, auch mein Vater war immer mit dabei. Werner war von uns allen der begabteste Clown; mit seinen bühnenreifen Showeinlagen hat er unsere gutmütige Mutter oft fürchterlich veräppelt, sie musste ganz schön was aushalten.

Im Gegensatz zu meinen Halbgeschwistern, die alle drei recht unmusikalisch waren, haben meine Brüder und ich Vaters Begeisterung für die Musik geerbt. Werner übte Posaune, Vater trommelte in der überheizten Küche auf dem Schlagzeug vor sich hin, und Robert hatte ständig sein Saxofon griffbereit. Unser Zuhause war die reinste Musikschule. Im Wohnzimmer stand ein Klavier, das früher ein elektrisches Pianino gewesen war. Wir hatten die Walze herausgenommen, und ich klimperte darauf meine ersten Tonleitern.

Unsere Mutter Martha Johanna Louise Rex, die ebenfalls aus Bremen stammte, ertrug diesen Zirkus mit Geduld. Sie war immer für uns da, ohne Unterlass, obwohl ein so großer Haushalt eine Menge Arbeit bedeutete – vor allem mit den für heutige Begriffe völlig unzureichenden Gerätschaften der damaligen Zeit. Ich sehe mich noch mit ihr in der Waschküche stehen, an einer großen Mangel, und ihr beim Auswringen riesiger Wäscheberge helfen.

Früher hörte ich meine Mutter gelegentlich klagen: „Ich hab ja gar nichts vom Leben, bei so vielen Kindern ..." Aber selbst wenn sie hin und wieder jammerte – sie war im Grunde ihres Herzens sehr glücklich, und hätte sie sich keine große Familie gewünscht, hätte sie bestimmt keinen Mann mit drei Kindern geheiratet. Vater nahm sie oft auf den Arm, und seinen gutmütigen Witz hat sie meistens erst mit einiger Zeitverzögerung begriffen.

Uns Kindern ließ sie stets lange Zügel. Trotz der beengten Wohnsituation gab es in der Familie nie wirklich ein böses Wort, weder zwischen den Eltern noch zwischen uns Geschwistern.

Zu meiner Mutter hatte ich auch später ein sehr inniges Verhältnis: Als ich längst in Florida lebte, kamen meine Eltern gelegentlich zu Besuch nach Fort Lauderdale, und dort holten wir die Urlaube nach, die sie sich früher nie hatten leisten können. Zweimal flog ich extra zu Mutters Geburtstag für einen Tag aus den USA nach Deutschland: ich wollte sie überraschen, und so stieg ich ein paar Häuser vor der Helmholtzstraße Nummer 33 aus dem Taxi aus. Da konnte ich sie schon sehen, wie sie am Fensterbrett lehnte und die Straße hinabkuckte. Wer da wohl kommt? Immer ungläubiger wurde ihr Blick, immer größer die

Augen, bis es endlich aus ihr hervorbrach: „Ja Haaansi! Bist du's wirklich?! Was machst denn du da??!!"

Bis zu ihrem Tod wohnte Mutter in unserem alten Haus in Sebaldsbrück, dem Haus meiner Kindheit ...

Schulzeit unter dem Hakenkreuz

Meine gesamte Schulzeit – vom Beginn der Volksschule in Bremen bis zum Ende der Musikschule in Bückeburg – verbrachte ich in Nazi-Deutschland. Zum Zeitpunkt von Hitlers Machtergreifung war ich gerade mal vier Jahre alt – das Hakenkreuz, die Aufmärsche und die Uniformen waren daher allgegenwärtig und selbstverständlich, für mich und meine Freunde in unserer kleinen Welt in der Helmholtzstraße aber scheinbar bedeutungslos.

Ich war kein besonders guter Schüler und ein ziemlich schüchterner Junge, eigentlich ein ganz Braver. Die Schulzeit in Bremen verlief im Wesentlichen ideologiefrei – aber wenn ich darüber nachdenke: einige meiner Lehrer könnten sehr wohl Nazis gewesen sein. Der Kontakt zu manchen meiner frühen Schulfreunde riss trotz der großen zeitlichen und räumlichen Distanz nie ganz ab. Wenn ich mit meinem Orchester hin und wieder in Bremen Fernsehaufzeichnungen hatte, dann tauchten sie immer wieder auf.

Eines Tages spielte ich auf der Straße mit meinem geliebten Schuco-Auto, da vernahm ich aus dem Radio am Küchenfenster Hitlers Stimme: „... seit vier Uhr fünfundvierzig wird zurückgeschossen ..." Es war der 1. September 1939, und er verkündete vor dem Reichstag in Berlin die inszenierte Kriegserklärung des Deutschen Reiches an Polen. Ich hatte natürlich keine Ahnung, was in Wahrheit da vor sich ging, aber als ich – ein zehnjähriger Junge – etwas von Schießen und Krieg hörte, war für mich ganz klar: „wir" würden auf jeden Fall gewinnen. Denn „wir" hatten ja Max Schmeling, und Max Schmeling war der stärkste Boxer auf der ganzen Welt, gegen den hatten die anderen keine Chance.

Wenn ich mir das heute so überlege, waren das natürlich eher die Gedanken eines Sechsjährigen. Ich war – übrigens in vielerlei Hinsicht, wie sich noch zeigen wird – ein ziemlicher Spätzünder. Der Krieg war für mich eine völlig abstrakte Vorstellung – es handelte sich um etwas, das nichts mit meinem Leben zu tun hatte.

Zu Hause wurde nicht über Politik gesprochen; allerdings hörten wir via Radio London die ausländischen Nachrichten, die nach kurzer Zeit doch sehr anders klangen als das, was uns die Reichspropaganda vorgaukelte.

Eines Tages klopfte jemand lautstark an unsere Tür, während in der Küche der streng verbotene Feindsender lief – aber es war nicht die Polizei, nur ein wohlmeinender Anwohner. „Mensch, Herr Last, stellen Sie doch Ihr Radio leiser, da kann ja die ganze Straße mithören!" In unserer unmittelbaren Umgebung lebten keine eingefleischten Nazis, die hätten bestimmt nicht so locker reagiert.

Auch in den schwierigen Kriegsjahren gab es für uns subjektiv keine Not. Wir hatten ja schon in Friedenszeiten äußerst bescheiden gelebt, der Unterschied war also eher gering. Ab und zu half ich beim Bäcker oder beim Schlachter in unserer Straße aus, um ein paar Lebensmittel für uns dazuzuverdienen: Lebensmittelmarken abrechnen, Brot in den Ofen schieben ... Dafür bekam ich hier ein Brötchen und dort ein Stück Wurst ab, aber das war im Grunde keine Arbeit für mich, das machte mir Spaß.

Doch langsam, aber unaufhörlich rückte das Donnern der Kanonen näher, und dann war der Schrecken plötzlich auch vor unserer Haustür: meine Brüder, die zuvor in den Rüstungsbetrieben Borgward und Focke-Wulf gearbeitet hatten, wurden zur Wehrmacht eingezogen. Von einem Tag auf den anderen wurde es in unserem Haus sehr still. Statt zu acht waren wir nur mehr zu viert: die Eltern, meine Schwester Minna und ich.

Da sowohl Focke-Wulf als auch Borgward in Bremen produzierten – Borgward sogar in unserem Stadtteil Sebaldsbrück –, war die Stadt ab 1941 ein wichtiges Ziel für Bombenangriffe der Royal Air Force. Vater war beim Luftschutz, und ich war sein Melder. Ich bekam einen Helm mit einem großen weißen „M" darauf und musste nachts, wenn die Flieger kamen und die Bomben fielen, raus aus dem Bunker und durch Bombensplitter, Abwehrfeuer und herabstürzende Häuserteile zu den Kommandostellen laufen, um Meldung zu machen.

Ich war viel zu aufgeregt, um bei diesen abenteuerlichen Meldegängen Angst zu verspüren. Irgendjemand hielt wohl seine schützende Hand über mich – nie erlitt ich auch nur die kleinste Schramme. Später dann, im Jahre 1943, wurde uns der Schrecken des Krieges jedoch noch deutlich gemacht. Zunächst einmal sahen wir in einer Julinacht vom Balkon unseres Hauses ein helles Feuer am Horizont; es war Hamburg, wie es im alliierten Bombenhagel brannte. Doch für unsere Familie sollte es noch schlimmer kommen, als es, ebenfalls 1943, an unserer

Haustür läutete. Ich öffnete, draußen stand der Bürgermeister von Sebaldsbrück, der sonst nie zu uns kam.

Er fragte mich, ob meine Eltern zu Hause seien.

Mutter stand schon hinter mir.

Er sagte nur: „Ihr Sohn Bernhard ..." Weiter brauchte er gar nicht mehr zu reden. Wir liefen zu meinem Vater, der gerade im Garten seine geliebten Obstbäume beschnitt.

„Vadder, Bernhard ist gefallen!"

Vater brach zusammen, er legte sich auf den Boden und weinte wie ein kleines Kind. Auch für mich stürzte eine Welt ein: Bernhard, mein geliebter großer Bruder, der in vielen Dingen auch ein großes Vorbild war und auf den meine ganze Familie immer unendlich stolz war, war nicht mehr am Leben! Das schien mir vollkommen unvorstellbar.

Erst vor Kurzem fand ich in alten Unterlagen den Brief eines seiner Kameraden, in dem dieser die tragischen Umstände von Bernhards Tod beschrieb: Es geschah während des „glorreichen" Russlandfeldzuges der Deutschen Wehrmacht. Mein Bruder saß im Schützenloch, ein Panzer wendete auf ihn. Sein früher Tod hat meine tiefe Abscheu gegen jede Art von Krieg ein für alle Mal festgeschrieben.

DAMALS verinnerlichte ich noch etwas anderes: Das Leben muss weitergehen, auch wenn rings um einen alles zerbricht. Unsere Eltern versuchten niemals, uns Kinder beruflich in eine bestimmte Richtung zu drängen, es gab nie ein „Du musst dieses oder jenes tun!". Alles, was ich in meinem Leben erreicht habe, kommt aus mir heraus, aus meinem eigenen Antrieb. Etwas tun zu müssen erzeugt Widerspruch und Aggression, das Nichtmüssen hingegen macht frei. Mein Vater meinte: „Nichts ist schlimmer, als einen Beruf zu haben, der keinen Spaß macht und in dem man sich jahrzehntelang nur herumquält. Lieber weniger Geld, aber dafür glücklich!" Ich denke, er wusste genau, wovon er sprach. Wahrscheinlich wäre er ohne seine wöchentlichen Ausflüge in die Welt der Unterhaltung und der Musik niemals ein zufriedener Mensch geworden.

Dass die Musik auch für uns eine wichtige Rolle spielen würde, daran gab es kaum je einen ernsthaften Zweifel: Robert und Werner, acht und sechs Jahre älter als ich, hatten privat Musikunterricht genommen; das Geld dafür hatten sie sich mit ihrer Arbeit für die Rüstungsbetriebe selbst verdient. Als ich 14 Jahre alt war und sich die Frage der Ausbildung bei mir stellte, unterstützten die beiden meinen Wunsch, mich ebenfalls der Musik zuzuwenden.

Dabei war ich alles andere als ein Wunderkind. Meinen ersten Klavierunterricht erhielt ich im Alter von zwölf Jahren. Meine Lehrerin war eine Dame ältester Prägung und wollte mir dauernd beweisen, was ich alles nicht konnte. Nach einem Jahr erklärte sie im Brustton der Überzeugung: „Mein Lieber, aus dir wird sowieso nichts, Musik ist nicht dein Weg, such dir eine sinnvollere Beschäftigung ..."

Trotz dieses vernichtenden Urteils gab ich nicht auf. Mein nächster Klavierlehrer hieß Ernst Wellen, und er war wie ein Vater zu mir, ruhig, kompetent und mit dem richtigen Gespür für mein Musikgefühl. Er stellte seine Tasse Kaffee auf dem Flügel ab – aber so, dass sie nicht klapperte –, und dann sprachen wir über jedes Detail: über Notierung, Melodienbögen und den richtigen Ausdruck. Er hat mir meine Freude an Musik wiedergeschenkt.

In der sich immer dramatischer zuspitzenden Lage des Deutschen Reiches im Jahr 1943 waren sämtliche privaten Musikschulen längst geschlossen. Als einziger Ausweg für meine musikalische Weiterbildung blieb mir daher eine Heeresmusikschule. Nach einem Jahr Unterricht bei Meister Wellen konnte ich es riskieren, zur Aufnahmeprüfung an der Heeresmusikschule in Frankfurt anzutreten.

Da saßen die honorigen Herren – nicht in Uniform, sondern in Anzug und Schlips – und lauschten meiner Darbietung der Bach'schen Inventionen mit strengem Blick und noch viel strengeren Ohren. Ich bin ganz und gar kein Prüfungsmensch, das hagere Hänschen schlotterte damals ordentlich, aber ich schaffte die erste Hürde. Danach kam noch eine Sportprüfung, und obwohl ich eigentlich ein sportlicher Bursche war, konnte ich nie gut werfen. Nun musste ich aber ausgerechnet zum Schlagballwerfen antreten! Es gelang mir nur ein kümmerlicher Wurf, und ich dachte schon, dass ich meine Chance verspielt hätte. Offensichtlich wurde meinem „Versagen" jedoch nicht allzu viel Gewicht beigemessen, denn zu guter Letzt nahm man mich dennoch an der Schule auf.

Eigentlich wollte ich Klarinette studieren, aber man hatte höheren Orts bereits entschieden, dass ich das Fagott zu erlernen hätte. Noch bevor ich meinen ersten Schultag antreten konnte, wurde die Schule in Frankfurt ausgebombt, und so wurde ich in das romantische Städtchen Bückeburg in der Nähe von Hannover verlegt.

Als ich die Schule betrat, stand ich mit fünfzig anderen Neulingen vor der versammelten Lehrerschar: Der Erste rechts war Herr Rieb, im niedrigen Rang eines Oberschützen. Er war für den Bassunterricht zuständig, außerdem war er Herr über die Instrumentenkammer und ein wohlwollender Allerweltsmusikfreund. Er war mir auf Anhieb sympathisch, erinnerte er mich doch an Meister Wellen. Er sollte also mein Lehrer werden. Ich überlegte mir damals schon, später mal mit Robert und Werner Tanzmusik zu machen. Da war der Bass natürlich spannend, weil er sich gut mit Schlagzeug und Akkordeon ergänzte – den Instrumenten, die meine Brüder spielten.

„Und welches Blasinstrument willst du spielen?", fragte Oberschütze Rieb. Abermals versuchte ich es mit meinem Wunsch nach Klarinettenunterricht und dachte dabei an Benny Goodman. Der war mir längst ein Begriff, sein Gesicht kannte ich aus den Bremer Gaswerken: Immer wenn ich mit meiner Mutter Vaters Lohntüte abholen ging, fiel mir in den Büros ein Plakat mit dem Foto eines Klarinettisten auf, darunter stand: „Verbrecherhände greifen das A". Dieser Klarinettist war Benny Goodman. In der Reichspropaganda war von dem „Swing-Juden Benni Gutmann aus Neu York" die Rede. Das machte mich eigentlich erst richtig auf ihn aufmerksam. Also Klarinette.

„Das geht leider nicht. Bass geht nur mit Tuba", sagte mein Oberschütze, und schon bekam ich eine riesige Es-Tuba verpasst. Gut, wenigstens kein Fagott.

Die Anforderungen, die in der Heeresmusikschule an uns gestellt wurden, waren hoch: Neben dem Musikunterricht mussten wir eine ganz normale militärische Ausbildung absolvieren und zusätzlich die mittlere Reife machen. Da es eine Heeresmusikschule war, trugen wir selbstverständlich Uniform – übrigens meine erste lange Hose – und mussten militärisch rapportieren: „Melde gehorsamst, Jungschütze Last beim Üben."

Der Unterricht war sehr trocken, kein Vergleich zu den Tagen bei meinem alten Meister Wellen. Ständig bekamen wir neue Noten vorgelegt, die wir sodann ohne Ende einstudieren mussten. Freies Spiel war ebenso verpönt wie die leichte Muse. Das Einzige, was man neben klassischer Musik noch gelten ließ, war die Marschmusik. Gemeinsam mit mir im Jahrgang war übrigens Horst Fischer, der später mit seiner „Goldenen Trompete" ein bekannter Solist in der Unterhaltungsmusik wurde.

Abends haben wir nebenbei gejazzt, ich saß meist am Schlagzeug. Wir hatten natürlich keine Noten, aber wir kannten die Titel von den illegalen Radiosendern. Jazz war von den Nazis zur „entarteten Musik" erklärt worden und daher verboten. Also hatten wir irgendwelche nichtssagenden Partituren herumliegen und gaben den Stücken deutsche Namen: „Perdido", eine Nummer, die ich mehr als vierzig Jahre später mit meiner Band aufgenommen habe, hieß bei uns zum Beispiel „Mücke".

Der Feldwebel kam tobend ins Zimmer: „Das gibt's hier nicht, hier wird nicht diese Negermusik gespielt!"

Wir aber mimten die Unschuldslämmer: „Melde gehorsamst, schauen Sie, das ist doch ein deutscher Titel!"

Abgesehen von dieser geringschätzigen, ablehnenden Nazihaltung gegenüber allem, was mit Juden oder Schwarzen zu tun hatte, blieben das Dritte Reich

Zur Schonung der Fingerkuppen: streichen statt zupfen

und seine Verbrechen – trotz der Uniformen – aus unserem Schulalltag weitgehend ausgespart.

Für uns Schüler zählte die Musik, alles andere hatte mit uns nichts zu tun – so dachten wir. Ein Besuch in einem Arbeitslager in Minden führte uns die Zustände im Dritten Reich deutlich vor Augen: Einer unserer Lehrer führte uns eines Tages dorthin, ich wusste nicht, warum. Wir gingen nicht hinein, aber wir sahen die Gefangenen, Deutsche und Ausländer, und wir sahen, in welch schlechtem Zustand sie waren. Wir kehrten später nochmals ohne unseren Lehrer nach Minden zurück, wir hatten Brot dabei, das wir den Leuten über den Zaun zuwarfen.

DIE AUSBILDUNG in Bückeburg hätte aus mir einen Opernkapellmeister oder etwas in dieser Art machen sollen, und ich muss zugeben: der Gedanke gefiel mir nicht schlecht. Doch der endgültige Zusammenbruch Nazi-Deutschlands vereitelte alle diesbezüglichen Ambitionen. Die Schule wurde im April 1945 geschlossen. So seltsam es klingen mag, bis zu diesem Zeitpunkt hatten wir Jungs untereinander nie über das Thema Krieg gesprochen. Vielleicht blendeten wir es einfach nur aus, um uns selbst zu schützen.

In den letzten Kriegswochen aber traf uns die tragische Realität mit voller Wucht: Alle meine Freunde und Jahrgangskollegen, die vor dem 1. April 1929 geboren worden waren, mussten mit dem letzten Aufgebot des NS-Regimes in einen sinnlosen, längst verlorenen Kampf ziehen. Ich hatte enormes Glück: die siebzehn Tage, die ich „zu spät" zur Welt gekommen war, retteten mir wahrscheinlich das Leben, und ich durfte nach Hause.

Radio Days

Noch herrschte Krieg, und von Bückeburg nach Bremen zu gelangen war daher gar nicht so einfach. Ich musste nach Minden, dort war der nächste Bahnhof. In Minden befand sich allerdings auch eine Abschussbasis für die von den Alliierten so gefürchteten V1-Raketen – dort waren meine soeben eingezogenen Jahrgangskollegen im Einsatz. Der Ort war also ein wichtiges Ziel für die anrückenden Engländer, und daher waren viele Tausend Menschen auf der Flucht. Die Züge waren total überfüllt, um jeden Platz wurde erbittert gekämpft – wobei das Wort „Platz" nicht im Sinne von „Sitzplatz" zu verstehen war: Längst verkehrten keine Personenzüge mehr, wir mussten mit Güterzügen vorliebnehmen. Schließlich gelangte ich so ziemlich als Letzter mit der Bahn von Minden nach Hannover, dabei hing ich außen an einem der Waggons dran, eine wahrhaft kräfteraubende Fahrt. Ich trug zwar Uniform, aber wir hatten einen Ausweis bekommen, auf dem stand: „Jungschützen sind keine Soldaten im Sinne des Wehrgesetzes". Das war sehr hilfreich im Umgang mit den Amerikanern und Engländern.

Als ich schließlich erschöpft und rußig in meiner Heimatstadt Bremen ankam, erwartete mich eine völlig zerbombte Stadt: Häuserruinen, Schutthalden, abgezehrte und verängstigte Menschen, die langsam aus ihren Kellern hervorkrochen. Das Entsetzen in ihren Blicken erzählte von dem Grauen der Bombennächte. Auf dem Weg durch die Trümmerfelder in die Helmholtzstraße traf ich auf Nachbarn, die mir zuriefen: „Bei euch im Garten ist gerade erst eine Bombe explodiert, das sieht gar nicht gut aus." Schockiert und das Schlimmste befürchtend, rannte ich, so schnell ich konnte, nach Hause. Aber glücklicherweise stand das Haus noch, es fehlte nur ein Stück Mauer. Die Obstbäume, die mein Vater mühsam „für schlechte Zeiten" gezüchtet hatte, waren hingegen alle vernichtet. Meine Eltern waren jedoch am Leben.

Noch in den letzten Kriegstagen wurde Bremen unter amerikanische

Verwaltung gestellt. Die US-Soldaten wollten in ihren Kneipen ein wenig Stimmung haben – und irgendwie hatten sie Wind davon bekommen, dass die Familie Last in der Lage war, Musik zu machen. Also tauchte kurz nach meiner Heimkehr ein hünenhafter schwarzer GI in Uniform bei uns auf und bellte: *„Do you play music?!"*

Ich musste in seinen Jeep einsteigen und mit ihm in einen improvisierten Tanzklub fahren. Dort spielte ich dann eher schlecht als recht ein paar Nummern auf dem Klavier. Ich hatte natürlich keine Ahnung von den aktuellen US-Hits, aber das Tolle war: Ich bekam Noten – so genannte Hitkits – und entdeckte mit einem Mal eine ganz neue, faszinierende Musikwelt. Da waren fantastische Titel dabei, wie „Nancy (With The Laughing Face)", „Always", „Don't Fence Me In" oder „Rum And Coca Cola". Viele dieser Nummern habe ich im Laufe meiner Karriere mit meinem Orchester aufgenommen.

Als Honorar erhielt ich damals Zigaretten und Schokolade. Die Schokolade verteilte ich an die Kinder in unserer Straße, die Zigaretten hingegen waren so wertvoll wie Bargeld: mein Vater tauschte sie gegen Butter und einmal sogar gegen ein Ferkel beim Bauern ein. In unserer Waschküche schlachteten mein Vater und ich das arme Tier dann heimlich: ein wahres Fest in diesen mageren Zeiten.

Die Zigaretten, die ich von den Amis erhielt, hatten für mich aber noch eine andere Bedeutung: Sie waren meine erste echte Gage – und ich war somit unwiderruflich Berufsmusiker. Nie in meinem Leben habe ich mein Geld mit etwas anderem verdient als mit Musik.

Zu dieser Zeit, gleich nach dem Krieg, tat ich auch zum ersten Mal das, was mich später berühmt machen sollte: ich arrangierte. Es handelte sich um die Begleitmusik für einen US-Dokumentarfilm mit dem Titel *The Hunters* – Die Jagdflieger. Ich bekam ein paar musikalische Skizzen vorgelegt und musste daraus eine elendslange Partitur machen. Ich glaube, ich wusste gar nicht, dass das, was ich da tat, „arrangieren" hieß, aber nichtsdestotrotz machte ich mich an die Arbeit und versuchte mein Bestes. Ich war gerade mal 16 Jahre alt, als ich mein erstes Arrangement schrieb.

Nach und nach kehrten die Musikerfreunde meiner Brüder von ihren Kriegseinsätzen heim. Die Idee lag nahe, eine Tanzband zu gründen und in den GI-Klubs aufzutreten. Zwar waren Robert und Werner selbst noch in Gefangenschaft, aber ich konnte ja immerhin den Bass spielen. Also war ich mit von der Partie. Das einzige Problem war: ich hatte kein Instrument. Schließlich marschierte ich schnurstracks zu einem meiner alten Lehrer und ersuchte ihn mit gespielter Verzweiflung um Hilfe: Ich würde so gern weiterhin Bass üben, ob er mir vielleicht sein Instrument leihen könnte? Der gute Mann überließ mir tatsächlich seinen Bass, und ich konnte nun auftreten: „Malepatus" hieß der Klub, in dem ich mir einige Abende lang die Finger wund spielte.

In diesen Klubs ging es alles andere als gesittet zu: die ohnehin nicht gerade zimperlichen GIs ballerten mit ihren Revolvern in Wildwestmanier in die Decke, der Whisky floss auch nicht zu knapp, die Stimmung wurde immer aufgeheizter, und schließlich trat einer dieser rauen Burschen mit seinen schweren Soldatenstiefeln so heftig gegen meinen Bass, dass das Instrument zu Bruch ging. Mit schlechtem Gewissen trottete ich zu dem armen Lehrer, der mir seinen Bass geborgt hatte, und legte ein peinliches Geständnis ab.

Mein nächstes Instrument musste ich mir nicht mehr mit Schwindeleien erschleichen: die amerikanische Militärregierung beschlagnahmte schlicht und einfach einen Bass für mich.

Bei diesen Klubabenden spielten wir bis zum Zapfenstreich, und während die Soldaten beschwingt in ihre Quartiere zogen, mussten wir im Dunkeln unsere Instrumente zusammenpacken und sehen, wie wir nach Hause kamen. Aber die Sache lohnte sich: Wir bekamen Butter und immer wieder Zigaretten als Gage – und wenn die GIs gegangen waren, suchten wir das leere Lokal noch zusätzlich nach Kippen ab, aus denen wir dann „neue" Zigaretten drehten.

An einem dieser Abende erzählte mir ein Kollege von einem tollen Schlagzeuger, den er in einem Gefangenenlager in Bad Kreuznach kennen gelernt hatte: der lief dort in britischer Uniform herum und durfte für die englischen Soldaten Musik machen – was in diesem als besonders streng bekannten Lager alles andere als selbstverständlich war.

Mein Kollege meinte: „Wenn dieser dufte Musiker erst mal wieder daheim ist, wäre er sicher eine klasse Verstärkung für unsere kleine Combo!" Und tatsächlich – als der „dufte Musiker" aus dem Lager nach Hause entlassen wurde, trat er umgehend seinen „Dienst" bei uns am Schlagzeug an: es war nämlich kein anderer als mein Bruder Robert! Auch Werner kehrte kurz darauf aus der Gefangenschaft heim. Über ihre Erlebnisse im Krieg haben meine Brüder nie auch nur ein Wort verloren.

Dennoch, wir drei waren nun endlich wieder ein Team. Der einzige Nachteil dabei war jedoch, dass ich nun die Anzüge der beiden, die mir mittlerweile ganz gut passten, wieder zurückgeben musste.

EIN HÖCHST interessantes Betätigungsfeld eröffnete sich mir durch eine Annonce, die am Bahnhof von Bremen angeschlagen war: MUSIKER GESUCHT, stand da zu lesen. Unterzeichnet war das Pappkartonschild von Hans-Günther Oesterreich, der heute zu Recht als der Begründer von Radio Bremen gilt. „Hänschen" Oesterreich war ein bemerkenswerter Mann: Während des Krieges leitete er im von den Nazis besetzten Belgrad den deutschen Europasender; obwohl er damit natürlich Teil der NS-Propagandamaschinerie war, nützte er seinen entlegenen Posten aber geschickt aus, um entgegen der herrschenden Politlinie verbotene Musik zu senden, wie etwa Jazz oder Titel von jüdischen Komponisten. Gegen Kriegsende beantragte er bei der US-Militärregierung die Lizenz für einen eigenen Sender, die ihm Ende 1945 schließlich erteilt wurde. Und dafür suchte er nun Musiker.

All das wusste ich natürlich nicht, als ich in sein „Büro" kam, das aus einem Schreibtisch bestand, den er unter einem Obstbaum in einem kleinen Garten platziert hatte. Ich stellte mich vor – und hatte Glück: es gab noch keinen Bassisten in Hänschens Aufgebot.

Am 23. Dezember 1945 ging der neue Radiosender aus einer kleinen Villa in der Schwachhauser Heerstraße erstmals auf Sendung – natürlich live. Drei gestimmte Wassergläser erzeugten die Tonfolge des Pausenzeichens, und Hans-Günther Oesterreich machte folgende Ansage: „Wenn Sie etwas rauschen hören, ist das keine fehlerhafte Schallplatte, sondern draußen regnet es."

Ganz ohne Tonkonserven kam der Sender aber doch nicht aus, und so wurde die Bevölkerung über Anzeigen im damals bereits erscheinenden *Weser-Kurier* aufgefordert, Schallplatten zu spenden. Innerhalb von nur wenigen Tagen stapelten sich in der Villa des Senders unzählige Schellacks.

In den ersten Monaten des Jahres 1946 kamen immer mehr Musiker aus der Gefangenschaft nach Hause, und so entstand – unter der Leitung von Friedrich Meyer – schließlich das erste Tanzorchester von Radio Bremen. Wir spielten Schlager und amerikanische Tanzmusik; besonders angetan waren wir von dem unverkennbaren Sound Glenn Millers: „American Patrol", „In The Mood" und die romantische „Moonlight Serenade" waren unsere Favoriten.

Bald bekamen wir ein neues Studio: Das Bremer Funktheater war ein altes Kino, das notdürftig an die Erfordernisse der Akustik angepasst wurde – ein dicker, schallschluckender Teppich, ein paar lange Stoffbahnen, mit denen man die Rhythmus-Section akustisch vom Rest des

Orchesters trennen konnte – und eine große Blumenspritze, mit der dafür gesorgt wurde, dass die Luft nicht allzu trocken wurde.

Bei unseren Radio-Livekonzerten machte ich erste Erfahrungen im Umgang mit einem Konzertpublikum – es genügte nicht, nur einfach das Instrument zu spielen, man musste dazu auch noch „schauspielern": mit verzücktem Gesichtsausdruck und rhythmisch wippendem Kopf, scheinbar atemlos über den Bass gekrümmt, swingte ich durch das Programm.

Neben dem großen Tanzorchester sollte es auch eine kleinere Besetzung für leichtere Musik geben: So gründeten wir das Last-Becker-Ensemble, bestehend aus Karl Heinz Becker, Trompete, Alfred Andre, Saxofon, meinen Brüdern Werner, Akkordeon, und Robert, Schlagzeug. Ich stand natürlich am Bass.

All that Jazz

Ich lebte zu dieser Zeit noch bei meinen Eltern, gemeinsam mit Werner, Robert und dessen junger Frau Marianne. Obwohl unser Haus alles andere als ein Palast war, schuf meine Mutter mit ihrer herzlichen Art auch auf diesem beengten Raum eine Atmosphäre, in der keine nennenswerten Streitigkeiten aufkamen: Es wurde viel gelacht, und wir haben uns wunderbar verstanden.

Ende der 40er-Jahre begann das, was später als das deutsche Wirtschaftswunder bezeichnet wurde. Die Menschen spürten, dass es langsam wieder bergauf ging, und damit stieg auch das Bedürfnis nach Unterhaltung. Aus dem kleinen Last-Becker-Ensemble wurde bald ein 13 Mann starkes Orchester, das auf vielen, damals sehr populären „Bunten Abenden" spielte. Hin und wieder improvisierten wir zu diesen Gelegenheiten auch eine Nummer, und die nannten wir dann natürlich ... Delmenhorster.

Ich machte aber nicht nur Tanzmusik, denn die Welt des Jazz hatte mich seit meiner Zeit bei den GIs nicht mehr losgelassen. Gleich nach dem Krieg gab es jeden Sonntagnachmittag im Radio die Sendung *Jazz at the Philharmonic*. Da hingen Robert, Werner und ich förmlich am Gerät, einem alten Loewe Opta. Im Haus musste absolute Stille herrschen, wenn wir gebannt dem Spiel unserer großen Helden lauschten: Count Basie, Stan Kenton, Duke Ellington. Mein Vorbild als Bassist war Chubby Jackson vom Woody Herman Orchestra; später bewunderte ich das raffinierte Spiel des jungen Dänen Niels-Henning Orsted-Pedersen, der mit Oscar Peterson zusammen spielte.

Endlich wieder freies Musizieren ohne Marschrhythmus: mit Heinz Schulze (Gitarre) und Bruder Robert (Schlagzeug)

Jazz war in diesen Tagen in Deutschland geradezu ein Synonym für das neue Lebensgefühl, für das Abschütteln der Gespenster der Vergangenheit: Wir wollten der Welt zeigen, dass wir nicht nur dumpfe Marschmusik auf dem Kasten hatten. An vielen Orten bemühten sich engagierte Musiker und Musikfreunde darum, Jazz auch bei einem breiteren Publikum populär zu machen.

GEMEINSAM mit meinem Bruder Robert spielte ich Ende der 40er-Jahre, Anfang der 50er-Jahre einige Zeit im Andreas Hartmann Trio. Unsere Aufnahmen wurden im Rundfunk gesendet, und so wurden nach und nach auch andere Musiker auf mich aufmerksam, wie Helmut Zacharias, der damals noch Jazzgeiger war, oder der Pianist Paul Kuhn. Unversehens war ich mitten in jener Jazzclique beheimatet, die in Deutschland den Ton angab: Günther Fuhlisch und Albert Mangelsdorff, beide Posaune, Rolf Kühn und Franz von Klenck, beide Altsaxofon und Klarinette, Hans Podehl, Schlagzeug, und Max Greger, Tenorsaxofon.

1950 wurde mir zum ersten Mal die Ehre zuteil, zum beliebtesten Jazzbassisten Deutschlands gewählt zu werden. Die Zeitschrift *Gondel* – ein in den 50er-Jahren in Deutschland sehr beliebtes „Herrenmagazin", das sich Themen wie Musik, High Society, Unterhaltung und natürlich schönen Frauen widmete – veranstaltete diese Wahl, abstimmen durften Leser, Kritiker und Kollegen. Ich gewann den so genannten Jazzpoll dreimal hintereinander.

1953 fand in Frankfurt am Main das erste deutsche Jazzfestival statt. Als besondere Attraktion wurde aus den Erstplatzierten des Polls eine

Formation mit dem Namen „German All Stars" gebildet. Die Besetzung dieser Band lautete: Paul Kuhn, Piano, Max Greger, Tenorsaxofon, Günther Fuhlisch, Posaune, Fred Bunge, Trompete, Franz von Klenck, Altsaxofon, Gerhard Hühns, Gitarre, Teddy Paris, Schlagzeug, und Hans Last, Bass. Wir spielten unter anderem „How High The Moon", „Oh Lady Be Good" und … die „Mücke" – „Perdido"!

Das Konzert der All Star Band erschien bei Telefunken als Langspielplatte; es war das erste deutsche Jazzkonzert, das vollständig auf Platte veröffentlicht wurde.

ICH BIN überzeugt: meine Erfolge als Jazzbassist hängen unmittelbar mit meiner klassischen Ausbildung in Bückeburg zusammen. Wer Johann Sebastian Bach und seinen Kontrapunkt verinnerlicht hat, der ist frei genug, um sich auch im Jazz zurechtzufinden. Dass ich in den 50er-Jahren ein so fixer Bestandteil der deutschen Jazzszene war, dass mein Name in diesen Kreisen einen so guten Ruf hatte, darauf war ich damals wirklich stolz und bin es auch heute noch. Das war für einen Musiker wie mich eine Art Ritterschlag.

Waltraud

Die Musik hatte mich schon damals derart gefangen genommen, dass ich kaum Augen und Ohren für andere Dinge hatte – auch nicht für Mädchen. Wie gesagt, ich war in vielen Dingen ein absoluter Spätzünder, selbst für die damaligen, noch recht prüden Verhältnisse. Schließlich ließ sich Amors Pfeil jedoch nicht mehr aufhalten – wenn er mich auch sozusagen in Zeitlupe traf.

Ich lernte meine spätere Frau Waltraud kennen, weil ihr Vater, Hellmuth Wiese, Geige spielte und gemeinsam mit meinem Vater Musik machte. Ich sollte ein paar Noten bei Familie Wiese abliefern, klingelte, und sie stand in der Tür – das war's auch schon. Es fühlte sich vielleicht nicht wie „Liebe auf den ersten Blick" an, und doch war es das irgendwie. Ich kam immer wieder einmal bei Waltrauds Familie vorbei – und sie war stets da. Ich war 21 Jahre alt, Waltraud war zwei Jahre jünger als ich, Zahnarzthelferin und sogar ein wenig musikalisch. Es war am Anfang bestimmt kein Gefühl unsterblicher Verliebtheit, aber was wussten wir denn schon von Liebe. Irgendwann jedoch, ganz still und leise, wuchs mehr als reine Zuneigung zwischen uns, ein langsames Herantasten an den anderen. Wir lernten, einander zu vertrauen, zu akzeptieren, und hatten – was für unsere gemeinsame Zukunft noch wichtiger war – großen Respekt voreinander.

Beide wohnten wir noch bei unseren Eltern, und somit verlief unser Zusammensein immer sehr gesittet. Wir haben uns stundenlang angemacht, ein bisschen herumgefummelt, aber es passierte nie etwas, und trotzdem ...

An den Wochenenden gingen wir öfter zum Tanzen aus, sie in kessen Ringelsöckchen, ich im Anzug mit Stulpen und breitem Revers. Selbst Waltrauds körperliche Vorzüge bemerkte ich erst mit gewaltiger Verspätung: Wir hatten Aufnahmen mit Vico Torriani im Bremer Funktheater, Waltraud kam mit dem Fahrrad an, schick herausgeputzt in einem schwarzen Cocktailkleid mit einem tollen Ausschnitt. Erst da fiel mir auf, was für einen schönen Busen sie hatte.

Es dauerte nochmals einige Jährchen, bis wir den großen Schritt wagten und beschlossen zu heiraten. Das hatte allerdings auch mit den ungesicherten finanziellen Verhältnissen zu tun, in denen ich damals lebte.

Als Waltraud ihre Mutter ins Vertrauen zog, schlug diese nur die Hände über dem Kopf zusammen und rief: „Mensch, noch 'n Musiker!"

Aber 1955, nach fünf Jahren, war es dann so weit. Ich hatte ihr nie einen förmlichen Heiratsantrag gemacht, ich sagte eines Tages einfach: „Was meinst du? Jetzt kennen wir uns schon so lange und verstehen uns so gut, da könnten wir doch eigentlich schön langsam heiraten."

Ihre Antwort war genauso cool: „Ja klar, warum nicht?"

Es war uns beiden sowieso klar, dass wir zusammengehörten. So kam es dann auch zu einer Hochzeit in kleinstem Familienkreis. Im Rathaus von Hemelingen traten wir in den Stand der Ehe.

FAST zur gleichen Zeit wurde ich Mitglied des NWDR-Orchesters in Hamburg: In Bremen hatte ich sowohl für das Last-Becker-Ensemble als auch für das große Orchester bereits Arrangements geschrieben, und so wurde ich in der ersten Hälfte der 50er-Jahre beauftragt, ein Streichorchester für Radio Bremen zu leiten. Ich gründete für den Sender das Orchester Hans Last und konnte nun zum ersten Mal erleben, was es bedeutet, als Orchesterchef die eigenen Vorstellungen in die Tat umsetzen zu dürfen. Wir waren ein freiberufliches Orchester, zweimal wöchentlich machten wir gegen Honorar Aufnahmen oder spielten live im Rundfunk.

Diese Tätigkeit war zwar sehr spannend, aber nicht sonderlich lukrativ – als Sender eines kleinen Bundeslandes konnte Radio Bremen keine attraktiven Gagen bezahlen. Ich musste mich also nach Alternativen umsehen. Für mein Bremer Orchester hatte ich ab und zu Verstärkung aus Hamburg geholt. So entstanden die ersten Kontakte zum NDR, der damals noch NWDR hieß.

Eines Tages sollte in Hamburg ein Stück des Schweizer Komponisten Rolf Liebermann aufgeführt werden, es hieß „Konzert für Jazzband und Sinfonieorchester", und der Bassist des NWDR kriegte das nicht so richtig in den Griff. Also schlugen die Kollegen, die ich hin und wieder geholt hatte, nun den Bassisten aus Bremen vor, der würde das schon spielen können.

Ich fuhr nach Hamburg, wir spielten das Konzert, und in der Folge beschloss ich, ein Angebot von Rolf Liebermann, der damals Musikchef des NDR war, anzunehmen und mein Glück künftig in der Stadt an der Elbe zu versuchen. Waltraud war mit dem Umzug sogleich einverstanden. Sie war ein Mensch der Tat und verstand genau, welche Chance sich uns hier eröffnete. Ihre Stelle als Zahnarzthelferin hatte sie – wie es damals traditionellerweise üblich war – bereits gekündigt, als wir geheiratet hatten. Unsere erste Hamburger Adresse war eine kleine Wohnung in der Heimhuder Straße, in der Pension Birken: Im Wohnzimmer stand ein alter Flügel, für den wir extra Miete bezahlen mussten; das Schlafzimmer war mit einem Bett mit tiefer Mulde in der Mitte ausgestattet, da fielen Waltraud und ich – frisch verheiratet – ziemlich häufig aufeinander. Endlich! Das enge Zusammenleben war toll, für uns als junges Ehepaar eine ganz neue, sehr kuschlige Erfahrung.

BERUFLICH war mein neues Engagement allerdings zunächst ein kleiner Rückschritt, denn der Wechsel zum NDR bedeutete ja auch, dass ich nun wieder nach dem Taktstock eines anderen zu spielen hatte. Franz Thon, Saxofonist und Klarinettist, war der Leiter des Tanzorchesters – ein Posten, den er übrigens bis 1980 innehatte. Er war ein Mann mit ungewöhnlich viel Energie und dirigierte das Orchester mit äußerster Hingabe – der geborene Musiker.

Damals spielte ich natürlich hauptsächlich den gezupften akustischen Bass. Aber ich war der erste Bassist in Hamburg, der einen E-Bass hatte, einen Gibson-Bass. Für meine erste eigene Plattenveröffentlichung kam jedoch mein alter Bass zum Einsatz: Die Single hieß „Tricks In Rhythm", und ich spielte sie gemeinsam mit dem Schlagzeuger Siegfried Enderlein vom NDR-Tanzorchester ein. Trotz der damals noch sehr begrenzten Möglichkeiten der Aufnahmetechnik gelangen uns einige ziemlich originelle Sounds – mit mehrfachen Überspielungen, verschiedenen Bandgeschwindigkeiten und ähnlichen Tricks. Die Titel liefen oft im Radio, eine dieser Nummern verwendete der NDR – zusammen mit der berühmten Robbe – lange Zeit als Pausenzeichen.

Mit dem NDR-Orchester begleiteten wir häufig die Gesangsstars dieser Zeit: Vico Torriani etwa, Bibi Johns oder den gerade am Beginn seiner Karriere stehenden Peter Alexander. Seinen ersten großen Erfolg, den Titel „Das machen nur die Beine von Dolores", nahm ich in den 80er-Jahren für das Album *Deutsche Vita* auf – das Absatzgeklapper der Dolores-Beine in meinem Arrangement stammte allerdings von den „Beinen von Waltraud", die dafür im Studio auf und ab gehen musste.

Die Erfahrungen mit den jungen Sängern kamen mir kurze Zeit darauf zugute, als ich selbst als Arrangeur oder Produzent für verschiedene Schlagerstars tätig wurde.

Meine Droge

Ich habe damals schon viel für den NDR geschrieben, keine eigenen Kompositionen, denn das war ziemlich verpönt, die Arrangeure hätten ja am Ende zu viele Tantiemen verdienen können, sondern Arrangements für andere: für Franz Thon und für den zweiten Mann beim NDR, Alfred Hause. Mein erstes Arrangement für Hause war „In The Still Of The Night", und ich bekam dafür ganze achtzig Mark – eine ziemliche Hungerleidergage. Aber es dauerte nicht lange, da stiegen die Honorare auf drei- oder vierhundert Mark pro Nummer an.

Ein Mann, von dem ich sehr viel gelernt habe, war der Pianist und Orchesterleiter Kurt Wege. Er schrieb Schlager auf Kammermusik um, mit Streichern, Klavier und Harfe. Bei ihm begann ich damit, Streichquartette mit Orchesterbegleitung zu arrangieren. Eine meiner frühesten „James Last"-Aufnahmen geht auf diese Technik zurück: mein Quartett-Arrangement der Beatles-Nummer „Yesterday" auf der LP *Beat In Sweet*.

Auch für Helmut Zacharias, der sich mittlerweile der breiten Unterhaltungsmusik zugewandt hatte, war ich bald sehr aktiv – wobei er hin und wieder seinen eigenen Namen unter ein Arrangement von mir setzte. Ich war in dieser Hinsicht zu jung und zu unerfahren, mir ging es einfach nur um die Musik. Und so machten wir Aufnahmen mit Mona Baptiste, Bully Buhlan, Gerhard Wendland und vielen anderen Stars.

Mit Zacharias tourte ich auch eine Zeit lang als Bassist durch Europa. Helmut hatte zwar ein großes Streichorchester, aber um den Sound noch satter klingen zu lassen, wurde während der Konzerte zusätzlich ein Playback eingespielt. Bevor die Tournee losging, stand ich nachts allein in der Hamburger Musikhalle und synchronisierte jeden einzelnen Titel nach, den wir im Programm hatten, um den Bass auf den Playbackbändern zu verstärken.

Auf der Bühne hatte ich Kopfhörer auf, da bekam ich das Playback eingespielt und zupfte live meinen Bass dazu. Mit der Verdopplung der Streicher durch Überspielen hatte ich mit meinem Orchester in Bremen selbst schon einige Erfahrungen gesammelt. Während meine Kollegen, die ebenfalls mit der Verdopplung von Violinen experimentierten, die erste, zweite, dritte und vierte Violinstimme gleichzeitig aufnahmen, und das eben zweimal, nahm ich jede Stimme einzeln mit jeweils allen Violinen auf, das allerdings viermal. Obwohl wir in Bremen nur acht Violinen, zwei Bratschen und zwei Celli hatten, klangen unsere Streicher so üppig wie bei Mantovani.

Diese Aufnahmen spielte ich einem Mann vor, der in den 50er-Jahren das größte Hamburger Orchester leitete: Harry Hermann. Hermann, der eigentlich Harry Hermann Spitz hieß, galt als sehr schwierig und war früher Bratschist bei den Wiener Philharmonikern gewesen – dementsprechend luxuriös waren seine Vorstellungen von einem optimalen Orchesterklang. Sein Orchester bestand aus etwa hundert Mann. Er war von der Art, wie ich die Streicher arrangiert hatte, sehr angetan, er konnte gar nicht glauben, dass ich diesen satten Sound mit so geringen Mitteln erzielt hatte. „Arbeiten Sie für mich!", meinte er – und darauf hatte ich richtig Lust, das kam meiner romantischen Ader sehr entgegen.

Sein Traum waren große, konzertante Arrangements im Stil von Gershwin, er wollte klingen wie das Boston Pops Orchestra. Meine erste Arbeit für ihn war „The Breeze And I". Ich schrieb eine leicht versponnene Einleitung, eben „the breeze", ein leichter Wind, der über das Notenpapier strich, dann die Melodie: acht Celli, zwölf Bratschen. Da standen mir selbst die Haare zu Berge, so satt hat das geklungen.

Oder „Bess, You Is My Woman Now" aus der Oper *Porgy & Bess*: Anneliese Rothenberger und Lawrence Winters, ein schwarzer Bariton von der Hamburger Staatsoper, sangen diese Titel, dazu das Riesenorchester – und Hansi Last hatte das arrangiert! Ich kann kaum beschreiben, welche Gefühle die Musik in mir auslöste, es war einfach fantastisch. Ein solch großartiges Ensemble von Musikern und Sängern zum Klingen bringen zu dürfen – das versetzte mich in eine unglaubliche Hochstimmung, wie eine Droge.

Ein weiterer Star, mit dem ich Mitte der 50er-Jahre auf Tour ging, war Maximilian Michael Andreas Jarczyk, besser bekannt unter seinem Künstlernamen Michael Jary. Den Durchbruch als Schlagerkomponist schaffte er 1938 mit „Roter Mohn", zwei seiner größten Evergreens sind „Ich weiß, es wird einmal ein Wunder geschehen", gesungen von Zarah Leander, und der Hans-Albers-Titel „Das kann doch einen Seemann nicht erschüttern". 1955 kam der Film *Wie werde ich Filmstar* mit Nadja Tiller und Theo Lingen in die Lichtspieltheater, die Musik stammte von Michael Jary, der große Hit war „Zwei Herzen im Mai", gesungen von der hübschen Schwedin Bibi Johns. Wir fuhren gemeinsam auf Premierentournee durch Deutschland, und das bedeutete damals: Der Film lief nicht in allen Großstädten gleichzeitig an, sondern es gab in den wichtigsten Orten jeweils unterschiedliche Premierentage. Wir tingelten also durch die Lande und spielten im jeweiligen Premierenkino als Vorprogramm ein paar Nummern der Filmmusik, so wurde damals PR gemacht.

Langsam entwickelte sich auch in Hamburg ein neuer Freundeskreis, vor allem mit den Musikerkollegen vom NDR. Gleich neben unserer Wohnung in der Heimhuder Straße gab es ein Lokal, das „Moorweiden Casino", in dem gelegentlich ein junger Mann auftrat, der Akkordeon spielte. Sein Name war Bert Kaempfert. Fips, wie er von allen genannt wurde, war zu dieser Zeit noch völlig unbekannt. Er war ein ganz lockerer Typ, genauso relaxed wie seine Musik. Wir verbrachten in diesem Lokal einige sehr angeregte Abende zusammen. Später, als Fips und ich beide längst berühmt waren, haben uns die Medien immer wieder Konkurrenzneid anzudichten versucht – doch davon war nie die Rede, dazu waren wir beide wahrlich nicht die geeigneten Charaktere.

Allzu viel Freizeit hatte ich aber ohnehin nie, da ich ständig schrieb; außerdem war ich – wie gesagt – bereits damals viel unterwegs, mit Alfred Hause, mit Franz Thon, mit Helmut Zacharias. Schon damals stand mir Waltraud mit großzügigem Gleichmut zur Seite – und ließ mich ziehen. Sie wusste, wie viel mir die Musik bedeutete und welch ein Privileg es für mich war, auf diese Weise unser Geld zu verdienen.

ANFANG 1956 erhielt ich eine feste Anstellung als Bassist beim NDR, wir übersiedelten in eine größere Wohnung in der Heinrich-Hertz-Straße im Stadtteil Uhlenhorst – und wagten endlich an Nachwuchs zu denken. Caterina kam 1957 zur Welt, Ronnie ein Jahr später.

Mit der Geburt meiner Kinder war mein privates Glück vollkommen.

Oft war ich derjenige, der nachts aufstand, um die Kleinen zu versorgen: Wickeln, Baden, Fläschchengeben – all das habe ich gern getan. Manchmal konnte ich danach nicht mehr einschlafen, weil mir so viele musikalische Gedanken durch den Kopf gingen. Also setzte ich mich hin und schrieb sie gleich auf.

Waltraud war nicht nur als Ehefrau, sondern auch als Mutter fantastisch. Wir hatten uns beide von Anfang an darauf geeinigt, dass unsere Kinder so frei und ungezwungen wie möglich aufwachsen sollten – wenn ich mir die erwachsenen Resultate heute ansehe, dann habe ich das Gefühl, dass uns das ganz gut gelungen ist. Obwohl ich oft wochenlang nicht zu Hause sein konnte, trotz der ungezählten Studiotermine und trotz der Erfolge, die später über mich hereinbrechen sollten: Waltraud ist es gelungen, Rina und Ron eine einigermaßen normale Kindheit zu bescheren.

Mit dem Heranwachsen der Kinder wurde auch die Frage nach einer geräumigeren Behausung aktuell. 1960 bot sich die Gelegenheit, ein Reihenhaus am Holitzberg in Hamburg-Langenhorn zu erstehen. Wir überlegten lange, rechneten und tüftelten – und schlugen dann zu.

Das Haus hatte fünf Zimmer und war von einem großen Garten umgeben; mein Arbeitszimmer lag im Souterrain. Durch ein kleines Fenster konnte ich die Kinder im Sandkasten spielen sehen. Schnell entwickelten sich Freundschaften zu unseren Nachbarn, ein ganz neuer Bekanntenkreis entstand, in dem viel gemeinsam unternommen und gefeiert wurde. Der Holitzberg war eine echte Partygegend – jeder lud jeden ein: Der eine hatte einen Braten in der Röhre, der andere bereitete den Nachtisch zu, der Dritte sorgte für die Getränke. Wir hatten den längsten Tisch, den deckten wir, mit Kerzen und allem Drum und Dran, und trugen ihn dorthin, wo die Fete stattfand. Es waren ebendiese Partys, die mich später zu meiner ersten *Non Stop Dancing*-LP inspirieren sollten.

Alaska und ein Seemann

1959 trat Alaska als bislang vorletzter Bundesstaat den Vereinigten Staaten von Amerika bei. Aus diesem Anlass erhielt ich zwei oder drei Notenzeilen, aus denen ich eine große Nummer für das Orchester Harry Hermann arrangieren sollte – mit dem Titel „Alaska". Besagte Noten stammten aus der Feder von Lotar Olias, dem Komponisten und Produzenten von Freddy Quinn – und Freddy hatte zu dieser Zeit bereits eine beeindruckende Karriere gemacht, er war der ungekrönte Plattenkönig Deutschlands. Für Olias zu arbeiten war also durchaus eine Ehre. Ich konnte mit dem Thema Alaska sofort etwas anfangen, da hätte ich gar keine Noten gebraucht. Ich dachte an Schlittenhunde, endlose, schneebedeckte Weiten, riesige Wälder, verhangene Berggipfel, verlassene Goldgräberstädte. Die Komposition, die ich von Olias bekam, war nicht länger als 16 Takte, auf einen kleinen Zettel gekritzelt – und daraus machte ich eine Nummer, die acht oder neun Minuten dauerte. Das machte viel Spaß, und auch das Orchester mochte die Nummer sehr. Sie knieten sich so richtig in den Titel hinein – und ich war glücklich und stolz.

Einige Zeit später erhielt ich Post aus England: Man schickte mir ein großes Arrangement, ich sollte die musikalischen Bezeichnungen ins Englische übersetzen. Titel der Nummer: „Alaska". Als Komponist war Lotar Olias angegeben. Schüchtern, wie ich war, rief ich erst nach ein paar Tagen bei Olias an und machte ihn auf diese Ungereimtheit aufmerksam, schließlich war es ganz eindeutig mein Arrangement.

Olias war die Situation merklich unangenehm: „Ja ... was können wir denn da machen? Haben Sie vielleicht Zeit, auch weiterhin für mich zu arbeiten?"

„Klar, hab ich, aber ich möchte dafür anständig bezahlt werden", sagte ich prompt.

Wir einigten uns darauf, dass er mir nachträglich tausend Mark für „Alaska" überweisen würde. Das war natürlich lächerlich wenig, denn damit hatte ich alle Rechte an ihn abgetreten, das hätte außer mir wohl keiner getan.

Zwei Tage später rief er an, ob ich nicht für Freddy arrangieren könne. So arrangierte ich etliche Nummern für Freddy Quinns Alben und Musikfilme, wie *Die Gitarre und das Meer* oder *Heimweh nach St. Pauli*, und auch jenen Titel, der längst ein Klassiker ist: „Junge, komm bald wieder".

Mein Anteil an diesem Erfolg sprach sich schnell herum, und bald konnte ich mich vor Aufträgen kaum mehr retten: von Margot Eskens, Alfred Hause, Caterina Valente, Lolita, Hanne Wieder, der US-Countrysängerin Brenda Lee, Fred Bertelmann, Lale Andersen und vielen anderen. Ich war auf dem besten Weg, ein gut bezahlter Lohnschreiber zu werden.

Dazu kam, dass mir beim NDR nun eine Festanstellung auf Lebenszeit angeboten wurde. Es mag vielleicht unbescheiden klingen, aber ich wollte nicht den Rest meines Lebens in dermaßen vorhersehbaren und geordneten Bahnen verbringen. Und ich wollte schon gar nicht der stille Mann im Hintergrund sein, der sich für den Erfolg der anderen die Finger wund schrieb. Also musste etwas geschehen – und zwar rasch.

Ich ließ mich vom NDR beurlauben und machte mich auf den Weg in meine Zukunft.

Non Stop Dancing

Der Beatles neue Kleider

Durch meine Arrangements für die vielen Schlagerstars hatte ich schon mehrfach mit der Plattenfirma Polydor zu tun gehabt, deren Sitz ganz in der Nähe des Hamburger Funkhauses lag. Außerdem hatte ich – unter der Ägide von Lotar Olias – bereits einige Alben für Polydor eingespielt, die mich jedoch allesamt nicht berühmt gemacht hätten: *Die gab's nur einmal* hießen zwei LPs, auf denen Stimmungslieder in Potpourriform zu hören waren. „Hans Last und die Rosenkavaliere" stand auf dem Cover, und wir spielten „klassische" Schlager der 40er- und 50er-Jahre.

Mein nächster Versuch wurde unter dem Namen „Orlando" veröffentlicht und hieß *Musikalische Liebesträume*. Da ich schließlich Geld verdienen wollte, arrangierte ich dieses Mal freie Titel, also Kompositionen, deren Rechte bereits abgelaufen waren, darunter einige Nummern aus der Klassik wie Liszts „Liebestraum" oder Tosellis „Serenade". Sie wurden in einem Stil produziert, der schon recht nahe an meine erste *Classics Up To Date*-Produktion herankam.

Am meisten Spaß machten mir zwei Kabarett-Alben. Ich trug – wie es auf dem Cover hieß – die „Last der Arrangements". Mit Vergnügen.

Diese Alben waren zwar keine Flops, aber sie waren auch nicht unbedingt rauschende Erfolge. Und auch wenn sie Spaß machten, so waren sie nicht das, was ich wirklich schaffen wollte. Ich nahm also all meinen Mut zusammen, marschierte zu Heinz Voigt, dem damaligen Chef der Polydor, und fragte ihn, ob ich nicht einmal selbst etwas produzieren könnte. Etwas Neues!

„Haben Sie denn eine Idee?", fragte er mich.

„Ja, ich denke schon."

Die Idee lag im Grunde auf der Hand. Jedes Mal wenn Waltraud und ich auf eine Party eingeladen waren, erlebten wir die gleiche Situation: es dauerte ewig lange, bis der stotternde Stimmungsmotor so richtig ansprang. Wenn das Begrüßungsritual vorüber war und keiner mehr wusste, was er sagen sollte, wurde bestenfalls Trini Lopez oder Mantovani aufgelegt.

Diesem steifen Zeremoniell wollte ich mit meiner Idee den Kampf ansagen: wenn die gute Laune nicht von Gastgebern und Gästen ausging, dann sollte sie eben vom Plattenteller kommen. Tanzmusik, aktuelle Hits aus den Charts, unterlegt mit Partygeräuschen, hieß meine Devise. Klatschen, Mitsummen, Pfeifen, ausgelassene Atmosphäre, ganz einfach: Leben! Non Stop Dancing.

Schuld an dieser Idee war eigentlich mein Vater. Als Nesthäkchen hatte ich oft bei ihm im Radiosessel hocken dürfen, wenn er Samstagnachmittag Radio Kopenhagen eingeschaltet hatte: Da gab es Livemusik, und im Hintergrund hörte man ständig Menschen, die sich unterhielten, Tassengeklapper, Gläserklirren, Kaffeehausatmosphäre.

Die Frage war nun, wie man die Partystimmung, die mir vorschwebte, möglichst glaubhaft in die Rillen einer LP bekäme. Am besten, man veranstaltete ein richtiges Fest! Wir nahmen zunächst nur die Band mit Chor auf, ohne Zusatzgeräusche. Als die Aufnahme fertig war, ließ ich das Band nochmals ablaufen, und sechs Sängerinnen und Sänger mühten sich nach Kräften ab, Partystimmung zu erzeugen. Das klang anfangs natürlich ein wenig dünn. Aber sehr bald wurden daraus richtig heiße Feten: ich lud Freunde ins Studio ein, der Chor war da und meistens auch meine Musiker. Es gab belegte Brötchen, Bier und Schnaps, um die Leute lockerer zu machen, dann legte Peter Klemt, der Toningenieur, das Band ein – und die Party ging los. Der Chor sang noch einmal alles mit, und meine „Gäste" sangen, klatschten und tanzten. Mit der Zeit wurde es richtig „in", zu den Non Stop Partys von James Last zu gehen.

Als ich die erste *Non Stop Dancing '65* fertig gemischt hatte, mit Klatschen und Partystimmung, hörten sich einige Leute bei Polydor die Platte an und meinten: „Schade, die Musik ist doch gut, was sollen denn die Geräusche da drauf?!"

Aber schließlich begriffen alle, was gemeint war, und da sie die Platte auch für den internationalen Markt für geeignet hielten, änderten sie – ohne lange zu fragen – meinen Namen.

Waltraud und ich wollten nach Baden-Baden zu den deutschen Schlagerfestspielen fahren. Wir stiegen gerade ins Auto ein, da kam uns der

Briefträger entgegengelaufen und winkte uns mit einem Pappkarton zu, in dem die erste druckfrische *Non Stop Dancing*-Scheibe steckte.

Waltraud riss die Verpackung auf, holte die LP heraus – und sah mich völlig verwirrt an. „Du, da steht ‚James Last' drauf!?"

Nach unserer Rückkehr fragte ich bei Polydor an, und die Antwort lautete: „Die Musik ist so international, James klingt da einfach besser." Der Witz ist: heute sagen die englischen Fans alle Hansi zu mir, in Deutschland hingegen bin ich nach wie vor James.

Non Stop Dancing wurde ein unglaublicher Erfolg, und das lag wohl nicht nur an den Partygeräuschen, sondern auch an der Titelauswahl: 1965 kamen die Beatles in Deutschland mit ihren Songs erstmals groß raus. Die so genannten Jazzer beim NDR-Tanzorchester ignorierten deren Musik vollkommen. Ich hingegen sagte mir: Wenn die jungen Leute sich so sehr für diese Musik interessieren, dann setz dich doch mal damit auseinander und sieh zu, wie du das für eine Instrumentalband arrangieren kannst! Ich war der Allererste, der das getan hat. Es war eine echte Marktlücke, wobei der Gedanke doch naheliegend war: Viele Leute akzeptierten diese neuartige Musik vor allem deshalb nicht, weil sie die Texte nicht verstanden.

Die *Non Stop Dancing*-LP war für mein weiteres Schicksal entscheidend: ich verabschiedete mich von der NDR-Festangestellten-Musik und wurde Produzent und Bandleader. Eine atemberaubende Reise in einem Hochgeschwindigkeitszug nahm ihren Anfang.

Happy Sound

Als ich zu Polydor kam, traf ich dort auf drei kongeniale Partner; gemeinsam bildeten wir das ideale Erfolgsquartett. Mein Chef war Heinz Voigt. Voigt war zuvor Manager von Kurt Edelhagen gewesen, den er nach dem Krieg in einem Internierungslager kennen gelernt hatte. Er kam 1953 zur Mutterfirma Deutsche Grammophon und leitete ab Mitte der 60er-Jahre die Deutschlandabteilung der Polydor. Er war ein echter „Gentleman of Music", er wusste einfach alles über die Musikbranche. Heinz Voigt war mein Förderer und mein väterlicher Freund.

Der Österreicher Ossi Drechsler. Er hatte als Verkaufsleiter bei Philips in Wien begonnen und kam 1965 als stellvertretender Produktionsleiter zu Polydor nach Hamburg. Ich war sozusagen einer seiner ersten großen Erfolge. Wir lernten uns auf einer der ausgelassenen Partys von Heinz Voigt kennen, und bei dieser Gelegenheit erzählte mir Ossi, dass er mich schon 1955 auf der Bühne des Wiener Konzerthauses als Bassist im Orchester von Helmut Zacharias erstmals gesehen habe.

Ossi Drechsler hatte eine besonders gute Nase, wenn es um das Aufspüren neuer Talente ging: 1968 holte er Karel Gott aus der damaligen ČSSR, er entdeckte den Meister der „Tausend Stimmen", Gotthilf Fischer, und den „Ode To Joy"-Sänger Miguel Rios.

Gemeinsam mit dem Vierten im Bunde – Werner Klose – waren wir ein unschlagbares Team, durch nichts und niemanden auseinanderzudividieren. Klose war gelernter Buchdrucker und Schriftsetzer; 1955 fing er in der Werbeabteilung der Deutschen Grammophon an und stieg bald zum Werbeleiter bei Polydor auf, und dort ging es richtig zur Sache: sieben Arbeitstage in der Woche mit zehn Stunden pro Tag waren ganz normale Dienstzeiten für ihn.

Das Verhältnis, das wir zueinander hatten, war ungewöhnlich herzlich: Heinz Voigt, Ossi Drechsler, Werner Klose und mich verband eine enge Freundschaft, die weit über ein normales Arbeitsverhältnis hinausging und in die auch unsere Familien mit einbezogen waren. Das vereinfachte und ermöglichte uns viele Dinge, die später – unter wechselnden Firmenchefs – in dieser Form nicht mehr denkbar waren.

Der immense Erfolg von *Non Stop Dancing* machte uns allen Appetit auf mehr, und so meinte kurz darauf irgendwer bei Polydor: „Wir brauchen ein Album mit Hammondorgel!"

Das war nun wirklich eine völlig andere Herausforderung! Ich nahm gleich zwei Stück davon, eine links, eine rechts, um den richtigen Stereoeffekt zu erzielen, dazu Schlagzeug, Bass, Gitarre, Saxofon und Akkordeon, und arrangierte zwei Dutzend Nummern, die ich schon mit meinen Brüdern in den Ami-Klubs gespielt hatte.

Zunächst war ich von der Hammond-Idee insgeheim gar nicht begeistert, diese Art Musik war nicht unbedingt nach meinem Geschmack. Als hingegen meine Frau die Muster-LP hörte, war sie sofort Feuer und Flamme: „Was willst du denn, das ist doch klasse Barmusik!" Und tatsächlich wurde die Scheibe haufenweise verkauft, jede Bar hat sie gespielt, und letzten Endes produzierte ich insgesamt vier Hammond-Alben.

Ursprünglich sollte die Platte übrigens *In der Hammond Bar – Hans Last und seine Combo* heißen. Doch das klang irgendwie langweilig. Damals war es Mode, in den Bars gleich eine ganze Flasche Wodka, Gin oder Whisky zu bestellen. Die gab man dem Barkeeper zur Verwahrung, und beim nächsten Lokalbesuch ließ man sich seine Privatflasche wieder bringen, so lange, bis sie eben leer war. Diese Methode nannte man „Whisky à gogo". So kam ein findiger Werbemann auf den Namen *Hammond à gogo*, eine Art Markenzeichen, das wir gleich für eine ganze „à gogo"-Serie beibehielten. Im Lauf der Jahre erhielt ich allein für die erste Folge von *Hammond à gogo* sechs Goldene Schallplatten.

Aus alter Gewohnheit spielte ich auf diesen Alben übrigens den Bass gleich selbst, Jochen Ment übernahm Tenorsaxofon und Akkordeon und mein Bruder Robert das Schlagzeug. An den Hammondorgeln saßen Hermann Hausmann, ein Pianist vom NDR, und Günter Platzek, der von nun an nicht mehr aus meiner Band wegzudenken war.

Günter war ein absolutes Unikum, mit seiner witzigen Art überdeckte er viele seiner Unsicherheiten. Er war ein sehr begabter Autodidakt, ein toller Jazzer, die Klassik war hingegen nicht so sehr seine Stärke, dazu war er ein bisschen zu hektisch. Günter hatte unglaubliche Energien, war sensationell musikalisch und konnte mit seiner Art zu spielen die Menschen für sich vereinnahmen.

Ich muss ganz ehrlich sagen, dass es nach Günters viel zu frühem Herztod im November 1990 sehr lange dauerte, bis wir einen musikalisch ähnlich interessanten Pianisten fanden, genau genommen bis ins Jahr 2002, als unser aktueller Mann am Klavier – Joe Dorff – zur Band stieß.

NACHDEM auch die Hammond-LP ein Hit war, kamen mein Polydor-Trio und ich auf die Idee, Volkslieder aufzunehmen.

Mein musikalisches Gehirn war durch die vielen Arrangements, die ich im Lauf der Jahre für andere geschrieben hatte, bestens trainiert. Damals war es genauso wie heute – wenn mir jemand einen Brocken wie „Volkslieder" oder „Evergreens" hinwirft, dann gehen mir sofort Titel durch den Kopf, ich höre gleich, wie das klingen muss: eine einfache Melodie ... ein Chor muss summen ... die Trompeten spielen abwechselnd links und rechts ... und schon habe ich die Einleitung zu „Wem Gott will rechte Gunst erweisen" im Kopf. Dann geht es weiter mit Flöten ... Oboe ... und Cembalo.

Auch die Auswahl der Titel ergibt sich für mich meist ganz von selbst: Ich fange mit irgendeiner Melodie an ... Rhythmus ... Tonart ... Stimmung ... Aufbau ... Dann entsteht in meinem Kopf sofort die Überleitung zu einem neuen Thema, und schließlich steht das ganze Potpourri.

Meine Idealvorstellung von einer LP ist es, dass sie absolut stimmig in einem Schwung durchlaufen muss. Ein Titel muss in den anderen übergehen.

Unter den vielen Alben, die ich in den ersten Jahren aufgenommen habe, zählen die drei Folgen von *Trumpet à gogo* zu meinen Lieblingsprojekten. Auf ihnen finden sich Songs aus der Zeit nach dem Krieg, als ich in den amerikanischen GI-Klubs noch Klavier spielte, wie „American Patrol", „Caravan" oder „Begin The Beguine" – alles fantastische Nummern, die man heute fast als Klassiker bezeichnen kann. Diese Arrangements, allesamt sehr relaxed, manchmal mit einem leichten Latin-Touch, wurden zum Inbegriff des „Happy Sound" und ein weltweiter Erfolg.

EINE ganz besondere Produktion für mich war unsere Aufnahme des Musicals *Hair* im Jahr 1969.

Der Vietnamkrieg war damals Diskussionsthema Nummer eins, die Antikriegsproteste in den USA wurden immer lauter, millionenfach verstärkt durch die eben aufblühende Flower-Power-Bewegung. Da fegte ein Musical über den Broadway, das alle herrschenden Moralvorstellungen total auf den Kopf stellte: *Hair*, von Galt McDermot (Musik) und Gerome Ragni/James Rado (Text). Es ging um Kriegsdienstverweigerung und freie Sexualität. Innerhalb kürzester Zeit trat die fulminante Show ihren Siegeszug um die Welt an – und ich fand die Musik einfach großartig! Also beschloss ich: Das müssen wir machen! Und nicht nur die großen Hits wie „Let The Sunshine In" oder „Aquarius", nein, nehmen wir doch gleich eine ganze LP auf. Ich wollte diese vibrierende Musik nicht in unserem bekannten *Non Stop Dancing*-Sound produzieren, es sollte etwas Neues sein. Also experimentierten wir im Studio mit allem Möglichen: Wir ließen die Tonbandmaschinen rückwärts laufen; wir stülpten Glasflaschen über Mikrofone, um damit besondere Klangeffekte zu erzielen; das Blech ließ ich an manchen Stellen mit einem Phaser verfremden; anstelle von Singstimmen setzte ich Flöten; und im Vergleich zum Original variierte ich Rhythmisierungen und Tempi zum Teil ganz erheblich. Das Ergebnis war eine LP, die mich rundum glücklich machte – und die einen wichtigen Schritt in unserer musikalischen Entwicklung darstellte.

Maestro Up To Date

Im Frühjahr 1968 saß ich mit ein paar Musikern in der Kantine meines früheren Arbeitgebers, beim NDR in der Rothenbaumchaussee, beisammen, als Harald Vock zu uns an den Tisch kam. Vock war nicht nur ein bekannter Krimiautor, sondern auch Unterhaltungschef des NDR.

„Hätten Sie mal Lust auf etwas Neues? Was halten Sie davon, wenn wir die *Dreigroschenoper* gemeinsam aufnehmen?!", fragte er mich.

Klar, Lust auf Neues hatte ich immer, aber die *Dreigroschenoper* war – ehrlich gesagt – nicht unbedingt das, was ich schon immer hatte machen wollen. Aber kaum hatte er zu Ende gesprochen, fingen die Töne und Noten in meinem Kopf an zu tanzen, und der Gedanke ließ mich nicht mehr los. Schließlich sagte ich zu und wurde somit kurzzeitig zum Operndirigenten.

Die Arbeit an dem Stück war für mich eine neue Herausforderung und vor allem ein interessanter technischer Auftrag. Also legte ich da und dort mein musikalisches Händchen rein und instrumentierte das Stück an manchen Stellen vorsichtig neu. Das wäre der Sache allerdings beinahe schlecht bekommen: Lotte Lenya, die Witwe Kurt Weills und dessen Rechtsnachfolgerin, wollte die Veröffentlichung der Produktion verhindern, weil es ihr nicht recht war, dass ich anstelle eines akustischen Basses einen E-Bass verwendete. Schließlich konnten wir Frau Lenya jedoch davon überzeugen, dass das Werk ihres Mannes durch meine Bearbeitung nicht in Mitleidenschaft gezogen wurde.

Die Aufnahme wurde 1968 mit dem Deutschen Schallplattenpreis ausgezeichnet. Das war für mich eine große Überraschung und bedeutete eine ganz besondere Anerkennung unserer Arbeit. Zwar hätte ich mir von der Plattenfirma gewünscht, dass die Produktion auf dem für Klassik zuständigen Gelblabel der Deutschen Grammophon veröffentlicht worden wäre. Die Deutsche Grammophon jedoch hat dies mit der albernen Begründung abgelehnt, dass James Last ein U-Künstler und kein E-Künstler sei.

Diese Unterscheidung ist schon allein deshalb reinste Augenwischerei, weil viele der bedeutendsten Werke der Klassik ursprünglich zu Unterhaltungszwecken komponiert wurden. Wie unsinnig die Trennung in E- und U-Musik ist, hat letztendlich auch der Erfolg meiner Klassik-LPs bewiesen.

Wenn man aktuelle Hits und Volkslieder in meinen Arrangements für neue Publikumsschichten interessant machen konnte, warum dann nicht auch klassische Musik?, fragte man sich damals. Die *Classics Up To Date*-Serie kam ursprünglich auf Anregung von Polydor International zustande, und die Idee, berühmte Werke großer Komponisten neu zu bearbeiten, war für mich alten Romantiker ein gefundenes Fressen.

Für die *Classics* schälte ich das Hauptthema aus einer Symphonie, aus einer Arie oder einem Klavierkonzert heraus und reduzierte das Stück so

*Ein beinahe „klassischer Maestro":
Aufnahme der* **Dreigroschenoper**

auf seinen wesentlichen musikalischen Kern. Aber ich legte immer Wert darauf, das Original nur sehr behutsam zu verändern: ich setzte auf eine schlankere Instrumentierung, hie und da schrieb ich vielleicht die Streicher etwas um und unterlegte schließlich dem Arrangement einen zarten Rhythmus. Auf diese Weise servierte ich die unsterblichen Werke in kleinen, leicht verdaulichen Häppchen – und plötzlich interessierten sich Leute für Schubert-Sonaten und Bizet-Suiten, die sich nie im Leben eine „echte" Klassik-LP gekauft hätten. Klassische Musik war in den 60er-Jahren noch eine sehr steife und mit strengem Ernst zelebrierte Angelegenheit.

Ich kann also durchaus sagen, dass ich auf diesem Gebiet echte Pionierarbeit geleistet habe. Ein Kritiker meinte einmal: „Was Karajan aufgrund seiner exzellenten PR-Arbeit und seiner glamourösen Persönlichkeit für eine breitere Popularität der klassischen Musik geleistet hat, hat James Last durch seine Klassikbearbeitungen erreicht" – eine Einschätzung, die mich richtig stolz macht.

Es hat mir immer schon unglaublichen Spaß gemacht, neue Titel für meine Classics-Produktionen aufzuspüren. In meinem Arbeitszimmer in Florida türmen sich Klavierauszüge und vollständige Konzertpartituren aller Stilrichtungen. Die Auswahl ist nahezu unbegrenzt ... und dennoch erinnere ich mich an eine Situation, in der mir tatsächlich einmal gar nichts mehr einfiel.

Während der Vorbereitungen zum ersten *Classics Up To Date*-Album saß ich in meinem Arbeitszimmer, es war zwei Uhr nachts, mein Kopf rauchte, ich war hundemüde. Aber ich benötigte noch dringend einen Titel für die morgige Aufnahme. Jedoch: Blackout.

Waltraud sah nach mir, um mich ins Bett zu holen. „Du musst langsam schlafen gehen, du hast ja morgen Aufnahmen."

„Mir fehlt aber noch ein Titel, den muss ich unbedingt noch hinkriegen."

Waltraud überlegte keine zwei Sekunden, dann meinte sie ganz spontan: „Nimm doch den Marsch der Toreros aus Carmen und mach ihn ein bisschen auf River-Kwai-Marsch."

Dieser Hinweis genügte, da lief bei mir sofort der richtige Film ab, und plötzlich war alles ganz einfach: das Thema wird gepfiffen, dazu summt der Chor, vier Hörner, eine Flöte ...

Morgens um sechs Uhr war das Arrangement fertig.

Ein wichtiger Bestandteil meiner Klassikarrangements war der Bergedorfer Kammerchor unter der Leitung von Hellmut Wormsbächer, den ich kennen lernte, als ich mit Freddy Quinn ein Weihnachtsalbum aufnahm. Der Chor bestand aus vierzig Sängern, die unsere Bratschen und Celli durch ihr Summen unterstützten, die die Streicher sozusagen verdoppelten und dem Klang die nötige Wärme verliehen.

Die Alben der Klassikserie waren – langfristig betrachtet – die absoluten Bestseller unter meinen Produktionen, fast jede Einspielung wurde über eine Million Mal verkauft. Mit der „Romanze in F" von Beethoven erreichten wir sogar die italienischen Single-Charts, da waren die Beatles auf Platz eins, wir auf Platz zwei und unmittelbar hinter uns die Rolling Stones auf Platz drei. Das war schon ein unglaubliches Gefühl!

Studio Hamburg

Zwei neuartige technische Entwicklungen trugen ganz wesentlich zum Erfolg meiner Musik bei. Einerseits hatte die Langspielplatte soeben ihren Siegeszug angetreten; dieses noch sehr junge Medium war gerade einmal ein paar Jahre alt und bot aufgrund der längeren Spieldauer völlig neue Gestaltungsmöglichkeiten. Noch wichtiger aber war die Erfindung der Stereofonie, die Anfang der 60er-Jahre in großem Umfang aktuell geworden war. Die Plattenkonsumenten waren hingerissen von dem neuen Sound: plötzlich konnte man die Musik räumlich wahrnehmen, das Wohnzimmer wurde wirklich zum Konzertsaal.

Alle unsere Aufnahmen entstanden damals im Studio Hamburg in Rahlstedt. Dort hatte die Deutsche Grammophon – die Muttergesellschaft von Polydor – eine weite Halle als Musikstudio einrichten lassen. Es wurden große Resonanzkästen an den Wänden angebracht, mit deren Hilfe man die Nachhallzeiten variieren konnte, und es gab flexible Wände, um die verschiedenen Instrumente akustisch voneinander trennen zu können. Ich war vom ersten Augenblick an begeistert von dem Variantenreichtum, den diese Technik erlaubte.

Gegen Ende der 60er-Jahre bot die Aufnahmetechnik immer mehr Möglichkeiten. Auf die Zweispurbänder folgten Vier-, Acht- und schließlich Sechzehnspurgeräte, sodass wir die Instrumente gruppenweise aufnehmen konnten: erst den Rhythmus, dann die Bläser, zuletzt Streicher und Solisten. Außerdem konnten wir uns verschiedene Spielereien einfallen lassen, um durch Klangverfremdungen ungewöhnliche Soundeffekte zu erzielen.

Ein enormer Vorteil des Studios waren seine Ausmaße: 50 Meter lang, 25 Meter breit und 15 Meter hoch. Das ist natürlich gigantisch, wenn man sich vorstellt, dass man auf dieser Fläche 16 Musiker so verteilen kann, dass sie in ganz unterschiedlichen Abständen zum Mikrofon sitzen. Daraus ergibt sich ein herrlich räumlicher Klang.

Heute muss man diese Raumeffekte alle künstlich erzeugen, weil es die großen Studiosäle gar nicht mehr gibt. Dabei besteht immer die Gefahr, dass der Klang zu technisch wirkt.

Ganz entscheidend für das Klangbild des Orchesters war die Arbeit meines langjährigen Weggefährten, unseres Toningenieurs Peter Klemt. Er hatte ein tolles Soundgefühl, und sein Talent machte sicher einen wichtigen Anteil an unserem Erfolg aus.

Das Studio in Rahlstedt stand uns praktisch rund um die Uhr zur Verfügung: da es der Firma gehörte, mussten wir keine Studiomieten bezahlen und konnten daher immer wieder etwas Neues ausprobieren, auch wenn es nur für einige Stunden war.

Jukebox à gogo

Classics, Volkslieder oder die *à-gogo*-Serie – was auch immer ich in jenen Jahren produzierte, verwandelte sich in Gold: Für *Trumpet à gogo, Vol. 1* erhielt ich allein aus Australien zwölf Goldene Schallplatten, „Ännchen von Tharau" war ein halbes Jahr lang in den deutschen Charts, jede Ausgabe der *Non Stop Dancing*-Serie verkaufte sich in Deutschland scheinbar mühelos zwischen 250 000 und 400 000 Mal.

Mit einem Erfolg in diesen Dimensionen hatte niemand gerechnet, am allerwenigsten ich selbst. Aber das Unglaublichste an der Sache war: Ich musste nur das tun, was ich ohnehin am liebsten machte – mich jeden Tag meines Lebens mit Musik beschäftigen. Ich hatte ganz einfach das große Glück, dass ich – ohne es je bewusst angestrebt zu haben – mit meinem Musikempfinden den musikalischen Nerv von Millionen Menschen traf.

Von Anfang an produzierte ich auch Alben eigens für den internationalen Markt: *That's Life* oder *Instrumentals For Ever* sollten mir vor allem im englischen Sprachraum Bekanntheit verschaffen. Der Durchbruch in Großbritannien gelang, als Polydor eine große Werbeaktion in England startete: Unter dem Titel *This Is James Last* brachte die Firma eine Compilation zu einem absoluten Dumpingpreis auf den Markt, was meinen Bekanntheitsgrad auf der Insel schlagartig vervielfachte.

Die Folge waren immer mehr konkrete Anfragen von den verschiedenen Polydor-Departments weltweit. Das erste Land, für das ich tatsächlich ein besonderes Album aufnehmen sollte, war ausgerechnet Japan – eine LP mit dem romantischen Titel *Sekai Wa Futari No Tameni* (etwa: „Die Welt gehört den Liebenden"). Im Land der aufgehenden Sonne kamen deutsche Orchester schon immer sehr gut an: Werner Müller und Alfred Hause zum Beispiel feierten dort seit Jahren große Erfolge. Und so kam es, dass ich mich mit japanischen Poptiteln auseinandersetzen sollte. Gefragt war ein möglichst üppiger, weicher Streichersound. Die Platte wurde ausschließlich in Japan veröffentlicht und gilt heute unter Sammlern als die begehrteste und seltenste Trophäe überhaupt.

Die nächste Polydor-Division, die um eine Sonderproduktion anfragte, war Holland. Ich arrangierte holländische Volkslieder im „Ännchen von Tharau"-Stil. Das Album hieß *James Last Op Klompen*.

Innerhalb von nur drei Monaten erreichte die LP Gold. Insgesamt ging *Op Klompen* 250000 Mal über den Ladentisch, sogar aus Deutschland trafen plötzlich Anfragen nach diesem Album bei Polydor ein – dabei kannte man die Lieder hierzulande ja gar nicht! Trotzdem wurde *Op Klompen* schließlich auch in Deutschland veröffentlicht.

1969 traten wir bei der Show *Grand Gala du Disque* in Amsterdam erstmals live in Holland in Erscheinung und ernteten mit Kostproben aus *Op Klompen* stürmischen Applaus. Diese beliebte Fernsehshow sollte über viele Jahre hinweg zu einem regelmäßigen Forum für uns werden – unsere Auftritte in der Gala hatten bestimmt großen Anteil an meiner bis heute anhaltenden Popularität in Holland. Bis 1992 habe ich noch weitere vier LPs nur für den niederländischen Markt aufgenommen – sie erreichten fast ausnahmslos Gold- oder sogar Platinstatus.

Im Sog dieser Megaseller wurden von weiteren Polydor-Filialen ähnliche Produktionen für den skandinavischen Markt und für Großbritannien geordert – und ebenfalls vergoldet.

Es lief einfach alles. Ich hatte so etwas wie eine innere Jukebox und schien mit jeder Idee zu spielen. Album reihte sich an Album. In ganz

Mein vollgeräumtes Arbeitszimmer in unserem Haus am Holitzberg – hier entstanden die meisten meiner Arrangements und Kompositionen.

kurzen Abständen produzierte ich eine Platte mit Rock-'n'-Roll-Nummern (*Rock Around With Me*), eine mit Melodien aus den 40er- und 50er-Jahren (*Non Stop Evergreens*), eine Weihnachts-LP (*Christmas Dancing*), zum Darüberstreuen noch ein wenig Operette (*Happy Lehar*), ein paar Trinklieder (*Humba Humba à gogo*) und – weil wir ja schließlich in Hamburg waren – Seemannslieder (*Käpt'n James bittet zum Tanz*). Was immer angesagt war: ich schrieb und nahm auf und schrieb und nahm auf ...

Ich schuftete rund um die Uhr. Auf einen langen und anstrengenden Tag im Studio folgte eine ebenso lange Nacht in meinem Arbeitszimmer im Souterrain unseres Reihenhauses: Dort entstanden all meine Arrangements, Note um Note, für jedes einzelne Instrument, für Hunderte von Titeln. Selten war es früher als vier Uhr, wenn ich schließlich todmüde zu Waltraud ins Bett kroch. Und meist klingelte morgens um acht schon wieder das Telefon, weil ein Mitarbeiter der Plattenfirma neue Termine durchgeben wollte. Aber da war ich ohnehin längst wieder wach und bereitete mich auf die nächsten Aufnahmen vor.

Sobald ich mit einem Arrangement fertig war, kam unser Posaunist Detlev Surmann an die Reihe: Bis etwa 1990 war er zugleich mein

Notenkopist, das heißt, er erhielt von mir die fertige Partitur mit den Stimmen für alle Instrumente, und daraus musste er nun die Noten für die einzelnen Musiker und die Singstimmen abschreiben. Auch für Detlev war das ein ganz schöner Stress.

In manchen Phasen nahm ich an mehreren Schauplätzen gleichzeitig auf – ich war so mit Arbeit eingedeckt, dass ich kaum Zeit hatte, meine ständig wachsende Popularität richtig wahrzunehmen.

Zwei Jungs von der Waterkant

Mit dem Arrangieren und Aufnehmen war es aber noch lange nicht getan. Es blieben noch genug Dinge außerhalb meiner musikalischen Welt, mit denen ich mich beschäftigen musste: es gab zum Beispiel regelmäßig Polydor-interne Vertriebstagungen, in denen es darum ging, bei den Außendienstmitarbeitern Stimmung für die verschiedenen Produkte zu machen. Also schnappte ich meine Band und spielte bei diesen Meetings sozusagen exklusiv für die Vertriebsleute. Ich ging von Tisch zu Tisch und plauderte mit allen Mitarbeitern, erzählte von neuen Projekten und bestätigte ihnen, wie toll sie ihre Arbeit erledigten. Ich wollte jedem Einzelnen das Gefühl vermitteln: Du bist genauso wichtig wie ich, wie jeder, der an unserem gemeinsamen Erfolg mitarbeitet. Das war für diese Menschen eine unglaubliche Motivation, ich war „ihr Hansi"!

EIN WICHTIGES Glied in der Erfolgskette war mit Sicherheit die Gestaltung der Plattenhüllen. Das war eindeutig die Spielwiese von Werner Klose. Zunächst hatte ich noch nicht viel damit zu tun, denn ich war auf keinem der Cover abgebildet. Bevorzugte Motive waren hübsche Damen. Meine steigende Popularität führte sehr bald dazu, dass ich selbst auf das Cover musste: erstmals für das Album *Rock Around With Me*. In Jeansjacke auf dem Motorrad sitzend, ganz auf Rocker gestylt.

Ab diesem Augenblick mussten also auch noch regelmäßig endlose Sitzungen im Fotostudio in meinen Terminkalender gezwängt werden. Klose hatte ständig neue verrückte Ideen, ich musste in den unglaublichsten Kostümierungen posieren. Außerdem gab es noch die nationalen Unterschiede, weil nicht jedes Cover für jedes Land gleichermaßen geeignet war. Aus diesen vielen, weltweit unterschiedlichen Covergestaltungen hat sich bis heute ein regelrechter Markt für Sammler entwickelt.

Dazu kam der unverwechselbare „james last"-Schriftzug. Der charakteristische Schatten diente zunächst nur der besseren Lesbarkeit auf

Auf Tournee mit einem echten Seemann aus Wien: Freddy Quinn

dem Plattencover, rasch entwickelte sich daraus aber mein in jeder beliebigen Farbkombination wiedererkennbares Markenzeichen.

Ein entscheidendes Teilchen des Erfolgspuzzles fehlte zu diesem Zeitpunkt allerdings noch: der direkte Kontakt zu meinem Publikum – die Tourneen. 1968 wollte noch kein Veranstalter das Risiko auf sich nehmen, eine reine Instrumentaltruppe auf Tournee zu schicken. Natürlich waren wir – wie auch Max Greger oder Hugo Strasser – schon live aufgetreten. Aber das geschah entweder im Fernsehen, auf Tanzveranstaltungen und Bällen oder als Begleitorchester eines Gesangsstars. So war es nur logisch, dass auch ich erst einmal mit einem zugkräftigen Sänger zusammengespannt wurde: mit Freddy Quinn.

1968 war er längst einer der größten Stars in der deutschen Schlagerbranche. Obwohl Freddy eigentlich gebürtiger Wiener ist, galt er als der

„Junge von der Waterkant", und das schien nun ganz gut zu dem Hanseaten Last zu passen. Also machten wir uns gemeinsam auf den Weg durch die Konzerthallen.

Neben den Freddy-Titeln spielten wir auf dieser Tournee auch die „Amboss-Polka". Der Grundstein zur *Polka Party*-Serie war gelegt, ein musikalisches Konzept, das bis heute Nachwirkungen zeigt. Es entstanden Legionen von Volksmusik-„Bands", die alle so klingen wollten wie mein Orchester auf den Polka-LPs. Dabei steckt in diesen Arrangements harte Arbeit. Nahezu zwei Jahre lang habe ich mir den Kopf darüber zerbrochen, wie so eine Polka-Platte klingen könnte: Welche Instrumente sollten im Vordergrund stehen, wie mussten die Phrasierungen sein, wie der Rhythmus verändert werden?

Die Tournee mit Freddy hatte eine wichtige Auswirkung auf mein Orchester: Die meisten Musiker, die ich bislang für die Studioaufnahmen verpflichtet hatte, kamen vom NDR. Da sie dort fest angestellt waren, wollten oder konnten sie es sich nicht leisten, wochenlang mit mir auf Tour zu gehen. Ich war daher gezwungen, die Band an vielen Stellen neu zu besetzen: So kamen unter anderen Bernd Steffanowski und Helmut Franke/Gitarre, Wolfgang Ahlers und Conny Bogdan/Posaune, Harald Ende/Saxofon und Manfred Moch/Trompete in unsere Truppe.

Mit diesen Neubesetzungen entstand nun langsam, aber sicher ein Orchester von freien Musikern, für die ich mich verantwortlich fühlte und für deren Lebensunterhalt ich sorgen musste, wenn ich sie künftig an mich binden wollte.

Jetset

Beachpartys

Im Herbst 1969 erwartete mich und meine Frau ein besonderes Abenteuer: Wir reisten nach Brasilien, wo ich als Mitglied der Jury zum *Festival Internacional de Cancão Popular*, dem „Rio Song Festival", eingeladen war. Die Einladung kam für mich höchst überraschend, und ich empfand sie als große Auszeichnung – ich hatte keine Ahnung gehabt, dass meine Platten sogar den Menschen in Rio de Janeiro, der „Welthauptstadt des Samba", ein Begriff waren.

Dieses große brasilianische Musikfest wurde zum vierten Mal abgehalten, vor und nach mir saßen so illustre Kollegen wie Henry Mancini,

Ray Conniff oder Paul Simon in der Jury. Über 2000 Kompositionen aus 40 Nationen wurden eingereicht, das Finale fand vor 100 000 Zuschauern im ausverkauften Maracana-Stadion von Rio statt – ein unvergessliches Erlebnis.

Ich war von meinem Ausflug nach Rio und von diesem ideenreichen Festival so beeindruckt, dass ich bald nach meiner Rückkehr eine Platte produzierte, auf der ich meine Erinnerungen an Brasilien festhalten wollte – in sattem Streicherklang mit Celli und Bässen, unterstützt durch Chor und Mandolinen, dazu starke Gitarren- und Flötenakzente, Trompeten, Flügelhorn und Posaunen, eine volle Orchesterbesetzung. Das Album erschien unter dem Titel *With Compliments*.

Bei all dem Komponieren, Arrangieren und Produzieren blieb immer weniger Zeit für meine Familie. Mein Leben beschleunigte sich von Jahr zu Jahr mehr, es wurde immer atemberaubender und nervenaufreibender. Wenn ich spätnachts das Studio verließ, überdreht und aufgeputscht, weil wir zum Beispiel gerade eine neue *Non Stop Dancing*-LP aufgenommen hatten, dann konnte ich nicht gleich nach Hause fahren: mein Stimmungsmotor lief noch auf Hochtouren. Also zog ich mit meinen Musikern um die Häuser, wir landeten auch schon mal in einschlägigen Klubs und machten einen drauf. Zwar landete ich bei diesen Touren – im Gegensatz zu vielen meiner Musiker – nie wirklich mit den Mädels im Bett, aber es kam oft vor, dass die Sonne längst aufgegangen war, ehe ich den Heimweg fand.

Waren die Kinder schon munter, packte ich sie zusammen, die eigenen und die aus der Nachbarschaft, und wir gingen Schlitten fahren oder fielen in einen Kindermodeladen ein, und ich staffierte die ganze Bande mit schicken Sachen aus. Als die Eltern aufwachten, standen die Kinder dann neu eingekleidet vor der Haustür.

Jede Mutter, jeder Vater weiß, wie atemberaubend rasch die Zeit verfliegt, wenn man sie am Heranwachsen der eigenen Kinder misst. Nun, ich glaube, in meinem Fall hatte sich im Uhrwerk noch ein zusätzlicher Turbo versteckt. Es war kaum zu fassen, ehe ich mich's versah, gingen Rina und Ronnie ins Gymnasium. Nach der Schule schauten sie in meinem Arbeitszimmer vorbei, und ich musste ihnen vorspielen, woran ich gerade schrieb; oder sie kamen mit ins Studio und machten bei den *Non Stop Dancing*-Aufnahmen mit.

Allerdings lag es an Waltraud, den Löwenanteil der Erziehung zu übernehmen, und sie tat das mit großem Einsatz und viel Feingefühl. Mit ihrer ruhigen Art bot sie den notwendigen Ausgleich zu ihrem verrückten

Ehemann. Sie sorgte zu Hause für alles, ließ mir freie Bahn und verschaffte mir in dieser Hinsicht ein völlig sorgenfreies Leben. All dies war ein Zeichen ihrer Stärke und Größe. Ich hingegen war bestimmt nicht so großzügig, ich konnte sehr schnell eifersüchtig werden: Sah ich sie zu lange mit einem Mann zusammenstehen, fragte ich gleich nach, was denn da los sei.

Wir lebten weiter in Hamburg-Langenhorn, allerdings übersiedelten wir 1969 vom Holitzberg 71 zur Nummer 61 – dieses Haus lag etwas abseits der Straße, wir waren daher nicht so unmittelbar den Fangruppen ausgesetzt, die mittlerweile scharenweise in Bussen anreisten, um einen Blick über unseren Gartenzaun werfen zu können. Mein Bruder Werner und seine norwegische Frau Hjordis übernahmen unser „altes" Haus.

Trotz der vielen Arbeit gab es dennoch eine Zeitspanne im Jahr, die Waltraud, die Kinder und ich immer gemeinsam verbrachten: die Schulferien. Im Winter fuhren wir zum Skilaufen nach Österreich, nach Obergurgl. Kaum waren wir in unserem Quartier angekommen, luden wir andere Skifahrer und Skilehrer ein, mit uns zu feiern – damit war der Erfolg des Urlaubs schon programmiert.

Die Sommer verbrachten wir seit vielen Jahren auf einem Campingplatz auf Sylt, zunächst in einem Zelt, später in einem Wohnwagen. Das war zu einer Zeit, als der Ansturm der Schickeria noch nicht über diese wunderbare Insel hereingebrochen war.

Dort trafen wir uns seit Jahren mit derselben Clique: es waren keine Musiker, sondern ein bunt zusammengewürfelter Haufen von Freunden, die sich jedes Mal riesig freuten, wenn das Vergnügen wieder losging. Morgens wurden massenhaft Brötchen eingepackt, und dann ging's für den Rest des Tages an den Strand. Wir spielten stundenlang Volleyball, latschten viele Kilometer weit durch die Dünen – das durfte man damals noch, mittlerweile ist es aus Küstenschutzgründen verboten –, die Kinder hatten ihre Surfbretter dabei und waren nicht aus dem Wasser zu kriegen. Mit von der Partie waren auch immer Werner und Hjordis sowie ihre beiden Kinder, Werner und Steven. Und es gab legendäre Beachpartys: Wir kauften kiloweise Muscheln, riesige Töpfe voll. Die wurden am Campingplatz erst mal kräftig geschrubbt und dann, wenn der Badebetrieb abends zu Ende war, mit Wein, Zwiebeln und Wasser in den Buden der Bademeister aufgesetzt. Anschließend war Partytime angesagt: wir stellten Strandkörbe auf und Fackeln, es wurde gegessen, getrunken, Quatsch gemacht bis in den frühen Morgen.

*Die Clique von Sylt –
unsere ganz privaten
Beachpartys*

Je mehr ich vom Hans zum James Last wurde, desto schwieriger wurde es allerdings auf Sylt. Bald wurden wir von morgens bis abends von Autogrammjägern belagert, dann kamen auch noch die Reporter und Fotografen. Rina versteckte sich stundenlang unter dem Tisch im Wohnwagen, sie war schon damals sehr fotoscheu. Ron konnte mit dem Rummel besser umgehen. Aber die Idylle war dahin.

Der Sommer 1970 sollte unser letzter Urlaub auf Sylt bleiben, daran waren allerdings nicht die Fans schuld. Ich selbst habe meine Popularität ja genossen, ich finde es toll, wenn mich die Leute auf der Straße erkennen. Der Grund, warum wir nicht mehr nach Sylt fuhren, war viel dramatischer.

Temporausch

Wir befanden uns auf dem Rückweg von Sylt nach Hamburg, da merkte ich, dass der Auspuff unseres blauen Opel Diplomat immer tiefer und tiefer rutschte. Geld spielte in jenen Erfolgstagen keine Rolle – nach den bescheidenen Verhältnissen meiner Kindheit ein Umstand, den ich gar nicht richtig fassen konnte. Also sagte ich überschwänglich: „Lasst uns doch eben mal gleich weiter nach Düsseldorf zu Auto Becker fahren und sehen, ob wir dort einen neuen Wagen erstehen können ..."

Auto Becker hatte die tollsten Schlitten der Welt auf Lager: Ferrari, Lamborghini, Jaguar – ich war damals ein ziemlicher Autonarr. Wir ließen Hamburg links liegen und fuhren direkt ins Ruhrgebiet. Es war schon sechs Uhr abends, als wir in Düsseldorf ankamen. Becker wollte seinen Laden gerade zusperren. Wir kuckten uns rasch ein paar Autos an, und Becker erkannte natürlich sofort, dass er mit mir ein recht gutes Geschäft machen könnte: „Ach, Herr Last, da haben wir ein ganz tolles Ding, den schnellsten Viersitzer der Welt, einen Iso Rivolta Fidia."

Klasse! Eine feine Limousine aus einer kleinen italienischen Sportwagen-Nobelschmiede, V8, 5,8-Liter-Motor, sensationelles Design, 220 km/h Spitze – und das im Jahr 1970! Ich habe nicht lange überlegt: „Der sieht doch gut aus, braun und silber ist okay, den kaufen wir."

Ich unterschrieb den Vertrag, und Becker gratulierte mir: „Glückwunsch, Herr Last, eine ausgezeichnete Entscheidung. Ich bring den Wagen nächste Woche vorbei."

Aber so hatten wir nicht gewettet: „Nee, wenn schon, dann will ich ihn sofort mitnehmen!"

„Herr Last, es tut mir sehr leid, das geht leider nicht, der Wagen muss ja erst angemeldet werden!"

Wir hielten mit Becker Senior Rücksprache, und der hatte die zündende Idee: Ich wurde angestellt, wenn auch nur für drei Tage. Denn als Angestellter von Auto Becker durfte ich den Wagen von Düsseldorf nach Hamburg überstellen und mein Traumauto somit gleich mit nach Hause nehmen. Die Freude über mein rasantes Spielzeug war riesig!

EINIGE Wochen später saßen Waltraud und ich abends gemütlich bei einem Glas Wein beisammen. Ich hatte einen langen Tag im Studio hinter mir und einen weiteren, ebenso langen Studiotag vor mir. Da schlug ich meiner Frau vor: „Weißt du was, wenn du morgen nichts Besseres vorhast, sei doch so nett und fahr mit dem Iso nach Düsseldorf zur Erstinspektion."

„Kein Problem", sagte sie, „das mach ich ..."

Am nächsten Morgen machte ich mich wie jeden Tag auf den Weg ins Studio Hamburg. Mitten in der Arbeit, schon gegen Abend, kam ein Anruf. „Polizei Bad Bramsche. Herr Last, wir müssen Ihnen leider mitteilen, dass Ihre Frau einen schweren Autounfall hatte. Sie schwebt in Lebensgefahr ..."

Mir blieb das Herz stehen. Eben noch machst du vergnügten Happy Sound, in der nächsten Sekunde stürzt die Welt zusammen! Ich brach die Aufnahmen sofort ab, schnappte mir den Wagen eines Kollegen und raste damit Richtung Düsseldorf.

Waltraud lag im Krankenhaus von Bad Bramsche – in der Nähe von Osnabrück – auf der Intensivstation. Als ich nachts dort ankam, war sie bei Bewusstsein, aber kaum ansprechbar.

Ärzte und Polizei schilderten mir, was passiert war: Waltraud hatte auf der Autobahn einen Lkw überholen wollen, als der nach links ausscherte und sie schnitt – woraufhin sie ins Schleudern geraten war. Der Iso hatte mit hoher Geschwindigkeit die Leitplanken durchbrochen und war einen kleinen Hügel neben der Autobahn hinaufgekreiselt. Der Wagen hatte sich überschlagen, Waltraud war hinausgeschleudert worden, die schwere Karre war langsam den Hügel wieder hinuntergerollt und schließlich genau auf ihr zum Stehen gekommen. Der glühend heiße Auspuff hatte schwerste Verbrennungen verursacht, ihre gesamte linke Körperhälfte war betroffen. Dazu kamen eine Menge Brüche.

Es wurde ein Kampf auf Leben und Tod.

WALTRAUD lag viele Wochen lang im Krankenhaus. Erst nach über einem Monat war sie wieder transportfähig und konnte in eine Hamburger Klinik überstellt werden. Insgesamt verbrachte sie mehr als ein halbes Jahr im Krankenhaus. Doch sie hatte überlebt.

Während dieser Zeit versorgte Waltrauds Mutter unsere beiden Kinder, die Nachbarn in Langenhorn halfen mit, unsere Freundin Lilo besuchte Waltraud fast täglich im Krankenhaus. Es war eine Zeit, in der sich mein Leben im beschleunigten Rhythmus weiterbewegte: unter anderem stand meine erste Deutschlandtournee unmittelbar bevor, die Verträge waren längst unterschrieben ... Waltraud ist da bestimmt zu kurz gekommen.

Typisch war ihre Reaktion, als sie nach so langer Zeit endlich wieder nach Hause kam: sie sagte kurz Hallo, nahm den Autoschlüssel, setzte sich ins Auto und fuhr los. Sie war der Meinung, wenn sie sich nicht gleich wieder an das Steuer eines Autos trauen würde, dann hätte sie für immer Angst davor und würde nie wieder selbst fahren.

Ich hatte nach Waltrauds Unfall einen zweiten Iso Rivolta gekauft, aber da fuhr mir einer rein, als ich gerade auf dem Heimweg vom Studio war. Also sagte ich mir: Jetzt ist Schluss, der Wagen bringt uns kein Glück.

Kanadisches Last-Fieber – und seine Folgen

Eine Frage, die sich gegen Ende der 60er-Jahre immer drängender stellte, lautete: Ist es möglich und finanzierbar, uns als Orchester auch allein – ohne singendes Zugpferd – auf Tournee zu schicken? Können wir live so klingen wie auf Platte? Will das Publikum zwei Stunden Orchestermusik ohne Gesang hören?

Die Tournee mit Freddy Quinn war zwar sehr erfolgreich gewesen – was freilich in erster Linie Freddy zuzuschreiben war. Auch unsere Auftritte bei diversen Bällen kamen gut an – aber da gingen die Leute ja zum Tanzen, Trinken und Plaudern hin. Dann gab es noch unsere Liveauftritte in Kanada – die hingegen waren eine echte Messlatte.

Werner Triepke, Mitarbeiter von Polydor-International, erhielt eines schönen Tages ein Telegramm von unserer kanadischen Niederlassung: „Schicken Sie umgehend 5000 Stück *Trumpet à gogo* – stopp – zusätzlich 5000 Stück *Ännchen von Tharau* – stopp – bitte um rasche Erledigung."

10 000 LPs nach Kanada? Dort kannte uns doch damals kein Mensch, nie wurde dort Werbung gemacht, wie kamen die denn auf James Last?! Triepke telegrafierte völlig ungläubig zurück: „5000? – stopp – bitte um Bestätigung der Menge – stopp."

Die Antwort kam prompt: „In Worten – stopp – fünftausend – stopp."

Das war der Auftakt einer langen Lovestory zwischen unserer Musik und dem kanadischen Publikum. Man berichtete mir, dass 1969 praktisch zu jeder Zeit auf irgendeinem der kanadischen Radiosender ein Last-Titel zu hören gewesen sei. Fünf Prozent des gesamten kanadischen Plattenumsatzes wurden mit meiner Musik erzielt! Die Plattenfirma wollte von dieser Stimmung profitieren und fragte an, ob wir nicht ein paar Konzerte in Kanada spielen könnten. Das wäre nun wirklich eine völlig neue, überaus spannende Aufgabe! Ich überlegte kurz und sagte schließlich zu. Sicherheitshalber nahmen wir doch auch zwei Stars als zusätzliche Attraktion nach Kanada mit: Renate Kern und Bata Illic.

Allerdings war für mich klar: die Konzerte konnten nicht ohne meinen bewährten Toningenieur Peter Klemt stattfinden. Ich fragte ihn also, ob er mit uns nach Kanada kommen wolle. Doch Peter war zunächst alles andere als begeistert. Beschallung bei einem Konzert? Das lag nun wirklich unter der Würde eines erfolgreichen Toningenieurs, das war ein Job für Nachwuchstechniker!

Mir aber war es enorm wichtig, auf der Bühne den gleichen Klang zu produzieren wie im Studio, das Publikum sollte live jene Qualität geboten bekommen, die es von unseren Platten gewohnt war. Schließlich ließ sich Peter Klemt doch überreden – und ich glaube, er hat es nie bereut.

Allerdings gab es Ende der 60er-Jahre so gut wie kein brauchbares Equipment für die Bühne: weder ein vernünftiges Mischpult noch spezielle Lautsprecher und schon gar keine Bühnenmonitore. Ich kaufte also einen Verstärker mit ganzen sechs Drehreglern für sechs Mikrofoneingänge, der auf der Bühne installiert wurde – das war Peters neuer Arbeitsplatz. Er musste nun mit einfachsten technischen Mitteln unseren Studiosound zaubern. Aber er wäre nicht Peter Klemt gewesen, wenn ihm das nicht innerhalb kürzester Zeit gelungen wäre!

Die ersten drei Konzerte sollten auf dem Gelände der Weltausstellung in Montreal stattfinden, Open Air, auf dem gigantischen Place des Nations. Als wir in Montreal ankamen, erfuhren wir, dass auf demselben Platz am Abend vor uns *The 5th Dimension* auftreten sollten, die gerade mit „Let The Sunshine In" und „Aquarius" aus *Hair* in den Charts waren. Wir fuhren sofort hin, um uns das anzuhören. Und dann sah ich diese unglaublichen Menschenmassen und war völlig fertig: es war ja das erste Mal, dass wir ein richtiges „eigenes" Konzert gaben, und dann gleich vor so einer Kulisse!

Als wir am nächsten Tag zum Soundcheck auf dem Gelände eintrafen, traute ich meinen Augen kaum: der Platz war schon halb voll, 20 000 bis 25 000 Menschen waren da – und der Zustrom nahm kein Ende. Schließlich sollten es 50 000 Zuschauer werden.

Das Publikum war restlos begeistert, die Menschen konnten unsere Platten vom ersten bis zum letzten Ton mitsingen. Das Konzert endete als gigantische Party, und so war es auch an den anderen Abenden. Wir hatten noch Vorstellungen in Toronto und in Kitchener, insgesamt spielten wir vor 210 000 Zuschauern. Damit war klar: meine Musik „funktionierte" nicht nur auf Platte, sie konnte auch live die Menschen begeistern.

Trotz der Erfahrungen in Kanada waren wir immer noch der Meinung, dass unsere Show ohne die Unterstützung eines zugkräftigen Gesangsstars in Deutschland nicht funktionieren würde. Nun hatte ich 1966 bei den deutschen Schlagerfestspielen in Baden-Baden eine junge Amateursängerin kennen gelernt, die dort mit einigen sehr gut präsentierten Blues-Titeln aufgefallen war. Ihr Name: Katja Ebstein. Im Jahr unserer ersten Deutschlandtournee war „Wunder gibt es immer wieder" ihr großer Hit, sie hatte damit beim Grand Prix d'Eurovision in Amsterdam den dritten Platz belegt. Ich fragte sie, ob sie bei uns mitmachen wollte, und Katja sagte sofort zu.

Das erste James-Last-Konzert in Deutschland fand am 10. Oktober 1970 statt – und es wurde ein fantastischer Erfolg. Vier Wochen sollte diese Tournee durch Deutschland und Dänemark dauern, in kleiner Besetzung, ohne Streicher und mit nur einem einzigen Bühnenscheinwerfer. Alle Konzerte waren restlos ausverkauft. Schon zur Halbzeit der Tournee fragte Funke an, ob wir einer Verlängerung um weitere 14 Tage zustimmen würden. In dieser enormen Euphorie gab es keine langen Diskussionen, Katja, die Band und ich – alle waren sofort einverstanden.

An wen ich dabei aber nicht gedacht hatte, war meine Frau Waltraud. Sie lag zu diesem Zeitpunkt mit ihren schweren Verletzungen nach dem Autounfall im Krankenhaus, und sie war verständlicherweise sehr enttäuscht, dass ich noch zwei weitere Wochen unterwegs sein würde, ohne vorher mit ihr darüber gesprochen zu haben. Da war wohl meine Begeisterung mit mir durchgegangen.

Ich nutzte dann jede freie Minute, um sie zwischen den einzelnen Auftritten im Krankenhaus zu besuchen.

Pier 66

Waltrauds Unfall sollte – direkt und indirekt – viel in unserem Leben verändern. Dazu gehörte auch, dass sie sich mit ihren großen Brandnarben am Körper nicht in aller Öffentlichkeit sehen lassen wollte.

Bis dahin waren wir große FKK-Fans gewesen, aber nun war für sie diese Freiheit vorbei: „Ich kann nie wieder an den Strand gehen, so verbrannt, wie ich bin."

Doch ich hatte einen Vorschlag: „Kaufen wir uns ein Boot, da kannst du drauf rumlaufen, wie du willst!"

Wir besuchten in Hamburg eine Bootsmesse, um uns nach etwas Passendem umzusehen. Plötzlich entdeckte uns eine Schulklasse: „Da vorne ist James Last!" Schon waren wir wieder auf der Flucht – wir kletterten auf einen großen Kreuzer und versteckten uns dort. Und wie wir uns auf dem Boot so umsahen, stellten wir fest: Mensch, das ist ja ganz gemütlich in so einer Kajüte!

Schließlich kam der Vertreter des Bootsherstellers an, ein sehr netter Mann namens Hans Otto Noll, setzte sich zu uns, schenkte uns einen Drink ein ... und als wir das Boot verließen, hatten wir den Kaufvertrag für eine 48-Fuß-Jacht unterschrieben.

Um das Boot zu übernehmen, mussten wir nach Fort Lauderdale in Florida reisen. Pier 66 nannte sich der Hafen, in dem unser neues Schiff, über die Masten geflaggt, uns erwartete. Wir gingen an Bord und waren auf der Stelle begeistert. Nun ließen wir noch einen Autopiloten einbauen; das funktionierte damals so, dass zwei übereinander peilende Kompasse am Boot angebracht wurden, einer vorn am Bug und einer am Heck. Um diese Vorrichtung zu justieren, musste man durch verschiedene Kanäle fahren, die genau nach den Himmelsrichtungen ausgerichtet waren. Dort sahen wir die fantastischen Villen von Fort Lauderdale an uns vorbeiziehen, und schon war meine Fantasie angeregt: hier im Alter einmal wohnen zu können, das wäre ja wirklich schön! Vor einigen dieser Prachthäuser standen kleine Täfelchen mit der Aufschrift FOR SALE und einer Telefonnummer. Spontan rief ich einen dieser Makler an.

Wir sahen uns gleich am nächsten Tag mehrere Häuser an. Eines davon war besonders eindrucksvoll. Ronnie und Rina wussten sofort, welche ihre Zimmer sein würden, sie sprudelten nur so vor Begeisterung: „Hier gehen wir morgens in den Pool, dort können wir grillen, und da spielen wir Volleyball!"

Wir kehrten auf unser Schiff zurück. Abends gerieten wir ein bisschen ins Träumen. Als wir am nächsten Tag wieder dort vorbeikamen, stand SOLD auf dem Schild vor der Tür. Riesengeschrei, große Enttäuschung. Wir hatten aber noch andere zum Verkauf stehende Häuser besichtigt, eines davon war ein wenig teurer, eigentlich zu groß und noch bewohnt, und wir wollten ja – wenn überhaupt – nur einen Bungalow für den Urlaub.

Und abermals lief es so wie bei unserem Besuch bei Auto Becker: Wir kamen vom Strand, waren voller Sand. Ich sagte zu den Besitzern: „Unser Flugzeug nach Deutschland geht bald, aber ich glaube, wir sollten vorher noch ein Haus kaufen. Sie hören ja, wie die Kinder schreien."

Der Eigentümer – Chancy Huber – sah uns etwas verwirrt an: „Wie wollt ihr denn bezahlen?"

„Na, cash!"

Der fiel aus allen Wolken, das war schon damals in den USA völlig unüblich. Seine Frau jammerte: „Mein schönes Schlafzimmer, meine Küche, alles ist weg!" So schnell wollte sie ihr Domizil nun auch wieder nicht hergeben. Doch es war halb so schlimm, die Hubers haben in der Nachbarschaft noch einmal gebaut und sind gute Freunde geworden. Das war 1971.

Freizeitvergnügen mit der Familie

Zwei Jahre später zogen wir in ein anderes Haus, riesengroß, 15 Zimmer, fast jedes davon mit eigenem Bad, im Garten ein eigener Tennisplatz. Es lag direkt am Wasser, am so genannten Intercoastal Waterway, einer Wasserstraße, die entlang der windgeschützten Bayseite von Florida bis Chicago verläuft. Das Haus wurde von Dan und Rose bewirtschaftet, die wir gleich mit übernahmen.

Seit über dreißig Jahren bin ich nun in Florida hängen geblieben – nach Fort Lauderdale und Coral Springs lebe ich heute in Palm Beach bereits an meiner vierten Adresse in diesem herrlichen, sonnigen Land ...

DEN EIGENTLICHEN Grund für unsere Reise nach Florida – das neue Boot – ließen wir damals nach Deutschland bringen; das Deutsche Olympische Komitee lieh es sich als Schiedsrichterboot für die Segelwettbewerbe bei Olympia 72 in Kiel aus.

Jetzt hatten wir also ein Boot in Hamburg, aber ein Haus in Fort Lauderdale. Die Folge war, dass ich selbst nur ganze zwei Mal an Bord war, während eines kurzen Urlaubs in Dänemark. Den mussten wir aber schnell wieder abbrechen und in wilder Sturmfahrt zurück nach Hamburg fahren, weil mein Vater nach einem Schlaganfall im Krankenhaus lag.

Er sollte sich davon nie mehr gänzlich erholen. Louis Last, der uns, seinen Söhnen, sein großes Herz, seinen Humor und seine Musikalität weitergegeben hatte, starb 1972 im hohen Alter von fast 84 Jahren.

Meine Mutter Martha folgte ihrem Mann fünf Jahre später: Ich war gerade in Florida, als sie mit inneren Blutungen ins Krankenhaus eingeliefert wurde. Ich setzte mich ins nächste Flugzeug, um ihr noch einmal die Hand halten zu können, aber ich kam um sieben Stunden zu spät in Bremen an: sie verstarb kurz nach ihrem achtzigsten Geburtstag, den wir erst 14 Tage zuvor gemeinsam gefeiert hatten.

Um mit solch traurigen Erlebnissen fertig zu werden, habe ich – wahrscheinlich schon seit dem Tod meines großen Halbbruders Bernhard – eine Methode entwickelt, die sich, oberflächlich betrachtet, lange Zeit als recht brauchbar erwies: Es ist ein gut eingeübter Verdrängungsmechanismus, der mir über diese Situationen hinweghilft, wenigstens nach außen hin. Dass dieser Trick nicht immer klappt, musste ich erst viele Jahre später schmerzlich feststellen. Doch damals, beim Tod meiner Eltern, blieb mir für lange Trauer, für tiefgehende Reflexionen keine Zeit.

ENDE der 70er-Jahre, als selbst in den USA Energieverschwendung nicht mehr in demselben Maße wie zuvor auf der Tagesordnung stand, hat man sich von den großen Schiffen verabschiedet. Auch wir verkauften unsere Jacht und entschieden uns für eine so genannte Cigarette. Das sind schlanke, sehr schnittig aussehende Rennboote, in denen man in atemberaubendem Tempo über die Wellen flitzen kann.

Neue Gesichter in der Last-Familie

Anfang der 70er-Jahre erhielten einige meiner Musiker eine Fixanstellung beim NDR, und da wir ab nun häufig auf Tournee waren, konnten sie mir nicht mehr im selben Ausmaß wie bisher zur Verfügung stehen. Ich nutzte die Gelegenheit, um aus meiner bislang rein deutschen Band ein internationales Orchester zu machen.

Der erste „Ausländer" war Barry Reeves (Percussion) aus England. Ihm folgten die Trompeter Rick Kiefer aus den USA, Leif Uvemark und ein wenig später Lennart Axelsson aus Schweden sowie der Posaunist Georges Delagaye aus Belgien. Und schließlich stieß Bob Lanese, ebenfalls aus den USA, zu uns.

Bob Lanese wurde im Lauf der Jahre zu einem der markantesten und beliebtesten „Gesichter" meiner Band. Nach dem Ausscheiden von Leif Uvemark übernahm er dessen Part als Erster Trompeter und hatte damit eine wichtige Aufgabe zu erfüllen: Die Leadtrompete tritt nicht solistisch in Erscheinung, aber sie muss – gemeinsam mit dem Schlagzeug – die Truppe zusammenhalten.

In dieser Hinsicht hatten die Musiker bei mir meist große Freiheiten, sie sollten eine Nummer möglichst so spielen können, wie es ihrem persönlichen Gefühl entsprach.

Mit den neuen Bandmitgliedern wurde auch unsere Musik internationaler. Daher wollte ich nun auch einen Chor haben, der diesem Stil gerecht werden und die großen Hits glaubwürdig in englischer Sprache interpretieren könnte. Ich flog also nach London und engagierte dort zehn Sängerinnen und Sänger, die zur Creme der britischen Session-Stimmen zählten.

Meine englischen Sängerinnen und Sänger waren für den internationalen Markt wesentlich besser geeignet als unser deutscher *Non Stop Dancing*-Chor. Unter dem neuen Markenzeichen *James Last and Company* nahmen wir eine Reihe von Chor-LPs mit aktuellen Titeln im Flower-Power-Sound auf, die zu meinen absoluten Lieblingsproduktionen zählen: *Voodoo-Party, Happyning, Love Must Be The Reason* und die *Beachparty*-Serie mit vielen Hits von Simon & Garfunkel, Neil Diamond, George Harrison, John Lennon oder Santana. Die Studioarbeit mit dem Chor war für mich spannend und neu, vor allem was die Phrasierung der Stimmen anging: ich behandelte die vierstimmigen Chorsätze vom Arrangement her genauso wie einen Streichersatz.

Besonders erfolgreiche Performances bot der Chor live auf der Bühne: Nummern wie „Mac Arthur Park", „Bridge Over Troubled Water" und vor allem „Don't Cry For Me, Argentina" rissen das Publikum regelmäßig von den Stühlen.

In den ersten Jahren waren die Stimmen des Chores etwas getragener, später wollte ich einen dynamischeren Sound mit mehr Soul-Feeling. Heute ist der Chor kein mehrstimmiges Ensemble mehr, sondern eine Kombination von starken Einzelpersönlichkeiten. Es ist auch einmalig, dass sie als Chor funktionieren und dennoch jeder Einzelne ein Solist ist.

Cowboy-Betty und der Heilige Geist

Unsere ersten Auftritte in Kanada 1969 hatten eine so große Begeisterung ausgelöst, dass Polydor Kanada alles daransetzte, uns wieder in dieses prachtvolle Land zu holen. 1973 war es so weit: die Firma wünschte sich, dass unsere Tournee „das erfolgreichste Ereignis in der Geschichte von Polydor Kanada wird". In einem Polydor-Schreiben war zu lesen: „Das Werbebudget für diese Tour ist größer als alles bisher Dagewesene, es wird die größte Tournee seit den Rolling Stones."

Nun ja, so viel Euphorie verpflichtet. Die Konzertreise im Mai/Juni war für vier Wochen anberaumt, und sie sollte eine unserer anstrengendsten werden: Wir traten nicht nur in den großen Städten wie Vancouver, Montreal oder Toronto auf, sondern auch in kleinen, ziemlich entlegenen Orten: Saskatoon, Edmonton, Winnipeg – verstreut in den immensen Weiten der kanadischen Wälder. Insgesamt standen 17 Konzerte auf dem Programm. Das verrückteste Konzert fand vor 5000 Zuschauern in der Sporthalle von Winnipeg statt: Wir spielten gerade die „Moskauer Nächte", als ich immer deutlicheres Gelächter vernahm, zunächst aus dem Publikum, dann auch von meinen Musikern. Unauffällig überprüfte ich meinen Anzug: War eine Naht geplatzt? Schließlich erkannte ich den Grund für die ungebremste Heiterkeit: eine ältere Lady hatte die Bühne erklommen und sich – von mir unbemerkt – entblättert. Nun ließ sie ihre mehr als üppigen Rundungen am Podium kreisen und wippen: bekleidet mit nichts außer einem Patronengürtel und zwei Colts. Obwohl Cowboy-Betty mit ihrer Showeinlage nur ihre Begeisterung für unsere Musik demonstrieren wollte, kapitulierte ich vor der zentnerschweren Blöße und verließ vorübergehend die Bühne.

Die längste Strecke, die wir zurückzulegen hatten, war jene von Montreal nach Vancouver an der kanadischen Westküste. Und gerade da ereilte unseren Bassposaunisten Conny Bogdan ein Ungemach. Am Abend vor dem Abflug besuchte Conny in Montreal eine ihm bekannte Familie. Er verbrachte den Abend und die Nacht dort. Normalerweise war Conny ein verlässlicher und pünktlicher Zeitgenosse, auch wenn er manchmal viel trank.

Morgens hieß es also Abfahrt zum Flughafen, alle waren da. Weil Conny Bogdan sonst immer rechtzeitig zur Stelle war, kam der sonst so besorgte Tourmanager Conny Güntensperger nicht auf die Idee, dass unsere Bassposaune fehlen könnte. Wir fuhren zum Flughafen, dort wurden die Tickets verteilt – jeder bekam irgendeines, keiner achtete auf die Namen. Allerdings: Eine Bordkarte blieb übrig. Conny Güntensperger wurde stutzig: „Wer ist denn das nun? Auf dem Ticket steht Detlev Surmann. Gut, Surmann ist kein Problem, denn der ist ja da."

Im Flugzeug fing er noch mal an zu zählen. Schließlich wurden die einzelnen Instrumentengruppen aufgerufen: „Vier Trompeten?! Sind da, gut. Drei Posaunen?! Nee, sind nur zwei da. Wer fehlt? Conny Bogdan! Wo ist er denn?!"

Vermisst! Keiner hatte ihn gesehen. Das hieß, wir müssten am Abend wohl ohne ihn auskommen. Als wir nach endlosem Flug endlich an unserem Ziel ankamen und zur Probe auf die Bühne gingen, saß Conny Bogdan zur Überraschung aller schon mit breitem Grinsen und einer Bibel in der Hand auf seinem Platz und sagte ganz frech: „Wo bleibt ihr denn, wo bleibt ihr denn, ich bin schon lange da, lange da, wo bleibt ihr denn?!" Conny sagte immer alles doppelt.

Was war geschehen? Bogdan kam viel zu spät beim Hotel in Montreal an. Nun war Conny ein sehr lieber Kerl, aber er sprach kein Wort Englisch, er hatte keinen Pfennig in der Tasche und kein Flugticket. Im Koffer fand er seinen Tourneevertrag, dem ein Zeitplan beigelegt war ... „Heute ist Donnerstag, da sollte ich jetzt eigentlich auf dem Weg nach Vancouver sein. Vancouver! Wo ist Vancouver? Viertausend Kilometer entfernt! Wie komm ich mit meinem Koffer vom Hotel zum Flughafen, wie komm ich dahin mit meinem Koffer, ohne Geld, ganz ohne?! Zu Fuß!"

Er schleppte seinen Koffer über den Highway zum Airport, und dort ging das Drama weiter: „Wer versteht mich hier?! Die Lufthansa! Die müssen Deutsch können, müssen die doch! – Ich bin von der James-Last-Band, und ich muss nach Vancouver, muss ich!" Nun stand just in diesem Augenblick neben Bogdan ein Pfarrer, der tatsächlich ein wenig Deutsch sprach, und der lud ihn ein, mit ihm in einem Privatflugzeug mitzukommen. Während unsere Maschine in jedem Dorf eine Zwischenlandung machte, flog Conny Bogdan mit seinem Pfarrer nonstop nach Vancouver und kam daher viel früher an als wir.

Zum Abschied hatte ihm der fromme Mann eine Bibel geschenkt – und die lag ab diesem Tag bei jedem unserer Kanada-Konzerte auf seinem Notenpult.

Während dieser Tournee waren wir eigentlich auch für vier Konzerte in den USA gebucht, aber aus Gründen, von denen ich noch erzählen werde, wurden diese Auftritte storniert. Also hatten wir einige freie Tage, und anstatt untätig in Kanada herumzusitzen, lud ich die ganze Band spontan zu einem Kurzurlaub nach Las Vegas ein.

Rocker in der Heide

Als Bandleader und Arbeitgeber von so vielen hochqualifizierten Fachkräften war es mir besonders wichtig, für die notwendige kreative Atmosphäre zu sorgen. Niemand kann künstlerische Höchstleistungen vollbringen, wenn er sich nicht wohlfühlt.

Meine Musiker und ich verbrachten sehr viel Freizeit miteinander – gemeinsame Urlaube, Wochenenden, Sportveranstaltungen und Ausflüge. Gemeinschaftsgefühl und Teamgeist waren ein wesentlicher Bestandteil unseres Erfolges.

Aber zu einer richtigen Familie gehören auch Frauen und Kinder, und gerade die mussten wir zu Hause lassen, wenn wir im Studio waren oder auf Tournee gingen. So entstand die Idee, ein gemeinsames Zuhause für diese große James-Last-Familie zu schaffen. Durch einen Zufall ergab sich die Möglichkeit, ein bestens geeignetes Grundstück in Fintel zu erwerben, und da beschloss ich, hier in der Heide eine Hütte mit ein paar Gästezimmern zu bauen. Wenn wir mit unseren Frauen und Familien entspannen wollten, hätten wir so etwas wie ein gemeinsames Zuhause.

Gesagt, getan. Fintel ist ein kleines Dorf im Südwesten von Hamburg, dort sollte unser neues Freizeitzentrum entstehen. Im September 1973 wurde das Haus eingeweiht.

In Feierlaune: Otto Waalkes und meine Musiker in Fintel

Jeder Musiker bekam einen Schlüssel und konnte unser Freizeitzentrum nutzen, wann immer er wollte. Es gab ein riesiges Wohnzimmer mit einer Quadrofonie-Anlage und einer in jeder Hinsicht großzügig eingerichteten Bar. Rund um diesen Raum waren acht Doppelzimmer angeordnet, alle mit Bad und Toilette. Wir hatten einen Minigolfplatz, einen Tennis- und einen Fußballplatz.

Hinter dem Haus lag eine Weide mit einem kleinen Bach, abends wurde gekocht und gegrillt, wir stellten Gaslaternen auf und feierten bis in die Früh – und ich muss gestehen: ich war wohl meistens einer der Letzten, die den Weg ins Bett fanden.

Wir alle brachten unsere Kinder mit nach Fintel – schließlich waren wir ja keine jugendlichen Pophelden mehr –, und so passte jeder auf die Sprösslinge der anderen mit auf. Es war eine sensationelle Gemeinschaft, eine ganz besondere Atmosphäre. Oft kamen Freunde zu Besuch, die sich bei uns offenbar sehr wohlfühlten: Peter Maffay, Udo Lindenberg oder Otto Waalkes.

Peter, Udo und Otto sind ganz normale Typen geblieben, alte Rocker wie ich, Kumpel, die von ihrer ganzen Art einfach wunderbar zu uns passten. Und Fintel war der ideale Ort, um zu feiern, ohne dass gleich die gesamte Presse davon Wind bekommen hätte. Wir verstanden uns großartig, und daran hat sich bis heute nichts geändert. Udo kommt noch immer zu unseren Konzerten, da besteht eine gegenseitige Achtung vor der Arbeit des anderen.

Wir haben in Fintel viel Musik gehört und darüber diskutiert, was an neuen Strömungen aus den USA kam. *Blood, Sweat & Tears* mochten wir sehr – ihre jazzigen Bläsersätze haben mich sicher inspiriert. Oder die Soul-Funk-Band *Tower Of Power* mit ihrer dichten, präzisen Bläser-Section – oder die Gruppe *Chicago*: die kamen zwar in Deutschland erst als butterweiche Kuschelrockband mit „If You Leave Me Now" groß heraus, aber die Jungs waren in den ersten zehn Jahren ihrer Karriere, ab 1968, eine knallharte Jazz-Rock-Fusion-Band, von der man sich einiges abkucken konnte. Wir hörten uns diese Scheiben tagelang an und redeten darüber – das waren entscheidende Impulse für meine Arbeit.

Mitte der 70er-Jahre war meine Band – nicht zuletzt durch das Freizeitzentrum in Fintel – zu einer verschworenen Gruppe zusammengewachsen. Zu dieser Familie gehörten nicht nur die Musiker, sondern auch unser Tourneeleiter Conny Güntensperger, Road-Techniker Jürgen Mayer, natürlich Karl-Heinz Cisek, der unsere Anzüge schneiderte, unser Busfahrer Rudi Gies sowie meine beiden Damen Elke Albrecht – die sich um mein persönliches Büro kümmerte – und Inge Schierholz, die mein Bindeglied zur Firma Polydor war. Meine Rolle war nicht so sehr die des Chefs; ich empfand mich eher als eine Art von Familienoberhaupt, der für das Wohl seiner Schützlinge Sorge zu tragen hatte.

Und so arrangierte ich auch: Da ich die Stärken und Schwächen jedes einzelnen Musikers genau kannte, konnte ich so schreiben, dass sein Part immer im Bereich seiner Fähigkeiten lag. In den vierzig Jahren meiner Karriere kam es daher nur dreimal vor, dass ich ein Bandmitglied feuern musste: In zwei Fällen handelte es sich um Leute, die erst ganz kurz bei uns waren und die sich gröbste Disziplinlosigkeiten zuschulden kommen ließen. Der dritte Fall war allerdings dramatisch, und die Erinnerung daran tut mir heute noch weh – es handelte sich um meinen eigenen Bruder.

Robert und Werner

Zwischen der Last-Familie und den USA muss es irgendeine geheimnisvolle Verbindung geben. Mein Vater zeigte jedem Besucher zu Hause stolz ein Foto, auf dem er – in einem Kanu sitzend – mit einem Indianer zu sehen ist: der Indianer rudert, und mein Vater Louis ... spielt Bandoneon! Die Aufnahme entstand passenderweise in Louisiana – ehe Vater Beamter bei den Bremer Stadtwerken wurde, war er als Heizer auf einem Schiff in die USA gereist. Ich selbst hatte mir ein Haus in Florida gekauft – und auch meine beiden Brüder Robert und Werner waren für einige Zeit in die USA ausgewandert, bevor sie in Deutschland erfolgreich Musik machten. Beide kamen bald wieder zurück; Amerika war für Musiker wegen der starken Gewerkschaften, die keine Konkurrenz von außen duldeten, ein schwieriges Pflaster.

Robert, der Älteste von uns dreien, war eher ein ernster, ruhiger Typ, ausgestattet mit einem sehr trockenen Humor; er glich in seiner Art stark unserer Mutter. 1944 heiratete er Marianne.

Robert war an der Hamburger Staatsoper zum Paukisten ausgebildet worden; 1956 beschloss er, in New York sein Glück zu versuchen. Er hielt es immerhin sechs Jahre in den USA aus, und sein jüngerer Sohn Roy wurde in Amerika geboren.

Robert hat in vielen Orchestern getrommelt; schon in meinem ersten „eigenen" Orchester bei Radio Bremen waren er und Werner mit von der Partie. Und als es schließlich James Last gab, war es nur logisch, dass ich ihn in meine Band holte. Robert hat lange bei uns gespielt, er war sehr fleißig und technisch brillant. Er hatte einen sehr speziellen Schlagzeugstil, ein ausgezeichnetes Timing und eine ganz eigene Art, Drum-Fills zu spielen.

Schließlich kam es zu einer Situation, die mir bis heute wehtut. Wir waren in Südafrika auf Tournee, davon werde ich im folgenden Kapitel noch mehr erzählen. Zu der Zeit machte Robert selbst schon Platten, spielte aber trotzdem noch in meiner Band. Robert kam sich an jenem Abend vor wie ein König. Er hatte beim Essen einiges zu viel getrunken, schließlich fing er an, herumzutoben und mich und einige Musiker zu beleidigen. Das war schlimm, aber das kann vorkommen, wenn einer mal einen über den Durst trinkt. Robert schnappte sich ein dunkelhäutiges Mädchen – was, nebenbei bemerkt, damals in Südafrika aufgrund der herrschenden Apartheidpolitik streng verboten war – und verschanzte sich mit ihm in seinem Hotelzimmer. Das größte Problem aber war, dass er einfach überhaupt nicht mehr auftauchte: nicht zum Frühstück und auch nicht zum Mittagessen. Wir waren in Johannesburg, wir mussten 13 Konzerte in sieben Tagen spielen. Robert kam nicht zum Bus, und er kam auch nicht zur Nachmittagsvorstellung. Also übernahm unser Percussionist Barry Reeves das Schlagzeug – eine gewaltige Leistung, denn es war das erste Mal für ihn –, und er löste die Aufgabe tadellos. Robert hatte schon öfter mal ein bisschen gesponnen, aber diesmal schien mir die Sache doch schwerwiegender zu sein. Nach dem Konzert rief ich Waltraud in Hamburg an. „Wenn das einmal passiert", meinte sie, „dann passiert es auch öfter, das kann dir noch große Probleme bereiten." Es war eine sehr schwere Entscheidung. Am Abend kam Robert an, als ob nichts gewesen wäre, und wollte wieder spielen.

Aber da musste ich hart bleiben: „So geht's nicht, ab jetzt spielt Barry bei uns Schlagzeug!"

Diese Geschichte hat mich, glaube ich, mehr zerrissen als ihn, und unser Verhältnis blieb bis zuletzt davon getrübt. Mit seiner Familie – seiner Frau, den Kindern – habe ich mich immer gut verstanden, und wenn Not am Mann war oder wenn Robert mal Geld brauchte, hat er immer wieder einmal bei unseren Plattenproduktionen mitgespielt. Aber es war nie mehr so unbeschwert wie früher.

Als er dann Mitte der 80er-Jahre mit einem kaputten Herzen im Krankenhaus lag, wollte er unbedingt mit mir reden, und plötzlich brach alles aus ihm heraus: dass so vieles, was er gemacht hatte, falsch gewesen sei und wie sehr ihm das leidtue. Ich saß viele Stunden bei ihm am Bett, und er erzählte lange, musste alles loswerden und wollte seinen Frieden machen. Am darauffolgenden Tag war Robert tot.

WERNER war der temperamentvollste von uns, offenbar hatte er viel vom Charakter unseres Vaters geerbt. Ganz wie Vater Louis war er einer der größten Geschichtenerzähler und Komiker. Er hatte in Deutschland mit dem Studium der Musiktheorie und Kompositionslehre begonnen; gemeinsam mit seiner Frau Hjordis ging auch er in die USA und arbeitete als Posaunist in einer Big Band. Einige Jahre nach seiner Rückkehr übernahm er unser erstes Haus am Holitzberg. Werner war ein sehr geschäftiger Mensch, der immer unglaublich viel zu tun hatte, dem tausend kleine Missgeschicke passierten und der gerne den Clown spielte. Er erhielt kurz nach mir – im Jahr 1966 – einen Plattenvertrag bei Polydor, und so wie ich bekam auch er von den Werbestrategen der Firma einen neuen Namen verpasst: Als Kai Warner wurde mein Bruder schließlich zu einem bekannten Bandleader, Schlagerkomponisten und Plattenproduzenten.

Werner hatte aber auch eine sehr ernste, introvertierte Seite – und die hat ihn, glaube ich, das Leben gekostet: Werner hat sich selbst aufgefressen, weil er im Leben nicht das vollbracht hatte, was er eigentlich im Sinn gehabt hatte. Sein Traum war immer gewesen, eine Sinfonie zu schreiben. Später kamen dann noch Eheprobleme hinzu, er hatte eine ständige Geliebte, er trank da und dort einen Korn zu viel – und schließlich spielte seine Leber nicht mehr mit. Auch er starb viel zu früh, im Juli 1982, im Alter von nur 59 Jahren. Die Schlagersängerin Renate Kern, die er lange Zeit produziert hatte, hielt an seinem Grab die Trauerrede.

Sein Sohn Werner, der übrigens eine Zeit lang bei Bob Lanese Trompetenunterricht nahm, hat derzeit einigen Erfolg mit dem so genannten Ballroom Orchestra, das auf der Welle der neuen Tanzbegeisterung mitschwimmt. Und noch einen Musiker brachte diese Generation der Lasts hervor: Roberts Sohn Roy war Gitarrist in seiner eigenen Metal-Band, der Roy Last Group. Tragischerweise starb er sehr jung, gerade mal Mitte vierzig – im Juli 2004 – an einem Gehirnschlag.

Das Verhältnis zwischen uns drei Brüdern war immer eine aufregende Sache, weil wir mit dem Publikum Spaß hatten und auf unsere Art mit den Menschen kommunizieren konnten. Durch ihren frühen Tod entstand in meinem Leben eine schmerzliche Lücke, und vielleicht ist es mir auch deswegen so wichtig gewesen, immer eine familiäre Beziehung zu meinen Musikern zu haben.

Around The World

Südlich des Äquators

Der Spaß, den ich und meine Musiker auf der Bühne haben, überträgt sich ganz unweigerlich auf die Menschen im Saal, und genau das ist es, was ich mit unseren Auftritten erreichen möchte: pure Lebensfreude vermitteln. In meinem Orchester lebt jeder Musiker von der ersten bis zur letzten Minute eines Konzerts mit, die Show ist keine Show, sondern wir leben auf der Bühne. Das unterscheidet uns von allen anderen.

Wann immer sich zwei oder mehrere Musiker meiner Band an irgendeinem Ort dieser Welt begegnen, dauert es keine zehn Minuten, und das Gespräch dreht sich um die zahllosen Geschichten, die sich auf unseren großen Welttourneen ereignet haben.

Die erste dieser Weltreisen fand 1972 statt. Wir flogen nach Johannesburg, Südafrika, wo wir in einem Theater namens Colosseum 13 Konzerte hintereinander gaben – es war jene Tourneestation, an der es zu dem Zerwürfnis mit meinem Bruder Robert kam. Alle Vorstellungen waren ausverkauft, jedes Mal empfingen uns 2500 Menschen. Obwohl wir zuvor noch nie in Afrika aufgetreten waren, vermittelte uns das Publikum das Gefühl, als ob wir lange erwartete alte Bekannte wären.

Einen höchst ungewöhnlichen Abend erlebte unser belgischer Posaunist Georges Delagaye. Georges, ein Sunnyboy mit breitem Strahlemannlächeln, war Junggeselle und bestimmt kein Kind von Traurigkeit. Wo immer wir auftraten, organisierte er sich von örtlichen Musikerkollegen die Telefonnummer eines hübschen Mädchens. Georges war damals Mitte dreißig, und auch in Johannesburg freute er sich schon auf die schöne Unbekannte, mit der er sich den Aufenthalt zu versüßen gedachte. In froher Erwartung saß er mit uns an der Bar, da ging die Tür auf, und herein kam Georges' Abendbegleitung. Eine etwa Sechzigjährige, aufgetakelt wie eine alte Fregatte, betrat den Raum. Mit kerniger Stimme verkündete sie: *„Hi folks! I'm looking for Mr Delagaye!"*

Dieses Rendezvous war natürlich das Ergebnis eines Streichs, den die Band ausgeheckt hatte. Aber Georges, ganz der vollendete Gentleman, stand auf, bot ihr einen Stuhl an und verbrachte – charmant plaudernd – den ganzen Abend mit ihr.

Von Südafrika flogen wir 1972 weiter nach Perth, Australien. In Australien kam unsere Musik besonders gut an, ich erhielt während unseres Aufenthalts unfassbare 43 Goldene Schallplatten. Die Konzerte in Sydney, Melbourne, Brisbane oder Adelaide zählen zu den ganz besonderen Erinnerungen in meinem Tourneeleben: hier gab es niemanden, der unsere Platten nicht kannte. Unsere Auftritte mündeten regelmäßig in ein einziges begeistertes Happening, das Publikum war kaum zu bremsen. Und auch wir ließen es uns an nichts fehlen: Wir aßen in den besten Restaurants, nach jedem Konzert herrschte Partystimmung bis in die Morgenstunden – und wir vernichteten Unmengen von Alkohol.

Aber trotz allem hatte ich nie das Gefühl, dass ich vom Alkohol abhängig werden könnte. Obwohl ich zugeben muss: man kann sehr heftig werden, wenn man getrunken hat. Alkohol macht ungerecht, selbstgerecht. Das merke ich auch jetzt noch, wenn ich tatsächlich mal einen über den Durst trinke, dann weiß ich, dass ich besser die Luft anhalte. Wobei ich ja nie aus Frust getrunken habe, immer nur aus Freude – das macht, glaube ich, den wesentlichen Unterschied aus.

Heute sind die Saufgelage längst vorbei, da stehen wir alle schon morgens auf dem Golfplatz, und das gefragteste Getränk ist Mineralwasser.

Nach Australien kehrten wir ein zweites Mal zurück – 1975 –, und diesmal hatten wir den Chor mit dabei. Nur die Streicher engagierten wir jeweils am Ort unseres Auftritts.

Eine der für die ganze Band legendärsten Geschichten ereignete sich in Melbourne. Wir kamen am Nachmittag an, wurden in ein tolles Luxushotel gebracht, aber wir hatten alle Bermudashorts an, Tennisschuhe, waren unrasiert und übernächtigt. Beim Einchecken wollte ich für die Band Tische zum Abendessen um 20 Uhr reservieren lassen. Der Manager meinte indigniert: „Sie können um 18 Uhr kommen." Er wollte uns vermutlich von seinen noblen Abendgästen fernhalten. Ich bestand aber auf 20 Uhr, also blieb ihm nichts anderes übrig, als auf unsere Einsicht zu hoffen: „Nun gut, aber bitte kommen Sie in angemessener Kleidung." Dieser arrogante Kerl sollte sich wundern!

Ich gab die Parole an alle aus: „Macht euch so fein wie möglich, wenn nötig, zieht die Bühnenanzüge an." Ich wollte, dass meine Band alle anderen Gäste in puncto Kleidung ausstach.

Um 19.30 Uhr trafen wir uns an der Bar, meine Musiker waren eindeutig eleganter gekleidet als der Rest des Publikums. Wir marschierten gemeinsam in den riesigen Speisesaal, freundliche Kellner im Smoking geleiteten uns an unseren Tisch. Wir nahmen Platz, alle waren da, nur zwei Musiker fehlten: Sunny vom Chor und Ryno Ericsson, ein Posaunist, der auf dieser Reise für Conny Bogdan eingesprungen war. Ryno war sehr groß, schlank, elegant, mit grauem Dick-van-Dyke-Bart – er sah aus wie ein Schauspieler. Um 20.15 Uhr erfolgte dann der geniale Auftritt: Eine Doppeltür flog auf, und Arm in Arm erschienen Sunny und Ryno – sie in großer Abendgarderobe, Ryno kam in Mietfrack und Zylinder. Unendlich vornehm schritten sie durch die Tür in den Speisesaal. Ganz langsam, wie Herzog und Herzogin, begaben sich die beiden an den Tisch. Eine tolle Nummer: die ganze Band stand auf und applaudierte. Daraufhin erhoben sich die übrigen Restaurantgäste und klatschten ebenfalls mit: Alle waren überzeugt, dass die beiden zwei ganz berühmte Persönlichkeiten sein mussten!

UNSERE australischen Fans haben uns lange Zeit nicht vergessen: Auf dem Weg zu einem Konzert in Innsbruck hatten wir schon eine längere Fahrt im Bus hinter uns und legten an einer Autobahnraststation im Inntal eine kurze Pause ein. Die Band ging ins Restaurant, ich aber blieb lieber im Bus sitzen. Nach ein paar Minuten parkte ein roter englischer Doppeldeckerbus neben uns, voll mit jungen Leuten, die neugierig durch unsere Scheiben spähten. „Wo kommt ihr denn her?", fragte ich.

„Wir kommen aus Australien. In London haben wir den Bus gemietet, und jetzt sind wir mit Zelten auf Europareise, aber wir hatten nur schlechtes Wetter! Und wer bist du?"

„Ich bin James Last, unterwegs mit meiner Band."

„Was??!! James Last?!", riefen sie ungläubig.

„Wir spielen heute Abend ein Konzert in Innsbruck, wollt ihr nicht mitkommen?", schlug ich spontan vor.

Da war sofort High Life. Ich rief in unserem Hotel in Innsbruck an, ob noch zwanzig Doppelzimmer frei wären: Kein Problem. „Also, wenn ihr jetzt weiter nach München fahrt, dann müsst ihr wieder im Zelt schlafen; wenn ihr mit uns nach Innsbruck kommt, dann habt ihr alle ein Hotelzimmer."

Ich lud sie zum Essen ein, abends kamen sie ins Konzert in die Eissporthalle, saßen links und rechts vor der Bühne und hatten jede Menge Spaß. Wochen später bekam ich ein Schreiben von ihnen, das sei der schönste Abend ihrer Europareise gewesen.

AUF UNSEREN Welttourneen kamen wir bis nach Neuseeland, wir gaben Konzerte in Auckland, Christchurch und Wellington. Ein ganz faszinierendes Erlebnis war unser Besuch bei den Maoris: Als wir in einem ihrer Dörfer aus dem Bus stiegen, stürmten sie – furchterregend geschminkt und mit Speeren ausgerüstet – auf uns zu und vollführten wilde Stammestänze. Es gab heftiges Getrommel, blitzartig waren wir von ihnen umringt. Um die Gruppe von Tanzenden standen Kinder und Greise, die laut mitsummten. Plötzlich hob der Häuptling den Speer, und sofort herrschte tiefste Stille. Einen Atemzug später zerbrach er den Speer mit einer wilden Geste – und wir waren herzlich willkommen.

Wir waren von dieser Vorstellung so beeindruckt, dass ich die ganze Truppe zu unserem nächsten Konzert einlud. Das fand in einem alten Kino statt, die Bühne war stark erhöht. Unten saß das weiße Publikum, oben am Balkon – auf einer Höhe mit uns – die Maoris.

Ich machte eine Ansage: „Gestern Abend haben uns die Maoris einen tollen Empfang beschert, die ganze Band hat es sehr genossen", etwas in dieser Art. Aber das kam bei den weißen Neuseeländern überhaupt nicht gut an: unten im Parkett herrschte eisiges Schweigen, während die Maoris auf dem Balkon begeistert tobten. Das Publikum empfand die Anwesenheit der Ureinwohner offensichtlich als unpassend und störend. Erst da wurde mir bewusst, wie tiefgreifend die Spannungen zwischen den einstigen weißen Eindringlingen und den Maoris waren. Es sollte noch über zwanzig Jahre dauern, bis die Regierung Neuseelands den Konflikt schrittweise entschärfte.

Von Neuseeland flogen wir weiter nach Hongkong; auf unserer zweiten Asientournee 1975 spielten wir noch zusätzlich in Kuala Lumpur, Malaysia, und in Singapur.

Insgesamt waren wir jeweils zwischen sechs und sieben Wochen unterwegs. 1972 betrugen die Reisekosten für die gesamten sechs Wochen Afrika und Asien gerade mal 160 000 DM. Das entspricht in etwa der Summe, die wir für eine Europatournee heute pro Tag kalkulieren müssen.

Unsere dritte große Reise durch Asien traten wir 1980 an: diesmal standen Bangkok, Singapur, Hongkong, Malaysia und zusätzlich noch die Philippinen auf dem Programm.

Auf den Philippinen spielten wir in großen Stadien vor 20 000 Zuschauern, so auch in jenem, wo Muhammad Ali im „Thrilla von Manila" gegen Joe Frazier seinen WM-Titel verteidigt hatte. Es war unglaublich heiß, in den Garderoben wuselten Küchenschaben, groß wie Spatzen, und die Verstärker unserer Tonanlage mussten mit Eis und Propellern gekühlt werden. Wir waren auch zu einem Dinner bei der Frau des philippinischen Diktators eingeladen – bei Imelda Marcos. Die First Lady war allerdings nicht selbst anwesend, vermutlich zählte sie gerade ihre vielen Tausend Schuhe.

In unserem Hotel hielten sich ständig viele blutjunge Mädchen auf; wie bunte Schmetterlinge umflatterten sie meine Musiker. Sie kamen mit dem Abendkleid am Kleiderbügel an, weil sie hofften, dass sie abends mit der Band fein essen gehen würden. Ich hatte keine Ahnung, woher sie kamen, aber sie waren bildschön und klangen ganz süß mit ihren leisen Stimmen, wie das obere Register einer Orgel. Meine Musiker waren für diese Mädchen richtige Superstars, sie wollten wohl jemanden kennen lernen, der sie aus ihren ärmlichen Verhältnissen rausholte.

Auf dieser Tournee begleitete mich ausnahmsweise meine Frau Waltraud, es war so etwas wie eine Hochzeitsreise zu unserer „Silbernen".

Untertags saßen all diese Mädels am Hotelpool rund um Waltraud herum, als ob sie ihre Oberglucke wäre. Unser Konzertmeister, Eugen, der etwa Mitte siebzig war, lehnte ganz lässig am Beckenrand, im Mund eine Zigarettenspitze, links und rechts ein Mädel, ein seliges Lächeln auf den Lippen, und schwärmte: *„Hansi, what a life!"*

Ein pikantes Problem hatte Band-Benjamin Stefan Pintev, der heute unser erster Konzertmeister ist: Er war wohl in einen etwas zu intensiven Gedankenaustausch mit einem der hübschen Mädchen getreten, woraufhin dessen Eltern ankamen und ihn ausfragten, was er so mache, welche Religion er habe – und schließlich wurde er zum Essen eingeladen. Danach hieß es: Stefan muss die kleine Philippina heiraten. Natürlich blieb es wie so oft an mir hängen, die Sache zu regeln. Aber ich bekam auch das hin, in diesen Dingen hatte ich bereits einschlägige Erfahrungen vorzuweisen – denn schon einmal hatte einer meiner Musiker eine Ehefrau aus einem damals noch sehr „exotischen" Land mitgebracht: aus der Sowjetunion.

Genosse Njet

Im Mai 1972 starteten wir zu einer von langer Hand vorbereiteten Tournee durch die seinerzeit noch tief kommunistische Sowjetunion; sie fand im Rahmen eines Kulturaustausches zwischen der BRD und der UdSSR statt. Die Russen schickten die Leningrader Philharmonie nach Deutschland, und ich hatte die Ehre, mein Heimatland in Breschnews Reich zu vertreten. Natürlich gab es in den 70er-Jahren offiziell noch keine James-Last-Platten in Russland zu kaufen, die Menschen kannten unsere Musik daher nur von ins Land geschmuggelten Tonbandkopien und von BBC Radio. Die kommunistischen Bonzen hatten jedenfalls keine Ahnung, wie unsere Konzerte abliefen: sie glaubten offenbar, dass wir so etwas wie ein deutsches Volksmusik-Ensemble seien.

Zur Erinnerung: 1972 gab es in der UdSSR keinerlei demokratische Bürgerrechte, die KPdSU unter Leonid Breschnew beherrschte jeden noch so privaten Lebensbereich der Menschen. Wir kamen also in ein Land, das fest in den Klauen einer rücksichtslosen Diktatur lag.

Insgesamt zwanzig Konzerte in vier Wochen waren geplant, Tiflis, Leningrad, Kiew und Moskau waren die Reiseziele. Schon der Aeroflot-Flug nach Tiflis in Georgien ließ unsere Stimmung merklich abkühlen: eine winzige Maschine, niedrige Sitze, an der Decke nackte Glühbirnen, fürchterlicher Gestank nach Öl und Petroleum, Gepäcknetze wie in den Eisenbahnabteilen dritter Klasse, da saßen die Hühner drin. Während des Starts ging die Heckklappe auf; der Pilot drehte kommentarlos um, kriegte die Klappe irgendwie zu, befestigte sie provisorisch, und es ging im selben Flieger wieder weiter.

Dann das Hotel in Tiflis: ein gesichtsloser Plattenbau, die Türen lösten sich aus den Angeln, aus den Wänden rann das Wasser herab, alles war baufällig und schmuddelig. Zu allem Überdruss waren auch Günters Orgel und die Notenpulte nicht mitgekommen, weil sie angeblich nicht in das kleine Flugzeug gepasst hätten. Obwohl die Tournee bis auf den letzten Platz ausverkauft war, beschloss ich, das erste Konzert platzen zu lassen, da unser Equipment nicht vollständig vor Ort war. Zwar taten mir die vielen enttäuschten Georgier leid, die still und traurig wieder ihren Heimweg antraten. Aber andererseits wollte ich den sowjetischen Behörden von Anfang an zeigen, dass wir nicht alles hinzunehmen gedachten.

Als unsere Ausrüstung schließlich komplett war, stand unserem ersten Auftritt in Georgien nichts mehr im Wege. Auf Wunsch der Gastgeber hatte ich viele deutsche und russische Volkslieder ins Programm eingebaut – aber genau darauf reagierte das sowjetische Publikum überhaupt nicht. Erst während unseres internationalen Repertoireteils tauten die Tifliser auf. Das hätte ich mir eigentlich denken können, denn es war klar, dass die Menschen jene Musik hören wollten, die in ihrem Land praktisch verboten war: westlichen Pop. Ich beschloss also, den Programmablauf zu ändern und den Volksliedteil zu streichen. In Tiflis und danach in Leningrad – dem heutigen Sankt Petersburg – wurde das gerade noch toleriert. Doch es gab immer wieder Einmischungsversuche vonseiten der Behörden, die von uns verlangten, auf einige Titel im Konzert zu verzichten. Der Druck auf mich wurde immer massiver.

Jeden Tag saß ein Unterbonze hinter der Bühne, der mit den Oberbonzen in Moskau telefonierte, um sich das Okay für unser Programm zu holen. „Let The Sunshine In" etwa war bezeichnenderweise verboten, Songs von den Beatles ebenfalls, da hieß es stets: „*Njet!*"

Doch ich erinnerte mich an meine Zeit in der Bückeburger Heeresmusikschule, als wir keinen Jazz hatten spielen dürfen – und an den Trick mit den deutschen Namen, die wir den „entarteten" Nummern verpasst hatten. Also schrieben wir „Englisches Volkslied" auf die Noten – und so konnten wir unseren Genossen Njet ausmanövrieren und auch mal eine Beatles-Nummer in unser Programm schmuggeln. Oder wir fragten: „Dürfen wir ‚Nananana, Hey Hey Kiss Him Goodbye' spielen?"

Das kannten die Apparatschiks nicht, also kam das Okay aus Moskau. Darauf sangen im Saal 5000 Leute bei dem Titel mit, woraufhin unser Aufpasser wieder im Kreml anrief: „Die Leute sind alle verrückt hier, die singen mit, das geht nicht!" Also durften wir das auch nicht mehr spielen.

Aber die Nachricht von der West-Band, die in den Konzerten so richtig Stimmung machte, verbreitete sich wie ein Lauffeuer. In Kiew in der heutigen Ukraine spielten wir drei oder vier Tage lang, und die Leute sprangen durch die großen Fenster in den Saal, weil die Halle schon so voll war, dass die Behörden niemanden mehr einlassen wollten. Da war richtig was los!

Vor uns – unterhalb der Bühne – hatte man Gitter aufgebaut, angeblich zu unserem Schutz. Wir kamen uns vor wie im Zoo. Ich sagte: „Solange der Käfig da steht, fangen wir nicht an." Unser Oberkommunist hing längst wieder am Telefon. „Ihr müsst anfangen, Musik!"

„*Njet*, erst muss das Gitter da vorne weg."

Schließlich wurden die Dinger abgebaut, wir begannen zu spielen, die Menschen klatschten und sangen begeistert mit, und als sich das Konzert dem Ende näherte, kamen die Besucher vor zur Bühne, wollten mir Blumen und kleine handbemalte Tonkrüge überreichen. Aber die Aufpasser und Funktionäre rissen die Leute an den Haaren zurück und bearbeiteten sie mit Fußtritten und Fäusten. Ich wollte diese unsinnige Brutalität unterbinden, aber keine Chance. Wir auf der Bühne waren alle entsetzt von diesen Ereignissen; ich beschloss, einfach weiterzuspielen, und so lieferten wir den Kiewern das Konzert unseres Lebens: jeder Musiker gab mehr als hundert Prozent seiner Leistung. Erschöpft und völlig deprimiert kehrten wir ins Hotel zurück.

Eine Konfrontation mit den sturen Behörden schien immer unausweichlicher. Und tatsächlich: Am folgenden Tag tauchte eine Delegation des Kulturministeriums im Hotel auf und forderte Programmänderungen ein. Ich aber drehte den Spieß um und verlangte: Wenn es in einem unserer Konzerte nochmals zu solch brutalen Prügelszenen kommen sollte, würde ich das Konzert auf der Stelle abbrechen.

Die Herren blieben unbeeindruckt: „Herr Last, bis Moskau müssen Sie Ihr Programm ändern."

Diese Forderung wurde sogar durch ein Telegramm der deutschen Botschaft in Moskau unterstützt: „... Botschaft bittet Sie, den Ausführungen der Vertreter des Gastgeberlandes die ihnen zukommende Aufmerksamkeit zuzuwenden ..." Ich fand das ziemlich seltsam, da ich der Meinung war, dass die Botschaft doch eigentlich unsere Interessen zu vertreten hätte.

In der sowjetischen Hauptstadt aber sollte es schließlich zum großen „Showdown" kommen. Das „Finale Furioso" begann zunächst recht komisch: Wir hatten bei unserem Auftritt eine sehr nette Garderobiere kennen gelernt, die ich zu uns ins Hotel „Rossija" einlud. Plötzlich klopfte es an meiner Zimmertür, drei Herren standen draußen: „Wir kommen im Auftrag der Kulturministerin, sie will mit Ihnen sprechen."

„Das geht jetzt nicht, ich habe gerade Besuch hier. Sie sind ja auch nicht angemeldet", erwiderte ich.

„Ja, aber das ist doch nur eine Garderobenfrau, und da draußen stehen Leute vom Ministerium!"

Konfrontation in Moskau: Bei „Power To The People" drehten die Sowjets den Strom ab.

„Ach, und ich dachte, bei Ihnen sind alle Menschen gleich!", warf ich ein. „Ich finde, es wäre sehr unhöflich, wenn ich meinen Besuch allein ließe."

Dann allerdings wurde es handfester: Es folgte eine harte Auseinandersetzung um das Konzertprogramm, die ich schließlich mit der Feststellung beendete: „Gut, wenn Sie wollen, dass morgen in den westlichen Zeitungen ‚Tournee wegen des großen Erfolges abgebrochen' steht … Das Programm mache ich und sonst niemand!"

Auf Weisung der Kulturministerin durften wir unser Programm schließlich unverändert spielen. Höhepunkt waren zwei Konzerte im Moskauer Sportpalast vor jeweils 15 000 Menschen. Aber es gab unangenehme Überraschungen: Als wir zum Soundcheck kamen, sahen wir, dass im Saal Polizisten und Militär in Uniform eine Sitzprobe abhielten. In jedem Gang, in jeder Reihe saß einer von diesen Typen. Zur Probe waren sie noch uniformiert, abends natürlich nicht mehr. Aber jeder wusste, wo er zu sitzen hatte; auch in der ersten Reihe saßen nur Offizielle. Kaum fingen wir an zu spielen, rückten sie gleich eng zusammen, damit nur ja niemand nach vorn zu uns kommen konnte. Auch die Moskauer wollten uns Blumen überreichen, doch man ließ sie nicht. Schließlich brachen die Dämme, und die Menschen stürmten über die

Köpfe der Soldaten hinweg auf die Bühne, umarmten und herzten mich und meine Musiker. Mir standen die Freudentränen in den Augen. Die Musik hatte über die sture Intoleranz der Bonzen gesiegt. Als Zugabe ließ ich mir eine kleine musikalische Rache am Regime einfallen: Wir begannen mit den ersten Takten von „Power To The People". Daraufhin drehten die Behörden einfach den Strom ab, aber wir spielten – ohne elektrische Verstärker, aber dafür fünfzehntausendfach verstärkt durch unser Publikum – die Nummer unplugged zu Ende.

Die Tournee dauerte vier Wochen, und wir alle waren heilfroh, als wir in Helsinki endlich wieder „westlichen" Boden betraten.

An unserem Aufpasser, der uns während der gesamten Reise mit seinen ständigen „*Njets*" genervt hatte, übten wir zum Abschied noch grimmige Rache: Obwohl er ein linientreuer Parteigenosse war, hatte er sich von Anfang an eine unserer Platten von mir gewünscht. Nun, er sollte sie bekommen! Ich besorgte eine LP mit langweiligen Endlosreden seines Oberbosses Breschnew, klebte das rote Polydor-Label auf die Scheibe und packte sie in ein *Beachparty*-Cover. Am Flughafen überreichte ich ihm feierlich diese Original-James-Last-LP. Ob die Freude wohl groß war, als er sich das Album zu Hause anhörte?

Hits & Flops

Mit dem Komponieren ist es wie mit vielen anderen Dingen im Leben auch: wenn man mittendrin steckt, sieht man oft den Wald vor lauter Bäumen nicht. Es ist oft sehr schwer zu erkennen, ob ein Stück etwas taugt oder nicht. Manchmal benötigt man Hilfe von außen, von jemandem, dessen Nase nicht so tief in den Noten steckt und der daher vielleicht den besseren Riecher hat.

Mein erster großer Hit, „Games That Lovers Play", hatte solch einen unbeteiligten Geburtshelfer nötig. Ich hatte die Nummer ursprünglich unter einem anderen Titel für ein schwules holländisches Gesangsduo geschrieben. Aber deren Stimmen waren viel zu klein. So landete die Komposition zunächst einmal in der Schublade.

Dann machten wir die Aufnahme von „Lara's Theme", dem Welthit von Maurice Jarre aus dem Film *Doktor Schiwago*. Wir benötigten eine Nummer für die B-Seite der Single, und der Musikverlag, Francis, Day & Hunter, schlug vor: „Wenn ihr einen eigenen Titel verwendet und in unserem Verlag veröffentlicht, dann schaut finanziell mehr für alle Beteiligten heraus." Da fielen mir die „Games" wieder ein, ich arrangierte die Nummer neu, machte aus den beiden Gesangsstimmen zwei Trompeten, und die Komposition wurde als „Eine ganze Nacht" auf der Rückseite von „Schiwago" veröffentlicht.

Auch das hätte noch lange nicht ausgereicht, einen Hit aus dieser Instrumentalnummer zu machen. Dann aber kam mir das Glück zu Hilfe: In den USA war gerade Billy May mit seinem Orchester und dem Sänger Eddie Fisher zu gemeinsamen Aufnahmen im Studio. Eddie Fisher hatte zu dieser Zeit ein leichtes Karrieretief, zudem war er eben frisch geschieden von Liz Taylor. Fisher und May hörten den Titel zufällig, und Eddie sagte spontan: „Diese Nummer will ich singen!"

Eddie Snyder, der schon den Text zu Bert Kaempferts „Strangers In The Night" geschrieben hatte, verfasste die englischen Lyrics, und der Song wurde ein Welthit: Es gibt über hundert Coverversionen, von Connie Francis bis Mantovani, Aufnahmen in einem Dutzend Sprachen, und wenn ich die „Games" bei unseren Konzerten spiele, geht das Publikum noch heute – nach fast vierzig Jahren – voll mit.

Ich war meinen eigenen Kompositionen gegenüber immer besonders kritisch, doch wenn man bis drei oder vier Uhr morgens arbeitet und nur wenig Schlaf hat, weil man so viele Sachen gleichzeitig macht und um acht Uhr schon wieder im Studio sein muss, kann es schon vorkommen, dass das Urteilsvermögen angesichts der Tausenden von Noten getrübt ist.

Ich war jedenfalls in der entsprechend entnervten Stimmung, als ich wieder einmal eine Partitur als misslungen betrachtete und sie in den geflochtenen schwarzen Papierkorb warf, der neben meinem Schreibtisch stand. Glücklicherweise hatte ich Waltraud das Stück früher einmal vorgespielt – und als sie wieder einmal versuchte, ein wenig Ordnung in mein chaotisches Arbeitszimmer zu bringen, entdeckte sie den Titel im Müll. „Kommt nicht infrage, dass du den wegschmeißt, mit dieser Nummer muss etwas passieren", meinte sie sehr resolut.

„Okay", sagte ich, „wenn du daran glaubst, dann gehört der Titel dir, du musst deinen eigenen Verlag aufmachen und sehen, wie du damit klarkommst."

Genau das hat Waltraud auch gemacht. Gemeinsam mit unserer – leider viel zu früh verstorbenen – Freundin Lilo Bornemann gründete sie den Panorama Song Verlag, und auf einmal war die Nummer ein Welthit: „Happy Heart"! Andy Williams, Petula Clark, Peggy March und viele, viele andere große Stars haben sie aufgenommen. Als ich all die Single-Muster bekam, „Happy Heart" auf Italienisch, „Happy Heart"

Mein „Happy Heart": mit Waltraud vor unserem Haus am Holitzberg

auf Japanisch, „Happy Heart" auf Schwedisch, wurde mir klar, dass ich etwas geschaffen hatte, das vielen Menschen in dieser Welt etwas sagte. Und das war und ist für mich eine großartige Erfahrung.

Auch „Music From Across The Way" und „Fool" sind zwei Kompositionen, an denen mir sehr viel liegt. Und „When Snow Is On The Roses" wurde sogar als bester Countrysong des Jahres ausgezeichnet. „Fool" wurde von Elvis Presley aufgenommen, ich muss allerdings gestehen, dass mir die Art und Weise, wie er dieses Lied interpretierte, nicht sonderlich gefiel.

Der am häufigsten gespielte Titel von mir dürfte wahrscheinlich „Happy Luxemburg" sein: die Nummer war viele Jahre lang die Kennmelodie von Radio Luxemburg, aus dem später der Privatsender RTL hervorging.

Eine überaus erfolgreiche Komposition war Ende der 70er-Jahre „Der Einsame Hirte". Die Nummer landete auf meiner zweiten Russland-LP *Russland-Erinnerungen*. Unser damaliger Tourneeveranstalter, Hans-Werner Funke, hatte auch den rumänischen Panflöten-Solisten Gheorghe Zamfir unter Vertrag. Ich hatte Zamfir erst ein paar Tage zuvor in der Hamburger Musikhalle gehört. Ich fand ihn klasse, und so kam mir der Gedanke, das Thema des „Hirten" von einer Panflöte spielen zu lassen. Spontan fragte ich Zamfir, ob er nicht zu uns ins Studio kommen könnte, ich hätte da einen Titel für ihn.

Gheorghe kam vorbei, und in kürzester Zeit war die Sache auf Band. Die Platte war schon gepresst, aber Zamfir war nicht bei Polydor, sondern bei Phonogram unter Vertrag. Also wurde mühevoll ausgehandelt, dass wir die LP-Rechte haben könnten und Zamfir die Single-Rechte. Wir spielten den „Einsamen Hirten" bei einer TV-Livesendung in Braunschweig, und der Titel schoss wie eine Rakete in die Höhe. Er war 1977, am Höhepunkt der Discowelle, 13 Wochen lang in der Single-Hitparade. Zamfir hatte schon überall auf der Welt Platten gemacht, aber das war sein entscheidender Durchbruch.

Gheorghe war 1978 mit uns auf Tournee, und während dieser Tournee – wir gastierten gerade in Manchester – wurde seine Tochter geboren. Wir gratulierten ihm überschwänglich: „Mensch, toll, du bist Vater geworden, lass uns einen trinken!" Aber er hatte Stacheldraht in der Tasche, er hat nicht eine einzige Runde ausgegeben.

Beim nächsten Konzert folgte dann unsere Rache: Wir hatten eine Nummer im Programm, die hieß „L'Alouette"; dabei imitierte Gheorghe mit seiner Panflöte verschiedene Vogelstimmen. Und wie er so vor sich hin zwitscherte, tönte aus dem Publikum der schrille Pfiff eines Entenrufs. Unser Pianist, Günter Platzek, holte ein Gewehr neben seinem Flügel hervor und schoss einen imaginären Vogel ab. Über unseren Panflötenzauberer ergoss sich ein endloser Schwall von Federn, die aus den Kissen unserer Hotelbetten stammten. Wir hatten sie in einen Sack gefüllt und über Gheorghe in der Bühnendekoration aufgehängt.

Gheorghe spielte die Nummer ungerührt zu Ende, aber das Mikro wurde immer größer und größer, weil die elektrische Spannung die Federn magisch anzog. Kein einsamer, sondern ein ziemlich „gefiederter Hirte". Auch wenn er unseren Gag gar nicht lustig fand: Zamfir ist ein großartiger Musiker; er kann auf einer Colaflasche spielen und es klingt toll.

Sing mit: die Superfeten

Sing mit nannten wir eine neue Serie, für die ich einen Mix aus deutschen Schlagern und Nonsensliedern arrangierte, mit deutschem Chor und denselben Mitklatsch-Partygeräuschen wie auf *Non Stop Dancing*. Nur spielten wir statt Slade, Gary Glitter oder Tina Turner Nummern von Chris Roberts, Michael Holm oder Daliah Lavi – schließlich sollten ja wirklich alle mitsingen können. Die Alben erschienen – zehn Folgen lang – jeweils zur Faschingszeit, und Jahr für Jahr veranstalteten wir dazu die passende *Sing mit*-Karnevals-Tanzparty. Das Programm begann jeweils um 20 Uhr und endete selten vor vier Uhr morgens. Wir spielten uns kreuz und quer durch unser tanzbares Repertoire, alle halbe Stunde wechselten wir uns mit verschiedenen Gaststars ab: Im Lauf der Jahre waren dies zum Beispiel Baccara, Hubert Kah, die Silver Convention, Alvin Stardust, Mr Acker Bilk und einmal – als Reverenz an meine Studienzeit – die Bückeburger Jäger.

Die ganz und gar nicht steifen Hamburger kamen in ausgeflippten Kostümen an, die Ernst-Merck-Halle kochte von Jahr zu Jahr heißer über. Obwohl wir bis zu drei Abende hintereinander spielten, waren die Konzerte regelmäßig ausverkauft, jedes Mal kamen rund 7000 begeistert tobende Menschen. Auf einmal gehörte es in der Hamburger Society zum guten Ton, bei unseren *Sing mit*-Partys dabei zu sein.

Der immense Erfolg der *Sing mit*-Partys hatte zur Folge, dass wir auch in anderen Städten mit diesen Tanznächten auftraten: in München, Köln, Dortmund, Innsbruck.

Für die Band waren die Konzerte ein harter Job: drei Abende hintereinander jeweils acht Mal eine halbe Stunde spielen, und immer das volle Knallprogramm. Aber die *Sing mit*-Partys hatten für die Musiker auch einen besonders angenehmen Nebenaspekt: Sie waren die beste und einfachste Möglichkeit, die hübschesten Mädchen Hamburgs kennen zu lernen. Im Lauf eines solchen Abends versammelten sich Dutzende Mädels hinter der Bühne, die nach dem Ende des Konzerts alle noch weiterfeiern wollten, und wer könnte da schon Nein sagen! So war es meistens längst taghell, wenn ich endlich todmüde ins Bett fiel.

Auf einem dieser Faschingskonzerte gab übrigens einer der „Stars" meiner Band sein Debüt: unser Trompeten- und Flügelhornsolist Derek Watkins aus England. Er sollte im Lauf der Jahre zu einer der wesentlichsten Stützen im Orchester werden, nicht nur wegen seiner überragenden musikalischen Fähigkeiten, sondern auch wegen seiner menschlichen Qualitäten: Obwohl bei mir alle Musiker die gleiche Gage verdienen, wollte ich bei ihm eine Ausnahme machen und bot ihm ein Sonderhonorar an. Doch Derek lehnte ab: „Ich habe vielleicht etwas mehr Talent, aber meine Kollegen geben genauso wie ich ihr Bestes." Derek kann alles, die Höhe, die Tiefe, das Gefühl, alles. Wenn er in den Konzerten an der Bühnenrampe steht, um sein Solo zu spielen, läuft es mir oft heiß und kalt über den Rücken.

Der ganz normale Wahnsinn

Die *Sing mit*-Feten, die Konzertreisen, das Arrangieren, Studiotermine, TV-Auftritte und PR-Verpflichtungen: Heute kann ich es selbst kaum glauben, wie ich all das in 365 Tagen unterbringen konnte. Ein Blick in einen meiner alten Kalender zeigt, wie sich solch ein „ganz normales" James-Last-Jahr abgespielt hat – zum Beispiel 1976:

Januar

Zwei neue Alben erscheinen in Deutschland, *Non Stop Dancing '76* und *Sing mit 4*, beide habe ich soeben fertig gemischt, sie marschieren geradewegs in die Top 20.

In Holland wird eine Tulpenart zu meinen Ehren „Partyking" getauft, ich muss zu einem Festakt nach Amsterdam.

Nachts schreibe ich an den Arrangements für die Volkslieder-LP *Freut euch des Lebens*.

Die Vorbereitungen für die Frühjahrstournee durch Großbritannien laufen auf Hochtouren.

Februar

Die anstrengenden *Sing mit*-Faschingspartys stehen auf dem Programm: Wir spielen in Hamburg, Berlin, München und Innsbruck.

Die Arrangements und Kompositionen für das neue Album *Happy Summer Night* müssen fertiggestellt werden, Ende des Monats finden die Aufnahmen mit Band und Chor zu *Happy Summer Night* und *Freut euch des Lebens* statt.

März

Freut euch des Lebens und *Happy Summer Night* werden fertig abgemischt und sofort veröffentlicht, beide erreichen die Top 20.

In Großbritannien kommen gleich drei Alben gleichzeitig auf den Markt: *Non Stop Dancing '76, In The Mood For Trumpets* und *Classics Up To Date, Vol. 3*, ich muss daher einen PR-Abstecher auf die Insel machen.

Am 26. März startet unsere vierte Tournee durch England, Wales, Schottland und Irland. Ich schreibe also noch rasch ein neues Arrangement für die UK-Tour.

April

Bis Mitte des Monats Fortsetzung der ausverkauften UK-Tour. Auf den langen Busfahrten durch England arbeite ich an den Arrangements für eine neue LP, die ich gleich nach unserer Rückkehr aufnehmen soll.

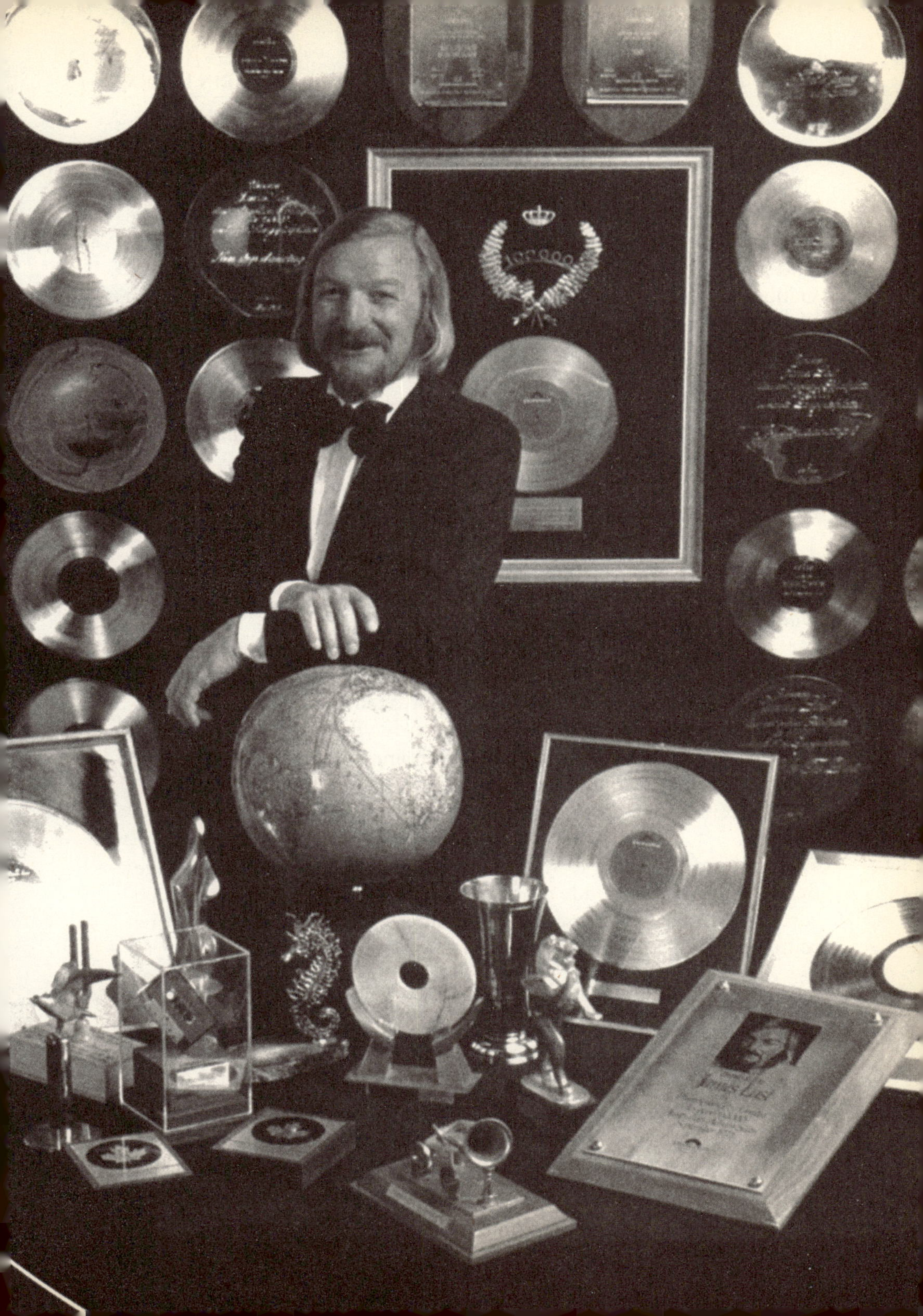

Zurück in Deutschland, geht es sofort wieder ab ins Studio: die Charity-LP *Stars im Zeichen eines guten Sterns* zugunsten der Deutschen Krebshilfe muss eingespielt werden, mit den neuen Arrangements, die im Bus entstanden sind. Die Stars, die ich mit meiner Band begleite, sind Wencke Myhre, Karel Gott, ABBA und Freddy Quinn.

Mir wird die Goldene Schallplatte Nummer 147 überreicht.

Am 30. April und am 1. Mai geben wir zwei Konzerte in Dortmund und Münster: „Tanz in den Mai".

Mai

Ich schreibe wieder – diesmal sind die Arrangements für *Non Stop Dancing '76/2* an der Reihe. Das Album muss noch im selben Monat aufgenommen werden.

Nach dem Stress der letzten Wochen habe ich die gesamte Band zu einem einwöchigen Urlaub nach Spanien eingeladen.

Juni

Non Stop Dancing '76/2 erscheint, aber ich bin schon wieder am Schreiben: Die Arrangements für *Happy Marching* und *Classics Up To Date, Vol. 4* stehen an.

Juli

Ein ruhiger Monat. In Großbritannien kommt ein Chor-Album auf den Markt, das wir eigentlich nur für Kanada produziert haben: *Rock Me Gently*.

Die LP *Happy Marching* wird aufgenommen – nicht gerade mein Lieblingsprojekt. Anschließend gibt's endlich Urlaub mit Waltraud und den Kindern in unserem Haus in Fort Lauderdale, Florida.

August

Wir machen eine kurze Konzerttournee durch Skandinavien. Anschließend geht's zur Starparade nach Bremen; darauf folgt ein weiteres Konzert in Dänemark. *Happy Marching* kommt in die Läden. Letzte Vorbereitungen für die große Herbsttournee.

September

In Hannover geben wir ein Konzert, das vom NDR-Radio live übertragen wird. Dann geht's auf große Deutschlandtournee: 19 Konzerte in drei Wochen.

Oktober

Kaum ist die Tournee zu Ende, stehe ich schon wieder im Studio: *Classics Up To Date, Vol. 4* wird aufgenommen. Gleichzeitig schreibe ich die Arrangements für die neue *Non Stop Dancing*.

Die nächste *Starparade* steht auf dem Programm, diesmal aus Wien.

Wo wir schon mal in Österreich sind, hängen wir gleich zwei Konzerte in Wien an.

Die UK-Tour 1977 ist bereits so gut wie ausverkauft.

November

Classics Up To Date, Vol. 4 erscheint, *Non Stop Dancing '77* wird aufgenommen.

Dezember

Non Stop Dancing '77 erscheint, *Sing mit 5* wird aufgenommen.

Der ganz normale Wahnsinn ...

Was dabei ganz eindeutig zu kurz kam, war mein Familienleben. Waltraud konnte mit meinen häufigen Abwesenheiten umgehen, viel schwieriger war das für meine Kinder, für Ron und Rina. Aber das soll meine Tochter lieber selbst erzählen ...

Caterina

Es ist ganz typisch für unseren Vater, dass er mir die Möglichkeit gibt, in seiner eigenen Biografie auch unsere Sichtweise des Zusammenlebens mit ihm darzustellen: Er und Mama haben sich immer größte Mühe gegeben, uns so frei und ungezwungen wie möglich zu erziehen, er hatte keine Geheimnisse vor uns und versuchte auch nie, uns irgendeine Meinung aufzudrängen.

Dass Papa ganz offensichtlich einen aufregenden Job hatte, wurde uns Kindern ziemlich bald klar. Mein Kinderzimmer lag neben Papas Arbeitszimmer, darum hörte ich oft noch spätnachts Musik: wenn er Klavier spielte oder Platten auflegte, das war klasse.

Dunkel erinnere ich mich an die erste Schallplatte mit dem Namen James Last, den Schriftzug habe ich damals gerade so entziffern können. Ich weiß noch, dass wir große Augen und noch größere Ohren machten, als diese erste Non Stop Dancing-*Scheibe bei uns zu Hause lief. Dann tauchen Gesichter in meiner Erinnerung auf: Katja Ebstein, Wencke Myhre oder Freddy Quinn. Nicht, dass Freddy häufig bei uns zu Gast gewesen wäre, aber wir kamen zum Beispiel an seinem Boot vorbei, er hing da oben in den Rahen, machte einen auf Seebär, und wir standen unten und sagten: „Oh, kuck dir den Kerl da oben an, den kennen wir doch – aye, Freddy!" – „Aye, Lütte", rief er dann, „da seid ihr ja!" Das war's schon, aber für uns Kinder war das sehr spannend, weil Freddy ja ein Star war und trotzdem alles so ungezwungen ablief. Diese* kleinen Geschichten sind mir aus jener Zeit noch gut im Gedächtnis geblieben.

Mein Bruder kam mit der ständig steigenden Berühmtheit von Papa relativ problemlos zurecht, er gab auch schon mal in Vertretung ein Interview oder nahm bei einer großen Gala einen Preis für unseren notorisch überbeschäftigten Vater entgegen. Ich hingegen hatte so meine liebe Not mit dem Starrummel, ich fand das oft sehr nervig.

Auch in der Schule wirkte sich der Rummel eher negativ aus. Als ich etwa 13 oder 14 Jahre alt war – es war die Zeit der Hippies, der Flower-Power-Bewegung –, gab es unter uns Jugendlichen am Gymnasium natürlich ständig leidenschaftliche Diskussionen um Weltanschauungen und Revolution, um Marxismus und Kapitalismus. Und da wurde Papa von den Mitschülern immer als der Oberkapitalist dargestellt. Das war natürlich Unsinn, aber das versteht man erst, wenn man älter ist. Damals musste ich mich ständig irgendwie rechtfertigen. Später kam dann auch die Ablehnung seiner Musik dazu. Dabei hatten wir zu Hause immer die aktuellste Musik auf dem Plattenteller und nicht etwa „Ännchen von Tharau". Bei uns gab es überhaupt nie diesen dramatischen Konflikt zwischen Jugendkultur und „erwachsener" Kultur, weil meine Eltern genau dieselbe Musik hörten wie wir: Cream oder Procol Harum oder Blood, Sweat & Tears. Wir gingen schon als Kinder mit Mama und Papa in die Disco und besuchten gemeinsam Rockkonzerte: Santana, Led Zeppelin, The Who – das gab's bei anderen Familien bestimmt nicht oft.

Alle Non Stop Dancing-Alben wurden bei uns zu Hause komplett durchdiskutiert: Welche Titel sollen drauf, welche Titel sind noch aktuell, wenn die Scheibe in zwei Monaten auf den Markt kommt, welche müssen wir mit aufnehmen, die bis dahin wahrscheinlich noch in die Charts aufsteigen werden? Und weil die meisten Hits aus den US-Hitparaden kamen, lasen wir regelmäßig die Fachzeitschrift Billboard. Ein besonders tolles Gefühl war es natürlich, wenn im Billboard, dieser Bibel des Musikbusiness, ein Titel von Papa auftauchte, der in die Top 20 kam oder für irgendeinen Award nominiert wurde, wie beispielsweise seine Komposition „When The Snow Is On The Roses", für die er 1972 den Country Music Award aus Nashville erhielt.

Wir waren als Kinder bei vielen Partys dabei, ob im Studio bei den Non-Stop-Events, ob zu Hause oder in Fintel: Weil damals Partys nicht erst um Mitternacht anfingen, sondern die Jungs auch bei Tageslicht schon gefeiert haben, durften wir Kinder eben mit. Das hat viel Spaß gemacht. Auch bei den Sing mit-Feten waren wir oft dabei, da waren Ron und ich ja längst schon Teenager.

Die Kehrseite der Medaille war gewiss die häufige Abwesenheit von Papa. Als ich ein Teenager war, war er eigentlich nie zu Hause, sondern wochenlang auf Tournee, sodass wir uns nur sehr selten sahen und Mama alles gemanagt hat. Wenn er dann zurückkam, war er total speedig, machte die Nacht zum Tag und trank Unmengen von Alkohol. Nach dem ganzen Tourleben konnte er nicht gleich wieder einfach so in den Alltag mit seinen Schul- und Familienproblemen einsteigen. Vielleicht fühlte er sich durch die lange Abwesenheit auch hin und wieder als Außenstehender.

Er ist ein Mensch, der unheimlich viel und sehr, sehr intensiv gearbeitet hat, mit viel Liebe und Herzblut. Es gab da mal einen Kritiker, der ihm „Musik für Zahnlose" vorgeworfen hat. Ich kann mir hingegen kaum jemanden vorstellen, der sich mehr Gedanken über jede einzelne Note gemacht hat, die er zu Papier brachte. Wann immer er seine ureigensten Ideen verwirklichte, entstanden dabei für mein Gefühl die besten LPs.

Hin und wieder habe ich mir gewünscht, der ganze Ruhm wäre nicht passiert. Wenn wir durch Hamburg spazierten, dauerte es keine zwei Minuten, und irgendein Passant rief: „Da is' er, da ist James Last!" Und schon mussten wir wieder laufen. Papa fand es zwar toll, überall erkannt zu werden, aber ich empfand es als störend. Wir hatten ihn nie für uns allein, auch in den Ferien in Florida war das Haus immer voller Menschen. Und auch da war meistens eine Menge Alkohol im Spiel, was mich sehr irritierte. Der Alkohol wirkte auf ihn persönlichkeitsverändernd, da kamen manchmal Dinge zutage, die verletzend waren.

Einmal ging ich sogar mit einer Freundin zu einer Art Selbsthilfegruppe für Angehörige von Alkoholikern, weil ich mir Sorgen um Papa machte. Ich hatte ja keine Vorstellung, wie schlimm die Sache wirklich war. Dieser unglaubliche Starrummel, der da plötzlich über ihn hereingebrochen war – jeder fand ihn super, jeder wollte etwas von ihm –, musste wohl erst einmal verarbeitet werden. Zugleich kam ja auch das viele Geld daher, da hatte er wohl plötzlich das Gefühl, er könne sich alles erlauben.

Papas Popularität bescherte uns aber auch viele unvergessliche Situationen, privilegierte Momente. So lud uns Papas englischer Tourneeveranstalter – Harold Davison – in London einmal zu einem Konzert von Frank Sinatra ein. Die Überraschung kam nach dem Konzert: wir durften mit Frankie-Boy gemeinsam essen gehen! Ich war ein großer Sinatra-Fan, ich hatte all seine uralten LPs aus den Fünfzigern zu Hause und nächtelang mit der Platte Only the Lonely verbracht. Das Dinner mit ihm war daher definitiv ein Highlight meines Lebens. Ich fragte Sinatra keck, warum er beim Konzert nicht „Angel Eyes" gesungen hätte, da sah er mich an und log charmant: „Weil ich nicht wusste, dass du im Saal warst, Honey!"

Mir ist auch klar, dass regelmäßige Urlaube in Florida nicht gerade zum Standardprogramm einer Durchschnittsfamilie gehören. Das war alles unglaublich aufregend für uns Teenager: die Flüge immer erster Klasse, das feine Essen an Bord – das war natürlich ein Unterschied, ob man auf Sylt im Wohnwagen Urlaub machte oder erster Klasse nach Florida in die eigene Villa flog. Mama hat versucht, uns einigermaßen auf dem Boden zu halten. Und das ist ihr trotz allem sehr gut gelungen.

Mama hat es auch bravourös geschafft, über Papas Tourneeromanzen hinwegzusehen: „James Last: Ich kann nicht treu sein" stand einmal in irgendeinem Revolverblatt. In gewisser Weise stimmte das auch, Papa machte da auch gar kein großes Geheimnis daraus. Ende der 70er-Jahre studierte ich in München. Papa gab in Nürnberg ein Konzert, ich war natürlich da und fuhr anschließend mit dem Bandbus mit. Da schmuste er im Bus mit einem Mädchen herum. Als ich ihn später darauf ansprach, meinte er nur: „Da ist doch nicht wirklich was gewesen, das war doch ganz unwichtig."

Mama konnte irgendwie damit umgehen, sie hätte sich deshalb aber nie scheiden lassen.

Als Ronnie und ich flügge geworden waren, gab es für meinen Bruder über seinen zukünftigen Lebensmittelpunkt gar keinen Zweifel – die Schrift im Abiturzeugnis war noch nicht mal getrocknet, da saß er schon im Flieger nach Fort Lauderdale und genoss seine neue Freiheit: Er hatte in Florida seine erste Wohnung, sein erstes Haus, seine erste Ehe – für ihn ist Florida jedenfalls auch Heimat. Heute wohnt Ron nur wenige Kilometer von Papas Haus entfernt in Palm Beach. 2004 hat er zum zweiten Mal geheiratet – seine langjährige Freundin Silke.

Mich hingegen hat es immer wieder nach Hamburg gezogen, wo ich mit meinem Mann und unseren beiden Kindern Jeremy und Lenny lebe. Ich bin Übersetzerin und habe mich auf Synchrontexte von Fernsehfilmen und -serien spezialisiert. Jedes Jahr fahren wir in den großen Ferien zu Papa und Christine nach Florida – und dort haben wir unseren Vater und Opa dann endlich ganz für uns. Und das ist einfach wunderbar.

Island Memories

Rule Britannia

Bereits 1971 gastierten wir erstmals in Großbritannien. Unsere Londoner Konzertpremiere fand in einem ehemaligen Kino statt, in bescheidenem Rahmen, ohne Chor und ohne Streicher. Die britische Presse zeigte sich von unseren Konzerten dennoch ebenso beeindruckt wie überrascht: „Ich hätte nie geglaubt, einmal eine deutsche Band ‚Rule Britannia' spielen zu hören – aber James Last bot diese Nummer dar, und er brachte sie sogar zum Swingen", schrieb ein Kritiker, und ein Kollege fügte hinzu: „Dies war James Lasts erster Besuch in Großbritannien – fünf Zugaben am Ende des Konzerts machten klar: er wird bald wiederkommen müssen."

Das ließ ich mir nicht zweimal sagen. 1973 kehrten wir in großer Besetzung auf die Insel zurück: Band plus Chor plus Streicher. Diesmal allerdings war unser Ziel das Mekka der Popwelt, die Royal Albert Hall in London. Noch ehe das erste Konzertplakat ausgehängt wurde, waren die Konzerte bereits ausverkauft, in manchen Städten innerhalb von weniger als zwei Stunden.

Ein Konzert in der Londoner Royal Albert Hall war und ist für mich etwas ganz Besonderes. Alle Pop- und Rockgrößen haben da gespielt, von den Beatles bis zu den Rolling Stones – und dann kommen wir als deutsches Orchester, gerade mal 25 Jahre nach dem Krieg, und sollen dort auftreten! Ich war unsäglich nervös, als ich 1973 das erste Mal in das riesige Oval sollte. Ich schlotterte am ganzen Leib und wollte das Konzert am liebsten absagen.

Wir mussten alle über eine winzige Hühnerleiter durch ein kleines Loch hindurchklettern, das in der Royal Albert Hall den Bühnenaufgang darstellt. Bis da vierzig Musiker auf der Bühne sind, dauert es ewig. Aber man durfte nicht außen herumgehen, sondern musste genau da durch – eine der englischen Eigenheiten, über die die Briten selbst manchmal schmunzeln müssen.

Jedenfalls hatte ich lange genug Zeit, mein Lampenfieber ins Uferlose wachsen zu lassen. Es war klar, dass vom Erfolg in der Royal Albert Hall sehr viel abhing: wer hier ankommt, muss sich vor keinem Konzertsaal der Welt mehr fürchten.

Wir kamen an – und wie! Als ich um 20 Uhr die Bühne erklomm, empfing mich ein pfeifendes, klatschendes und trampelndes Publikum, und es dauerte keine drei Nummern, da hatte sich die Royal Albert Hall in einen riesigen Partysaal verwandelt. Kaum irgendwo auf der Welt ist das Publikum so begeisterungsfähig wie in diesem traditionsreichen Musentempel.

Gerade an diesem magischen Ort wollte ich beweisen, dass wir mehr draufhatten als nur *Non Stop Dancing* und Partystimmung. Ich legte also großen Wert auf die konzertanten Nummern in unserem Programm – und auch diese Musik kam hier hervorragend an. Nach dem Konzert drängten sich in meiner Garderobe die Gratulanten, und ich musste mich durch einen Stapel von Glückwunschtelegrammen wühlen. Anschließend gab es eine Premierenfeier in einem Londoner Hotel, bei der auch zwei ganz Große des Jazz anwesend waren: Count Basie und Stan Kenton! Mal saß Oscar Peterson als Gast im Publikum, mal Paul McCartney – in die Royal Albert Hall sind sie alle gekommen, weil sie wussten: wenn einer dort auftreten darf, dann kann das, was er macht, so schlecht nicht sein.

Ich erlebte in der Royal Albert Hall einige sehr besondere, emotionsgeladene Abende – zum Beispiel an meinem fünfzigsten Geburtstag. Da bereitete mir mein Sohn Ron eine unglaubliche Überraschung. Schon in der Pause des Konzerts war mir aufgefallen, dass seitlich rechts der Bühne ein Flügel stand – das war unüblich, denn wir benötigten ja nur ein Klavier. Ich fragte Conny Güntensperger, was das zusätzliche Klavier zu bedeuten habe, aber ich erntete nur ahnungsloses Achselzucken. Dann begann die zweite Hälfte des Konzerts, ich ging raus auf die Bühne, gab den Einsatz – aber nichts passierte. Außer dass plötzlich ein Scheinwerfer auf das zweite Klavier gerichtet wurde – und dort saß Ron. Ich dachte: Was will der denn hier?! Aber er begann zu spielen ... die Band setzte ein ... die Streicher ... gemeinsam brachten sie mir ein Geburtstagsständchen. Ron war damals 21 Jahre alt und war natürlich noch nie vor einem so riesigen Publikum aufgetreten, zumal er – so wie ich – auch einer war, der ganz ordentlich vor Lampenfieber schlotterte. Aber da saß er nun am Klavier, vor 7000 Menschen, und sang „Photographs (Bring Back The Memories)", einen Titel, den wir gemeinsam geschrieben hatten. Dazu mein Orchester ... Ich stand minutenlang daneben und hörte und staunte – der absolute Wahnsinn. Später hat mir Ron erzählt, dass er eigentlich unseren gemeinsamen Freund, den US-Komponisten und Pianisten David Foster, eingeladen hatte, den Klavierpart zu übernehmen, doch der sagte wegen eines wichtigen Termins kurzfristig ab, sodass Ronnie selbst ran an die Tasten musste. Er schwitzte Blut und Wasser vor Aufregung, aber er spielte drei Nummern, die Halle tobte, und ich hatte wieder einmal dieses unbeschreibliche Gänsehaut-Feeling!

Auch meine Fans ließen mich hochleben: Der ganze Saal stimmte „Happy Birthday" an, 7000 Leute sangen plötzlich für mich! Da lief es mir kalt über den Rücken. Hinten im Saal ging die Mitteltür auf, und herein kamen acht Träger mit einer riesigen Geburtstagstorte. Ein Londoner Bäcker, Tony Milner, der ein großer Fan meiner Musik war und unsere Konzerte mit seiner Frau seit Ewigkeiten besuchte, hatte die gebacken.

Wir konnten das Riesending natürlich nicht im Bus mitnehmen; daher verluden wir die Torte wieder in seinen Wagen, und ich rief ein Kinderkrankenhaus an. Ich kaufte noch ein paar Kinderfahrräder und Spielzeug, sodass wir ein richtiges kleines Fest im Krankenhaus machen konnten. Als wir mit all den Überraschungen ankamen, war das für die Kids und auch für mich wie Weihnachten und Ostern zugleich.

Ein ganz und gar ungewöhnliches Experiment riskierte ich erstmals 1977: Da meine britischen Fans in Hamburg bei unseren *Sing mit*-Partys regelmäßig ausflippten, überlegte ich, diese Art von Partys auch mal in der Royal Albert Hall stattfinden zu lassen.

Das hatte es nun wirklich noch nie gegeben – dass die Bestuhlung der altehrwürdigen Halle ausgeräumt wurde und der Saal dem Publikum als riesige Tanzfläche zur Verfügung stand. Doch es gelang uns tatsächlich, alle Bedenken zu überwinden – und der enorme Erfolg gab uns Recht: die Briten „lernten" schnell, und sehr rasch wurden die Feten auch auf der Insel zu einem „Event". Ein London-Gastspiel sah daher ab diesem Zeitpunkt so aus: Nach drei „normalen" Konzerten hängten wir noch zwei *Dance Nights* an, die nach dem gleichen Schema wie in Hamburg abliefen, nur mit einem internationaleren Programm. Insgesamt spielten wir also fünf aufeinanderfolgende Abende in der Royal Albert Hall – und jedes Konzert war ausverkauft.

Und noch ein unvergessliches Gänsehauterlebnis verbinde ich mit der traditionsreichen Hall. Unser Summchor, die Bergedorfer, kann natürlich normalerweise nicht mit auf Tournee kommen, denn vierzig zusätzliche Leute, das wäre nicht finanzierbar. Aber einmal – zu meinem sechzigsten Geburtstag – lud ich sie alle nach London ein, zu einem Konzert in die Royal Albert Hall.

Es war der Abschluss einer Englandtour, die Band war längst perfekt eingespielt, aber der Chor sollte zum ersten Mal auf der Bühne stehen. Wir spielten den langsamen Teil der „Rhapsody In Blue", der Chor setzte exakt ein, dazu unsere Streicher – in dieser Halle! Mein Gott, das war ein Sound, das hat geklungen! Unglaublich! In solch einem Moment steigen mir sehr schnell Tränen in die Augen.

Auch meinen Siebzigsten habe ich in der Royal Albert Hall gefeiert. Nach dem Konzert mieteten wir ein ganzes Restaurant, ein *TGIFriday's* – *„Thank God It's Friday"*. Ich bekam eine rot-weiß gestreifte *TGI*-„Dienstuniform", stand an der Bar und mixte Drinks für alle. Es wollten immer mehr Fans herein, und wir ließen sie alle mitfeiern. Schließlich war der Laden so voll, dass man kaum mehr atmen konnte – aber für mich war es ein herrliches Fest.

In den langen Jahren meiner Beziehung zum britischen Publikum bin ich mit meinen Musikern so oft durch England, Wales, Schottland und Irland getourt, dass sich wahrscheinlich allein mit Geschichten von diesen Konzertreisen ein ganzes Buch füllen ließe. Denn im Gegensatz zu Deutschland, wo es Zeiten gab, in denen sich kein Veranstalter zutraute, eine James-Last-Tour auf die Beine zu stellen, bereisten wir die Inseln fast jedes Jahr. Zwischen unserem ersten Konzert 1971 und dem bislang letzten im Jahr 2004 waren wir etwa 25-mal in Großbritannien auf Tournee.

KEINE Tournee durch Großbritannien wäre vollständig ohne einige Konzerte in Irland.

Das Publikum in Irland ist ganz speziell: Nirgendwo sonst geraten die Leute so aus dem Häuschen, und nirgendwo sonst – mal abgesehen von China – hatten wir ein so junges Publikum. Und die Iren können singen, wirklich singen, nicht schreien: Wenn man dort irische Musik spielt, sind alle dabei, und man kann richtig mitdirigieren. Bei dem Titel „When Irish Eyes Are Smiling" zum Beispiel hatten wir am Schluss eine kleine Fermate drin, also eine winzige Pause in der Musik. Das Publikum sah mich an, holte Luft und wartete genau auf den Einsatz zum Weitersingen.

1986 spielten wir ein Open-Air-Konzert vor der Bank Of Ireland, mitten in Dublin. Das war der einzige Platz, der groß genug war, um die erwarteten Menschenmassen aufzunehmen. Als der große Abend endlich da war, regnete es in Strömen. Aber trotzdem waren die Straßen schwarz von Menschen, wir spielten vor 60 000 Zuschauern, niemand hat sich vom Regen abhalten lassen. Die eine Konzerthälfte haben wir gemeinsam mit irischen Musikern gespielt, die andere Hälfte unser gewohntes Programm.

LAST SOUND STOPS A CITY, DUBLIN DANCES IN THE RAIN und THE NIGHT DUBLIN TURNED INTO A THEATRE lauteten am nächsten Tag die Schlagzeilen in den irischen Tageszeitungen.

Die Iren haben ein wirklich großes Herz; hat man sie einmal auf seiner Seite, dann bleiben sie einem auch treu. In Irland wollten die Leute nach dem Konzert gar nicht mehr nach Hause gehen, sie sangen und tanzten immer weiter. Einmal musste die Polizei gleich fünfmal die Bühne räumen ... Diese Begeisterung war unglaublich, ich habe sie nie vergessen.

In Irland hatte ich auch das Gefühl, als ob einen jeder persönlich kannte. Wo immer wir hinkamen, ob in Bars oder auf Golfplätzen, wurden wir willkommen geheißen und gleich eingeladen.

INSGESAMT drei Alben habe ich der irischen Musik gewidmet. Das erste, *The Rose Of Tralee*, erschien 1984. *Rose Of Tralee* heißt ein Festival, bei dem irische Schönheitsköniginnen aus der ganzen Welt zusammenkommen und mit einer großen Parade gefeiert werden. Wir traten in einem Fußballstadion auf, es hatte zuvor eine Woche lang geregnet, aber nach der zweiten Nummer riss die Wolkendecke auf und gab den Blick auf einen wunderbaren Sonnenuntergang frei. 30 000 Menschen fingen an zu singen, das Publikum war sehr jung, die Mädels saßen auf den Schultern der Jungs – wie bei einem Popkonzert. Alle feierten mit, und auf der Bühne gab es wohl kaum einen Musiker, dem diese fantastische Stimmung nicht zu Herzen gegangen wäre. Bei der anschließenden Parade hatten wir einen eigenen Wagen, die Leute jubelten uns zu wie den Fürsten. Das Album *Rose Of Tralee* wurde in Irland einmal mit Platin und zehnmal mit Gold ausgezeichnet.

Einer der absoluten Höhepunkte meiner Karriere war ein Konzert, das wir zur Weihnachtszeit zugunsten eines Heimes für körperlich behinderte Menschen in der St Patricks Cathedral in Dublin gaben. St Patricks ist die größte Kirche Irlands, sie ist über achthundert Jahre alt; hier befand sich die erste irische Universität, und ihre Geschichte ist mit vielen berühmten Namen verknüpft. Diesem wichtigen Symbol des kulturellen und geistigen Erbes der Insel und dem wunderschönen historischen Rahmen gerecht zu werden, empfand ich als besondere Herausforderung und Verpflichtung.

Ich ließ die Musiker nicht in unserer üblichen Konzertformation Aufstellung nehmen, sondern in einer ähnlichen Anordnung wie ein Sinfonieorchester: vorne links die Violinen, in der Mitte die Celli, rechts die Bratschen und Bässe – und erst hinter den Streichern die Bläser, verstärkt durch Manfred Zeh an der Oboe. Die Rhythmusgruppe – Bass, Gitarre, Schlagzeug – saß unmittelbar vor mir. Wir spielten Stücke aus unserem klassischen Repertoire – Haydn, Vivaldi, Grieg, Schumann – dazu einige traditionelle irische *Christmas Carols*. Das Orchester wurde vom St-Patricks-Chor und dem Chor der Mönche von Glenstal unterstützt – allein diese Kombination eines evangelischen und eines katholischen Chores war in Irland durchaus keine Selbstverständlichkeit. Als Gast trat die irische Volkssängerin Noirin Ni Riain auf, die sich mit ihren Interpretationen alter gälischer Lieder einen großen Namen gemacht hatte. St Patricks war völlig überfüllt, das Konzert wurde vom irischen Fernsehen aufgezeichnet und auf große Leinwände auf den Platz vor der Kathedrale übertragen. In der ersten Reihe saßen der evangelische und der katholische Bischof in friedlicher Eintracht nebeneinander. Aus diesem Auftritt entstand eine LP, die für mein Gefühl mein bestes Weihnachtsalbum geworden ist und die ich selbst gern am Heiligen Abend höre.

Toshi San

Nicht nur das Album aus der St Patricks Cathedral, auch viele der Weihnachtsplatten, die ich im Lauf der Jahre produziert habe, sind ausnahmslos sündteure Luxusproduktionen, die wegen der enormen Kosten heute keine Firma mehr finanzieren würde. Ob es das *Festliche Weihnachtskonzert* aus dem Hamburger Michel war oder *Weihnachten und James Last* mit meiner Komposition rund um internationale Kirchenglocken: jedes Mal hatten wir ein riesiges Orchester im Studio, volle Streicherbesetzung, zusätzliche Holz- und Blechbläser – also alles, was gut und teuer ist.

Das Arrangieren dieser Art von Musik ist das, was mich am meisten erfüllt. Streicher waren mir immer wichtig, schließlich bin ich ja selbst Streicher. Die Streichinstrumente kommen der menschlichen Stimme am nächsten, daher muss man sie auch so behandeln. Das ist das Besondere an meiner Art, Streicher zu arrangieren – alle, die meine Musik kennen, wissen, wovon ich rede. Ich schreibe dieselben Phrasierungen, dieselben Atembögen wie bei Sängern. Wir müssen alle atmen, und wenn man dies bei den Streichern übersieht, leiert die Musik dahin, dann fehlt der Nerv, die Intensität. Ich lasse die Unterstimmen über den eigentlichen Notenwert hinwegklingen, überhängend sozusagen, sodass über der Melodie noch eine Harmonie liegt, die sich dann etwa in den Bässen fortsetzt. Daraus ergibt sich ein Nachhallklang, der nicht aus der Raumakustik entsteht, sondern schon in der Partitur notiert ist: eben das ist charakteristisch für den Last-Sound und macht unsere Streicher unverwechselbar.

Diese Methode, für Streicher zu schreiben, harmonierte sehr gut mit Peter Klemts Aufnahmetechnik, der immer großen Wert auf einen räumlichen Klang legte.

Früher hatte ich auf den Tourneen noch Bässe, Celli und Bratschen im Orchester, die wir aber seit einigen Jahren weglassen mussten: Die Bässe sind ziemlich umständlich zu transportieren und lassen sich recht gut durch Synthesizer wettmachen. Auf die Bratschen habe ich zugunsten eines satteren Violinklanges verzichtet: statt vier Bratschen und zwölf Violinen setze ich nun 16 Violinen ein. Was ich sehr bedaure, ist der Umstand, dass wir aus Kostengründen einige Zeit lang keine Celli mehr dabeihatten, denn das Cello ist eines der schönsten und edelsten Instrumente und lässt sich elektronisch nicht ersetzen.

Stefan Pintev ist der Chef der Streicher. Er fing bei mir an, als er 17 Jahre alt war – gemeinsam mit seinem Vater. Sie spielen beide noch immer in meinem Orchester. Stefan ist ein hervorragender Mann – und obwohl er von der Klassik kommt, kann er auf der Violine auch jazzen. Dadurch hat er genau die richtige Auffassungsgabe für die Art von Stücken, die wir dem Publikum bieten.

DER UNVERWECHSELBARE Streichersound meines Orchesters war wohl auch wesentlich für unsere großen Erfolge in Japan verantwortlich. Japan ist ein großer Markt, Orchestermusik ist dort sehr beliebt. Das japanische Publikum steht ganz besonders auf einen üppigen, breiten Klangteppich.

Bevor wir uns also daranmachten, die japanischen Konzertsäle zu erobern, produzierte ich eine LP, die auf den fernen Inseln bestimmt gut ankommen würde: *Violins In Love*, große Poptitel in satten Streicherarrangements.

Ehe wir 1975 nach Australien weiterflogen, reisten wir drei Wochen lang durch das Land der aufgehenden Sonne. 1979 folgte dann eine weitere, vierwöchige Tournee. Doch bis es so weit war, mussten mühsame

Hürden überwunden werden, denn mit Japanern Verhandlungen zu führen war für mich kein Leichtes. Das größte Problem waren natürlich die enormen Kosten für unser großes Orchester.

Als es uns schließlich gelungen war, die Konzertreise unter Dach und Fach zu bringen, lief alles wie am Schnürchen: Die Säle waren zwar kleiner als die Hallen, die wir in Europa gewohnt waren, aber sie boten exzellente akustische Bedingungen und waren hervorragend ausgerüstet. Die Konzerte fingen immer sehr zeitig an, schon gegen 18.30 Uhr, weil viele Menschen aus Kostengründen außerhalb der Städte wohnen und nachts keine Busse mehr aufs Land hinausfahren. Für uns war das sehr angenehm, so hatten wir nach den Vorstellungen Zeit, das abendliche Japan zu erleben.

Ich eröffnete das Programm mit einem ruhigen Titel, weil ich wusste, dass die Japaner auf so etwas stehen, und es wurde wirklich mucksmäuschenstill im Saal, alle hörten ganz andächtig zu. Dann folgte eine flottere Nummer, und plötzlich kamen die Japaner aus den Sitzreihen auf die Bühne geschossen, tanzten wild, waren ausgelassen – kaum war der Titel vorbei, saßen sie wieder friedlich auf ihren Stühlen, als wäre nichts gewesen. Das war eine Überraschung, denn wir waren im Grunde auf ein sehr zurückhaltendes Publikum eingestellt gewesen.

Natürlich gab es auch große Verständigungsschwierigkeiten, weil uns die völlig andere Mentalität der Menschen in diesem fremden Land gänzlich unbekannt war. Wir hatten aus Kostengründen nicht unsere eigenen Streicher dabei, sondern mieteten einheimische Musiker des *New Japan Symphony Orchestra* an. Bei der ersten Probe gab ich den Auftakt, aber nichts passierte. Ich probierte es also sehr höflich noch einmal: „Wir fangen jetzt mit der ‚Romanze in F-Dur' an, bitte auf meinen Einsatz!" Der Konzertmeister stand auf, verneigte sich tief und nickte dienstfertig. Gut. Ich dirigierte wieder den Auftakt, aber niemand setzte ein. Ich nahm einen dritten Anlauf, wieder dasselbe Ritual. Bis man mich endlich aufklärte: Japanische Musiker sind es gewohnt, dass ihnen jemand die Notenmappe aufklappt, sonst spielen sie nicht. Kein Notenwart – kein Ton!

Auch die Lichtprobe brachte heitere Missverständnisse mit sich: Während der ersten Takte unserer langsamen Eröffnungsnummer wollte ich eine abgedunkelte Bühne haben, das Licht sollte erst nach und nach heller werden. Ich bat also Conny Güntensperger, unseren Stagemanager, das zu klären. Er schnappte sich den Oberbeleuchter, Toshi San; beide sprachen nicht gerade perfekt Englisch, und so entwi-

ckelte sich ein echter Karl-Valentin-Dialog. Conny: *„At the beginning we need no light."*
Toshi San: *„Yes, Mr Conny."* Aber nichts passierte.
Conny: *„Toshi, we need no light."*
Toshi San: *„Yes, Mr Conny."* Die Bühne blieb hell erleuchtet.
Mit Händen und Füßen versuchte es Conny nochmals: *„No light, Toshi, NO light!"*
Verzweifelt wandte sich Toshi San an mich: *„Mr. Last, very sorry, we have red light, we have blue light, we have yellow light. But we do not have NO light!"*
Noch schwieriger war die Kommunikation außerhalb der Konzertsäle. Wir fuhren mit dem Zug von Auftritt zu Auftritt, und da kaum jemand Englisch verstand und wir keine japanischen Schriftzeichen lesen konnten, hatten wir Zettel umhängen, auf denen auf Japanisch notiert war, wo wir hinmussten. Wir standen wartend auf dem Bahnhof, als Bühnentechniker Dieter Ruge meinte, er wolle sich noch schnell eine Zeitschrift besorgen. Er marschierte los, kam mit seiner Zeitschrift zurück, stellte sich zu der Gruppe mit den Geigenkästen und den Posaunen – und fing an zu lesen. Allerdings sah er nicht genau hin. Als alle einstiegen, merkte er plötzlich, dass das ja gar nicht seine Jungs waren – da wartete zufällig noch ein anderes Orchester auf den Zug! Mittlerweile hatten wir aber den Bahnsteig gewechselt, weil unser Zug von einem anderen Gleis abfuhr. Dieter hatte das nicht mitgekriegt, die Durchsagen waren allesamt auf Japanisch. Er sah noch, wie unser Zug aus dem Bahnhof rauschte, und das war's dann. Dieter sprach kein Wort Englisch, er hatte weder Geld noch ein Zugticket. Also fuhr er mit dem Taxi zu dem japanischen TV-Sender NHK, der unsere Tour veranstaltete. Dort bekam er einen *Guide*, der ihn schließlich ans richtige Ziel brachte. Ab diesem Zeitpunkt gab es verpflichtend einen Dreifachcheck bei jedem Durchzählen.
Noch heute, 25 Jahre nach diesen Reisen durch Japan, während ich diese Zeilen schreibe, kann ich es fast nicht glauben, dass wir in so unterschiedlichen Ländern, in so gegensätzlichen Kulturen, so viele Menschen auf allen fünf Kontinenten mit unserer Musik begeistern konnten. Doch trotz der vielen internationalen Erfolge, die ich mit meinem Orchester erlebt habe, ein Land konnte ich bislang nicht erobern, obwohl ich es mehrmals versucht habe: Zu meinem Bedauern ist das ausgerechnet das „Land der unbegrenzten Möglichkeiten".

Go West!

Ein Phantomkonzert

Dass die USA ein weißer Fleck auf der Landkarte meiner Tourneen geblieben sind, ist mir alles andere als gleichgültig, denn erstens lebe ich dort, zweitens hat es mich immer besonders gereizt, mit amerikanischen Musikern zu arbeiten, und drittens waren meine ersten Zuhörer schließlich Amerikaner – die GIs in den Bremer Jazzklubs nach dem Krieg. Außerdem meine ich, dass einige meiner besten Produktionen in den USA entstanden sind.

Das erste Mal besuchte ich die Vereinigten Staaten 1964, als ich zu Aufnahmen mit Brenda Lee nach Nashville fuhr. Ich war sofort beeindruckt von der professionellen Studioarbeit in den USA, und schon damals entstand in mir der Wunsch, einmal ein eigenes Album in Amerika aufnehmen zu können.

1967 kehrte ich in Begleitung meines damaligen Chefs Heinz Voigt in die USA zurück. Das war kurz nachdem Eddie Fisher mit meinen „Games That Lovers Play" einen Hit gelandet hatte. Es ging uns darum, diesen Schwung auszunützen und meinen Namen in den USA zu etablieren.

Klaus Ogermann – oder „Claus Ogerman", wie er sich auch nennt – war einer unserer ersten Gesprächspartner in New York. Klaus war früher Pianist und Arrangeur bei Kurt Edelhagen gewesen, ein sehr talentierter Mann. Voigt und Ogermann kannten sich aus dieser Zeit, denn Heinz war früher Edelhagens Manager gewesen. Ogermann sollte die Verlagsrechte für einige meiner Titel bekommen und sich darum kümmern, dass meine Alben in den USA veröffentlicht würden.

Ogermann, eine sehr schillernde Figur, war dick im Geschäft als Produzent und Arrangeur, er arbeitete mit Größen wie Barbra Streisand, Frank Sinatra, Connie Francis und Sammy Davis jr. – und er ist auch heute noch als Arrangeur sehr erfolgreich.

Klaus Ogermann sollte James Last also in den USA vertreten, einige Alben wurden auch veröffentlicht, zum Beispiel *That's Life* unter dem Titel *The Big Brass Of The American Patrol*. In der Folge haben sich die Pläne aber leider zerschlagen, weil Klaus zu zerstreut war und zu viel zu tun hatte. Damit war der erste Versuch, mich in den USA zu etablieren, im Sand verlaufen. Dennoch lernte ich eine Reihe interessanter Leute kennen, zum Beispiel die Brüder Ertegun, Chefs und Gründer des Jazz- und R&B-Labels Atlantic Records. Oder die Herren Jerry Leiber und Mike Stoller. Die beiden waren ein begehrtes Komponisten-/Autorenduo. Sie schrieben so berühmte Nummern wie „Spanish Harlem", „Charlie Brown" oder „Stand By Me", mit ihren Kompositionen „Hound Dog" und dem „Jailhouse Rock" hatte Elvis Presley, der King persönlich, zwei große Hits. Das Zusammentreffen mit Leiber und Stoller sollte einige Zeit später noch eine erstaunliche Auswirkung haben: Leiber hatte ein paar Titel von mir dabehalten, und so kam es, dass Elvis Jahre später – 1973 – meine Komposition „Fool" aufnahm.

ZWEI Jahre nach dem New-York-Besuch, 1969, absolvierten wir unsere erfolgreichen Konzerte in Montreal, und daher war es naheliegend, die Idee der US-Tournee wieder aufzugreifen. So wurde zunächst meine Interpretation des Musicals *Hair* in den USA auf den Markt gebracht – mit einem etwas zu psychedelisch geratenen Cover. Außerdem produzierte ich ein Album, das speziell auf den US-Markt zugeschnitten war: mit Titeln von Bob Dylan, Peggy Lee, Jimmy Webb, dem Leiber/Stoller-Song „Is That All That There Is" und vier eigenen Kompositionen. Die Scheibe wurde von unseren amerikanischen Partnern jedoch für ungeeignet befunden und nie veröffentlicht.

Dass unsere Produktionen durchaus für den US-Markt interessant waren, zeigt eine Episode, die ein kanadischer Radiomann aus New York berichtete: Er besuchte dort eine große Hi-Fi-Show und hatte zufällig eines unserer *Trumpet à gogo*-Alben mit dabei. In einem Vorführraum liefen irgendwelche Titel aus dem Polydor-Repertoire, ohne dass sich die Besucher besonders dafür interessiert hätten. Der Kanadier drückte dem DJ unsere Platte in die Hand und sagte: „Spiel doch mal ‚La Paloma'". Als er eine Stunde später wieder an dem Raum vorbeikam, drängte sich das Publikum um die Lautsprecher, und es lief noch immer unsere Musik. Kurz darauf waren angeblich alle unsere Importplatten in New York ausverkauft.

1973, anlässlich unserer langen Tournee durch Kanada, wurde der nächste Versuch gestartet: Vier Auftritte in den USA waren fix eingeplant, darunter einer in der berühmten New Yorker Carnegie Hall. Die amerikanische Konzertagentur hatte PR-Termine in der populären Talkshow von Johnny Carson organisiert, Pressekonferenzen waren anberaumt, eine teure Beilage für die Fachzeitschrift *Billboard* wurde produziert, und es gab eine gute Plakatwerbung. Erst als wir schon längst in Kanada unterwegs waren, erreichte mich die Nachricht, dass die Konzerte in den USA storniert worden seien: Grund hierfür war, dass der Veranstalter und Polydor USA die fälligen Gebühren an die berüchtigten US-Musiker-Gewerkschaften nicht entrichtet hatten. Denn die Gewerkschaften verlangen, dass für jeden ausländischen Musiker, der in den USA auftritt, auch ein amerikanischer Musiker engagiert werden muss – selbst wenn der keinen Ton von sich gibt!

Bemerkenswert war, dass in der deutschen Presse Artikel über unser abgesagtes Konzert in New York erschienen, die von einem sensationellen Erfolg berichteten. Toll recherchiert!

Made in USA

Trotz der kleinen Niederlagen versprach ich mir von einer Expedition in amerikanische Studios eine Erweiterung meines musikalischen Horizonts – und so wurden mehrmals Projekte entwickelt und wieder verworfen. Schließlich ergab sich dann doch eine Möglichkeit, die alle für geeignet hielten und die uns endlich auch in den USA einen Achtungserfolg bescheren sollte: Der aus Südtirol stammende Komponist und Oscar-Preisträger Giorgio Moroder hatte für den Richard-Gere-Film *American Gigolo* einen hervorragenden Soundtrack geschrieben. Das Hauptthema hieß „The Seduction" (Die Verführung), und rund um diese Nummer komponierten Ronnie und ich acht weitere Titel, die eine ganze Geschichte erzählen.

Den Titelsong nahmen wir in New York auf. Für das Saxofonsolo in „Seduction" wollte ich unbedingt US-Superstar David Sanborn haben. David war allerdings bei einer anderen Plattenfirma unter Vertrag, was er zu erwähnen vergaß. Wir fragten also bei ihm an – und er kam tatsächlich zu den Aufnahmen. Als wir fertig waren und in dem engen Fahrstuhl wieder abwärtsfuhren, war David etwas verunsichert: „Ich weiß nicht, ich glaube, ich habe einen Fehler gemacht. Ich hätte das Ding besser für mich aufnehmen sollen." Aber David war bezahlt worden, 5000 Dollar für eine Nummer, kein schlechtes Honorar, also gab es für ihn kein Zurück.

Die Single kam auf den Markt und landete in den Top Ten. Da roch Davids Plattenfirma Lunte und fing an, Theater zu machen, sie wollte uns verklagen. Das war aber eigentlich nicht unsere Sache, sondern Sanborns Entscheidung und damit auch sein Problem.

Den Rest des Albums sollten wir in Los Angeles aufnehmen, und da hieß es auf einmal, dass wir – Ron und ich – aus Kalifornien verschwinden müssten, weil es wegen dieser Geschichte mit David Sanborn ein Gerichtsverfahren geben werde. Unsere Plattenfirma wollte offensichtlich vermeiden, dass ich vor Gericht eine Aussage zu machen hätte, und damit begann ein filmreifes Katz-und-Maus-Spiel: Ron und ich wohnten offiziell im „Sheraton", tatsächlich aber brachte man uns in ein ganz anderes Hotel. Von dort wurden wir dann nachts von einem großen, kahlköpfigen farbigen Fahrer in einer riesigen Stretchlimo mit verdunkelten Scheiben abgeholt, der uns direkt zum Airport fuhr. Da in den USA jeder Bundesstaat seine eigene Rechtsprechung hat, schickte uns Polydor nach Nevada, dort würden wir „in Sicherheit" sein. Wir flogen nach Las Vegas, wo die nächste Limousine wartete, und wurden ins „Caesar's Palace" chauffiert. Ich bekam ein Apartment, das so groß wie eine Schwimmhalle war, mit jedem nur erdenklichen Luxus. Im Hotel arbeitete ich an meinen nächsten Arrangements weiter; abends gingen wir hinunter zu den Spielautomaten. Ron fand heraus, dass eine bestimmte Slotmachine recht „konsumentenfreundlich" war und ohne Ende Gewinne ausspuckte, zehn Sektkübel voll. Der ganze Esstisch in unserem Wohnzimmer war voller Kleingeld.

Nach zwei Tagen konnten wir zurück nach Los Angeles, der Prozess war zu Ende. Die beiden Plattenfirmen hatten sich einigermaßen friedlich geeinigt, wir durften den Titel auch weiterhin veröffentlichen.

Nachdem die Geschichte mit Sanborns Plattenfirma geklärt war, machten wir uns also daran, das restliche Album einzuspielen. Ich hatte für diese Produktion ganz fantastische Leute, und ich war stolz darauf, dass die Elite der amerikanischen Sessionmusiker sich nicht zu schade war, für einen deutschen Bandleader zu spielen.

Die Jungs hatten eine völlig andere Berufsauffassung als die meisten Musiker in Europa: Der Keyborder Michael Boddicker stellte das ganze Studio mit seinen Synthies voll, Lee Ritenour kam mit 17 Gitarren an, Slyde Hyde brachte vier verschiedene Posaunen in allen Stimmlagen mit. Als ich sie fragend ansah, meinten sie nur: „Wenn du uns bestellst, dann bekommst du auch das volle Programm, man weiß doch vor der Aufnahme nie, was wir alles benötigen."

Mit der Arbeit in Los Angeles habe ich mir nicht zuletzt auch einen Jugendtraum erfüllt, und dieser Traum hatte – ehrlich gesagt – rein gar nichts mit Musik zu tun. Als ich noch als Jazzer unterwegs war, sah ich einmal ein Foto des großen Bandleaders Woody Herman. Es war in einem Studio in L. A. aufgenommen worden und zeigte Mr Herman bei der Arbeit – mit frischen Shrimps in der Hand. Das war für mich damals der Inbegriff von Erfolg: Mit tollen Musikern in einem bestens ausgerüsteten Studio in Amerika Musik machen und dazu die kleinen Annehmlichkeiten des Lebens genießen – dieses Gefühl wollte ich auch mal erleben.

Und genau das taten wir dann auch. Ganz in der Nähe des Studios lag der berühmte Farmers' Market, davon schwärmte ich schon lange; ich hatte ihn sogar auf einer *Non Stop Dancing*-Scheibe mit einer kleinen Komposition verewigt. Dort gab es alle erdenklichen Köstlichkeiten: das frischeste Obst, die frischesten Austern, Lachs, knackiges Gemüse, duftende Brötchen. Zum Frühstück spazierten wir mit einem Pappteller in der Hand von einem Stand zum nächsten, dazu eine Flasche Champagner – ich fühlte mich wie im Paradies. Das war eine traumhafte Zeit im wahrsten Sinne des Wortes, weil ich nun das erlebte, was mir viele Jahre hindurch als Fantasie durch den Kopf gegeistert war.

Natürlich half mir die Arbeit in den USA auch musikalisch weiter, und das in einer besonders wichtigen Phase meiner Karriere. Ab einem bestimmten Punkt der Erfolgskurve wird es immer schwieriger, sich zu erneuern und weiterzuentwickeln.

Seduction war für die USA und den internationalen Markt gedacht. Aber diese internationale Richtung zahlte sich für Polydor Deutschland scheinbar nicht aus. Das Album passte 1980 offenbar nicht in das herkömmliche Bild von James Last. Aber ich war der Meinung: Wenn man sechs bis acht Platten im Jahr produziert, kann man es sich erlauben, dass auch mal eine darunter ist, die nicht dem breiten Publikumsgeschmack entspricht – und wo es vor allem darum geht, neue Dinge zu lernen und sich Input für künftige Projekte zu holen. Und wenn es auch nicht der ganz große Durchbruch war: die Single-Auskopplung mit dem „Seduction"-Thema kam in den USA in die Top Ten – das war bestimmt mehr als nur ein Achtungserfolg.

Was leider noch immer nicht geklappt hat, ist eine Tournee durch die USA. Bis heute ist dieser Traum nicht in Erfüllung gegangen.

Neue Töne

Anfang der 80er-Jahre nahmen wir noch einige weitere Alben in den USA auf: neben *Seduction* waren es zwei *Non Stop Dancing*-Scheiben und die Reggae-LP *Caribbean Nights*. In dieser Zeit intensivierte sich die Zusammenarbeit mit meinem Sohn, der schließlich – viele Jahre später – zu meinem ständigen Toningenieur werden sollte.

Begonnen hatte Rons Mitarbeit schon im Teenageralter: Ehe ich eine neue *Non Stop Dancing*-LP aufnahm, diskutierten wir in der Familie gemeinsam die Titelauswahl – und so entwickelte Ronnie ein immer besseres Gespür für kommende Hits. Und er interessierte sich zunehmend für die Musiker, die hinter diesen Hits standen.

Während er Schulaufgaben machte, hörte er sich nebenbei die jeweils aktuellen Scheiben an. Dabei achtete er immer genau auf die Namen der einzelnen Musiker, die er von den Rückseiten der Cover ablas: Wenn er ein Solo oder ein Riff besonders gelungen fand, notierte er sich den Namen, und so entstand schließlich eine lange Liste mit den besten Studiomusikern Amerikas. Als ich die ersten Pläne für das *Seduction*-Album schmiedete, überlegte er sich, welche Musiker diesen Stil, der mir vorschwebte, am besten bringen könnten. Er stellte mir drei verschiedene Rhythmusgruppen zusammen, von denen er meinte, dass sie untereinander musikalisch gut funktionieren müssten. Wir besprachen das gemeinsam, und dann rief er Kathy Kasper in Los Angeles an und schlug ihr diese Leute vor. So entstanden ganz besondere Kombinationen.

Da sich mein Lebensmittelpunkt immer mehr in Richtung Amerika verlagerte, beschloss ich, mir in Florida ein eigenes Tonstudio einzurichten. Ronnie und ich verwandelten zwei der Gästezimmer in ein kleines Tonstudio. Eine Mehrspurmaschine, ein Mischpult – dazu die immer vielfältiger und perfekter werdenden Möglichkeiten der elektronischen Instrumente –, schon hatte sich mein Universum um eine weitere Galaxie vergrößert, die mich von den Studioterminen in Deutschland unabhängig machte.

Nun musste ich aber auch dafür Sorge tragen, dass es jemanden gab, der mit der neuen Wunderwelt umgehen konnte. Neben Ronnie sollte das sein Freund Tommy sein.

Tommy Eggert war Rons Schulkollege am Albert-Schweitzer-Gymnasium in Hamburg. Er kannte sich schon als Teenager mit Synthesizern aus, was in den späten 70er-Jahren gar nicht so einfach war, denn zu dieser Zeit waren synthetische Klänge noch lange nicht per Tastendruck abrufbar, jeder Sound musste mühsam zusammengebastelt werden. Tommy wusste ziemlich genau, wie diese elektronischen Töne entstanden, er wusste über Schwingungserzeugung Bescheid und begriff die physikalischen Zusammenhänge – so konnte er ganz gezielt Klänge herstellen. Da ich für verschiedene *Non Stop Dancing*-Titel immer wieder einmal spezielle Sounds benötigte, engagierte ich ihn schließlich 1977 – noch als Teenager – erstmals für Studioaufnahmen.

Als Ronnie und Tommy ihr Abitur erfolgreich absolviert hatten, lud ich Tommy für drei Monate zu uns nach Florida ein. Ich hatte damals zwei Hausangestellte, ein älteres italienisches Ehepaar, das ich vom Vorbesitzer unseres Hauses übernommen hatte. Der Mann, Dan, war der Chauffeur, er hatte die Aufgabe, sich um die Autos zu kümmern, die immer frisch poliert und aufgetankt in der Garage standen. Um den beiden Jungs eine Freude zu machen, ließ ich sie von Dan in einem weißen Cabriolet vom Airport abholen. Tommy war begeistert, noch heute schwärmt er von seinen ersten Eindrücken in Florida: Sonnenschein, Palmen, dazu der offene Wagen mit toller Stereoanlage, in dem sie über breite, fast leere Highways zu unserem Haus am Intercoastal Waterway flitzten – er war völlig von den Socken.

Ich ließ die beiden sechs Wochen lang faulenzen, das hatten sie sich redlich verdient, aber dann kamen wir zur Sache: „So, Jungs, jetzt habt ihr genug gefeiert, jetzt geht's an die Arbeit." Ronnie organisierte daraufhin für Tommy und für sich einen Kurs für Studiotechnik in Ohio.

Ronnie hatte von mir zum Abitur einen Jeep geschenkt bekommen, mit dem die beiden den ganzen langen Weg hinauf nach Dayton gondelten. Unterwegs machten sie in Nashville Station und sahen sich die Tonstudios von Chris Kristofferson und Elvis Presley an.

Tommy Eggert war genau der Richtige für diese Aufgabe: Schon in Hamburg wollte er ständig bei der Mischung unserer Produktionen zusehen, alles Technische faszinierte ihn, er war die perfekte Ergänzung zu Ron. Etwa ab 1980 war er regelmäßig im Studio dabei, woraus sich eine intensive Zusammenarbeit entwickelte. Tommy schleppte ständig die aktuellen Geräte an. Dann saß er vier Wochen lang Tag und Nacht vor dem neuen Synthesizer und erforschte das Gerät bis in die letzten Winkel. Diese Begeisterung gipfelte in einigen Synthesizer-LPs, die in dieser Form nicht wirklich geplant waren, die sich jedoch geradezu zwangsläufig aus der intensiven Beschäftigung mit den neuen Klängen ergaben.

Zunächst entstanden in meinem kleinen Studio nur so genannte Layoutproduktionen – Vorlagen für künftige Aufnahmen im großen Studio. 1982 nahmen wir zum ersten Mal eine ganze LP mehrheitlich in Florida auf – und die Titelnummer sollte zu einem unserer größten Hits werden: „Biscaya".

Die meisten Kompositionen des gleichnamigen Albums stammen von mir, von Ron und von Tommy Eggert; nach sechs Wochen war die Pro-

Ron wächst langsam in seinen Job als mein neuer Toningenieur hinein.

duktion fertig. Es wurde unsere erste Akkordeon-LP, und sie richtete den Scheinwerfer auf einen Musiker, der in meinen Konzerten für viele großartige, sehr gefühlsbetonte Solomomente verantwortlich war: Jochen „Jo" Ment.

Wir kannten einander aus unserer gemeinsamen Zeit beim NDR, und in meiner Band begann Jo eigentlich als Saxofonist. Doch diese erste Phase der Zusammenarbeit dauerte nicht allzu lange, denn Ment nahm bei Teldec selbst Platten in einem sehr ähnlichen Stil auf. Erst 1980 kehrte er wieder in mein Orchester zurück – diesmal nicht als Saxofonist, sondern mit einem Instrument, das ihm erheblich besser lag: mit dem Bandoneon. Es mag Virtuosen geben, die spektakulärer und technisch brillanter sind. Unerreicht war jedoch seine Fähigkeit, ihm besonders seelenvolle und lyrische Klänge abzugewinnen.

Ment war das an Jahren älteste Mitglied meines Orchesters, er starb im Oktober 2002 im Alter von 78 Jahren. Seitdem haben wir den Titel „Biscaya" in unseren Konzerten nie wieder gespielt.

Nach *Biscaya* produzierten wir zwei Jahre später ein weiteres Akkordeon-Album, *Paradiso*. Auf einigen Titeln habe ich das Akkordeon selbst gespielt, allerdings mit einer etwas unkonventionellen „Technik": ich legte das Instrument vor mich auf einen Tisch, sodass ich die Tasten wie bei einem Klavier anschlagen konnte, während Ron und Tommy den Blasebalg bedienen mussten.

Auf *Paradiso* folgte *Paradiesvogel*, ein ebenfalls stark von elektronischen Sounds geprägtes Album. Entgegen allen Unkenrufen hat sich *Paradiesvogel* unter dem Titel *Bluebird* vor allem im asiatischen Raum – in China und Japan – sehr gut verkauft.

Trotz des Erfolges mit der Single „Biscaya" trugen mir die neuen elektronischen Töne teilweise recht herbe Kritik ein: Ich hatte in früheren Interviews immer wieder betont, dass bei unserem Sound alles „handgemacht" sei, dass es also keinerlei elektronische Instrumente in unserer Band gebe, und so kam dieser Richtungswechsel für viele Fans unerwartet. Aber ich habe mich nie hinter einem ewig wiedergekäuten Erfolgsrezept versteckt; ohne ständige Weiterentwicklung gäbe es diesen „James Last" wohl längst nicht mehr.

Oft wurde und werde ich gefragt, was denn das Geheimnis des „typischen Last-Sounds" sei. Mit diesem Schlagwort vom „typischen Last-Sound" konnte ich freilich nie viel anfangen. Das einzige „Geheimnis", das es gibt: Ich habe immer genau das aufgeschrieben, was ich in dem Moment empfunden habe. Es ist immer mein Gefühl gewesen, aber das hat sich eben ständig verändert. Mein Arrangement von „Granada" auf der ersten *Trumpet à gogo*-LP aus dem Jahr 1966 klingt ganz anders als derselbe Titel zehn Jahre später auf *Happy Summer Night* oder 35 Jahre später in unseren Konzerten. Der Weg vom „Kegelklubsound" des ersten *Non Stop Dancing*-Albums zu den Arrangements von *Seduction* war weit – und die Reise ist noch lange nicht zu Ende.

Starparade

Astrud, Wencke, Milva & Co

Mitte der 80er-Jahre hatte bei Polydor ein neuer Musikchef angefangen, der sich an meine Jazzvergangenheit erinnerte und meinte, Jazz mit ein bisschen Latin-Sound, das könnte doch eine interessante Kombination ergeben. *Plus* sollte die neue Produktion heißen, und mit dem „Plus" war meine großartige Kollegin Astrud Gilberto gemeint. Die aus Brasilien stammende „Queen of Bossa Nova" hatte seit zehn Jahren kein neues Album mehr aufgenommen, von daher war die geplante Zusammenarbeit für uns beide eine ziemlich aufregende Angelegenheit.

Astrud galt als äußerst misstrauisch, was wohl daran lag, dass sie von ihrem Welthit „The Girl Of Ipanema", den sie als junges Mädchen gemeinsam mit Stan Getz und ihrem Mann João Gilberto aufgenommen hatte, nicht einen Cent gesehen hat. Auch die Lorbeeren für den mit einem Grammy ausgezeichneten Song erhielten andere – Astrud wurde damals nicht einmal auf dem Plattencover erwähnt. Als ich sie gemeinsam mit Ronnie in New York traf, wurden wir uns rasch über die Konzeption des Albums einig: Die Titel sollten hauptsächlich von Antonio Carlos Jobim, dessen Sohn Paolo und ihr selbst beigesteuert werden. Außerdem wollte sie unbedingt zusätzlich ihre eigenen Musiker im Studio haben, die für die Rhythmus-Tracks zuständig waren. Ich arrangierte das Orchester dazu, und so weit schien alles bestens. Die Aufnahmen in Fort Lauderdale gestalteten sich allerdings alles andere als einfach. Von einer der Nummern machten wir dreißig oder vierzig Versionen, immer gab es etwas auszusetzen.

Eine Komposition auf dem Album stammt von Ronnie: „Listen To Your Heart". Schon während sie in New York das Demo hörte, meinte Astrud: „Diese Nummer möchte ich unbedingt mit Ron gemeinsam singen." Als wir den Titel schließlich aufnahmen, war Astrud ganz sicher, dass „Listen To Your Heart" das Zeug zum Hit hätte: „Die Nummer macht Ron zum Star."

Schließlich war die Produktion fertiggestellt, und da das Album zuerst in Holland veröffentlicht werden sollte, hatten wir einen Auftritt im holländischen Fernsehen, wieder einmal bei der *Grand Gala du Disque*. Astrud sollte gemeinsam mit Ronnie „Listen To Your Heart" singen, und bei den Proben lief auch alles ganz ordentlich. Am Tag der Livesendung allerdings war Astrud, die normalerweise nie Alkohol trank, völlig „indisponiert".

„Ich weiß nicht, was mit mir los ist, du musst heute für zwei singen", bat sie Ronnie kurz vor der Sendung. Also trug er den Löwenanteil an dem „Duett", Astrud war gesanglich äußerst zurückhaltend.

Dem Fernsehpublikum fiel das nicht einmal auf, aber die Plattenfirma reagierte auf diesen Zwischenfall ziemlich empfindlich. Es war eigentlich geplant, die Nummer in England groß zu bewerben, mit TV-Auftritten und allem, was dazugehört. Aber Astruds Verhalten bedeutete das Aus für diese Pläne: „Wenn die schon bei einer Show in Holland die Nerven verliert, dann riskieren wir mit dieser Frau keine teure PR-Kampagne in Großbritannien", gab man zu verstehen. Trotz ausgezeichneter Kritiken wurde das Album in Deutschland kaum beworben und in England gar nicht erst veröffentlicht.

Für Ron war das eine herbe Enttäuschung, denn dass die Nummer Potenzial hatte, zeigte sich daran, dass „Listen To Your Heart" sechs Wochen lang in den Top Twenty der Radio-London-Hörercharts platziert war, und das nur dank den vielen Anrufern, die sich den Titel

Zwei Stars aus Norwegen: Wencke Myhre und die kleine Anita („Schön ist es auf der Welt zu sein"), die spätere Lebensgefährtin von Mike Oldfield

wünschten, obwohl er nie im Handel erhältlich war. Das hatte es bestimmt nicht oft gegeben.

Astrud Gilberto ist eine von vielen Sängerinnen und Sängern, mit denen sich im Laufe meiner Karriere als Bandleader und als Produzent eine intensivere Zusammenarbeit ergab. Schon in den 60er-Jahren begleitete ich mit meiner Band eine Künstlerin, die als blutjunges Mädchen nach Deutschland kam und hier blitzartig zum Star wurde: Wencke Myhre. Sie war gerade 17 Jahre alt, als sie 1964 zum ersten Mal nach Deutschland kam – mit dem Attribut „Beliebteste Sängerin Norwegens" im Gepäck. Der Hamburger Produzent und Schlagzeuger Bobby Schmidt nahm sie für Polydor unter seine Fittiche, und nach einer nicht sehr erfolgreichen Debütsingle vertraute man mir die musikalische Leitung von Wenckes erster LP an.

Mit dem Song „Beiß nicht gleich in jeden Apfel" gewann Wencke die Schlagerfestspiele von Baden-Baden, und ab diesem Zeitpunkt war ihre Karriere im deutschen Sprachraum nicht mehr zu bremsen. Viele ihrer Erfolgstitel nahmen wir gemeinsam auf, darunter ihren Riesenhit vom „Knallroten Gummiboot" sowie meine Kompositionen „Jägerlatein" oder

„So eine Liebe gibt es einmal nur" („Music From Across The Way") für ihren ersten deutschen Spielfilm *Pauker gehen in die Luft*. Die Zusammenarbeit fand schließlich ein Ende, als sich mein Lebensmittelpunkt mehr und mehr nach Florida verlagerte.

EIN PROBLEM, das ich schon bei vielen Produktionen gesehen habe, ist der Umstand, dass die Plattenfirmen ihren Künstlern kaum Entwicklungsmöglichkeiten zubilligen: Wencke Myhre zum Beispiel ist eine vielseitige Frau mit einer komödiantischen Begabung, und es war schade, dass sie lange Zeit immer nur diesen „Ich hab ein knallrotes Gummiboot"-Stil singen sollte. Viele Begabungen werden verkannt oder regelrecht verheizt: Wenn ein Sänger mit einer Richtung Erfolg hat, wollen die Produzenten, dass er die gleiche Masche immer weitermacht, sie erkennen nicht den Menschen, den Künstler dahinter. Es wäre weitaus hilfreicher und auch wertvoller für die Labels, wenn sie Stars hätten, die sich verändern und weiter aufgebaut werden; selbstständige Menschen, mit denen man ein Leben lang arbeiten kann, die Persönlichkeiten werden und nicht kleine Kinder bleiben.

Eine solche Persönlichkeit ist Milva, „La Rossa". Milva ließ sich nie auf ein bestimmtes Klischee festlegen: Sie hat Bert Brecht mit der gleichen Selbstverständlichkeit gesungen wie Robert Stolz, deutsche Schlager oder französische Chansons – ein absoluter Weltstar. Sie spielte unter der Regie von Giorgio Strehler, sie wurde im Pariser Olympia ebenso gefeiert wie im New Yorker Madison Square Garden, sie spielte in Filmen an der Seite von Michel Piccoli und Michel Serrault, sie trat in der *Fledermaus* als Prinz Orlofsky auf und in der Tango-Oper *Maria de Buenos Aires* von Astor Piazzola.

Wir hatten uns schon 1982 kennen gelernt, als „La Rossa" mit mir den Titel „Ein Schiff wird kommen" von Manos Hadjidakis aufnahm. Die Idee zu dem neuen Album *Dein ist mein ganzes Herz* kam von einer Tochterfirma der Polydor, von Metronome, bei der die italienische Diva unter Vertrag war.

Welch ein Erlebnis, welch eine tolle Frau! In die hätte ich mich glatt verlieben können!

Ich hatte für diese Produktion einige klassische Titel neu bearbeitet, wie das *Concierto de Aranjuez*, *Die Perlenfischer* von Bizet oder Tschaikowskys „Chanson Triste"; als Titelnummer schrieb ich ein sehr ungewöhnliches Arrangement von Lehárs „Dein ist mein ganzes Herz"; Ron steuerte zwei wunderschöne Kompositionen bei, und schließlich sang

Milva eine fantastische Fassung meines „Fool", jenes Songs, den Elvis mehr als 25 Jahre zuvor recht lieblos heruntergeleiert hatte.

Die Orchester-Playbacks waren fertig, Milva meldete sich und kündigte für den darauffolgenden Tag ihr Kommen an. Ihr eilte der Ruf voraus, sehr schwierig zu sein, es hieß: Sie kommt ins Studio, hört sich drei Tage lang die Playbacks an, und dann fängt sie – vielleicht – an zu singen.

Ron weiß sehr genau, wie er ein Playback klingen lassen muss, damit sich ein Sänger wohlfühlt – und schafft dadurch sogleich eine sehr stimmige Atmosphäre.

Milva meinte also: „Ich komme morrrgen ins Studio, nur mal hörrren!"

Da saß sie nun im Regieraum, ihre rote Mähne mühsam zu einem Knoten gezähmt, Kopfhörer auf, und hörte sich unsere Playbacks an. Erster Titel, zweiter Titel, dritter Titel – dann sprang sie auf und rief mit südländischem Temperament: „Wunderrrbar, ich will singen! Soforrrt!"

In wenigen Tagen waren die Aufnahmen fertig. Als wir anschließend den Leuten von der Plattenfirma davon erzählten, konnten sie es gar nicht glauben, dass alles so problemlos und schnell vonstatten gegangen war.

Das war auch das Verdienst von Ron: Eine seiner Spezialitäten ist es, Fehler der Solisten auszubügeln, bevor diese sich ihre Aufnahme überhaupt anhören, egal ob das nun Milva ist, Céline Dion oder Derek Watkins. Am besten lässt man ihn kurz allein, und schon ist die Nummer sauber. Wenn Milva also in den Regieraum kam und verlangte: „Ich hätte gerne bis Takt zwölf die erste Version, bis Takt 25 die zweite Version und den Schluss wieder von Take eins", dann hatte Ron genau das längst vorbereitet, und Milva war glücklich.

Mit typisch italienischem Überschwang nannte mich Milva immer nur „Maestro!!!" – mit mindestens drei Ausrufezeichen hintendran. Äußerst angetan war sie von unseren gemeinsamen „Mittags"-Pausen: Ich hatte eigens einen Koch engagiert, der jeden Tag herrliche Köstlichkeiten zauberte. Am späten Nachmittag unterbrachen wir die Arbeit – und anstatt in irgendwelche Lokale zu gehen, speisten wir alle gemeinsam, das ganze Team, im Studio: Das waren wunderbar freundschaftliche, sympathische Augenblicke von großer menschlicher Wärme, an die ich bis heute mit Vergnügen zurückdenke.

Das Ergebnis dieser Zusammenarbeit ist eine wunderschöne CD: ich finde, dass Milvas weite und warme Stimme besonders gut zu unserer Musik passt.

Ebenfalls im Jahr 1994 produzierte ich eine Weihnachts-CD mit dem britischen Entertainer Engelbert Humperdinck. Er war bereits der zweite stimmgewaltige Barde, mit dem wir ein Album produzierten. Schon fünf Jahre zuvor habe ich mit dem Tenor René Kollo eine CD mit Klassikbearbeitungen aufgenommen. René ist ein sehr netter Kollege, immer von einem weißen Schal umweht, wie es sich für einen berühmten Tenor gehört. Aber er ist vielleicht ein wenig zu vorsichtig, will niemandem wehtun ... Kurz vor dem Zusammenbruch der DDR im Jahr 1989 gaben wir gemeinsam ein Livekonzert in der Dresdner Semper-Oper. Als wir dort ankamen, studierte der Chor des Hauses gerade *Nabucco* ein, eine Oper, in der es um die Befreiung eines Volkes geht. Das Bühnenbild war optisch erstaunlich nahe an die Berliner Mauer angelehnt, sodass erkennbar war: Wenn sich die Oper solche Anspielungen leisten darf, dann wird sich das Regime wohl nicht mehr lange halten können.

Da wir „Flieg, Gedanke ...", den Gefangenenchor aus *Nabucco*, auch auf der CD mit Kollo hatten, war für mich klar, dass wir dieses Stück am Abend spielen würden, am besten mit dem Dresdner Opernchor. Ich lud also den Chor ein, mit uns gemeinsam aufzutreten, aber da waren sofort die offiziellen Begleiter zur Stelle, und der Chor durfte keinen Kontakt mit uns aufnehmen. Auch René Kollo lehnte es ab, den Titel zu singen, er wollte nicht aufrührerisch sein.

Nach dem gemeinsamen Liederteil mit Kollo spielten wir noch eine Stunde lang unser normales Tourneeprogramm. Am Ende des Konzerts sagte ich an, wo wir anschließend auftreten würden, da rief ein Zuschauer von den Rängen: „Ihr könnt da ja leicht hinfahren, aber wir schaffen das nur über Ungarn!" Das war trotz des sich abzeichnenden Umbruchs ziemlich mutig.

Die Atmosphäre bei diesem Auftritt war spürbar anders als in jenem Jahr, in dem wir zum ersten Mal in der DDR gastierten. Nach mehreren Anläufen und langwierigen Verhandlungen hatte es 1987 endlich geklappt: wir konnten zu einer fünftägigen Konzertreise nach Ostdeutschland aufbrechen. Damals hatte Honeckers SED das Land noch fest im Griff, auf Schritt und Tritt wurde uns gezeigt, wer die Herren im Staate waren.

Wenn man im Hotel telefonieren wollte, hieß es nur: Das geht nicht! Nach zwölf Stunden Wartezeit, um drei Uhr morgens, klingelte dann das Telefon im Zimmer: „Sie wollten doch eine Verbindung nach Hamburg ..." Reine Schikane.

Zwei Jahre vor der Wende in Ostberlin

Unsere Konzerte in Ostberlin hingegen waren ein großartiges Erlebnis, das Publikum reagierte fantastisch. Im Ostberliner Palast der Republik spielten wir drei Abende, alle drei Konzerte wurden als Co-Produktion vom Fernsehen der DDR aufgezeichnet und sofort nach dem letzten Auftritt in Otto Waalkes' fahrbarem Tonstudio „Rüsselmobil" geschnitten. Schon wenige Tage später kam die CD auf den Markt, es wurde eine unserer besten Liveaufnahmen.

Bis heute spüre ich bei unseren Konzerten in den neuen Bundesländern eine ganz besondere Wärme und Sympathie, die uns das Publikum dort entgegenbringt.

GLEICH mehrere Produktionen lang währte die Zusammenarbeit mit dem französischen Pianisten Richard Clayderman. Monsieur Philippe Pagès war als Begleitmusiker für einige französische Chansonstars wie Michel Sardou oder Johnny Hallyday tätig, ehe er von dem Komponisten- und Produzentenduo Olivier Toussaint und Paul de Senneville entdeckt wurde: Mitte der 70er-Jahre suchten sie einen passenden Interpreten für eine nette, kleine Klaviermelodie. Der freundliche Monsieur Pagès schien der Richtige zu sein, sein Name wurde in Richard Clayderman umgeändert, und der Titel, den er aufzunehmen hatte, hieß „Ballade pour Adeline" – ein absoluter Welterfolg.

Polydor-Geschäftsführer Götz Kiso regte ein gemeinsames Projekt an. Die Idee war: „Richard ist in Frankreich erfolgreich, James Last in Großbritannien, und wenn man beide zusammenspannt, können sie sich gegenseitig aufschaukeln."

Also setzte ich mich in Florida hin und komponierte, die beiden Produzenten von Clayderman, Olivier Toussaint und Paul de Senneville, taten dasselbe in Paris, und aus den zwölf Nummern entstand das Album *Traummelodien*. Es hat sich hervorragend verkauft, also haben wir im Jahr darauf *Serenaden* gemacht. *Serenaden* lief – vor allem in England – noch besser, daher legten wir 1994 mit *In Harmony* noch eins drauf.

Die Vorgangsweise war immer die gleiche: Wir nahmen die Playbacks in Hamburg auf, und Richard spielte seinen Klavierpart im Studio von Olivier Toussaint in Paris ein. Wir sind uns also gar nicht begegnet, erst in diversen TV-Sendungen und in einem TV-Werbespot traten wir dann tatsächlich gemeinsam auf. Clayderman ist so, wie er spielt: ruhig, elegant, freundlich. Und er ist von vielen verkannt worden: er kann als Pianist weit mehr, als er gewöhnlich zeigen darf.

Vor der Kamera

Das Fernsehen hat für mich immer eine große Rolle gespielt. Zu Beginn meiner Karriere war es natürlich vor allem die legendäre ZDF-*Starparade* mit Rainer Holbe, die zu einer wichtigen Plattform für das Orchester wurde. Am 9. März 1968 traten wir zum ersten Mal in dieser Sendung auf. Mit einem Fingerschnippen und dem Titel „Judy In Disguise" gab ich den Auftakt zu meiner Fernsehlaufbahn.

Mir war immer sehr daran gelegen, die Titel in der *Starparade* wenn möglich wirklich live zu spielen. Das war zwar teurer als ein Playback, aber ich war und bin überzeugt, dass die Zuschauer den Unterschied spürten.

Ganz anders die Gesangsstars, die in der Sendung auftraten: die sangen meist nur Playback. Wenn gesungen wurde, hatten wir also Pause. Damit die Zuschauer zu Hause am Bildschirm das nicht merkten, fanden die Playbackauftritte immer in einer anderen Ecke der Halle statt. Manchmal spielte die Band trotzdem richtig schön mit, einfach so, aus dem Stegreif; manchmal jedoch blödelten sie sich durch einen Titel: Mireille Mathieu sang „New York, New York", und die Band übertrieb das Ganze und mimte auf komisch dazu. Derek Watkins griff sich ein Saxofon und mimte darauf herum. Das Publikum hat nur auf uns geschaut, die Leute im Saal amüsierten sich blendend. Der ZDF-Redakteur freilich war völlig humorlos: Ab der nächsten Sendung wurde eine Wand vor uns aufgebaut, wenn wir Pause hatten.

DAS REIZVOLLE an der *Starparade* war die musikalische Vielfalt: Von T. Rex bis Rex Gildo, von ABBA bis Roy Black spannte sich der Bogen, und auch wir konnten viele verschiedene Stilrichtungen ausprobieren. Ich schrieb immer wieder ganz spezielle Arrangements für die Sendung, die auf keiner unserer LP-Produktionen zu finden waren – mit langsamen Einleitungen, Rhythmuswechseln und kurzen Soli. Denn ich war der Ansicht, dass man für eine solch große TV-Show auch etwas Besonderes bieten müsse. Schließlich spielten wir in der Starparade ja vor unserem größten Publikum. Da es damals noch kein Privatfernsehen gab, versammelten sich pro Sendung etwa 15 Millionen Menschen vor den Bildschirmen.

Nach fünfzig Ausgaben wurde die *Starparade* eingestellt, und im Herbst 1980 starteten wir mit der Nachfolgesendung, dem *Showexpress* mit Michael Schanze. Die Sendung war allerdings nicht mehr ganz so erfolgreich und verschwand 1982 wieder aus dem Programm.

Die Möglichkeit, regelmäßig vor einem so großen Fernsehpublikum zu spielen, war für unseren Erfolg wichtig, und ich habe den Verlust dieses Forums sehr bedauert. Früher wurde man für einen TV-Auftritt vom Sender bezahlt. Heute muss man selbst Geld dafür mitbringen, weil es heißt: Das ist ja Werbung für euch!

Die *James Last Specials*, die rund um unsere LP-Produktionen gedreht wurden, kamen auch bei den Fernsehzuschauern sehr gut an: *Viva España, James Last spielt Bach, In Scotland* oder – in letzter Zeit – *Mein Miami*. Die Dreharbeiten dauern meist mehrere Tage, die einzelnen Szenen werden in viele kurze Einstellungen unterteilt und der Reihe nach aufgenommen, wie bei einem Spielfilm.

Eine der erfolgreichsten Sendungen dieser Art in Deutschland war *James Last im Allgäu*. Wir spielten verschiedene Volksmusiktitel, und ich holte mir auch eine Handvoll Spezialisten, etwa den Zitherspieler Alfons Bauer oder Friedrich Finkel mit seinem Akkordeon. Dazu Vicky Leandros und Karel Gott; für die beiden hatte Ronnie zwei sehr schöne Titel geschrieben.

Zu solchen Dreharbeiten lud ich oft unseren britischen Fanklub ein, denn meine englischen Freunde sind besonders zuverlässige Stimmungsmacher, ihre gute Laune überträgt sich auf den Bildschirm und somit auf die Zuschauer daheim. Auch ins Allgäu war eine Gruppe britischer Fans angereist, die Engländer verbinden solche Gelegenheiten oft mit ein paar Tagen Entspannung „auf dem Kontinent".

Den unmittelbarsten und echtesten Eindruck von meiner Musik und mir bekommt das TV-Publikum freilich durch die Mitschnitte unserer Konzerte geliefert. Sie zeigen James Last pur, so, wie ich mich am wohlsten fühle.

Hinter der Kamera

Von einer völlig anderen Seite – nämlich aus der Perspektive hinter der Kamera – lernte ich Kino und Fernsehen durch meine Arbeit als Komponist kennen.

Schon Ende der 60er-Jahre sammelte ich Erfahrungen mit der Filmmusik: 1968 kam der Streifen *Morgens um sieben ist die Welt noch in Ordnung* unter der Regie von Kurt Hoffmann in Deutschlands Kinos. Theo Hinz, der später als Produzent mit dem *Filmverlag der Autoren* berühmt wurde, war zu dieser Zeit Pressechef bei der Constantin Film. Von ihm stammte die Idee, mich mit der Komposition der Musik zu dem Film nach den Romanen von Eric Malpass zu beauftragen. Die Geschichte rund um den Lausejungen Gaylord, gespielt von Archibald Eser, und die Familie Pentecost lockte über drei Millionen Besucher in die Kinos und erhielt dafür das „Goldene Ticket". Weil der erste Teil so erfolgreich war, wurde im Jahr darauf eine Fortsetzung mit Regisseur Wolfgang Liebeneiner produziert: *Wenn süß das Mondlicht auf den Hügeln schläft.*

Ich habe mich bemüht, die ausgelassene Filmhandlung mit üppigen Klangfarben zu kontrastieren; gemeinsam mit Toningenieur Peter Klemt probierte ich einige Verfremdungseffekte aus, und die Stimmung der zehn Titel reichte von heiter bis melancholisch. Wir spielen die beiden Titelmelodien heute noch in unseren Konzerten. Die Filme sind längst in Vergessenheit geraten, die Melodien haben überlebt. Das macht mich stolz.

In den 80er-Jahren schrieb ich die Musik zu einigen sehr populären TV-Serien, wie *Zwei Münchner in Hamburg* mit Uschi Glas und Elmar Wepper, *Grenzenloses Himmelblau,* einem ZDF-Film mit Inge Meysel, oder *Der Landarzt* – das Mundharmonika-Thema der Titelmelodie spielt übrigens der großartige Toots Thielemans. Am beliebtesten war aber das *Traumschiff* mit seinen vielen exotischen Schauplätzen von Brasilien bis Bali, die auch mir Gelegenheit gaben, mich musikalisch in allen Stilrichtungen auszutoben.

Das Reizvolle ist das präzise Komponieren auf eine vorgegebene Länge: mit ganz wenigen Takten, manchmal sogar mit nur einem einzigen

Akkord, müssen Gefühle und Stimmungen ausgedrückt oder gezielt Effekte gesetzt werden. Diese Art von Arbeit kommt meinem natürlichen Gefühl für Musik sehr entgegen – denn ob ich nun eine besondere Landschaft oder ein bemerkenswertes Gesicht vor Augen habe oder ob eine Erinnerung in mir aufsteigt: in meinen Gedanken verbindet sich alles sofort mit Musik.

Achterbahnfahrten

Christine

Jeder von uns kennt das: Es gibt Phasen im Leben, da kommt – wie es so schön heißt – alles zusammen. Da hält das Schicksal ganz unvermittelt ein wildes Auf und Ab an Ereignissen und Gefühlen für uns parat, und wir werden zum staunenden Passagier einer turbulenten Achterbahnfahrt. In der ersten Hälfte der 80er-Jahre war es bei mir so weit.

Auf meinen Tourneen blieb es nicht aus, dass ich hin und wieder hübsche Frauen kennen lernte. Meine Frau Waltraud ahnte das wohl, und natürlich klatschte sie dazu nicht gerade Beifall, aber sie wollte es auch gar nicht so genau wissen. Das war sehr großzügig von ihr, ich hätte so viel Großmut im umgekehrten Fall nie aufbringen können. Im Grunde genommen hatte sie aber auch Recht: denn diese Tourneeromanzen waren nicht mehr als ein Kribbeln, ein Flirt, ein Spiel mit dem Feuer auf kleiner Flamme – ich muss für die Menschen, mit denen ich das Bett teile, etwas empfinden; ohne Gefühle ist Sex nur eine mechanische und letztlich uninteressante Angelegenheit.

Nur einmal wurde Waltraud sehr bestimmt, da spürte sie ohne Zweifel, dass es diesmal um eine wirklich ernste Geschichte ging.

Es war in München, wir spielten eine unserer *Sing mit*-Faschingspartys. Nach dem Konzert, als ich verschwitzt in meiner Garderobe stand, kam Conny Güntensperger mit einer jungen Blondine an, die er hinter der Bühne aufgegabelt hatte, und meinte nur: „Schau mal, wer da ist, das ist die Christine aus München."

Diese Christine war mit einer Clique von Freundinnen als Hofdame einer Münchner Faschingsgesellschaft unterwegs. Sie war ohne Zweifel hübsch, aber gezündet hatte bei mir da noch gar nichts, schließlich kamen oft Mädels in den Backstagebereich. Ohne nachzudenken, lud ich sie ein: „Wir gehen nachher ins ‚Hilton', haste Lust mitzukommen?"

Dort wurde die Unterhaltung ziemlich intensiv, der Funke sprang plötzlich über.

Am nächsten Morgen rief Christine an: „Hast du gut geschlafen?"

„Sehr gut, wollen wir essen gehen?", schlug ich vor. Ich musste noch zu einem Interview mit Thomas Gottschalk in den Bayerischen Rundfunk, und sie wollte mich von dort abholen. Da kam sie an mit ihrem Auto, eine Rostbeule voller Löcher, aber in den Löchern steckten überall Blumen drin. Welch eine Idee! Ich war hingerissen, schließlich bin ich ein echter Romantiker. Schon während dieses gemeinsamen Mittagessens merkte ich, dass ich dieser jungen Frau innerlich sehr nahekam, es war so völlig anders als sonst.

Von München reisten wir nach Nürnberg weiter, zu unserem nächsten Auftritt. Bob Lanese hatte zu diesem Konzert Freunde aus München eingeladen, ich fragte Christine, ob sie nicht Lust hätte, gemeinsam mit Bobs Freunden nachzukommen. Sie sagte Ja.

So begann ein dreijähriges Liebesverhältnis mit allem, was dazugehört: mit wunderschönen gemeinsamen Stunden, aber auch mit Ausreden und Lügen gegenüber dem Ehepartner.

Wenn man freilich bekannt ist wie ein bunter Hund, dann können solche Geschichten sehr schnell schiefgehen: Einmal flog ich abends von Hamburg nach München, um Christine zu sehen. Als ich tags darauf heimkam, erzählte ich meiner Frau, ich hätte nach einer TV-Aufzeichnung für die NDR-*Schaubude* mit Kollegen die Nacht durchgesoffen. Aber Waltraud hielt mir nur die *Hamburger Morgenpost* entgegen: Am Flughafen hatte mich zufällig ein Reporter gesehen, und so war am nächsten Tag mein Foto in der Zeitung mit folgender Bildunterschrift: JAMES LAST AUF DEM WEG NACH MÜNCHEN. Waltraud war das erste und einzige Mal in unserer Ehe irritiert: „Was ist es, was dich an dieser Frau anzieht, ist es ihre Jugend? Sex?"

Ich war 53, Christine 24 Jahre alt, als wir uns kennen lernten. Meine Frau und ich waren inzwischen über 25 Jahre verheiratet, Sex spielte in unserer Ehe längst keine Rolle mehr, im Lauf der Jahre hatte sich aber eine tolle Zweckgemeinschaft entwickelt. Muss ich noch mehr sagen?

Unsere Kinder Ronnie und Rina, beide ziemlich genau in Christines Alter, reagierten sehr unterschiedlich auf die Affäre ihres Vaters: Mein Sohn stand Waltraud extrem nahe, er spürte, wie sehr ihr die Geschichte zu Herzen ging, und war sehr wütend auf mich. Ganz anders meine Tochter – sie hat mich verstanden, wir haben darüber gesprochen, ich sagte ihr: „Schau, wie toll, wenn ein alter Baum noch mal eine Blüte trägt."

Aber Waltraud wusste genau, dass sie mich nicht verlieren wollte – und auch ich spürte, dass Christine und ich nie auf Kosten meiner Familie glücklich werden könnten. Also musste ich eine Entscheidung treffen.

Ich fuhr mit Christine für vier Tage zum Golfspielen nach Schweden. Im Auto während der Rückfahrt machte ich ihr und wohl auch mir selbst klar, dass es so nicht weitergehen könne. Christine schluckte hörbar, wir redeten lange miteinander, und schließlich hakte sie das Thema Liebesbeziehung ab – für alle Zeiten, wie wir damals glaubten.

Die LP *Erinnerungen* entstand als Folge unseres Zusammenseins. Den Titel „Unvergessen" habe ich für Christine geschrieben, das war mein Geschenk an sie.

ABER die Geschichte mit dieser jungen Frau war nur die eine Seite der Medaille, die aufregende und – trotz aller Probleme – schöne Seite. Die Bergfahrt der Achterbahn, sozusagen. Die Talfahrt ließ jedoch nicht lange auf sich warten.

Christine stellte fest, dass mit der Haut auf meinem Rücken irgendetwas nicht stimmte, und riet mir dringend, einen Doktor aufzusuchen.

Mein Arzt, Professor Nasemann, konfrontierte mich mit einer Diagnose, die für mich niederschmetternd war: „Herr Last, Sie haben Hautkrebs!"

„Muss das sein?", lautete meine scheinbar lockere Antwort. Damals war ich noch im besten Mannesalter, ich tat, als nähme ich die Diagnose mit Humor, aber natürlich bekam ich es ganz schön mit der Angst zu tun, als ich mit diesem vermeintlichen Todesurteil konfrontiert wurde.

Es war klar: ich musste schleunigst operiert werden. Ein Termin wurde vereinbart, die nötigen Vorbereitungen getroffen – und als es so weit war, schickte man mich schon vor der Operation unverrichteter Dinge wieder nach Hause. Ich hatte mir am Vorabend kräftig Mut machen müssen. So kräftig, dass ich nicht anästhesiert werden konnte, weil ich viel zu viel Alkohol im Blut hatte. Beim zweiten Anlauf hat es dann geklappt: sieben Hautstellen wurden entfernt, nach der Operation fragte mich der Arzt, ob ich gute Nerven hätte.

„Klar, warum?", entgegnete ich.

„Dann sehen Sie sich mal dieses Ding hier an!"

Er zeigte mir, was an meinem Körper weggeschnitten worden war: Ein Geschwür war so groß wie eine Tomate, ich hatte riesiges Glück gehabt!

Später kamen jedoch Melanome dazu – an der Nase und hinter dem Ohr –, die bösartig und wirklich gefährlich sind, aber auch sie wurden rechtzeitig erkannt und entfernt. An meinem ganzen Körper ist mittlerweile Dutzende Male herumgeschnitten worden – und nach solch einer Operation sieht man zwangsläufig ein wenig eigenartig aus: man hat vielleicht ein blaues Auge oder einen dicken Verband, aber das lässt sich mit ein wenig Humor ganz gut wegstecken. Wenn ich also mit verbundenem Kopf im Studio auftauchte, und dort gab es vielleicht ein paar Menschen, die nicht Bescheid wussten, dann sagte ich nur: „Scheiße, gestern Nacht hab ich wieder den totalen Stress auf 'm Kiez gehabt ..."

Schlimm sind hingegen die albernen Schlagzeilen in der Presse, wenn man sozusagen aus der Zeitung von seinem unmittelbar bevorstehenden Ableben erfährt.

Doch damit nicht genug: Etwa zur selben Zeit, als ich mich mit der Krebsdiagnose auseinandersetzen musste, wurde die Familie Last von zwei Todesfällen heimgesucht, die mich schwer trafen: Im Juli 1982 starb mein Bruder Werner im Alter von nur 59 Jahren, drei Jahre später, 1985, erlag mein Bruder Robert einem Herzinfarkt. Somit war ich also der Letzte, der von dem verrückten Musikerhaufen aus der Helmholtzstraße 33 in Sebaldsbrück übrig geblieben war.

Vater und Sohn

Obgleich mein Sohn Ronnie immer intensiver an meiner Arbeit teilnahm, erlebte ich auch mit ihm einige Achterbahnfahrten. Als Anfang 1983 unsere Frühjahrstournee durch Großbritannien bevorstand, wollte ich ihn und seinen Freund Tommy Eggert dazu überreden mitzukommen. Sie sollten das Konzertleben kennen lernen und nebenbei ein wenig Geld verdienen.

Von Ron wusste ich, dass ihm am Tourneestress nicht viel lag. Er hielt mit Tommy Kriegsrat, dann sagten sie beide zu. Ich arrangierte einige Titel ein wenig um, sodass zwei Synthesizer in tragenden Nebenrollen vorkamen. In Hamburg bereiteten wir alle Sounds vor, und nach drei Wochen ging es los. Wir flogen nach Dublin zu unserem ersten Konzert, und das war gleich der „absolute Hammer": Wir spielten in einer riesigen, aus Holz gebauten Viehauktionshalle mit einer bunt geschmückten Bühne. 5000 Menschen waren da, es herrschte Jahrmarktsstimmung, einfach fantastisch!

Nach zwei Dritteln des Konzerts musste unterbrochen werden, weil die Bühne voller Fans war. Die küssten und umarmten uns, tanzten und bedankten sich für die Musik – es war unglaublich!

Ron und Tommy waren überwältigt, sie hatten so etwas schließlich noch nie erlebt. Beide erfüllten ihre Aufgabe ausgezeichnet, ich war wirklich happy. In dieser Stimmung hätte ich mir tatsächlich vorstellen können, dass ich in Zukunft regelmäßig mit meinem Sohn unterwegs sein würde.

Als die Tournee zu Ende war, fragte ich die beiden Youngsters, ob sie das nächste Mal wieder mitkommen würden. Tommy sagte sofort zu, er hatte Blut geleckt. Ron allerdings gab mir einen Korb. Er meinte nur, es sei schwer genug, als Sohn in derselben Branche neben einem solchen Vater zu bestehen und ernst genommen zu werden; da müsse er nicht auch noch neben mir auf der Bühne stehen.

Damit hatte er zweifelsohne Recht, aber in diesem Augenblick – nach der erfolgreichen Serie von gemeinsamen Konzerten und meinen diesbezüglichen Zukunftsträumen – fühlte ich mich von ihm im Stich gelassen. Ich warf ihm Faulheit und Desinteresse an meiner Arbeit vor, ein Wort ergab das andere, und die Diskussion mündete in einen Streit. Aus heutiger Sicht würde ich sagen: es ging ihm ganz klassisch um das Thema Abnabelung und Emanzipation von seinem „Alten". Möglicherweise trug auch mein Verhältnis mit Christine zu Rons ablehnender Haltung mir gegenüber bei.

Jedenfalls hatte ich anschließend einige Zeit in Deutschland zu tun, und als ich nach Florida zurückkam, erwartete er mich mit einer saftigen Überraschung: Er hatte in meiner Abwesenheit geheiratet, ohne mir auch nur ein Sterbenswort davon mitzuteilen. Es war wohl so, dass ein Anwalt den beiden aus irgendwelchen Gründen zu einer schnellen Hochzeit geraten hatte. Viel später sollte sich herausstellen, dass dieser Rat zum einen falsch und zum anderen teuer war. Nachdem die beiden mich wohl nicht erreichen konnten, entschieden sie sich für eine Hochzeit ohne Familie und Freunde. Wie dem auch sei, Ron präsentierte mir meine neue Schwiegertochter Cheryl. Nun war ich wirklich sauer.

Nach dieser Geschichte herrschte zwischen uns einige Zeit Funkstille. Natürlich war ich unglücklich über diese Entwicklung. Und tief in meinem Innersten wusste ich auch: dieses Zerwürfnis kann und wird nicht ewig dauern.

Im Endeffekt kamen wir erst wieder zusammen, als ich Ron gemeinsam mit Polydor eine Business-Partnerschaft vorschlug: er sollte mir möglichst viel Organisatorisches abnehmen, die Aufnahmen koordinieren und die gesamte Produktion begleiten. Ron war einverstanden. Ich weiß, dass er diesen Schritt nur vollziehen konnte, weil er sich ganz bewusst dazu entschloss, seine eigenen künstlerischen Ambitionen zurückzustellen. Seither machen wir gemeinsam Musik. Das bereitet uns großen Spaß und ermöglicht uns, einander auf sehr interessante und ganz neue, intensive Weise kennen zu lernen.

Als die Computer die Studios eroberten und sich die Arbeit eines Toningenieurs dadurch drastisch veränderte, übernahm Ronnie schrittweise die Aufgaben von Peter Klemt, der sich mit der neuen Technologie nicht mehr so hundertprozentig anfreunden wollte. Wir arbeiten heute längst nicht mehr mit 16 oder 24 Spuren, sondern sind mittlerweile bei „Pro-Tools" mit 96 Kanälen angelangt. Die TV-Show *A World Of Music* wurde zur Gänze mit diesem Pult aufgenommen, jedes Instrument liegt auf einer eigenen Spur und ist damit getrennt abhörbar, jede einzelne Violine, jede Trompete, alles. Das ist die Stunde der Wahrheit für die Musiker, da lässt sich im Konzert nichts mehr vertuschen, keiner kann sich mehr hinter seinen Kollegen „verstecken". Seit Mitte der 90er-Jahre sitzt Ron bei allen unseren Produktionen am Mischpult. Vor zwei Jahren produzierte er unter dem Pseudonym By 4 ein Album mit dem Titel *Elements*, auf dem er einige alte Nummern von mir gesampelt und mit neuen Sounds geremixt hat. *Elements* wurde eine gute CD-Produktion, und seine zweite Frau Silke hat ein tolles Cover dazu entworfen.

Ich selbst hielt mich völlig aus seiner Arbeit heraus, weder kritisierte ich ihn, noch gab ich ihm gute Ratschläge – das Album war ganz seine Sache, dafür war nur er verantwortlich.

Die große Pleite

Wäre damals trotz aller privaten Höhen und Tiefen alles mit rechten Dingen zugegangen, dann könnte ich jetzt steinreich sein: Ölquellen würden unter meinem Namen sprudeln, es gäbe einen Pinot Noir, gekeltert auf meinen eigenen Weingütern, und wenn ich einmal ein Wehwehchen hätte, dann könnte ich mich in einem Krankenhaus kurieren lassen, das ich selbst mitfinanziert hätte.

Aber leider ist rein gar nichts mit rechten Dingen zugegangen.

Es dauerte sicher einige Zeit, bis ich es begriffen hatte, aber irgendwann wurde mir klar: mit Geld kann ich überhaupt nicht umgehen, als Geschäftsmann bin ich eine richtige Niete!

Trotzdem hatte ich nie einen Manager im eigentlichen Sinn. Erst vor einigen Jahren hat mein Freund Dr. Bodo Eckmann – ein Hamburger Arzt und Präsident des Deutschen Boxverbandes – diese Funktion übernommen. Wenn man – so, wie es bei mir der Fall war – in sehr kurzer Zeit plötzlich eine Menge Geld verdient, dann lassen die Geier nicht lange auf sich warten: jene „Berater" nämlich, denen es eigentlich nur darum geht, sich ein möglichst großes Stück von der Beute unter den gierigen Nagel zu reißen. Der erste dieser unfreundlichen Vögel war mein Steuerberater in Deutschland. Als die Erfolge immer größer wurden und die Tantiemen immer üppiger flossen, riet er mir zu verschiedenen Unternehmungen, um mein Geld steuerschonend anzulegen – zum Beispiel sollte ich in Kliniken und Rehabilitationszentren investieren. Und da ich beim besten Willen nicht alles, was ich verdient hatte, ausgeben konnte, ließ ich mich von dem Gerede von „sicheren Geschäften" und „fantastischen Anlagemöglichkeiten" überzeugen und investierte.

Tatsächlich schien alles bestens zu klappen. Denn nach einiger Zeit kam dieser Mann an und meinte, es wäre jetzt an der Zeit, in anderen Dimensionen zu denken, jetzt müsste man in den USA weitermachen. Er empfahl mir einen amerikanischen Finanzmann, der mir die großartigsten Deals vorschlug: Ich kaufte Ölbohrtürme in Wyoming, Weingüter in Kalifornien und Baumwollfelder in South Carolina. Und das alles natürlich steuerschonend. Angeblich.

Die ganze riesige Blase platzte im Jahr 1985: Als ich „meine Weingüter" in Kalifornien eines Tages voller Besitzerstolz selbst in Augenschein nehmen wollte, war auf dem Stück Land kein einziger Weinstock zu sehen. Außerdem war ein ganz anderer Name als Eigentümer im Grundbuch eingetragen.

Auch all die anderen Projekte waren nichts als Luftschlösser. Und damit war so gut wie alles Geld, das ich jemals verdient hatte, beim Teufel.

Zudem stand bei uns plötzlich das FBI vor der Tür und fragte mich über meine Beziehungen zu meinen „Ratgebern" aus. Aber nicht genug damit: darüber hinaus hatte ich plötzlich enorme Steuerschulden, denn da ja keines der Investments real war, gab es auch keine steuerschonende Wirkung. Der Schaden war also ein doppelter: 15 Jahre lang war ich abgezockt worden, und nun musste ich dafür auch noch viele Millionen Mark an Vater Staat nachzahlen.

Aber woher sollte ich dieses Geld nehmen? Ich war ja schlicht und einfach pleite!

Ich habe damals ernsthaft überlegt, meine Verlagsrechte zu verkaufen, um einen Teil des Schuldenbergs abtragen zu können. Vor dieser Dummheit haben mich aber glücklicherweise meine Kinder bewahrt – es ging auch so: Ich nahm einen riesigen Kredit bei der Hamburger Sparkasse auf, und es gelang mir, über 15 Jahre hinweg Jahr für Jahr rund eine Million Mark zurückzuzahlen – insgesamt also eine recht stattliche Summe. Kurz vor meinem siebzigsten Geburtstag hatte ich es geschafft: der Kredit war getilgt, das Minus war weg, ich konnte wieder bei null beginnen. Um mir den Neustart etwas angenehmer zu gestalten, fragte ich nochmals um einen Kredit in der Höhe von einer Million Mark an. Aber da hieß es dann eiskalt: „Tut uns leid, Herr Last, für so eine Summe sind Sie jetzt schon zu alt!"

Natürlich war der Verlust meines Vermögens eine deprimierende Angelegenheit. Aber schließlich war ich ja selbst schuld: Wenn es um so hohe Geldbeträge geht, ist es nichts anderes als sträfliche Dummheit, ein oder zwei Menschen so vorbehaltlos zu vertrauen, wie ich das getan hatte. Während ich nach wie vor glaube, dass mich bei meinem deutschen Steuerberater im Wesentlichen Leichtsinn und Überforderung mein Vermögen kosteten, handelte es sich im Fall des US-Beraters klar und eindeutig um Betrug. Doch kein Gericht der Welt wird das je feststellen können: der Mann starb, kurz nachdem die Sache aufgeflogen war.

Trotzdem hat sich mein Leben finanziell immer in einem angenehmen Rahmen abgespielt, ob da jetzt mal Verluste eintraten, irgendetwas nicht richtig abgerechnet wurde oder das Finanzamt kam – meine Familie und ich konnten gut leben, diese „Noch mehr, noch größer, noch schöner"-Mentalität entsprach nie meinem Wesen.

Die Musik hat mir sehr viel Geld eingebracht, aber ich habe auch sehr viel davon wieder ausgegeben: Ein so großes Orchester zu unterhalten ist teuer. Es ist meine luxuriöseste Verrücktheit, mein kostspieligstes Hobby – aber auch mein größtes und schönstes Vergnügen!

Man kann sich vorstellen, was es kostet, wenn eine solche Truppe nach Asien fliegt. Das konnte sich kein Veranstalter leisten, und so musste ich immer dazuzahlen. Mit diesen Tourneen habe ich deshalb früher kaum je etwas verdient, nicht einmal in Zeiten der größten Popularität. Aber alle Musiker konnten reisen wie die Fürsten, sie waren und sind wie meine zweite Familie. Deshalb war es für mich selbstverständlich, auch immer alles zu bezahlen. Das Geld war ja da, Hauptsache, wir hatten Spaß …

Auf einer unserer letzten Tourneen hatte ich in unserem Düsseldorfer Hotel nach dem Konzert mal so richtig Lust auf einen schönen gediegenen Rotwein. Daher bestellte ich eine Flasche eines sehr edlen Tropfens. Da kam einer meiner Streicher am Tisch vorbei und fragte: „Du, kann ich auch so einen Roten trinken?"

„Klar, Herr Ober! Noch eine Flasche!"

Schon meldete sich der nächste Tisch: „Können wir auch so 'ne Flasche haben?"

Nach fünf Flaschen wurde dem Ober die Sache unheimlich: „Herr Last, wissen Sie eigentlich, was so eine Flasche kostet?"

„Keine Ahnung."

„Zweihundert Euro!"

Nun, da habe ich gelacht, denn ärgern bringt nichts.

Dinge dieser Art haben mich im Laufe der Jahre viele Millionen Mark oder Euro gekostet, aber wenn ich mir so etwas leisten kann, warum sollen die anderen daran nicht teilhaben?! Da müsste ich mich ja allein in eine Ecke setzen und vor mich hin nippen, dann schmeckte doch der edelste Tropfen nicht mehr! Von dieser meiner Art bin ich auch nicht abgewichen, als ich meine hohen Schulden abzustottern hatte. Ich habe immer gesagt: Wenn ich mit meinem Orchester nicht mehr so leben kann, dass es Spaß macht, dann muss ich aufhören, dann setz ich mich zu Hause hin und schreibe.

Früher habe ich viel gespendet, 100 000 Mark da, Reinerlöse aus Plattenverkäufen dort. Aber ich erhielt in den seltensten Fällen Reaktionen darauf. Darum gebe ich heute lieber einem Bedürftigen auf der Straße etwas – da weiß ich wenigstens, wo das Geld hinkommt. Ich bin der Meinung, dass wir nicht immer nur wegschauen können und dass diese kleinen Gesten in unserem Zusammenleben oftmals mehr bewirken als große Versprechungen und Sonntagsreden.

Was ich auch überhaupt nicht vertragen kann, sind Politiker, die sich wie klassische Trittbrettfahrer verhalten: Wir saßen in Isernhagen bei Hannover beim Essen, als eine Gruppe Kinder das Lokal stürmte; sie hatten mich entdeckt und wollten Autogramme. Hinterdrein kamen die Betreuerinnen und entschuldigten sich tausendmal. „Das macht doch nichts", sagte ich, „jetzt bekommen alle erst mal eine Cola."

Da war so eine kleine Kesse dabei, die meinte: „Du, wir sind aus dem Waisenhaus, gleich da drüben, willst du nicht mal mitkommen und es dir ansehen?"

„Klar, mach ich." Die ganze Band marschierte mit den Kleinen mit.

Da sahen wir, wie die Kinder dort hausten, feuchte Wände, alte Möbel, verbeulte Betten.

Im Tagraum stand ein Fernsehgerät, und das Mädchen meinte: „Leider können wir die *Starparade* nicht sehen, der Apparat ist kaputt." Das brauchte sie mir nicht zweimal zu sagen. Ich nahm unseren Tourmanager Conny beiseite: „Hast du mal Zeit? Dann komm mit." Wir fuhren die zwanzig Kilometer nach Hannover, ich kaufte einen nagelneuen Fernseher, dazu einen Videorekorder, Videokassetten, ein paar Schallplatten, und brachte die Sachen in das Waisenheim. Die Kinder waren begeistert. Die Heimleiterin bat mich: „Ich hab etwas organisiert, warten Sie einen Moment."

Nach ein paar Minuten kamen der Bürgermeister von Isernhagen und die *Bild*-Zeitung daher. Da bin ich so richtig in Saft gegangen, vor allem der Bürgermeister bekam meinen Zorn zu spüren: „Sie wagen es, ausgerechnet jetzt hierherzukommen?! Warum waren Sie denn nicht früher in diesem Heim, haben Sie gesehen, wie die Kinder hier hausen??!!" Auch der *Bild*-Zeitungsreporter bekam sein Fett weg: „Wenn ein einziges Wort über diese Sache in der Zeitung steht, dann nehme ich alles wieder mit, und Sie tragen die Verantwortung dafür. Sie machen weder Fotos noch schreiben Sie auch nur eine einzige Zeile darüber!" Diese Geschichte ist lange her, die Kleinen aus dem Heim haben heute selbst Kinder, und viele von ihnen kommen heute immer noch mit ihren Familien zu unseren Konzerten.

Ich bin sicher ein politisch denkender Mensch, aber ich habe mich nie vor einen Karren spannen lassen. Dabei müsste man sich heute mehr denn je Gedanken darüber machen, in welche Richtung sich unsere Gesellschaft entwickelt. Es stimmt mich einfach sehr traurig, dass unsere Gesellschaft immer mehr verroht und ihren ethischen Halt zu verlieren droht, und dieses scheint durch alle Schichten zu gehen – ob es nun Gewaltvideos auf Handys betrifft, Politiker, die ihre Position auch wirtschaftlich oder sonst wie auszunutzen versuchen, oder Unternehmen, die Milliarden Euro Gewinne bekannt geben und praktisch in derselben Mitteilung Tausende Stellen streichen. Wir stehen hier sicher alle in der Verantwortung. Ich meine allerdings auch, dass die Politiker in Berlin sich uns als Vorbilder präsentieren sollten. Früher habe ich mich zu all diesen Themen nie geäußert, ich war ja auf der Bühne meist sehr mundfaul. Jetzt aber habe ich das Bedürfnis, diese Dinge in meinen Konzerten anzusprechen und der negativen Stimmung, die hierzulande in den vergangenen Jahren geherrscht hat, etwas entgegenzusetzen.

2004 hatten wir eine sehr freie Interpretation von Haydns *Kaiserquartett* im Programm, in dessen zweitem Satz die Melodie unserer Nationalhymne erklingt. Ich nannte das Arrangement „Deutschland ist schön", weil ich das mit Stolz und einigen Jahren an Erfahrung genau so sehe. Auch wenn es „nur" Musik ist, hat dies vielleicht doch dazu beigetragen, einigen Menschen wieder etwas mehr Mut zu machen.

Eine Art von Dinosaurier

Ab Mitte der 80er-Jahre zeigte sich sehr deutlich, was passiert, wenn in einer Firma nicht mehr alle am selben Strang ziehen. Heinz Voigt war längst aus dem Unternehmen ausgeschieden, auch Ossi Drechsler und Werner Klose hatten Polydor verlassen – damit war aus unserem Erfolgsquartett eine Solonummer geworden. Die neuen Chefs hatten nicht unbedingt das allergrößte Interesse, das Produkt James Last auf demselben hohen Niveau weiterzuführen wie ihre Vorgänger. Denn mit mir konnte man sich schließlich nicht mehr neu profilieren, ich gehörte ja fast schon zum Inventar: dieser Last war zwar lange Zeit der Wirtschaftsfaktor für das Unternehmen gewesen, nun wusste man aber irgendwie nicht mehr genau, was man mit ihm anfangen sollte. Ich war wohl so etwas wie eine im Aussterben begriffene Spezies: ein Dinosaurier. Es wurde an vielen kleinen und großen Dingen deutlich, dass Alben nicht mehr die gleiche Wichtigkeit hatten wie früher. Plötzlich war mein Büro nach einem Umzug der Firma nicht mehr da, Goldene Schallplatten wurden nicht mehr gefeiert, sondern kamen per Post. Kein Wunder, dass irgendwann auch die Budgets gekürzt wurden. Dadurch fiel wiederum die Auffächerung in die verschiedenen Stilrichtungen, mit der wir die unterschiedlichsten Zielgruppen erreichen konnten, flach, und letzlich wurde weniger verkauft.

Wenn ein Erfolg da ist, wirkt er wie eine Lawine: er wird von selbst größer und reißt etliche Widerstände nieder. Umgekehrt funktioniert es ganz genauso; der Erfolg ist schnell wieder weg, wenn nicht ständig daran gekämmt und gebügelt und gestrickt wird. Dass aber aus dem Grunde weniger verkauft wird, weil weniger produziert wird, interessiert schlussendlich keinen mehr.

MÖGLICHERWEISE wäre für mich Mitte der 80er-Jahre der richtige Zeitpunkt gewesen, die Plattenfirma zu wechseln. Überlegungen in diese Richtung habe ich durchaus angestellt, allerdings muss ich sagen: Ein

Wechsel gegen den Willen Polydors wäre nur sehr schwer möglich gewesen, denn damals entschied die Rechts- und die Vertragslage noch nicht so eindeutig zugunsten des Künstlers, wie es heute der Fall ist. Im Gegenteil, alles sprach zugunsten der Firma. Aus der heutigen Rechtsprechung folgt: Da das Produkt geistiges Eigentum des Künstlers ist, gehört es ihm auch. Mit diesem Argument hätte man den Back-Katalog – der ja alle bisherigen Veröffentlichungen umfasst – wohl zumindest ruhig stellen können. Denn was passiert, wenn eine Plattenfirma sich gegen einen Künstler stellt, kann man am Beispiel der Kelly Family erkennen: Als Vater Kelly zu einem anderen Label wechselte, schüttete Polydor den Markt mit Wiederveröffentlichungen aus dem Back-Katalog zu – und machte ihn damit für neue Kelly-Family-Platten auf längere Zeit erst mal kaputt. Bei der enormen Produktivität, die ich zwischen 1965 und 1985 entfaltet hatte, kann man sich leicht vorstellen, was da passiert wäre.

Aber auch ohne „böse" Absicht hat Polydor nach meinem Dafürhalten den Markt in den Neunzigern mit einer schier unüberschaubaren Anzahl von Wiederveröffentlichungen ruiniert: Als die CDs aufkamen, brachte Polydor Unmengen von Kompilationen aus alten Aufnahmen heraus und kassierte damit billig und ohne großen Aufwand mit Zweit- und Drittverwertungen ab. Wozu also neue Produktionen? Allein die Nummer „Biscaya" wurde, glaube ich, auf rund fünfzig verschiedene CDs draufgepackt; selbst zu meinem 75. Geburtstag erschien ein Album *James Last Gold*, auf dem der Titel schon wieder zu finden war.

Zwar müsste die Firma theoretisch vor jeder Wiederveröffentlichung mein Okay einholen, aber bei der Unmenge von Alben, die im Lauf der Jahre produziert wurden, sind die Kontrollmöglichkeiten sehr begrenzt. Noch dazu, wo ich bis vor einigen Jahren nicht mal einen Manager hatte.

Zudem hatte ich es mit ständig wechselnden Ansprechpartnern zu tun: Es wurden reihenweise Projekte angedacht, entwickelt und wieder verworfen. Es kostete Energie und Nerven, jede Menge Kreativität ist dabei ergebnislos verpufft.

Mit ähnlichen Problemen war ich im deutschen Tourneegeschäft konfrontiert: Zwar traten wir in der Zeit zwischen 1987 und 1996 immer wieder vereinzelt auch in Deutschland auf, es kam aber keine längere Tournee zustande. Die Veranstalter scheuten plötzlich wieder das Risiko, unser teures – weil großes und aufwändig präsentiertes – Orchester ohne zusätzliche Unterstützung durch einen Gesangsstar auf die Reise zu schicken. Man traute mir nicht mehr zu, die Kosten einzuspielen.

Ganz anders lief die Sache in Großbritannien: dort waren wir im selben Zeitraum nahezu jedes Jahr mit großem Erfolg unterwegs.

Computerspielereien

Wenn wir in den 60er- und 70er-Jahren eine neue Platte aufnahmen, kam ich mit einem Packen Noten ins Studio, die Musiker kuckten sich die Nummer an, und ich bekam mein Arrangement erst dann wirklich zu hören, wenn wir das erste Mal probten. Allmählich gingen wir dazu über, vorher so genannte Demos zu produzieren: Ich entwerfe das Arrangement am Computer, eine Rhythmusspur wird produziert, die als Referenz-Track für die weitere Aufnahme dient. Zu dieser Spur spielt die Band schließlich die Nummer ein. Der Vorteil dieses Verfahrens ist, dass die weitere Bearbeitung, zum Beispiel die Nachsynchronisation mit den Streichern, wesentlich einfacher und präziser abläuft.

Die exakten Rhythmus-Tracks, mit denen wir nun arbeiteten, warfen allerdings ein Problem auf: die Rhythmusspur aus dem Computer musste natürlich für die eigentliche Aufnahme durch ein reales Instrument ersetzt werden. Unser Schlagzeuger Terry konnte mit dieser Präzision aber nicht Schritt halten. In den Konzerten war das nicht weiter schlimm, im Studio allerdings muss alles hundertprozentig stimmen.

Also arbeiteten wir hin und wieder mit Beats aus dem Computer – das war nicht optimal, wir hätten dieses Problem früher in den Griff bekommen müssen. Erst seit Herbst 2002 habe ich wieder einen Schlagzeuger, der meinen heutigen Ansprüchen vollkommen gerecht wird – Stoppel Eggert. Er bringt die Präzision und gleichzeitig das Gefühl für winzige Nuancen mit, das ich brauche.

Die Möglichkeiten der Arbeit am Computer faszinierten mich allerdings so sehr, dass ich unbedingt lernen wollte, die neue Technik im Alleingang zu beherrschen. Tommy Eggert sollte mein Lehrer werden. „Ich will diese Computer, die wir im Studio haben, auch zu Hause verwenden können. Du musst mir das beibringen", drängte ich ihn.

Tommy sah mich verunsichert an, seine Gedanken waren ihm an der Nasenspitze abzulesen: Was will der denn, in seinem Alter lernt man doch nix Neues mehr! Er versuchte mir die Idee auszureden, aber da kannte er mich schlecht. Wir besorgten das beste Equipment und bauten die neue Zauberwelt in Florida auf. Ich war ganz im Gegenteil begeistert und kniete mich voller Energie in die neue Aufgabe. Alle Viertelstunde wählte ich Tommys Telefonnummer: „Du, sag mal, wie kann ich diesen Klang abspeichern?" – „Tastenkombination sowieso." – „Alles klar, danke, tschüüs!" Wochen- oder gar monatelang haben wir das zwischen Hamburg und Florida so durchgespielt, aber ich war unbeirrbar, ich habe schrittweise gelernt, die Technik zu beherrschen.

Durch die Arbeit am Computer haben sich natürlich auch meine Arrangements und der Stil meiner Musik verändert. Die Musiker haben im Studio im Gegensatz zu früher weniger Freiheiten, doch ich bekomme genau das, was ich aufgeschrieben habe, das Grundgerüst einer Nummer ist stabiler. Wir klingen weniger *lazy*, sondern spielen präzise auf den Punkt; dadurch wird der Sound aggressiver und moderner. Das sollte schließlich auch Auswirkungen auf unsere Liveauftritte haben.

Für das Album *Viva España*, das wir 1992 anlässlich der Olympischen Sommerspiele in Barcelona aufgenommen haben, suchte ich einen Musiker, der in der Lage war, einen spanischen Gitarrenstil zu spielen. In einem Hamburger Klub stieß ich schließlich auf Erlend Krauser. Ich engagierte ihn für die Produktion, anschließend flogen wir mit der ganzen Band nach Spanien, wo das ZDF mit großem Aufwand ein Special zu *Viva España* aufzeichnete. Sowohl im Studio als auch bei den Fernsehaufnahmen war ich von Erlends Leistung so angetan, dass ich ihn fragte, ob er nicht Lust hätte, unsere kommende Englandtournee mitzumachen. Erlend sagte zu – und auf diese Art holte ich mir einen meiner schärfsten Kritiker in die Band. Kaum war unser erstes Konzert vorbei, jammerte er: „Hansi, was ist denn hier los? Die ganze Band könnte noch präziser spielen!"

Ich erteilte ihm zunächst eine Abfuhr: „Was willst du, das ist eben live, wir sind ja keine Maschinen."

Aber Erlend ist ein Fanatiker, und er ließ nicht locker. „Hansi, ich habe mir so viele tolle Sounds mit herrlichen Effekten programmiert, das funktioniert nur, wenn wir jeden Abend zu hundert Prozent dasselbe Tempo spielen, anders klappt das nicht!"

„Na schön", lenkte ich ein, „was würdest du also vorschlagen?"

„Ganz einfach: Wir brauchen auch auf der Bühne eine Taktspur."

Im Grunde hatte Erlend Recht: Durch die modernen Produktionsmethoden ist das Publikum eine sehr exakte Spielweise gewohnt, unbewusst erwarten die Zuhörer diesen Klang auch in einem Konzert. Bei so vielen Menschen, die zusammenspielen, entsteht aber automatisch ein Getümmel von Gefühlen – und jeder denkt, er sei richtig. Eine Nummer bekommt erst dann Leichtigkeit und Swing, wenn vierzig Leute diszipliniert sind. Ich entschloss mich also, einen so genannten Klicktrack einzuführen, das ist eine Art elektronisches Metronom, das den Musikern über Kopfhörer das Tempo vorgibt.

Dagegen gab es in der Band erhebliche Widerstände: Vor allem einige der „alten Hasen" fürchteten um ihre Individualität – und damit zeichnete sich an manchen Instrumenten allmählich ein Generationenwechsel ab, der sich allerdings erst einige Jahre später, unter großem Getöse, vollziehen sollte.

Wagnisse

Zehn Jahre waren seit unserer letzten Deutschlandtournee vergangen. Da tauchte eines schönen Tages im Jahr 1995 ein junger Mann bei Liz Pretty auf, der Mitarbeiterin unserer englischen Konzertagentur, und wollte wissen, ob es möglich wäre, das Orchester James Last für eine Konzertserie in Deutschland zu verpflichten. Der mutige Bursche war damals gerade mal 32 Jahre alt und stellte sich als Dieter Semmelmann aus Bayreuth vor. Dieter war Inhaber einer kleinen lokalen Agentur für Schlager- und Volksmusik – aber er glaubte daran, dass mit uns immer noch gutes Geld zu verdienen wäre. Und er hatte einen sehr risikofreudigen Vater, der mit seinem Vermögen für dieses Abenteuer mit ungewissem Ausgang einstand. Nachdem Dieter und ich uns geeinigt hatten, rief Semmelmann senior bei mir an und meinte: „Hansi, bitte mach was G'scheits, sonst muss ich meine Rente mit'm Hut in der Hand an der Straßenecke erbetteln."

Die Band, mit der ich nach so langer Zeit wieder vor meine Fans in Deutschland treten wollte, hatte sich nur wenig verändert: 1992 war mein langjähriger Weggefährte, unser Pianomann Günter Platzek, verstorben, nun saß John Pearce am Flügel; die beiden Saxofonisten Karl-Hermann Lüer und Harald Ende hatten sich mittlerweile in die Rente verabschiedet, für sie kam Stan Sulzman, später Andy Macintosh. Der Gitarrist „Big" Jim Sullivan verließ das Orchester 1987; eine Zeit lang hatte ich mit Peter Hesslein nur eine Gitarre in der Band, ehe 1992 Erlend Krauser zu uns stieß.

Wir starteten 1996 in Deutschland mit 16 Konzerten, das erste fand vor 2500 Zuschauern in dem kleinen Ort Suhl statt, vierzig Kilometer südlich von Erfurt. Alle Mitarbeiter der Firma Semmel Concerts standen aufgeregt hinter der Bühne, als ich am 24. Oktober mit der „Fanfare For The Common Man" den Auftakt zu unserer ersten Deutschlandtour nach so langer Zeit gab. Zweieinhalb Stunden später war klar: das Wagnis hatte sich für uns alle bezahlt gemacht. Das Publikum tobte, jede Halle auf dieser Tour war restlos ausverkauft. Für Semmelmann war es der Beginn einer internationalen Karriere als Konzertveranstalter, für mich ein tolles Comeback in meiner Heimat. Presse und Publikum fragten sich erstaunt: Wieso war der Last eigentlich so lange weg?!

Die Konzertreise war derart erfolgreich, dass wir sie im Jahr darauf wiederholten. Doch 1997 sollte ich die schlimmste Tournee meines Lebens erleben.

Fünfzehn Kraniche

Das Zusammenleben mit meiner Frau Waltraud hatte sich einige Zeit nach meiner Affäre mit Christine vollständig verändert: es wurde so gut wie kaum jemals zuvor. Zwischen uns entwickelte sich ein ganz neues Gefühl, innig und verständnisvoll. Das ist wahrscheinlich in vielen Ehen so: es gibt Phasen, wo der Mann ausbrechen will, dann wieder andere, wo die Frau genug von allem hat, und oft finden sich die Wege nie. Emotionen sind eben nicht immer synchronisierbar. Waltraud und ich hatten aber letztendlich Glück. Wir empfanden plötzlich eine Art von Liebe füreinander, die in dieser Form vorher nie da gewesen war – wir sind aneinandergewachsen, da hat mit einem Mal einfach alles gepasst.

Dann aber kam der fürchterliche Paukenschlag.

Meine Frau hatte Uteruskrebs. Wir hatten von dieser Diagnose schon fünf Jahre zuvor erfahren. Nach den negativen Erfahrungen mit der Presse im Zusammenhang mit meinem Hautkrebs hatten wir alles versucht, die Krankheit für uns zu behalten.

Beinahe schien es, als hätte sie die kritische Zeitspanne überwunden – aber eben nur beinahe. Wenn man mit einem solchen Schicksal konfrontiert wird, ist es enorm wichtig zu lernen, wie man mit dieser Erkrankung *leben* kann. Man darf sich niemals sofort aufgeben.

Ich bin sehr stolz darauf, wie Waltraud mit dem Krebs umging, wie viel Stärke und Kraft sie entwickelte. Als sie das erste Mal operiert wurde – das war im Herbst 1992 –, sagten die Ärzte ihr, dass sie Weihnachten wahrscheinlich schon nicht mehr erleben würde. Dennoch schlugen sie ihr vor, eine Chemotherapie zu machen – was Waltraud jedoch dankend ablehnte. Trotzdem sollte sie noch mehrere Weihnachtsfeste erleben …

Ich versuchte damals erst gar nicht, meine Frau zu der konventionellen Art der Behandlung zu überreden. Zufälligerweise hatten wir in Florida

Die 90er in Florida sollten unsere besten Ehejahre sein.

einige Freunde, die sich intensiv mit alternativen Heilmethoden auseinandersetzten, auch Ronnies Exfrau Cheryl kannte sich in dieser Hinsicht sehr gut aus. Und so bekamen wir den Namen eines griechischen Arztes, der eine spezielle Spritzentherapie für Krebspatienten entwickelt hatte. Ich flog mit Waltraud nach Athen, wo dieser Arzt Waltraud – und auch mich – einige Wochen lang nach seiner Methode behandelte.

Wie immer man zu solchen „Wunderheiler"-Geschichten stehen mag, Tatsache ist, dass wir beide begeistert waren von unserer Zeit in Griechenland und dass uns dieser Aufenthalt unglaubliches Selbstvertrauen schenkte. Zurück in Florida, ließ Waltraud in einem sehr renommierten Krankenhaus eine Reihe von Untersuchungen machen, und dort stellte sich heraus, dass all jene Werte, die für eine Krebsdiagnose relevant waren, denen eines fünfjährigen Kindes entsprachen. Auf gut Deutsch: Der Krebs hatte sich in Wohlgefallen aufgelöst, alles, was blieb, war eine unangenehme Thrombose.

Irgendwann wollten wir wieder nach Athen fliegen, um diese erstaunliche Therapie aufzufrischen, doch da stellte sich heraus, dass unser griechischer Arzt wie vom Erdboden verschluckt war: Man hatte ihm vorgeworfen, ein Krankenhaus zu betreiben, das nicht als solches deklariert und daher auch nicht genehmigt war. Nebenbei ging es um Steuerhinterziehung und ähnliche Dinge, vielleicht auch um Neid und Missgunst. Wir verbrachten fast zwei Jahre damit, hinter dem griechischen Doktor herzutelefonieren – doch er blieb verschwunden. Und Waltraud wurde wieder schwächer und schwächer ...

Die Krankheit meiner Frau hat mir auf sehr extreme Weise vor Augen geführt, was ich in den 42 Jahren unserer Ehe alles versäumt habe, wie viel ich diesem wundervollen Menschen schuldig geblieben bin. Die langen Zeiten meiner Abwesenheit, die viele Arbeit, die so oft Vorrang vor allem hatte, meine diversen Romanzen und Waltrauds unglaubliche Loyalität: all das ging mir durch den Kopf und trug dazu bei, dass wir gegen Ende ihres Lebens noch enger zueinanderfanden und eine ganz intensive Zeit miteinander verlebten.

ALS DIE Deutschlandtournee 1997 bevorstand, ging es Waltraud derart schlecht, dass ich mich mit dem Gedanken trug, die Tournee abzusagen. Aber es war ganz typisch für meine Frau, dass sie das unter keinen Umständen wollte. Als wir also von Florida nach Hamburg flogen, um mit den Proben zu beginnen, stieg Waltraud mit dem Bewusstsein in die Maschine, dass dies wohl ihr letzter Flug sein würde.

Während der Tour blieb sie in Hamburg, und jeden Abend, egal wo wir waren, kam ich nach dem Konzert zu ihr: per Bus, per Hubschrauber, per Flugzeug, irgendwie. Ich hatte das Bedürfnis, so vieles wiedergutzumachen, ihr zu zeigen, wie unendlich wichtig sie mir war. Während der Konzerte rannen mir Abend für Abend auf der Bühne die Tränen über die Wangen, vor allem, wenn wir den Titel „The Living Years" spielten: „Ich wünschte, ich hätte es dir zu Lebzeiten gesagt ...".

Etwa zur Halbzeit stand Hamburg auf dem Plan, da ließ es sich Waltraud – obwohl sie schon schwer von der Krankheit gezeichnet war – nicht nehmen, in das Konzert zu kommen, um sich von den Musikern, die so lange zu ihrer Familie gehört hatten, zu verabschieden.

Die Tournee endete Mitte November, und Waltrauds großer Wunsch war es, nicht im nassgrauen, verregneten Hamburg sterben zu müssen, sondern unter der warmen Sonne Floridas. Da es ihr schon sehr schlecht ging, war an einen normalen Linienflug nicht mehr zu denken. Also charterte ich in der Schweiz einen Medizin-Jet, der sie in die USA brachte. So konnte sie die letzten Tage ihres Lebens in unserem Haus in Palm Beach verbringen. Sie lag auf der Terrasse, Ron, Rina und ich waren ständig bei ihr, sie hörte die Stimmen der Vögel, das Rauschen der

Palmen und genoss die milde Luft des Südens. Ich weiß, dass sie in diesen Tagen glücklich war.

In dem Augenblick, in dem Waltraud uns verließ, stiegen vor unserem Haus über den Bäumen gleichzeitig fünfzehn Kraniche auf, zogen einen weiten Bogen und flogen davon – so, als ob sie ihre Seele in den Himmel tragen wollten. Es war der 1. Dezember 1997.

NACH dem Tod meiner Frau hörte meine Welt auf, sich zu drehen, alles war nur mehr dunkel, schwarz: Schon während der Tournee hatte ich wegen des ständigen Hin-und-her-Fahrens kaum geschlafen, ich war körperlich und psychisch völlig erschöpft, mein Leben erschien mir plötzlich vollkommen sinnentleert. Eine Zeit lang hatte ich das Gefühl, als hätten Waltraud und ich rein gar nichts voneinander gehabt, als wäre alles schnell an uns vorbeigezogen. Ich hatte meinen Beruf ausgeübt, sie hatte zu Hause die Kinder großgezogen. Was war da sonst noch gewesen?

Erst nach Wochen kehrte die Erinnerung zurück: an unsere gemeinsamen Urlaube auf Sylt, an die Reisen nach Tunesien, nach Guadeloupe oder Florida, an unsere vielen Golfrunden, unsere Feiern. Aber in meiner Trauer sah ich nur das Bild meiner Frau und dachte: Das war's jetzt, das war ein Leben.

Ein Abgrund tat sich auf, ich stürzte in ein endlos tiefes Loch: Man fällt und fällt ... und wartet auf den Aufprall. Aber der kommt nicht. Und man fällt noch tiefer ... auf einmal landet man und muss sich wieder aufrappeln, muss lernen, dass es aus diesem Tief wieder ein Aufwärts gibt. Das kann sehr lange dauern.

In dieser Situation war mir meine Tochter Rina eine große Stütze. Immer und immer wieder sprachen wir miteinander, auch als sie schon längst wieder zurück in Hamburg war, rief ich sie an, manchmal ohne überhaupt etwas zu sagen, nur um sie anschweigen zu können.

Rina war es auch, die dann jenen Gedanken äußerte, der meinem Leben schließlich wieder einen Sinn geben sollte: Sie erinnerte sich an eine junge Frau, die mir vor vielen Jahren begegnet war und die mir sehr viel bedeutet hatte. „Papa, da war doch diese Christine aus München, weißt du noch? Ruf sie doch mal an, vielleicht hilft dir das ..."

Natürlich erinnerte ich mich an sie. Christine, mein Verhältnis ... Aber ich wusste: Sie hatte seit Jahren einen Freund, sie war – und ist – eine sehr attraktive Frau, vielleicht war sie gar schon verheiratet, hatte eigene Kinder – mein Anruf könnte da denkbar ungelegen kommen.

„They Call Me Hansi"

Eine Lovestory

Christine und ich hatten uns trotz unserer Trennung nie ganz aus den Augen verloren, allerdings hatten wir nur in sehr großen Zeitabständen voneinander gehört, zumal wir beide ja in völlig unterschiedlichen Welten lebten. Aber irgendetwas war immer da, etwas Vertrautes, eine gegenseitige Anziehungskraft – Christine hat das später als „freundschaftliche Liebesbeziehung" beschrieben.

Ich wählte also Christines Münchner Telefonnummer: „Grundner", meldete sich die vertraute Stimme auf der anderen Seite des Atlantiks. Grundner war Christines Mädchenname, sie war demnach noch nicht verheiratet …

In diesem ersten Telefonat seit langer Zeit war ich für sie bestimmt kein unterhaltsamer Gesprächspartner: sie fand ein Häufchen Elend vor, kaputt, weinend, verloren. Ich erzählte ihr von Waltrauds Tod, und das Eigenartige war: Christine konnte meine Situation vollauf verstehen. Drei Monate zuvor war ihr Vater verstorben, auch er an Krebs, innerhalb von nur drei Wochen, sodass sie kaum Zeit gehabt hatte, sich von ihm zu verabschieden. Sie konnte meinen Schmerz tief nachempfinden.

Ab diesem Zeitpunkt habe ich sie täglich angerufen, ich war dankbar für jedes Gespräch, und irgendwann fragte ich sie, ob sie mir helfen wollte, ob sie sich vorstellen könnte, mich in Florida zu besuchen. Das Märchenhafte an all diesen Umständen war, dass Christine zu diesem Zeitpunkt völlig ungebunden war; es gab keinerlei partnerschaftliche Belastungen, die sie erst hätte verarbeiten müssen. Zwar hatte sie einige Jahre in der besagten festen Beziehung gelebt, aber eine innere Stimme hatte ihr gesagt, dass er doch nicht der Richtige sei. So hat sie diese Beziehung schließlich beendet. Dass solch eine Frau noch „frei" war, kam mir vor wie ein Wunder – und seitdem glaube ich mehr denn je an „Den da oben".

Als Christine in Florida ankam, fielen wir uns natürlich nicht sofort um den Hals; wir beide hatten zu diesem Zeitpunkt noch nicht einmal im Entferntesten den Gedanken, unser Verhältnis wieder aufleben zu lassen. Aber sehr bald stellte sich abermals jenes Gefühl ein, das eigentlich schon damals, vor 15 Jahren, da gewesen war. Diesmal jedoch entstand es auf einer ganz anderen Ebene, wir waren beide älter, die Umstände waren völlig anders als damals.

Christine blieb auch nicht gleich bei mir, nach zwei, drei Wochen musste sie wieder zurück nach München. Dort hatte sie ihre Wohnung, ihren Job in der Finanzbranche, ihre Verpflichtungen. Also machten wir es beim nächsten Wiedersehen umgekehrt: Ich kam zu ihr und lebte mit ihr in ihrem kleinen Zwei-Zimmer-Nest mit Blick auf die Berge. Ich genoss dieses enge Zusammensein, unsere Vertrautheit. Einmal war ich zwei Wochen bei ihr, und wir machten Ausflüge ins Allgäu – Christines Heimat –, ein andermal blieb ich nur ein paar Tage, weil ich Termine zu absolvieren hatte.

Allmählich gewann das Leben wieder an Farbe, ich fing an, mich für vieles zu interessieren. Das Thema Musik wurde neuerlich aktuell, die nächsten Projekte wurden geplant, langsam normalisierte sich meine Welt wieder, und neue Perspektiven taten sich auf.

In jenen Wochen redeten wir unendlich viel miteinander – und nach und nach wurde uns beiden die Richtung immer klarer: Wollen wir das Leben nicht gemeinsam versuchen? Eigentlich mussten wir nicht lange überlegen. Für mich war es völlig logisch, dass wir heiraten würden. Es war mir wichtig, dass alles einen offiziellen Rahmen bekam.

An ihrem 40. Geburtstag im Juni 1998 verlobten wir uns, am 24. Juni 1999 wurde Christine meine Frau: in ganz kleinem Rahmen, im Standesamt in Hamburg, haben wir uns das Jawort gegeben, nachher sind wir schön essen gegangen, das war unsere ganze Hochzeit. Anstelle eines Eherings trage ich seit unserer Trauung einen kleinen Brillanten im Ohr.

Niemand hat je negativ über den großen Altersunterschied zwischen uns gesprochen, auch Christines Familie und ihre Freunde waren mit ihrer Entscheidung sofort einverstanden. Natürlich habe ich – rein biologisch gesehen – eine Menge Jahre auf dem Buckel, die kann man nicht wegleugnen, aber vom Kopf her, von meiner Einstellung bin ich – so glaube ich – ziemlich jung geblieben.

Christine und ich unternehmen alles zusammen – und wir haben ja das große gemeinsame Hobby Golf. Mit den Musikern, den Einladungen, den Konzerten geht alles seinen Gang wie zuvor – nur mit dem Unterschied, dass Waltraud nie mit auf Tournee fuhr, ihr waren der ganze Rummel und unsere ausgelassenen Feten zu anstrengend. Christine hingegen ist bei jedem Auftritt dabei. Und jeden Tag stellt sie frische Blumen vor Waltrauds Bild, denn sie weiß, dass sie nicht die Zweite ist, sondern die Nachfolgerin.

MEIN LEBEN

Seit Juni 1999 meine Frau: Christine

Somit ist unser Verhältnis heute viel stabiler, als es gewesen wäre, wenn ich mich damals, 1982, für sie entschieden hätte. Dann hätten wir beide eine riesige Bürde mit uns herumgeschleppt: vor allem im Zusammenhang mit Waltrauds Erkrankung hätte ich mir sicher andauernd Vorwürfe gemacht.

Meine Tochter Rina hat Christine sofort akzeptiert, auch die meisten meiner Freunde. Ronnie hat etwas länger gebraucht, aber jetzt sind die beiden wie Geschwister. Christine ist überall gut aufgenommen worden, auch in der Branche. Was sich mit ihr erfüllt hat, ist märchenhaft, das kann in meinem Alter wirklich niemand erwarten.

Christine ist nicht nur meine Ehefrau, sie ist mittlerweile auch eine wichtige Stütze für meine Arbeit. Als sie mit mir nach Amerika kam, meinte sie: „Was soll ich denn hier in Florida, soll ich den ganzen Tag in der Sonne sitzen?" Aber davon ist keine Rede, sie hat ständig zu tun, sie kümmert sich um alles, um die Steuer, um Geldangelegenheiten, um Termine, sie ist bei Fernsehaufnahmen dabei, im Tonstudio und bei beruflichen Verhandlungen. Längst ist es mir unerlässlich und selbstverständlich geworden, mich nach wichtigen Terminen mit ihr über unsere Beobachtungen und Eindrücke auszutauschen.

Das Schicksal geht zuweilen eigenartige Wege. Wenn Christine nicht in mein Leben getreten wäre, wäre ich wahrscheinlich auch nicht mehr da, es hätte mich nach Waltrauds Tod zerrissen. Da hat doch Er seine Hand über mich gehalten, vielleicht weil Er versteht, dass ich mit meiner Musik die Menschen glücklich machen will.

Auch meine Krebserkrankung habe ich längst recht gut im Griff: seit der ersten Diagnose im Jahr 1982 gehe ich einmal im Halbjahr zur Kontrolle zu Professor Breitbart in Buxtehude. Dort wird mit einem Vergrößerungsglas unter speziellem Licht systematisch die ganze Haut abgesucht, und etwaige Veränderungen werden baldmöglichst entfernt.

Derzeit habe ich das Problem, dass in meinem Gesicht immer wieder an denselben Stellen Hautgeschwüre auftreten. Es ist aber kein Gewebe mehr da, das weggeschnitten werden könnte, wir sind nun schon am Knochen angelangt. Aus diesem Grund musste ich eine fünfwöchige Therapie mit täglicher Bestrahlung über mich ergehen lassen, dann nochmals vier Wochen, bis die Wunden verheilt waren. Da mir nicht klar war, dass dieser Prozess so viel Zeit in Anspruch nehmen würde, hatten wir im Herbst 2005 einige Pressekonferenztermine für die Herbsttournee 2006 viel zu früh angesetzt. Ich war noch mitten in der Behandlung, mein Gesicht sah daher entsprechend ramponiert aus. Da ließen die Kommentare in der Presse natürlich nicht lange auf sich warten, die *Bild*-Zeitung brachte ein Foto mit einer behandelten Stelle auf meiner Nase in Vergrößerung, dazu die Unterschrift: JAMES LAST FÄLLT DIE NASE AB! Der Zeitpunkt war von uns schlecht gewählt.

Dennoch, ich habe keine Angst mehr, ich bin mit meinem Leben im Reinen und blicke positiv in die Zukunft. Und wenn man mir wirklich ein Stück Nase wegschneiden müsste, dann lässt man eben die ersten drei Sitzreihen im Konzertsaal frei, damit keiner so genau hinkucken kann. Ich würde auch ohne Nase auftreten!

Vor einigen Jahren bekam ich ein neues Kniegelenk. Während der Rehabilitation habe ich gemerkt, wie wichtig es ist, sich niemals gehen zu lassen. Um die langweiligen, aber notwendigen Trainingseinheiten mit den anderen Patienten ein wenig aufzulockern, fing ich einfach an, lauthals „Auf der Lüneburger Heide" zu singen. Plötzlich machten all die frisch Operierten zuversichtlichere Gesichter und sangen mit. Die Schwestern schüttelten nur schmunzelnd den Kopf über den „alten Spinner". Mein neues Knie bemerke ich eigentlich nur auf Flughäfen, weil es aus Metall ist und daher die Detektoren regelmäßig zu piepsen beginnen. Dann muss ich die Narbe herzeigen, damit jeder versteht, dass dieser ältere Herr kein Terrorist ist, sondern bloß ein eingebautes Ersatzteil mit sich herumträgt.

Ansonsten ist gesundheitlich bei mir alles in Ordnung, obwohl ich früher ganz schön gesündigt habe. Aber die Ärzte haben immer überrascht festgestellt, dass meine Leberwerte diejenigen eines Säuglings sind – das müssen wohl die Gene sein.

2000 Mal live

1999, im Jahr meines siebzigsten Geburtstages und meiner Hochzeit mit Christine, spielten wir nahezu fünfzig Konzerte – von London bis Wien, von Zürich bis Rostock. Es blieb nicht mal Zeit für eine gebührende Hochzeitsreise.

Im Jahr darauf folgten Auftritte in Deutschland, 2001 war wieder Großbritannien an der Reihe. Und 2002 tourten wir sowohl im Frühjahr als auch im Herbst durch Deutschland, Österreich, die Schweiz, Belgien, Holland und Dänemark. Journalisten und Fans fragen mich immer wieder: „Warum tun Sie sich das an, in Ihrem Alter?!"

Und meine Antwort lautet stets: „Andere gehen auf Kur, ich gehe auf Tour."

Tatsächlich ist eine Tournee für mich wie ein Jungbrunnen, das ist mein Leben. Dass man in meinem Alter noch auf die Bühne gehen kann und den Leuten etwas Positives zeigen, sie mitreißen kann für ein paar Stunden, ist eine ganz tolle Sache. Ich sehe es sogar als meine Aufgabe an, den Menschen zu beweisen: Ihr gehört noch nicht zum alten Eisen, wir können gemeinsam Spaß haben.

Wenn mich die Leute eines Tages trotz allem nicht mehr sehen wollen, dann ist die Zeit eben abgelaufen, dann muss ich mich damit abfinden. Aber bis jetzt sieht es nicht so aus.

Wenn wir heute auf Tour gehen, dann sind wir nahezu hundert Leute: vierzig Musiker, dazu die gesamte Technik – Ton, Licht, Bühnenaufbau, Pyrotechnik, die Videomannschaft –, außerdem die Tourleitung, Garderobe, Betreuer, das Management, die Busfahrer, das Catering ... es ist ein richtiger Zirkus, der da unterwegs ist. Das Orchester und ich übernachten meist in derselben Stadt, in der abends das Konzert stattgefunden hat, wohingegen die Techniker gleich nach der Show drei Stunden lang die Bühne abbauen, alles auf Lkws verladen und in einem Schlafbus zum nächsten Ort fahren, um gleich wieder aufzubauen. Eine unglaubliche Leistung! Wir haben auch eine Küche dabei, die uns rund

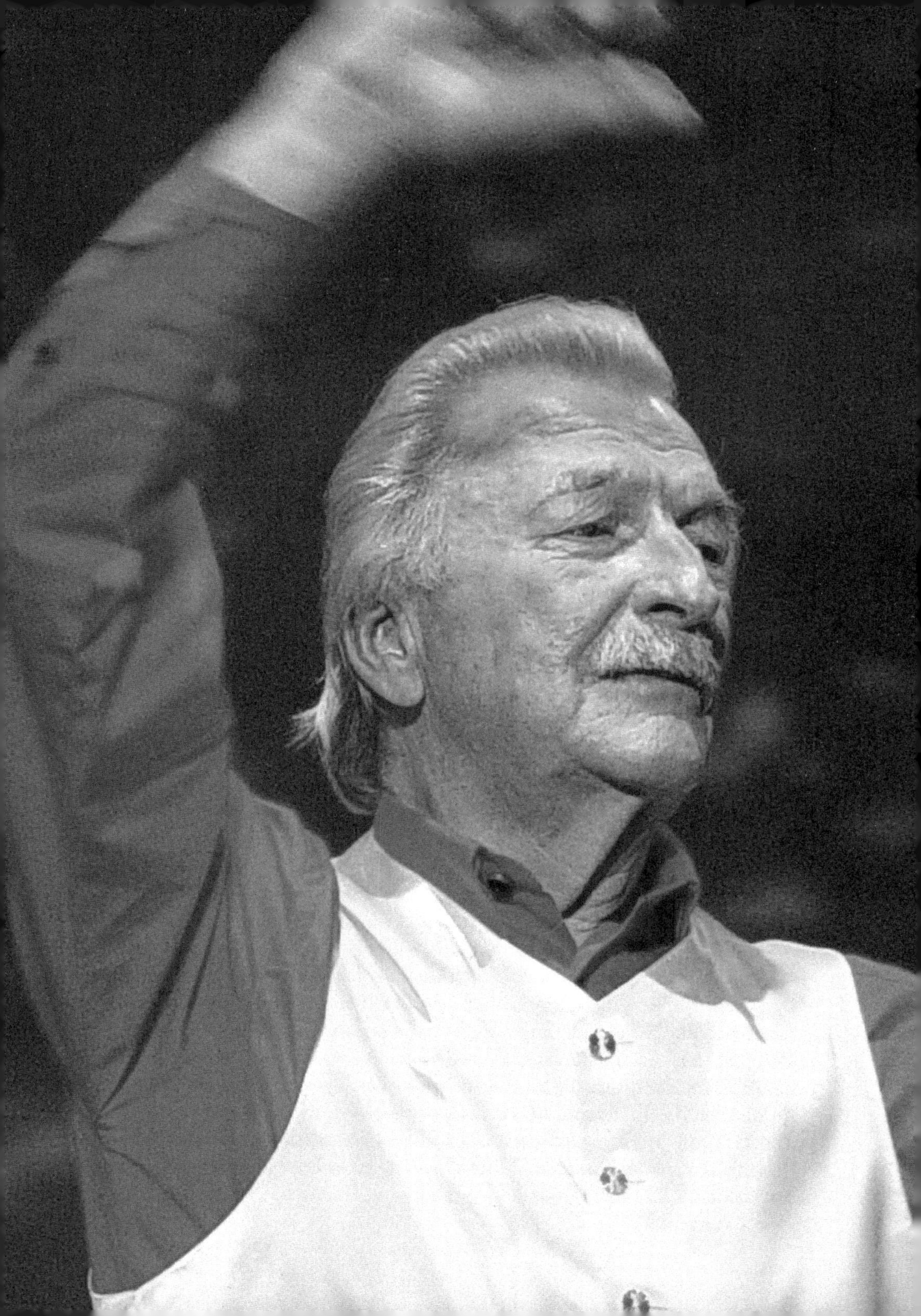

um die Uhr mit gesunder Kost versorgt, täglich gibt es drei Menüs zur Auswahl. Die Fixkosten einer solchen Tournee belaufen sich auf etwa 70 000 Euro pro Tag.

Ein kluger Kopf hat errechnet, dass ich am 24. November 2002 das 2000ste Konzert meiner Karriere gegeben habe. Es fand in der Hamburger Colorline-Arena vor etwa 9000 Besuchern statt. 2000 Mal live auf der Bühne, 2000 Mal Lampenfieber und 2000 Mal das Glücksgefühl, das mich überkommt, wenn ich spüre, dass ich den Menschen mit meiner Musik Freude bereiten kann. Welch ein unglaubliches Privileg!

Der Sound des 21. Jahrhunderts

Heute maulen einige meiner älteren Freunde ein bisschen, weil sie manche meiner Produktionen zu modern finden. Die „ABBA"-CD (2001) und die *New Party Classics* (2002) haben unter den deutschen Fans die heftigsten Diskussionen ausgelöst, einige Leute hätten sich die Arrangements vielleicht etwas sanfter vorgestellt. Ich wollte die „ABBA"-CD aber genau in diesem modernen Stil machen, ohne Hall, der Klang direkt von den Instrumenten abgenommen – sie ist meiner Meinung nach mein musikalisch bestes Album der letzten Zeit. Und ich bin sicher, *James Last plays ABBA* ist eine Produktion, die noch in zehn Jahren aktuell klingen wird.

Das Gleiche gilt für die *New Party Classics*. Da ist meiner Meinung nach nicht ein Titel dabei, der schwach ist – aber das Album ist sehr aggressiv produziert. Wir hatten eine sensationelle Blechsession mit fünf Weltklassetrompetern, darunter Chuck Findley und Derek Watkins. Zehn Tage nachdem wir in London die Band eingespielt hatten, ging's nach Hamburg, ins Café „Schöne Aussichten", dort nahmen wir die Partystimmung auf.

Zum ersten Mal seit fast fünfzehn Jahren ließen wir wieder eine richtige *Non Stop Dancing*-Fete steigen, die Bude war brechend voll, Musiker, Freunde, Fans – alle waren gekommen. Kaum lief das Band mit den taufrischen *New Party Classics*, explodierte die Hütte, das Café bebte, die Party hob so richtig ab. Unter anderem schrieb ich für das Album ganz neue, aktuelle Arrangements von zwei Titeln, die wir schon für die allererste *Non Stop Dancing*-Scheibe aufgenommen hatten: „Downtown" und „Pretty Woman" – ich fühlte mich fast wie in einer Zeitmaschine!

Vor ein paar Jahren – 1999 – hatte ich Gelegenheit, hautnah mitzuerleben, wie die junge Generation im Studio zur Sache geht, und zwar anlässlich meiner Zusammenarbeit mit dem deutschen Hip-Hop-Trio *Fettes Brot*. Was die für eine präzise Leistung abliefern, ist wirklich toll!

Mit einem Anruf hatte alles begonnen: Ob wir uns nicht mal treffen könnten, sie hätten so viele von meinen alten Platten auf Flohmärkten erstanden und viele Nummern gesampelt, vielleicht könnten wir mal etwas gemeinsam machen?

Wir trafen uns an einem kalten, regnerischen Herbsttag in Hamburg, aßen ein wenig und tranken – die Jungs übrigens nur Saft – und kamen überein, dass wir einen Titel zusammen aufnehmen wollten.

Nun habe ich ja neben meinem neuen Haus in Palm Beach ein eigenes Studio, das nicht nur technisch sehr gut ausgerüstet ist, sondern – im Gegensatz zu den meisten Studiobunkern in Deutschland – auch sonnendurchflutet ist und einen herrlichen Blick ins Grüne zu bieten hat. Daher auch der Name: Paradise Sounds.

Ich schlug also vor: „Leute, hier ist es so kalt, das machen wir in Florida, da scheint die Sonne, und es lässt sich viel angenehmer arbeiten."

Die drei waren begeistert, das „Wo" war somit geklärt. Unklar war allerdings, was wir eigentlich aufnehmen wollten.

„Ja, wir haben da so ein paar Ideen", meinten sie nur.

„Gut, wenn ihr das abgeklärt habt, lasst es mich wissen, damit ich mich vorbereiten kann", meinte ich.

Ich flog zurück nach Palm Beach, wartete und wartete – aber es kam nichts.

Nach ein paar Wochen folgte ein Anruf: „Wann können wir denn kommen?"

„Wann ihr wollt, aber ich möchte gern erst mal wissen, was ihr eigentlich vorhabt."

„Wir möchten das am liebsten in so einer Art Jamsession machen, ein wenig probieren und sehen, wo die Reise hinführt ...", lautete die Antwort.

Im März kamen sie tatsächlich hier an: Ich hatte mit vier Personen gerechnet, eben die „Brote" – Boris, Martin und Björn – und vielleicht noch ein Begleiter. Aber nein, es stieg ein Dutzend Leute aus der Maschine. Die Brote hatten ihre eigenen Tonleute mitgebracht, einen Fotografen und sogar ein Kamerateam, weil sie auch gleich ein Video hier drehen wollten. Wir mussten erst einmal einen Bus mieten, um den ganzen Haufen zu unserem Haus zu karren.

Sie hatten einen fertigen Text dabei, aber die musikalische Seite war noch völlig offen. Also setzten wir uns zusammen und wälzten ein paar Ideen. So ging das tagelang, jeden Morgen standen sie ab elf Uhr im Studio und feilten mit einer unglaublichen Konsequenz so lange herum, bis die ganze Nummer hundertprozentig so klang, wie sie es sich vorgestellt hatten. Zur Entspannung nahm ich sie hin und wieder auf eine Golfrunde mit – und Christine und ich bekochten sie, denn in diesem Stadium der Arbeit war ich eigentlich nur interessierter Zuschauer.

Als die Brote mit ihrem Part fertig waren, sagte ich: „Nun haut mal ab, jetzt schreib ich das Blech und die Streicher dazu." Anschließend mischten wir ihre Welt und meine Welt zusammen und veröffentlichen unser „Cross Over Of Generations" als Single-CD: zwei Mixes mit Text und eine reine Instrumentalversion. Anfangs waren wohl alle Beteiligten nicht ganz sicher, wie die Zusammenarbeit zwischen den Jungen und dem Alten funktionieren würde – aber nach ganz kurzer Zeit war klar: es klappte, und zwar völlig problemlos.

„Ruf mich an" hat in Deutschland ein großes Echo ausgelöst, wir haben Fettes Brot sogar zu einem Konzert in der Royal Albert Hall mitgenommen. In Mainz absolvierten wir einen TV-Auftritt, bei dem eigentlich nur die drei Brote angefragt waren, aber da es heißt: „Fettes Brot mit James Last", musste ich mitkommen. Ich hängte mir einen E-Bass um und marschierte durch all die kreischenden Teenies hindurch hinter den drei Jungs her.

Mittendrin hörte ich, wie ein Mädel ihre Freundin fragte: „Sag mal, wer is' denn der Alte dahinten?" „Ooch der, das ist der Bassist von Fettes Brot." Ich hab mich halb totgelacht!

AUCH bei Céline Dion und ihrem Produzenten David Foster habe ich miterlebt, wie exakt und bis ins letzte Detail perfektionistisch sie gearbeitet haben. Die beiden waren bei uns im Studio, um Célines Stimme zu den bereits fertig gemischten Playbacks für die neuen Songs ihres Albums *All The Way* aufzunehmen. Sie fing immer abends um neun Uhr an zu singen und machte fast ohne Pause durch bis morgens um vier: dann war ein Titel fertig.

Ron erzählte mir, dass meistens die erste Fassung schon gut genug gewesen wäre. Aber dennoch wurde immer wieder verfeinert und poliert, David sagte: „Sing noch 'ne Terz obendrüber, 'ne Quart untendrunter", und sie tat es. Erste Stimme, zweite Stimme, dritte Stimme – all das schüttelte sie wie aus dem Ärmel.

All diese Beispiele zeigen, dass die großen Stars heute sehr hart arbeiten. Aus diesem Grund empfinde ich die oberflächliche Kritik, die oft so leichtfertig geäußert wird, meistens als ungerecht. Ob das nun Céline Dion ist, Britney Spears oder Robbie Williams: diese Leute erbringen allesamt Höchstleistungen.

Die Phase, in der ich eine Menge – zumeist ziemlich unbedarfte – negative Kritiken einstecken musste, habe ich schon hinter mir: Je älter man wird, desto höflicher wird die Presse.

Zu jenen Zeiten, als ich eine Goldene Schallplatte nach der anderen abräumte und mit Preisen überhäuft wurde, gingen die Damen und Herren der schreibenden Zunft meist nicht besonders zartfühlend mit mir um: In den Konzerten saßen ganz junge Kritiker, die bestimmt nicht mein Zielpublikum waren, und freuten sich, wenn sie sich mit einem Verriss profilieren konnten, obwohl sie schon nach zehn Minuten gegangen waren.

Michael Naura, ein ehemaliger Kollege und langjähriger Leiter der NDR-Jazzredaktion, setzte vor dreißig Jahren einen Spruch in die Welt, der von vielen einfallslosen Journalisten in etlichen mehr oder weniger gelungenen Abwandlungen wiedergekäut wurde: „James-Last-Musik ist wie Brei für Zahnlose." Sogar der *Spiegel* übernahm dieses Bild: „Beethoven und Blues, Haydn und Hair werden von James Lasts Orchestermaschinerie auf den kleinsten gemeinsamen Nenner gebracht. (...) Er schleift Ecken und Kanten ab, schwemmt die Melodie mit opulenten Streicher- und Bläserakkorden auf – und macht die Musik damit selbst für jene zahnlosen Klangschwelger verdaulich, denen nur noch akustischer Milchbrei heruntergeht."

Meine Antwort auf diese nicht ganz so freundlichen Kritiken war simpel: Auch Zahnlose haben ein Recht zu leben.

In der jüngeren Vergangenheit hat sich die Einschätzung meiner Person und meiner Arbeit doch zum Positiven gewandelt – man muss nur alt genug werden, dann ist man plötzlich ein „Kultstar" und eine „Legende". Seit unserem deutschen Tourneecomeback 1996 sind die meisten Kritiken positiv. Da war in der Presse von der „weltbesten Band" und einem „einzigartigen Klangerlebnis" die Rede, von einem „Feuerwerk der Musik" und von „Wohlfühlsound". Sogar der gestrenge *Spiegel* änderte seine Haltung: 1999 erschien unter der Überschrift Ich bin ein Rocker ein langes Interview, in dem ich zum Nachhilfelehrer der Deutschen in Sachen Pop ernannt wurde.

Aber ob ich nun als „Partykönig" oder als „Gentleman Of Music", als „Weichspüler" oder als „Kultstar" gehandelt werde – mit Titulierungen dieser Art konnte ich ohnehin nie wirklich viel anfangen. Mein Leben ist einfach, und für mich ist auch meine Musik einfach, weil ich mich in ihr offenbaren kann. Ich kann meinen Stil nicht beschreiben, ich habe einfach das Glück, einer der wenigen Menschen auf der Welt zu sein, die eine bestimmte Musik hören und sie sofort in eine andere Welt übersetzen können, ohne groß darüber nachdenken zu müssen. Ich genieße das große Privileg, dass diese Welt nun schon seit mehr als vier Jahrzehnten von Millionen Menschen verstanden wird. Am meisten freue ich mich, wenn ich sehe, dass zu dieser Welt nach den Großeltern und deren Kindern nun sogar die Enkelkinder Zugang finden.

2002 WAR ICH erstmals zu Gast in der TV-Show von Stefan Raab. Stefan ist nicht nur ein witziger Typ, auch als Ein-Mann-Orchester ist er überzeugend: Er sang mir während der Sendung meine Komposition „Happy Luxemburg" vor, den ganzen Titel inklusive Schlagzeug, Trompeten und Posaunen. Ich wunderte mich ehrlich, welch eine Breitenwirkung die Show hatte. Ich trug bei diesem Auftritt eine etwas ausgefallene Hose, ziemlich eng, mit verwaschenen Zebrastreifen. Nicht unbedingt das, was Herren jenseits der siebzig üblicherweise zu tragen pflegen. Es war unglaublich, wie viele Leute mich in den Tagen danach darauf ansprachen: „Ach, du hast ja die Stefan-Raab-Hose an!"

Das mit Abstand jüngste Publikum hatten wir auf unserer Tournee durch China im Jahr 2002.

Bevor es aber so weit war und ich mir den lang gehegten Wunsch einer Konzertreise ins Reich der Mitte erfüllen konnte, musste ich eine der schwärzesten Stunden meiner gesamten Laufbahn überstehen – eine kollektive „Meuterei" in meiner Band.

Die Chinarebellion

Es dauerte Jahre, bis die Gespräche mit den chinesischen Veranstaltern zum Ziel führten. Schon einmal war eine solche Tour angesetzt worden, musste aber im letzten Augenblick wieder storniert werden. Dann aber stand der Termin endlich fest, im September 2002 sollte es losgehen.

Im Anschluss an unsere erfolgreiche Frühjahrstournee 2002 zeichneten wir in Zwickau die Show *A World Of Music* für den US-TV-Sender PBS auf. Da die gesamte Band versammelt war, schien das die beste Gelegenheit zu sein, die Verträge für die bevorstehende Chinatour zu unterschreiben.

Allerdings: Still und leise, ohne mein Wissen, hatten die Musiker schon vor dem ersten der beiden Zwickau-Konzerte eine Art von Gewerkschaft gegründet, die nun – in der Pause des zweiten Konzertes – aktiv wurde. Als Tourneeveranstalter Dieter Semmelmann mit der Band die Modalitäten für China vereinbaren wollte, ging plötzlich gar nichts mehr: von wenigen Ausnahmen abgesehen, weigerten sich fast sämtliche Bandmitglieder, die Chinareise zu den verabredeten Konditionen mitzumachen. Von alldem hatte ich keine Ahnung, als ich – angespannt und total konzentriert – zur zweiten Hälfte des Konzerts auf die Bühne kam. Aber schon während der ersten Takte unseres Eröffnungstitels „Dancing Queen" überkam mich das unbestimmte Gefühl, dass irgendetwas nicht in Ordnung war: die Band war nicht hundertprozentig bei der Sache.

Unmittelbar nach dem anstrengenden Konzert wurde ich in der Garderobe mit der bitteren Wahrheit konfrontiert: Ich hatte praktisch keine Musiker mehr. Ich konnte es nicht fassen! Wir hatten soeben den letzten Abend einer extrem erfolgreichen Tournee hinter uns, ich freute mich auf ein ausgelassenes Abschlussfest – und dann das!

Wie sich diese Meuterei so blitzartig entwickeln konnte, habe ich bis heute nicht verstanden, es gab wohl die verschiedensten Motive: die eine Gruppe der Musiker befand die Gagen für zu niedrig; andere wiederum hielten China für ein zu unsicheres Land – ihnen war wohl die enorme Entwicklung entgangen, die das Reich der Mitte in den vergangenen zehn Jahren hingelegt hatte; und die dritte Gruppe wollte schon zu diesem Zeitpunkt – also vier Monate vor Beginn der Tournee – genaue Details über Hotels, Fluglinien und das Reiseprogramm wissen. Wer jemals in China war, weiß, dass das völlig unmöglich ist, es gehört zu den Ritualen der ebenso alten wie komplizierten chinesischen Beamtenhierarchie, Bittsteller möglichst lange über die Entscheidungen dieser modernen Mandarine im Unklaren zu lassen.

Vermutlich schaukelten sich die jeweiligen Meinungen gegenseitig auf. Wütend und schockiert fragte ich auf dem Weg ins Hotel in unserem Bus jeden einzeln: „Kommst du mit?" – „Nein." – „Kommst du mit?" – „Nein."

Es war der schlimmste Augenblick meiner Karriere. Sie alle hatten von mir im Lauf der vielen Jahre wirklich immer das Beste bekommen, was ich hatte geben können. Jeder hatte seine Chance gehabt, sich musikalisch zu präsentieren, jeder hatte sein Honorar immer anstandslos erhalten – und das war nicht wenig gewesen –, jeder hatte essen und trinken können, was er wollte. Hatte ich mir all die Jahre etwas vorgemacht? War dieses Familiengefühl, der wunderbare Zusammenhalt, den ich Abend für Abend auf der Bühne beschwor, nur eine Illusion?

Mit einigen Jahren Abstand meine ich, dass zu den schon erwähnten Ursachen auch noch ganz normale Abnutzungserscheinungen hinzukamen: Einige Bandmitglieder hatten im Lauf der vielen Jahre das Tourneeleben sattbekommen; und schließlich haben sich nach so langem und intensivem Zusammensein wohl auch persönliche Animositäten zwischen einzelnen Musikern entwickelt – alles in allem also war diese „Rebellion" ein reinigendes Gewitter.

Aber damals, in diesem für mich so dramatischen Augenblick, gingen mir natürlich schon so einige bittere Gedanken durch den Kopf: Das Geld, das ich für die unzähligen Einladungen ausgegeben hatte, hätte ich ja auch meiner Familie oder meinen Enkeln zukommen lassen können, in dreißig Jahren summieren sich da ohne Weiteres einige Millionen Mark. Aber all das wurde plötzlich übersehen, es hieß ganz einfach: Wir gehen nicht nach China, Punkt.

Ich hatte den Tourneevertrag jedoch schon unterschrieben, ich musste also gehen. Es war der größte Hammerschlag, den ich in meiner Karriere je abbekam.

Im Hotel ging ich sofort auf mein Zimmer, denn ich wusste, ich hätte mit den Leuten in dem Augenblick nicht reden können.

Christine holte uns ein paar Drinks aufs Zimmer, wir setzten uns zusammen und sprachen noch einmal alles durch. Schließlich sagte sie: „Aus einem scheinbaren Nachteil kann oft der Keim eines weitaus größeren Vorteils erwachsen: Jetzt hast du die Chance auf einen positiven Neubeginn, du wirst sehen, das ist noch lange nicht das Ende."

Das war allerdings eine sehr optimistische Sichtweise, fand ich, denn es war natürlich alles andere als einfach, in so kurzer Zeit ein neues Orchester aufzubauen. Ob das überhaupt möglich war?

Die Geschichte von der „Rebellion" machte in der Branche selbstverständlich schnell die Runde, da hieß es sofort: Jetzt ist der Last weg vom Fenster, das war's.

Aber da sollten sich alle gewaltig täuschen. Nachdem der erste Frust überwunden war, stürzte ich mich in die Arbeit. Wen rufst du an? Wen fragst du noch mal? An welchen Orchesterpositionen ist ohnehin eine Frischzellenkur notwendig?

Der Erste, den ich anrufen wollte, war Chuck Findley in den USA. Zwei Wochen lang lag seine Telefonnummer auf meinem Schreibtisch, zwei Wochen lang griff ich immer wieder zum Hörer, ohne jedoch wirklich zu wählen: eine Absage von Chuck hätte ich wohl nur sehr schwer verdauen können. Aber schließlich überwand ich meine Bedenken, tippte Chucks Nummer ein, und siehe da: Zu meiner größten Überraschung sagte er zu. Mehr noch: Er meinte, er könne auch gleich seinen Bruder Bob mitbringen, ehemals 2. Trompete bei Herb Alpert! Das war der erste Lichtblick, und weitere sollten folgen: Ole Holmquist, Detlev Surmann und Bob Coassin. Auch Erlend Krauser half mir sehr: Er brachte die Musiker aus seiner eigenen Band ein, und aus ihnen entstand die neue Rhythmussektion: Joe Dorff, Klavier, Stefan „Stoppel" Eggert, Schlagzeug, Thomas Zurmühlen, Bass, und Pablo Escayola, Percussion. Der Chor und die Streicher waren sowieso nie an dem „Aufstand" beteiligt gewesen, auch sie kamen also mit nach China.

Christine hatte mit ihrer Prognose Recht behalten: Die neue Band genügt meinen heutigen Anforderungen wirklich noch mehr, die Jungs sind mit neuem Enthusiasmus dabei, haben Freude am Spielen, das Bandleben blüht auf – die Jugend ist wieder unter uns und es wird wieder viel mehr über Musik geredet.

Im Reich der Mitte

Obwohl all die „Neuen" großartige Musiker sind: Für mich war es keineswegs einfach, mit einem Orchester, das noch nie in dieser Formation zusammengespielt hatte, eine so große Reise anzutreten. Ich hatte einigen Grund, angespannt zu sein, als ich mit Christine in den Fernen Osten aufbrach.

Wir beide fuhren ein paar Tage eher los, ich wollte Christine Hongkong zeigen, das ich von früheren Tourneen kannte. Von Hongkong ging es weiter nach Beijing, dort fanden eine große Pressekonferenz und ein Internetchat statt; anschließend lud uns der deutsche Botschafter zum Essen ein. Veranstalter der Tournee war der Sohn eines chinesischen Universitätsprofessors für Physik, der in Wien aufgewachsen war. Sein Vater, Professor Wu, war ein in ganz China hoch angesehener Mann. Er hatte die Idee, europäische Künstler ins Land zu holen – der Sohn organisierte, der Vater zog die Fäden. Um in China eine solche Konzertreise auf die Beine stellen zu können, benötigt man unglaubliche Beziehungen: zu all den lokalen, regionalen und nationalen Kulturbehörden, zu den Regierungen jeder einzelnen Provinz, zu den Bürgermeistern, den regionalen Parteigrößen, den Tourismusämtern und, und,

und ... Das alles funktioniert nur mit sehr viel Geschick. Doch Professor Wu kannte sämtliche wichtigen Personen im Land – und alle Tricks.

Erste Station unserer Tournee war die Stadt Kanton – oder Guangzhou, wie es heute heißt – im Süden Chinas, etwa 150 Kilometer nördlich von Hongkong. Ich war mit Christine bereits vor Ort, als nach und nach die Band aus allen Himmelrichtungen eintraf.

Nach zwei Akklimatisierungstagen stand die erste Probe an – der Augenblick der Wahrheit! Doch es klappte, und wie es klappte! Der Stein, der mir vom Herzen fiel, muss ein mittleres Erdbeben ausgelöst haben ... meine neuen Musiker waren einfach wundervoll!

Vor dem ersten Konzert hatte ich sogar noch mehr Lampenfieber als sonst. Man hatte uns gewarnt: Erwartet euch nicht zu viel, die Chinesen sind sehr zurückhaltend.

Doch welch eine Überraschung: das Publikum war richtig jung, viele Familien waren mit ihren Kindern gekommen. Sie alle gingen voll mit, immer wieder gelang es Zuschauern, die Sicherheitsabsperrungen zu durchbrechen und zu uns auf die Bühne zu stürmen. In Südchina nahmen es die Sicherheitsleute mit ihrer Aufgabe zum Glück nicht so genau: „Der Himmel ist hoch, und der Kaiser ist weit" heißt das entspannte Motto in dieser Gegend.

Diese Szenen wiederholten sich auch bei den anderen Auftritten im Südteil Chinas, und besonders berührend war schließlich der Abend in Nanjing: da liefen Dutzende Kinder zu uns auf die Bühne, plötzlich standen dreißig oder vierzig kleine Chinesen mitten unter den Musikern und tanzten, als ob sie die Musik selbst erfunden hätten. Das war richtig süß. Ich hatte einen dieser Zwerge auf dem Arm, die Trompeter ebenso, der Chor schäkerte mit ihnen – ich könnte jetzt fast noch vor Glück heulen, wenn ich daran denke.

Sehr beeindruckend war natürlich Schanghai, diese Riesenmetropole mit ihren zehn Millionen Einwohnern, in der so schnell gebaut wird, dass man mit dem Zählen der neuen Wolkenkratzer kaum mehr nachkommt. Dort traten wir in der *Grand Stage* auf, dem einzigen echten Konzertsaal auf der Tournee. Zu diesem Konzert kamen sogar Fans aus Japan angereist.

In Peking traten wir in einer Sportarena vor 10 000 Menschen auf; das Problem war allerdings, dass die Bühne sehr weit vom Publikum entfernt war und die Leute nicht in die Arena durften. Dort war der „Kaiser" schon sehr nahe und die Sicherheitsleute daher ziemlich streng. Also drehten wir den Spieß um – wenn die Fans nicht zu uns

Autogrammstunde auf der Großen Mauer

durften, dann mussten wir eben zu ihnen gelangen ... Die Musiker schwärmten kurzerhand ins Publikum aus. Ganz oben auf den Rängen sah ich zwei weiße Hemden, das waren Chuck und Bob; da sie drahtlose Mikros an den Schalltrichtern ihrer Trompeten hatten, konnten sie überall in der Halle spielen. Zwar ist es technisch schwierig, wenn man so weit voneinander entfernt ist, aber die beiden waren rhythmisch immer zusammen. Auch der Chor verteilte sich über die ganze Halle, eine Sängerin – Tracy – pflanzte sich vor einem der Securitymänner auf und machte ihn mit ihren rhythmischen Bewegungen an.

Unsere CDs gibt es übrigens in China schon seit Langem zu kaufen, was mit Maos Kulturrevolution in den 60er-Jahren zu tun hat: damals waren sämtliche westlichen Einflüsse verbannt worden, nur die „harmlose" Instrumentalmusik war erlaubt. Deswegen kamen viele Chinesen noch mit alten Platten an. Bei einem Empfang drückte mir ein Fan völlig aufgeregt ganze siebzig CDs in die Hand, ob ich die vielleicht unterschreiben könnte? Bei den umstehenden Chinesen löste dieses „Attentat" verschämtes Gekicher aus, ich fragte ihn, ob er morgen in unser Konzert käme: „Gib mir deine Tasche, morgen kriegst du sie alle unterschrieben zurück." Das war etwas Besonderes, siebzig Alben in China!

Die Tournee war so geplant, dass wir auch Gelegenheit hatten, uns einige Sehenswürdigkeiten anzusehen: den idyllischen Westsee von Hangzhou, die hypermodernen Wolkenkratzer von Schanghai, den Platz des Himmlischen Friedens in Beijing und die Chinesische Mauer. Dort trafen wir zufällig zwanzig unserer englischen Fans, die eigens nach China gekommen waren, um die Konzerte in Schanghai und Beijing mitzuerleben.

Wir alle waren begeistert von der Freundlichkeit der Chinesen und von den perfekten Hotels, in denen wir wohnen durften: Überall gab es nur die beste Bewirtung, Frühstücksbüfett bis um drei Uhr nachmittags, Blumen über Blumen, Riesenempfänge ...

Wenn ich diese vielen Eindrücke heute Revue passieren lasse – ein deutscher Bandleader, der in einem so fernen Land wie China auftritt, begleitet von Fans aus Europa und Japan –, kann ich nur zu dem Schluss kommen: das ist die beste Seite der Globalisierung, wir alle leben in *einer* Welt, wir brauchen keine Grenzen. Grenzen sind meistens durch Krieg und Kampf entstanden; die Musik hingegen, die Kultur ganz allgemein, ist in all ihren unterschiedlichen Ausprägungen aus uns allen heraus erwachsen, und daher ist sie, im besten Sinn des Wortes, grenzenlos. So grenzenlos – oder, wenn man will: grenzüberschreitend – wie meine vorläufig letzte CD-Produktion.

„Spiel doch mal ein bisschen violett ..."

Zu meinem 75. Geburtstag wollte meine Plattenfirma ein ganz besonderes Album auf den Markt bringen, das die unterschiedlichsten Stilrichtungen und Interpreten vereinen sollte: Streichersound und Hip-Hop, Schlager und Jazz, Künstler meiner Generation und blutjunge Nachwuchsstars, vor allem solche, die man auf den ersten Blick bestimmt nicht mit der Musik von James Last in Verbindung brachte. Mich hat die Idee begeistert.

Das Projekt stellte sich allerdings sehr rasch als äußerst aufwändig und schwierig heraus. Schon Anfang 2003 schickte mir Universal ein riesiges Paket nach Florida: darin waren massenhaft CDs von diversen Solisten, die ich mir anhören sollte, um zu entscheiden, mit wem ich mir eine Zusammenarbeit vorstellen könnte. Die gesamte Rechteklärung erwies sich aber als sehr langwierig. Für mich keine einfache Situation – denn immer, wenn es hieß, die Gruppe X oder die Sängerin Y seien mit von der Partie, tanzten wie üblich sofort Noten durch meinen Kopf, ich setzte mich an meinen Computer und begann zu schreiben. Dann aber trat irgendein Problem auf, die Zusammenarbeit kam nicht zustande – und meine Noten landeten im Papierkorb.

Schließlich fanden wir dennoch eine tolle Mischung: Herbert Grönemeyer, der eben mit dem Album *Mensch* einen riesigen Erfolg gelandet hatte, der deutsche Hip-Hop-Star Jan Delay, Xavier Naidoo, US-Rapper RZA, Tom Jones, Nina Hagen, die junge Neuseeländerin Hayley Westenra, Luciano Pavarotti und der deutsche Jazztrompeter Till Brönner.

Was an dieser Zusammenstellung für mich besonders bemerkenswert war, war die Tatsache, dass viele der jüngeren Künstler James Last aus ihrer Kindheit, von ihren Eltern und Großeltern kannten. Und nun wollten wir alle gemeinsam Musik machen. Welch ein Abenteuer!

Aufgenommen wurde das Album in Hamburg, bei mir zu Hause in Florida, in Berlin und in London. Als Producer hatte die Plattenfirma einen Mann ausgesucht, der sich in Deutschland mit dem Grönemeyer-Album *Mensch* einen Namen gemacht hatte: den Engländer Alex Silva. Die Zusammenarbeit mit ihm war für mich der aufregendste und zugleich schwierigste Teil der Produktion. Alex hat sein Metier bei Dave Stewart erlernt, der in den 80er-Jahren gemeinsam mit Annie Lennox das Synthie-Pop-Duo *Eurythmics* bildete; er hat einen völlig anderen Background als ich, seine Welt ist die der technoiden Sounds und der schnellen Videoclipästhetik.

Der erste Schock traf mich, als ich hörte, was Alex mit meinem „Einsamen Hirten" angestellt hatte: Er hatte die Melodienbögen total zerrissen, die Nummer in ihre einzelnen Bestandteile zerlegt und meinen musikalischen Aufbau zunichtegemacht. „Dieser Teil ist langweilig, der muss weg, jenen Teil nehmen wir heraus und packen ihn weiter hinten wieder dran, da passt er besser …" So ging es in einer Tour. Ich war völlig verstört: Was machte dieser Typ mit meiner Musik! Ich wurde blass und blasser, stumm und stummer. Alex sah zu mir rüber: „Hansi, ist alles okay?"

„Jaja, mach nur", sagte ich konsterniert.

Aber abends, in meinem winzigen Londoner Hotelzimmer, war ich völlig am Ende. Ich begann an mir zu zweifeln, ob die Art, wie ich Musik schrieb, überhaupt noch relevant war. Ich sah nur ein großes Fragezeichen: Was hatte ich in dieser Musikwelt überhaupt noch zu suchen?!

Ich war ein Häuflein Elend, hätte am liebsten geheult. Ich musste mit mir ringen, um Alex das zuzugestehen, was ich sonst meinen Musikern gestattete: ihn einfach machen lassen.

Das fiel mir unsagbar schwer, es ging mir völlig gegen den Strich.

Wochenlang musste ich mit mir kämpfen, ob ich die Produktion überhaupt zu Ende führen wollte. Wir waren bestimmt zehn Mal in London, während Alex meine musikalische Welt zum Einsturz brachte. Gott sei Dank war Christine bei allen Aufnahmen dabei – sie war mir in dieser Zeit des Zweifelns eine große Stütze, denn sie konnte die Dinge mehr aus der Distanz sehen und mich beruhigen. Das tat mir gut, zumal sie mich mit ihrer positiven Lebenseinstellung immer wieder aufrichtete.

Meinen Musikern erging es nicht viel besser: Alex ließ ihnen nicht die geringsten Freiheiten, sie mussten genau nach seinen Vorstellungen spielen. Das waren sie von mir überhaupt nicht gewohnt, ich lasse ihnen im wahrsten Sinn des Wortes jede Menge „Spielraum". Was die Sache nicht einfacher machte, war der Umstand, dass Alex seine ganz persönlichen Begriffe für das hatte, was er haben wollte. Ihn sofort zu verstehen und dies umzusetzen, war eine zusätzliche Herausforderung. Auch Derek Watkins, Chuck und Bob Findley mussten exakt so spielen, wie Alex es von ihnen verlangte. Ich fragte mich anfangs, ob sich solche Spitzenmusiker diese Bevormundung überhaupt gefallen lassen würden: da kommt ein Computermensch daher – auch wenn es ein sehr guter ist – und erklärt ihnen, wie sie zu spielen haben.

Bob meinte nur völlig entspannt: *„Don't worry*, mach dir keine Sorgen, das sind wir aus Los Angeles gewohnt, da laufen mittlerweile jede Menge Produzenten herum, die auf diese Art arbeiten. ‚Spiel doch mal mehr ein bisschen violett, und nun mach ein wenig Grün dazu ...' Da musst du dich nur reinfinden."

Es herrschte permanent eine gewisse Spannung, die aber nie böse oder persönlich wurde, sondern durchaus eine kreative Seite hatte. Für die Pavarotti-Nummer „Caruso" von Lucio Dalla ließ mich Alex vier oder fünf verschiedene Arrangements schreiben, bis er endlich zufrieden war. Er wollte mich damit bestimmt nicht herabsetzen, aber es musste genau so sein, wie er sich das vorgestellt hatte. Aber – und das war das Schöne – als dann alles fertig war, ergab das Ganze einen Sinn, da klang vieles sehr modern und wirklich gut. Letzten Endes hat mir die Zusammenarbeit mit Silva neue, zeitgemäße musikalische Horizonte eröffnet.

Das unheimliche Durchsetzungsvermögen von Alex Silva hatte andererseits auch den Vorteil, dass er gegenüber der Plattenfirma ebenso stur blieb. Er musste einen wahren Nervenkrieg mit Universal bestehen; die Verantwortlichen wollten den Geldhahn zudrehen, weil die Produktionskosten schon weit über dem vorgesehenen Budget lagen. Und vor allem: als Universal eines der üblichen Billigcover produzieren wollte, beharrte er felsenfest auf seiner Meinung: „Da kommt nur ein Fotograf infrage: Anton Corbijn!"

Und damit machte er mir ein größeres Geschenk, als er je ahnen konnte.

Anton Corbijn ist ein absoluter Star, seine Fotos sind beinahe so berühmt wie die Musikidole, die er abgelichtet hat: U2-Sänger Bono, Tom Waits, David Bowie, Johnny Cash oder Miles Davis. Ehe Corbijn zur Kamera greift, landet normalerweise ein fünfstelliger Betrag in Britischen Pfund auf seinem Konto. Für unser CD-Cover schien er also völlig außer Reichweite zu sein. Aber: Corbijn ist Holländer – und in Holland war meine Musik immer sehr populär. In einem ersten Gespräch erzählte er mir, dass er sozusagen mit unseren Platten aufgewachsen sei, und: ja, er würde das machen, es wäre eine Ehre für ihn. Und so kam Corbijn nach Florida, nur mit seiner Assistentin, einer Fototasche und einem schwarzen Hut in der Hand.

Anton ist ein Supertyp, die Chemie hat vom ersten Augenblick an gestimmt.

„Hallo, Anton, was machen wir denn?"

„Ach, nichts Besonderes, lass uns mal ein bisschen mit dem Cart über den Golfplatz fahren."

Ausgerechnet an der hässlichsten Stelle weit und breit hielt er an. „Hansi, stell dich mal da drüben hin."

„Was, du meinst da?", fragte ich ungläubig. Er deutete zu einer ungepflegten Wand in der Müllecke. „Genau. Da!"

„Und was soll ich machen?"

„Machen? Gar nichts. Wenn du willst, schnapp dir den Hut, und dann sei einfach du."

Das war nun wirklich gänzlich anders als meine bisherigen Erfahrungen mit Fotografen: Beweg dich mal so, mach dies oder das.

Bei Anton Corbijn – nichts davon. Kein zusätzliches Licht, keine Requisiten, keine künstlichen Posen: er fotografierte einfach nur und ließ mich sein, es war total locker und entspannt. Anton Corbijn hat mich richtig erkannt. All die anderen haben mir ihre Vorstellung von „James Last" aufgezwungen, Anton aber hat mich so gezeigt, wie ich bin. In einem halben Tag war die Arbeit beendet, abends waren wir essen, am nächsten Morgen war er wieder fort. Das Unglaubliche an seinen Bildern ist: Ich habe mich dadurch selbst in einem anderen Licht gesehen, die Fotos haben mich tatsächlich verändert; ich habe mich – nach 75 Jahren – neu entdeckt.

Die CD, für die wir all diesen Aufwand betrieben haben, heißt *They Call Me Hansi* und kam etwa zeitgleich mit dem Start unserer Tournee 2004 auf den Markt. Um ehrlich zu sein: Die Produktion wurde – trotz guter PR-Maßnahmen – kein großer Erfolg. Die einen fanden nicht genügend „James Last" darauf, die anderen wollten mehr Naidoo, Grönemeyer, Delay, was auch immer. Mir tat das sehr leid, auch für Alex Silva. Alex ist ein toller Typ, er hatte sich immens für diese Platte engagiert und sich natürlich viel mehr davon versprochen. Auch für mich war und ist die Enttäuschung groß. Gut möglich, dass *They Call Me Hansi* das Ende meiner CD-Karriere bedeutet. Zwar habe ich mit meiner Plattenfirma einen Vertrag bis zu meinem achtzigsten Lebensjahr, aber der ist ziemlich ungünstig: ich muss produzieren, wenn Universal will, und ich kann nicht, wenn Universal nicht will. Zurzeit will Universal nicht – dabei hätte ich noch tausend Ideen im Kopf.

Vielleicht halten sie mich für einen alten Hund, der im heutigen Musikbusiness nichts mehr verloren hat ... Allerdings sehen meine vielen Fans in aller Welt das anders. Wenn eine neue CD-Produktion tatsächlich nicht mehr rentabel sein sollte, machen wir stattdessen eben tolle Konzerte, die laufen großartig. Die Plattenfirmen haben übrigens diese Situation inzwischen erkannt und schließen mit jungen Künstlern in der Regel Verträge ab, die ihnen Prozente an den Tournee-Einnahmen garantieren.

Neben all meinen Ideen könnte ich mir gut vorstellen, mit meiner Band eine TV-Show aufzuzeichnen, in der Stars das singen können, was sie wollen – denn dies ist oft etwas ganz anderes als das, was man von ihnen zu hören gewohnt ist. Was meint ihr wohl, wie da die Post abginge! Titel: Las(s)t uns mal machen.

Epilog in Hamburg

Hamburg, meine alte Heimat, im September 2006. Fast ein halbes Jahr ist vergangen, seit ich mit der Arbeit an diesem Buch begonnen habe. Ein halbes Jahr voller Erinnerungen. Doch für Nostalgie ist jetzt keine Zeit mehr; bald wird unsere neue Tournee losgehen, tausend Dinge sind noch zu erledigen. Ich kann es kaum erwarten, wieder auf der Bühne zu stehen und mit meinen wunderbaren Musikern richtig loszulegen. Es ist toll zu sehen, wie das Publikum in Stimmung kommt, wie Menschen losrocken, denen man das nie zutrauen würde. Nicht nur die eingefleischten Fans, sondern neue Konzertbesucher. Die Begeisterung, der Applaus – das ist meine Nahrung. Je älter ich werde, desto näher wage ich mich an meine Grenzen heran: Wir spielen heute viel komplexere Kompositionen als früher, zum Beispiel den Titel „Tapestry Of Nations". Jetzt, wo ich nur das spiele, was ich will, verstehen mich auch jene, die früher nur den Partyking und den Polkakönig in mir gesehen haben. Das merke ich bei Pressekonferenzen an den Fragen der Journalisten, die haben deutlich mehr Tiefe, da steckt mehr echtes Interesse dahinter.

Bald geht es also noch mal los, und ich hoffe, die Tournee wird so harmonisch wie unsere letzte im Jahr 2004: das war unsere Kuscheltournee. Die Atmosphäre in der Band war unglaublich stimmig.

Ich fühle mich fit und den Strapazen der kommenden Tournee gewachsen. Schlimm ist jeweils nur das Ende eines Konzertabends: Von der Bühne abzugehen, das ist wirklich nicht leicht. Die Menschen stehen vor mir, jubelnd, ich sehe ihre leuchtenden Gesichter, alle sind glücklich, glühen vor Freude, ich winke den Leuten auf den Rängen zu – und dann ist Schluss. Ihr geht wieder zurück in den Alltag, das Fest ist vorbei. Da muss ich schon höllisch aufpassen, dass mir nicht die Tränen in die Augen steigen – es ist eben jedes Mal ein Abschied. Und jeder Abschied ist ein bisschen Sterben. Das nimmt mich manchmal ganz schön mit. Es gelingt mir einfach nicht, mich als 77-Jährigen zu sehen, ich fühle mich nicht alt, mir kommt es viel eher so vor, als wäre ich gerade erst bei der Hälfte des Programms angelangt.

2007 werde ich mit meiner neuen Band möglicherweise noch einmal einige Konzerte in Großbritannien und Irland absolvieren. Wenn ich an die Royal Albert Hall in London denke: da freue ich mich schon jetzt drauf.

Es gibt noch jede Menge Musik, die auf mich wartet, ich mache morgens um neun den Computer an und beginne zu arbeiten, das endet nie – auch wenn es jetzt keine CDs mehr sein sollten, sondern Arrangements für unsere Konzerte. Ich glaube, dass ich mich nicht sonderlich weit von meiner Herkunft, von den Wurzeln meiner Kindheit entfernt habe: Ich habe zwar mehrmals die Welt umrundet, habe eine Menge Geld verdient, mir alle Wünsche erfüllen können und viel Erfolg gehabt – aber ich habe mich immer im Rahmen meiner eigenen Persönlichkeit bewegt. Ich war als Kind Musiklehrling, dann Musikstudent, und ich bin heute noch immer Musiker – ich habe mich selbst nie verlassen, ich freue mich immer noch über jeden schönen Akkord. Wenn man weiß, warum eine Phrasierung genau so klingen muss, warum jener Halbton an dieser bestimmten Stelle stehen soll, dann kann man davon ewig leben, diese Arbeit gibt dem Magen *und* der Seele Nahrung. Darum können auch Komponisten oder Dirigenten nie aufhören, sie machen immer weiter, sehen und hören immer das Gute in der Musik. Mir fiele noch mehr als genug für die nächsten zwanzig Jahre ein. Neulich, als wir in Hamburg von der Außenalster an unsere neue Adresse übersiedelt sind, haben wir in alten Kisten haufenweise unveröffentlichte Partituren von mir gefunden. Wer weiß, was daraus noch werden kann, ich bin ja erst 77.

CHRISTINE, meine Familie, Waltraud – bestimmt sind und waren sie immer die wichtigsten Menschen in meinem Leben. Dazu eine Handvoll musikalischer Freunde. Aber richtige Freunde? Oft schon ist es mir passiert, dass ich dachte, der geht mit dir durch dick und dünn – und es kam alles ganz anders. Die Chance, Freunde zu finden, die nichts mit Musik zu tun haben, war in meinem Leben immer sehr gering – es hat sich ja alles nur um Musik gedreht.

Mein Blick fällt durch das Fenster auf das Grün vor unserer Wohnung, Kinder tollen umher, laute Rufe, Lachen, Ausgelassenheit. Ich genieße das sehr. Diese Kinder zeigen mir, dass das Leben immer weitergeht. Erst vor ein paar Monaten bin ich zum dritten Mal Großvater geworden – diesmal waren es Ron und seine Frau Silke, die für Nachwuchs gesorgt haben: Clara Estella heißt die neue Erdenbürgerin. So wird also Clara ihren Opa auch noch kennen lernen, wer weiß, vielleicht erlebt sie mich ja noch zu meinem Achtzigsten auf der Bühne.

Ich bin mit meinem Leben ins Reine gekommen: Ich weiß, was ich falsch und was ich richtig gemacht habe. Wenn „Der da oben" sagt, jetzt musst du zu uns kommen, dann gehe ich – ohne Trauer und ohne Bedauern. Ich habe erst kürzlich mit meinem Sohn darüber gesprochen: Ich fühle mich als einer der glücklichen Menschen, die sagen können: „Das war's." Keine Panik, etwas versäumt zu haben, kein Bedürfnis, dringend etwas nachholen zu müssen. Ich fühle mich ganz frei, ohne eine Spur von Angst, denn: Was soll schon passieren? Es ist ja schon alles passiert …

Mietek Pemper

DER RETTENDE WEG

Schindlers Liste –
die wahre Geschichte

```
12.  8.13    Schlossergehilfe
16.  2.16    Bauarbeiter
12.  1.11    Schlossermeister
19.  3.2o    Maschinenschloss.Ge
31.  8.22    Werkzeugschlosser
 5.  6.13    ang.Schlosser
3o.  4.24    Klempnergehilfe
 1.  1.22    Schlossergeselle
17.  7.o9    Schlosser
14.  2.1o    Schlossergeselle
 6.  4.25    Schlossergeselle
21.  1.21    
```

„Ohne Oskar Schindler hätte der 1920 geborene Pemper seine Lebensgeschichte nicht schreiben können. Denn der Unternehmer Schindler bewahrte in den Jahren des Nazi-Regimes 1200 Juden vor dem Tod, unter ihnen Pemper. Dass Schindlers Rettungstat aber ohne Pemper nicht möglich gewesen wäre, davon erzählt sein Buch."

Jüdische Allgemeine Wochenzeitung

Vorwort

Krakau war vom Mittelalter bis zu den Teilungen Polens eine der europäischen Metropolen und Hauptstadt des großen polnisch-litauischen Reiches. Etwa im 13. Jahrhundert wurden auch Juden dort heimisch.

Mit der Besetzung des Landes durch Hitlers Truppen am 1. September 1939 begann für große Teile der polnischen Bevölkerung, insbesondere die Juden, ein sechsjähriges Martyrium. Ich empfinde es als meine besondere Verpflichtung, von den Jahren unter der deutschen Besatzung und der schrecklichen Lagerhaft zu berichten. Obwohl es fast aussichtslos schien, konnten einige von uns überleben. In dem tödlichen Szenario aus Krieg, Verfolgung und Massenmord bin ich auf beiden Seiten aufrechten Menschen begegnet.

Den jüdischen Opfern wurde häufig der Vorwurf gemacht, sich nicht hinreichend zur Wehr gesetzt zu haben. Doch was hätten wir unbewaffneten Menschen gegenüber einer militärischen Großmacht zuwege bringen können? Wohl gab es einige, die versuchten, sich den NS-Besatzern mit Waffengewalt zu widersetzen. Auch in Krakau entlud sich der Zorn in einer Reihe von Attentaten. Leider aber waren solche Aktionen, abgesehen von wenigen Ausnahmen, zum Scheitern verurteilt. Die Täter, idealistische junge Menschen, wurden fast alle aufgespürt und von der deutschen Sicherheitspolizei brutal umgebracht.

Mein Gott, überlegte ich damals, man kann doch nicht erwarten, einen Staat, der fast ganz Europa besiegt hat, mit ein paar selbst gebastelten Bomben zur Änderung seiner Politik zwingen zu können. Natürlich, diese Aktionen setzten Zeichen, dass Juden eben nicht ergeben ihrer fortschreitenden Entrechtung zusahen. Aber sie provozierten auch Vergeltungsaktionen seitens der Besatzer, denen wiederum viele jüdische Menschen zum Opfer fielen. Durfte man einen solchen „Blutzoll" einkalkulieren – für ein Zeichen? Da muss es doch noch einen anderen Weg geben, dachte ich. Wie dieser Weg allerdings konkret auszusehen hätte, wusste ich damals noch nicht. Doch eines war mir stets klar: Ich wollte Menschenleben bewahren, ohne zur Waffe greifen zu müssen.

Das Lager Krakau-Płaszów – zuerst Zwangsarbeits- und ab 1944 Konzentrationslager – war unter den etwa zwanzig KZs im damaligen deutschen Herrschaftsbereich ein Sonderfall. Es war das einzige aus einem jüdischen Ghetto hervorgegangene Konzentrationsstammlager. Während dieser Zeit war ich unfreiwillig der persönliche Stenograf (Lagerschreiber) des Lagerkommandanten Amon Göth. Wie ungewöhnlich, geradezu regelwidrig meine Tätigkeit in der Kommandantur eines KZ war, erfuhr ich erst, als ich 1951 in Warschau beim Kriegsverbrecherprozess gegen SS-Standartenführer Gerhard Maurer aussagte. Er war bis 1945 Chef des gesamten Arbeitseinsatzes aller KZ-Häftlinge und der Vorgesetzte aller KZ-Kommandanten gewesen. Ihm hatten mehr als eine halbe Million Menschen unterstanden. Maurer wollte meiner Aussage, ich hätte als der persönliche Schreiber eines KZ-Kommandanten gearbeitet und als solcher Geheimakten eingesehen, zuerst keinen Glauben schenken. Selbst vor Gericht wunderte er sich, wie es möglich gewesen sei, dass sich Göth, ein ihm damals direkt Untergebener, in einem solchen Maße über verbindliche Vorschriften habe hinwegsetzen können. Erst nach Maurers konsternierter Reaktion wurde mir meine in der gesamten Nazizeit einzigartige Position in Płaszów bewusst und von anderen bestätigt.

Mein Leben ist aufgrund dieser mehr als 540 Tage im „Epizentrum des Bösen" untrennbar mit der Geschichte des Lagers Krakau-Płaszów verbunden, denn vom 18. März 1943 bis zum 13. September 1944 war ich – anfangs sogar als einzige Kraft – in der Lagerkommandantur tätig. Mein Leben ist aber ebenso untrennbar mit Oskar Schindler verbunden, mit dem ich eng zusammenarbeitete. Im KZ Płaszów überlebten (verglichen mit anderen Lagern) überdurchschnittlich viele jüdische Menschen. Das hing auch mit Schindlers Rettungsaktion zusammen, denn aus unserem Lager stammten die eintausend Überlebenden von „Schindlers Liste". Auch die Namen meiner Eltern, meines Bruders und mein eigener standen auf dieser Liste, und wir verdanken Schindler unser Überleben.

Die Geschichte des Holocaust ist eng mit den Entwicklungen an der Ostfront verknüpft. Zunächst verlief der Krieg sehr vorteilhaft für die deutsche Wehrmacht und ihre Verbündeten. Das änderte sich erst nach den enormen Menschenverlusten beim Einmarsch in die Sowjetunion, besonders nach der Niederlage bei Stalingrad. Ab Februar 1943 steckte Deutschland in einer tiefen kriegswirtschaftlichen Krise. Arbeitskräfte waren jetzt Mangelware, und das Tempo der Massentötungen nahm ab. Dafür stieg die Arbeitsausbeutung der Häftlinge. Der „totale Krieg", zu dem Goebbels die deutsche Bevölkerung in seiner Berliner Sportpalastrede Anfang 1943 aufgerufen hatte, zeigte weitreichende Folgen, denn von nun an wurde die gesamte Wirtschaft Lenkungsorganen unterstellt, deren vorrangige Aufgabe die Steigerung der Rüstungsproduktion wurde. Für uns wenige verbliebene Juden war das von entscheidender Bedeutung. Als im Herbst 1943 mehrere Ghettos und Zwangsarbeitslager im Generalgouvernement, die hauptsächlich Textilien herstellten, aufgelöst wurden, blieb unser Lager Krakau-Płaszów erhalten. Das bewahrte viele Mithäftlinge vor der Deportation nach Auschwitz.

Oskar Schindler und ich standen bis zu seinem Tod im Jahr 1974 in freundschaftlicher Verbindung. Damals kannte die große Öffentlichkeit seinen Namen noch nicht, relativ wenige wussten von seiner ungewöhnlichen Rettungstat in Płaszów und später in Brünnlitz. Ich habe mir oft die Frage gestellt, nachdem ich für Göth arbeiten musste und mit Schindler zusammenarbeiten durfte, was geschehen wäre, hätte es keinen Krieg und keine Nazi-Ideologie mit ihrem Rassenwahn gegeben. Dann wäre der eine wohl kein Massenmörder und der andere wohl kein Lebensretter geworden. Erst die besondere Situation des Krieges und die besondere Machtfülle, die Einzelne erlangen konnten, offenbarten das ethische Niveau, den Charakter dieser Männer in so beeindruckendem und erschreckendem Maße. Das Schicksal hatte mich zwischen diese beiden Menschen gestellt, die gewissermaßen wie Engel und Teufel zueinander standen.

Krakau in Zeiten des Friedens – 1918 bis 1939

Ich wurde 1920 in Krakau geboren und lebte fast vierzig Jahre in dieser architektonisch und historisch bedeutenden Stadt an der Weichsel. Bei meiner Befreiung aus der Lagerhaft 1945 war ich gerade 25 Jahre alt. Fünf Jahre nach dem Tod meiner Mutter zog ich 1958 mit meinem Vater nach Augsburg, wohin mein Bruder bereits unmittelbar nach dem Krieg gegangen war. Ich stamme aus einer alteingesessenen Krakauer Familie, nur die Mutter meines Vaters kam aus Breslau. Deshalb sprachen ihre Kinder und wir Enkel neben Polnisch alle auch Deutsch. In

Meine Familie Ende der
Zwanzigerjahre. Ich bin
der ältere Junge rechts.

Krakau war es nicht selbstverständlich, zweisprachig aufzuwachsen, für uns dagegen ganz normal. Für mich bedeutete die Zweisprachigkeit ein Fenster zur Welt, und ich fühle mich bis heute ebenso dem polnischen wie dem deutschen und dem jüdischen Kulturkreis verbunden. Schon als kleiner Junge wusste ich: So, wie es blonde und brünette Menschen gibt, größere und kleinere, gibt es auch verschiedene Sprachen, Konfessionen und Kulturen.

Im Unterschied zu vielen Krakauer Juden waren sowohl meine Eltern als auch meine Großeltern in Lebensführung und Kleidung assimiliert. Trotzdem wurzelte meine Familie fest im Judentum. Meine Eltern hatten 1918 geheiratet, nachdem mein Vater aus der österreichischen Armee nach Krakau zurückgekehrt war. Im Ersten Weltkrieg hatte er gute Erfahrungen mit den deutschen Kameraden an der Front gemacht. Wenn wir uns später, nach 1933, im Kreise der Familie über Hitler unterhielten, waren wir zwar beunruhigt über die politische Entwicklung in Deutschland, doch konnten wir uns nicht ihre verheerenden Konsequenzen vorstellen. Ein Bruder meiner Mutter, der ebenfalls in der österreichischen Armee gedient hatte, erzählte gern von einem bestimmten Frontabschnitt und den dort stationierten deutschen Einheiten. Das waren für ihn „geradlinige, offene Kameraden" gewesen. Der „gerade Michel" war ein von ihm besonders bevorzugter Ausdruck, wenn er von den deutschen Soldaten sprach. Darum hielten wir die Lage in Deutschland für eine Fehlentwicklung, die bald zu Ende gehen würde.

ICH WAR ein eher zartes, leicht kränkliches Kind, das das Leben immer erst einmal falsch anpackte. Letzteres ist wörtlich zu nehmen, denn ich bin Linkshänder, ein Umstand, der damals als regelrechte Behinderung galt und schon die simple Begrüßung eines Besuchers für mich zum Problem machte. Familie und Pädagogen bemühten sich, diese „Behinderung" durch konsequente Umerziehung zu korrigieren. So lernte ich, Spontaneität zugunsten von Überlegung zurückzuhalten. Auch in meinen Interessen unterschied ich mich deutlich von der Mehrheit meiner Altersgenossen. Statt Fußball zu spielen, begann ich mit knapp sieben Geige zu lernen. Diesen Unterricht gab ich aber trotz guter Erfolge nach einigen Jahren auf, da das Lesen immer mehr zu meiner Leidenschaft wurde. Ich interessierte mich besonders für Bücher zur Geschichte, später auch für Quellentexte.

An den Samstagen ging ich mit meinem Vater in die Synagoge. Zu den „Hohen Feiertagen" (Neujahrsfest und Versöhnungstag) begleitete ich ihn in kleine Gebetshäuser, wo Rabbiner aus der Umgebung mit ihren Krakauer Anhängern beteten. Diese Erfahrung eröffnete mir einen weiteren Blick auf das Judentum. Ich erinnere mich an einen Rabbi aus dem östlich von Krakau gelegenen Wielopole. Den sah ich an den Hohen Feiertagen aus einem Gebetbuch vorlesen. Flüsternd fragte ich meinen Vater, ob der Rabbi denn die Gebete nicht auswendig könne. Selbst ich hatte damals bereits einige Gebete auswendig gelernt. Natürlich könne der Rabbi vielleicht das halbe Buch auswendig, erwiderte mein Vater, aber er wolle niemanden beschämen, der es nicht könne. Aus diesem Grund benutze er das Buch, damit sich die anderen nicht zurückgesetzt fühlten.

In meinen ersten Lebensjahren wohnten wir gemeinsam mit meinem Großvater väterlicherseits in der Węgierskastraße Nummer 3 im Stadtteil Podgórze. Mein Großvater und mein Vater waren im Agrarhandel tätig. Mein Großvater war sogar Gerichtssachverständiger für Hülsenfrüchte und Getreide. Mein Vater bezog waggonweise Roggen- und Weizenmehl aus dem Raum Posen und verkaufte es an Bäcker in der Umgebung. Das Büro meines Vaters war in unsere Wohnung integriert, denn er wickelte seinen Mehlhandel über Speditionen ab und brauchte nur einen kleinen Arbeitsplatz für die Buchhaltung.

Als ich sieben war, zogen wir in ein großes Mietshaus in der Parkowastraße Nummer 1. Hier wohnten vornehmlich nichtjüdische Familien. Auch in meiner Schulklasse gab es nur wenige Juden, und ich hatte fast nur nichtjüdische Freunde. Ich fühlte mich wohl in meiner Schule, das Lernen fiel mir leicht, und später baute ich die deutsche Bibliothek an meinem Gymnasium auf. Ab etwa 1936 gab ich sogar für kurze Zeit eine Schülerzeitung heraus.

Viele Juden auf dem Land, die nur kurz eine polnische Schule besucht hatten, sprachen kein gutes Polnisch. Ihre Alltagssprache war Jiddisch, die Sprache ihrer Religion Hebräisch. Das war einer der Gründe für Vorurteile gegenüber Juden. Die Polen fühlten sich beleidigt, wenn Landjuden die polnische Sprache nicht richtig beherrschten, und nicht selten machten sie sich über sie lustig. Ich bin meinen polnischen Freunden, Schulkameraden und Gymnasiallehrern sehr dankbar, dass sie mich keine massive Diskriminierung spüren ließen.

Aber der Antisemitismus war in Polen stark verbreitet. Vor allem die Kirche schürte dieses Feuer. Doch nicht nur sie propagierte einen ekelhaften Antisemitismus. Er war spätestens seit Mitte der Dreißigerjahre der „Kitt" eines neuen polnischen Nationalismus, der sich besonders nach dem Tod des „sanften" Diktators Marschall Józef Piłsudski im Jahr 1935 zunehmend bemerkbar machte. So kam es zu Ausschreitungen an den Hochschulen, auch in Krakau. Ich bekam diesen massiven Antisemitismus zum ersten Mal als junger Student hautnah zu spüren.

So schrieb der Rektor der Jagiellonen-Universität im Herbst 1938 das Benutzen bestimmter Bänke für Juden zwingend vor. Dagegen wehrten wir uns, nahmen an den Vorlesungen im Stehen teil. Sofort wurde die Anordnung erlassen, man dürfe während der Vorlesungen nicht stehen. Man wollte uns demnach auf die „Judenbänke" zwingen. Nicht dass es sich dabei um schlechte Plätze gehandelt hätte, es waren auch nicht Sitze in den hinteren Reihen der Hörsäle. Uns ging es vielmehr ums Prinzip. Wir betrachteten die Vorschrift als unverhohlene Diskriminierung und einen Versuch, die „Nürnberger Gesetze", die seit 1935 in Deutschland die Ausgrenzung der Juden legalisierten, auch in Polen einzuführen. Hinzu kam, dass nach Einführung der „Judenbänke" fremde Studenten von Hochschulen ohne Juden die Jagiellonen-Universität aufsuchten, weil sie sich das Gaudium, uns Juden beschämt zu sehen, nicht entgehen lassen wollten. Meine jüdischen Kommilitonen und ich bekamen ein Disziplinarverfahren und eine Verwarnung wegen „Nichtbeachtung der Anordnungen des Rektors". In mir entwickelte sich durch diesen Vorfall ein etwas distanzierteres Verhältnis zu den Polen. Ich merkte, wie brüchig, wie dünn die Lackschicht des Zusammenlebens sein kann. Zum ersten Mal wurde mir bewusst, dass man mich als Juden in meinem Heimatland wohl nicht wirklich wollte.

Aufgrund eines sehr guten Abiturzeugnisses vom Mai 1938 hatte ich die Genehmigung erhalten, gleichzeitig an zwei Hochschulen zu studieren. Bis zur 1939 verfügten Schließung aller polnischen Hochschulen studierte ich gleichzeitig an der Jagiellonen-Universität Rechtswissenschaften und an der Hochschule für Ökonomie Betriebswirtschaft und Rechnungswesen.

KRAKAU, die alte polnische Krönungsstadt, gehörte nach den Teilungen Polens Ende des 18. Jahrhunderts mit Unterbrechungen bis zum Ende des Ersten Weltkriegs zur Habsburger Donaumonarchie. Die österreichisch-deutsche Kultur und Liberalität prägte die Menschen. Dieses ehrwürdige Krakau deklarierten die Nazis 1939 zur „urdeutschen" Stadt, und deshalb wurde es beim Überfall kaum bombardiert. Später wurde Krakau zum Versorgungsknotenpunkt zwischen dem Reich und den Truppen im Osten. Als Vorteil erwies sich dann der Erhalt der modernen Universitätskliniken für die Versorgung der Verwundeten. Schon seit Langem gab es südöstlich der Stadt den Bahnhof Krakau-Płaszów. Er erfuhr Anfang 1940 einen erheblichen Ausbau. Dass man uns ab 1943 in der Nähe dieses Bahnhofs in einem Zwangsarbeitslager unterbrächte, wer hätte das 1939 voraussehen können?

Im Gegensatz zu Krakau sollte Warschau auf Befehl Hitlers dem Erdboden gleichgemacht werden. Es galt als „Nest des Widerstands", als „Symbol des Polentums". Der westliche Teil Polens wurde dem Deutschen Reich einverleibt, den mittleren deklarierten die Nazis zum „Generalgouvernement", und den östlichen annektierte die Sowjetunion. Anfangs trug der deutsche Jurist Dr. Hans Frank noch den Titel „Generalgouverneur für die besetzten polnischen Gebiete". Nach wenigen Wochen verschwand diese Bezeichnung, es blieb der Name Generalgouvernement. Als seinen Wohn- und Amtssitz wählte Frank den Wawel,

Die Alte Synagoge
im Krakauer Stadtteil
Kazimierz vor 1939

Ein Porträtbild von mir, etwa 1938

die traditionsreiche Königsburg, in der einst die polnischen Herrscher würdig residierten. Der stattliche Wawel thront wie ein Schutzheiliger über der Stadt. Unter der deutschen Besatzung wurde er zur bedrohlichen, mit Hunderten von Nazifahnen beflaggten „Krakauer Burg". Damals herrschte unter den Besatzern zunächst eine heute kaum mehr vorstellbare Hochstimmung. Das änderte sich erst mit den Einbrüchen an der Front bei Stalingrad und Kursk im Jahr 1943. Die Naziführung dachte bis dahin anscheinend, Russland werde bald kapitulieren.

Die Deutschen führten in Polen die Unterscheidung zwischen „reichsdeutsch" und „volksdeutsch" ein. Wer deutsche Vorfahren nachweisen konnte, erhielt als „Volksdeutscher" gewisse berufliche Vorteile und Erleichterungen im Alltag. Dagegen galten die Deutschen im Reich als „Reichsdeutsche".

Aufgrund des gestiegenen Wohnungsbedarfs in der Hauptstadt des Generalgouvernements sollten die Juden aus der Stadt vertrieben werden. Das geschah nicht von heute auf morgen, sondern ging schrittweise vor sich. Doch bevor diese „Aussiedlung" einsetzte, kam es in Deutschland schon Ende Oktober 1938 zur so genannten Polenaktion. Dabei wurden Tausende vormals aus Polen stammende Juden, auch wenn sie bereits seit Jahrzehnten in Deutschland lebten, nach Polen abgeschoben. Etwa 18 000 Menschen wurden zwangsweise an die polnische Grenze westlich von Posen verfrachtet. Zwar misslang die Abschiebung in einigen Fällen, und circa tausend Juden kehrten zunächst in ihre Heimatorte in Deutschland zurück. Doch an die 17 000 Juden befanden sich von einem Tag auf den anderen in einem rechtsfreien Raum. Deutschland wollte diese Menschen loswerden, und Polen verweigerte ihnen die Einreise.

Chaim Yechieli, ein in Deutschland geborener, damals 14-jähriger Junge mit polnischem Pass, schreibt dazu:

> Die SS hat uns über die Grenze ins Niemandsland getrieben, hat mit Stöcken geschlagen. Wir standen sechs Stunden zwischen den beiden Grenzen. Es gab einen Sprühregen. Und die Deutschen standen mit gezückten Revolvern auf der einen Seite und die polnischen Soldaten mit Bajonetten auf dem Gewehr auf der anderen.

Tausende dieser Abgeschobenen durften schließlich doch die Grenze nach Polen passieren und wurden unter erbärmlichen Bedingungen im grenznahen Zbąszyń notdürftig untergebracht. Von dort durften sie erst Ende November weiter ins Landesinnere fahren, wo sie sich um ihre Ausreise nach Amerika oder in andere Länder bemühten. Alle, die nicht rechtzeitig ein Visum erhielten, fielen nach dem Einmarsch der Deutschen knapp ein Jahr später der SS in die Hände.

Ich gehörte Ende 1938 zu den jüdischen Studenten mit Deutschkenntnissen, die sich zur Betreuung der abgeschobenen Juden bereiterklärten. Viele der Vertriebenen sprachen kein Wort Polnisch. Schließlich waren sie in Deutschland aufgewachsen, zum Teil dort geboren, auch wenn ihre Großeltern aus Polen stammten. Nun standen sie vollkommen mittel- und hilflos da. Ich schrieb für die Leute Briefe an Verwandte im Ausland. Sie alle wollten Polen verlassen, egal wohin, egal wie, sie wollten nur fort.

Wie oft hörte ich von ihnen den mahnenden Rat: „Junger Mann, versuchen Sie so schnell wie möglich, Polen zu verlassen. Hitler wird auch nach Polen kommen." Ich hielt solche Prognosen für übertriebene Panik, aber die aus Deutschland Abgeschobenen waren fest davon überzeugt, dass der Expansionsdrang Hitlers nicht an Polens Grenze haltmachen werde. Ich habe mich seitdem oft gefragt: Wie konnten wir alle, wie aber konnten vor allem die Westmächte damals so blind sein? Nach dem Krieg wurde bekannt, dass selbst die Alliierten das Kriegspotenzial Hitlers völlig unterschätzt hatten.

Der Überfall

Von Anfang an war die Wehrmacht in die Verbrechen gegen die jüdische Bevölkerung involviert. Bereits im September 1939, kurz nach dem Einmarsch der Truppen, fand in Oberschlesien, in der Region Katowice (Kattowitz), ein Massaker an Juden statt.

Am 26. Oktober 1939 führte Hans Frank in Krakau für die jüdische

Zwangsarbeit in Krakau: Juden müssen Schnee schaufeln.

Juden werden zur Zwangsarbeit abtransportiert. Krakau, um 1941

Bevölkerung des Generalgouvernements den Arbeitszwang ein, für die polnische die Arbeitspflicht. Arbeitszwang bedeutete, dass man uns willkürlich zur Zwangsarbeit abkommandieren durfte. In dieser Zeit vermieden es Juden, sich auf der Straße zu zeigen, denn bei Razzien wurden wir oft zu körperlichen Arbeiten herangezogen. Wir mussten Möbel schleppen, Schnee schippen und die Straßen kehren. Wir waren Freiwild, selbst unsere Wohnungen boten uns keinen Schutz mehr. Es konnte geschehen, dass ein Uniformierter unerwartet an der Tür klingelte, sich interessiert umsah und dann befahl: „Räumen Sie die Wohnung! Sie haben drei Stunden Zeit. Einen Koffer können Sie mitnehmen. Die Möbel bleiben hier." Einmal wurde ich selbst auf der Straße aufgegriffen und musste mit anderen Möbel schleppen – vom dritten Stock in einen vor der Haustür geparkten Lastwagen. Dabei wurde ich auch geschlagen.

Doch ließen sich nicht alle Deutschen über einen Kamm scheren. In der Nähe unseres Hauses in der Parkowastraße waren in einer von den Nazis geschlossenen Schule Soldaten einquartiert worden. Eines Tages, es muss im Herbst 1939 gewesen sein, näherte sich ein kleiner Trupp Soldaten. Ich wollte gerade aus der Haustür treten. Zwei kleine polnische Jungen liefen den Soldaten entgegen, zeigten auf mich und schrien: „Jude, Jude!" Ich stand wie angewurzelt im Eingang. Die Soldaten, ältere Wehrmachtsangehörige, schüttelten zum Glück nur missbilligend den Kopf und gingen wortlos an mir vorbei.

Die systematische Straßenjagd auf jüdische Zivilisten begann Ende November 1939. Noch bevor in Deutschland für Juden die Kennzeichnung mit dem gelben Stern eingeführt wurde, zwang uns die Regierung des Generalgouvernements, eine weiße Armbinde mit blauem Davidstern zu tragen. Ich verließ daraufhin eine Zeit lang unsere Wohnung nicht. Als ich schließlich doch einmal etwas in der Stadt erledigen musste, griff man mich prompt auf und teilte mich zum Schneeräumen und Straßenkehren ein. Besonders demütigend war es, dass wir dabei unter dem rüden Kommando eines städtischen Straßenkehrers standen, der uns in grobem Ton Anweisungen gab und selbst ältere, gebildete Menschen anpöbelte. Zweifellos genoss er seine neue Machtstellung. Zufällig sah mich mein ehemaliger Klassenkamerad Roman Kula. Er kam auf mich zu, begrüßte mich freundlich und sprach sein Bedauern über meine Lage aus. Sofort kam der polnische Straßenfeger und brüllte ihn wüst an. Mein Freund ließ sich aber nicht einschüchtern und stauchte nun seinerseits den Mann zusammen. Das tat mir wohl. Aber es gab nur wenige, die wie Roman Zivilcourage besaßen.

Nach der Einführung der Armbinden mit dem Davidstern am 1. Dezember 1939 verteilte die Jüdische Gemeinde etwa 54 000 davon. Inzwischen lebten auch viele Juden illegal in der Stadt. Sie kamen aus den ländlichen Gebieten und hofften, in der Stadt Aufnahme und Schutz zu finden. Ich wollte mich so wenig wie möglich mit der Binde in der Öffentlichkeit zeigen. Es gab empfindliche Strafen bei Missachtung der Vorschrift, zudem war ich überall in Podgórze als Jude bekannt. So vermied ich es über viele Wochen, das Haus zu verlassen. Ich saß allein in unserer Wohnung und begann, mich in deutscher Stenografie zu üben. Grundkenntnisse besaß ich bereits seit meiner Schulzeit. Jetzt machte ich mich daran, meine rudimentären Fähigkeiten in wochenlangem Selbststudium zu vervollkommnen. Anders als meine polnischen Freunde war ich nämlich fest davon überzeugt, dass der Krieg einige Jahre dauern werde. Der Erste Weltkrieg hat sich über vier Jahre hingezogen, dachte ich, und dieser Krieg wird mindestens ebenso lange dauern. Da ich nie über besonders gute Voraussetzungen für schwere körperliche Arbeit verfügte, zudem Probleme mit der Schilddrüse hatte, wollte ich möglichst gut auf eine eventuelle Bürotätigkeit vorbereitet sein. Mit meinen Sprachkenntnissen, den Schreibmaschinenfertigkeiten und meiner neu erworbenen Fähigkeit, Diktate in deutscher Stenografie aufzunehmen, bewarb ich mich bei der Jüdischen Gemeinde und bekam eine Anstellung als Behördenkorrespondent. Ich tippte Briefe und übersetzte von Deutsch in Polnisch und umgekehrt. Ich war der einzige nicht aus Deutschland stammende Mitarbeiter dieser Abteilung. Zu meinen Kollegen gehörte Heinz Dressler aus Dresden, der auch später im Zwangsarbeitslager in einem der Büros arbeitete. Hier in der Gemeinde lernten wir uns kennen und freundeten uns an.

Die Jüdische Gemeinde in Krakau gehörte zu den ältesten in Polen. Die jahrhundertealte Institution betreute nicht nur ihre Mitglieder, sondern unterhielt auch eine vielfältige soziale Infrastruktur mit Krankenhäusern, Altenheimen, Schulen und Kindergärten. Vom 21. September 1939 an mussten die Jüdischen Gemeinden Polens so genannte Judenräte bilden, deren Aufgabe es war, die Anordnungen der deutschen Besatzung entgegenzunehmen und für ihre Durchführung zu sorgen. Die „Judenräte" vereinfachten den Deutschen den bürokratischen Aufwand ihrer Besatzung. Doch für uns Bürokräfte, die wir nun täglich mit neuen Forderungen, Anordnungen und Bestimmungen konfrontiert wurden, war das Arbeitspensum kaum noch zu bewältigen. Ich lernte durch meine Arbeit früh die Struktur der deutschen Verwaltung im Generalgouvernement kennen.

ANFANG 1940 wurde meine Familie gezwungen, drei Mitbewohner in unserer Wohnung in der Parkowastraße aufzunehmen. Nach den Quadratmetervorschriften für Juden hatten wir angeblich zu viel Platz. Die Familie Liebling war erst vor Kurzem aus dem zerbombten Warschau nach Krakau gekommen und zog nun bei uns ein. Der kleine Sohn der Lieblings wurde später unter dem Namen Roman Polanski berühmt. Er war 1933 in Paris als Raymond Liebling geboren worden. Seine Eltern hatten sich im Zuge der anhaltenden Weltwirtschaftskrise Ende der Dreißigerjahre entschlossen, nach Polen zurückzukehren. Ich habe das siebenjährige Kind als sehr nervös in Erinnerung. Raymond hatte ein besonders enges Verhältnis zu seiner Mutter, einer Frau mit künstlerischen Interessen. Raymonds Vater war Unternehmer im Sanitärbereich. Ich kam mit Herrn Liebling in näheren Kontakt, weil ich ihm hin und wieder unsere Schreibmaschine auslieh und manchmal auch etwas für ihn tippte.

Am 12. April verkündete Generalgouverneur Hans Frank: „Die Juden müssen aus der Stadt vertrieben werden, weil es absolut unerträglich ist, wenn in einer Stadt, der der Führer die hohe Ehre zuteilwerden lässt, der Sitz einer hohen Reichsbehörde zu sein, Tausende und Abertausende von Juden herumschleichen und Wohnungen innehaben." Wir kannten diesen gehässigen Ausspruch damals natürlich nicht, sondern bekamen die Folgen zu spüren. Am 18. Mai begann das, was die Deutschen offiziell als „freiwillige Umsiedlung" bezeichneten. In Krakau hatte sich die Zahl der jüdischen Bewohner seit Beginn des Jahres enorm erhöht: von 56 000 vor dem Krieg auf 80 000. Nun sollten 60 000 bis zum Herbst die Stadt verlassen. Es mangelte an Wohnraum für die deutschen Beamten, Polizisten, SS-Leute und Geschäftemacher, die aus dem Reich nach Krakau strömten. Darum erging an die Kreisverwaltungen die Anweisung, dass den Juden, die bis zum Ende des Sommers „freiwillig" aus Krakau fortzögen, die Erlaubnis zu erteilen sei, sich überall sonst im Generalgouvernement anzusiedeln. Die Jüdische Gemeinde unterstützte die Juden, die „freiwillig" die Stadt verließen, sogar mit etwas Geld für Verpflegung und Reisekosten. Vom November 1940 an veranstalteten die deutschen Sicherheitskräfte zunehmend Razzien auf jüdische Menschen, die sich noch in der Stadt aufhielten, ohne über eine Aufenthaltsgenehmigung zu verfügen.

BIS ZU diesem Zeitpunkt war Auschwitz für mich der Name einer ganz gewöhnlichen Stadt. Die älteste Schwester meines Vaters war dort mit einem Geschäftsmann verheiratet. Auschwitz hatte um die 40 000 Einwohner und war eine ehemalige österreichische Garnisonsstadt. Nun hatten die Deutschen diese Stadt als Standort für ein Konzentrationslager gewählt. Seit 1940 existierte das KZ Auschwitz, später Auschwitz I (Stammlager). Unter dem Kommando von Rudolf Höß wurde 1941 auf Befehl Heinrich Himmlers in der Nähe das Lager Auschwitz II Birkenau mit seinen Gaskammern errichtet.

Wir hörten von der Existenz eines Konzentrationslagers in Auschwitz zum ersten Mal Ende 1940 im Zusammenhang mit einem an polnische

Hilfsorganisationen gerichteten Memorandum der Rabbiner von Krakau. Sie äußerten darin die Bitte, man möge gemeinsam bei den deutschen Behörden vorstellig werden mit dem Ziel, die „freiwillige Umsiedlung" auf das Frühjahr 1941 zu verlegen, damit sich die noch illegal in der Stadt verbliebenen Juden nicht im Winter eine neue Unterkunft suchen müssten.

SS-Untersturmführer Oskar Brandt, Judenreferent der Krakauer Sicherheitspolizei, war wütend, als er von dieser Petition erfuhr. Als ihm dann noch zu Ohren kam, dass sich die Rabbiner auch an den Krakauer Fürsterzbischof Stefan Sapieha gewandt hatten, obwohl dieser nicht als judenfreundlich galt, berief Brandt eine Sitzung in der Jüdischen Gemeinde ein. Er blickte sich drohend in der Runde der Anwesenden um. „Wer hat sich dieses Memorandum ausgedacht?", wollte er wissen. Niemand meldete sich. Brandt kündigte daraufhin harte Strafen an. Da meldete sich Rechtsanwalt Dr. Isidor Leuchter, ein entfernter Verwandter von mir. Er sei der Verfasser. Brandt nahm ihn in seinem Auto zum Verhör mit. Dass ich das Memorandum nach Leuchters Entwurf getippt hatte, erfuhr glücklicherweise niemand. Brandt veranlasste auch die sofortige Einweisung der beteiligten Rabbiner ins Lager Auschwitz.

Kurze Zeit später kam ein mit SS LAGERKOMMANDANT AUSCHWITZ unterschriebenes Telegramm mit der Nachricht, der Häftling Isidor Leuchter sei verstorben. Die Asche könne gegen Einsendung von fünf Reichsmark in Empfang genommen werden. Im Lauf der nächsten Wochen erreichten uns weitere solche Telegramme. In jedem hieß es, der Häftling Nummer sowieso sei wegen Herzversagen dann und dann gestorben. Die auf den Telegrammen vermerkte stets gleiche Todesursache ließ uns keine Ruhe, waren doch viele der so plötzlich verstorbenen Männer mittleren Alters gewesen, die nie über Herzprobleme geklagt hatten. Bald waren wir uns einig: da stimmte etwas nicht!

Erst nach dem Krieg erfuhr ich, dass viele der neu ins Lager Eingelieferten wirklich an Herzversagen gestorben waren. Im Krakauer Auschwitz-Prozess von 1947 stand neben anderen ein SS-Unteroffizier namens Ludwig Plagge vor Gericht. Er hatte den Spitznamen „Gymnastik-Plagge". Ihm waren alle Neuzugänge überantwortet worden. Die Inhaftierten kamen bereits geschwächt und malträtiert aus Gefängnissen und Folterzellen an. Plagge ließ diese armen Menschen dann tatsächlich stundenlang auf dem Appellplatz gymnastische Übungen machen. Viele brachen dabei zusammen und starben an Herzversagen. Ins Lager aufgenommen wurden nur die Häftlinge, die diese Tortur überlebt hatten.

Im Ghetto

Am 6. März 1941 gab die *Krakauer Zeitung*, ein von der Besatzungsmacht herausgegebenes Blatt (die freie polnische Presse war am 31. Oktober 1939 durch einen Befehl Goebbels zerschlagen worden), die Errichtung eines Ghettos bekannt. Die Begründung lautete:

> Sanitäre, wirtschaftliche und polizeiliche Erwägungen machen es notwendig, den jüdischen Bevölkerungsteil der Stadt Krakau geschlossen in einem besonderen Stadtteil, dem Judenwohnbezirk, unterzubringen.

Mit der Errichtung des Ghettos (immer als „Judenwohnbezirk" oder „jüdischer Wohnbezirk" bezeichnet) verschärfte sich die Ausgrenzung der Juden ein weiteres Mal. Für die nichtjüdischen Polen des Stadtteils Podgórze bedeutete diese Anordnung, dass sie ihre angestammten Wohnungen sofort zu räumen hatten und ihre Geschäfte und Werkstätten aufgeben mussten. Nun sollten 15 000 Juden in ein Gebiet gesperrt werden, das vormals 3000 Menschen als Wohnraum gedient hatte. Der Raumbedarf wurde nach Fenstern berechnet. Es galt der Grundsatz: vier Personen pro Fensterachse. Da sehr viele Zimmer zwei Fenster hatten, mussten bis zu acht Personen in einem Raum leben. Oft waren das zwei Familien. Die Räume waren so eng belegt, dass man bei den nächtlichen Zählungen über Matratzen und Decken steigen musste. Für Möbel gab es kaum noch Platz. Die Zählungen wurden immer nachts durchgeführt, weil sich dann wegen der Ausgangssperre jeder Ghettobewohner in seinem Quartier aufhalten musste.

Am 20. März 1941 schlossen die Nazis die Tore des Ghettos. Doch nicht alle Krakauer Juden erhielten eine Berechtigung, im Ghetto zu leben. Nur ganz bestimmte Berufsgruppen durften in den „jüdischen Wohnbezirk" ziehen. Zuerst brauchte man in der gelben Kennkarte einen Beleg, eine bestimmte Anzahl von Tagen Schnee geschaufelt zu haben. Dann erhielten vornehmlich die in deutschen oder polnischen Betrieben angestellten Handwerker die Aufenthaltsgenehmigung. Und schließlich wurden Facharbeiter in Fabriken mit „kriegswichtiger" Produktion bevorzugt, die auch ihre Familien mit ins Ghetto nehmen durften. Wer also nicht bei einer deutschen Dienststelle oder in einem

„kriegswichtigen" Betrieb tätig war, musste hinaus aus der Stadt – egal wie – und sich in kleineren Ortschaften ansiedeln. Doch es gab auch Ausnahmen. Es wurde nämlich verfügt, dass alte, kranke und nicht transportfähige Juden Krakau nicht zu verlassen brauchten. Aufgrund dieser Bestimmung erhielt mein damals 85-jähriger Großvater eine entsprechende Bestätigung von einem deutschen Amtsarzt. So konnte er im Oktober 1941 wegen seines Alters in seinem eigenen Bett sterben. Hätte er nur ein Jahr länger gelebt, wäre er aus genau demselben Grund bei den Vernichtungsaussiedlungen nach Bełżec einer der ersten Deportierten gewesen. So schnell und unvorhersehbar konnte sich ein Vorteil in einen Nachteil verwandeln und umgekehrt.

Ich erhielt zunächst keine Genehmigung fürs Ghetto. Auch mein Vater konnte als selbstständiger Kaufmann keine „kriegswichtige" Tätigkeit nachweisen. So zogen meine Eltern und mein jüngerer Bruder zu Verwandten nach Wiśnicz, circa fünfzig Kilometer südlich von Krakau, während ich bei einem Onkel, dem Bruder meiner Mutter, in Zielonki am Stadtrand von Krakau unterkam. Nach einigen Wochen nahm ich erneut Kontakt zur Jüdischen Gemeinde auf und erhielt nachträglich eine Zuzugsgenehmigung für das Ghetto. So arbeitete ich vom Sommer 1941 an weiterhin für den „Judenrat" und konnte so die deutsche Besatzungspolitik aus nächster Nähe verfolgen.

IM MÄRZ 1941 kündigte Hitler an, das Generalgouvernement bald „judenfrei" zu machen. Unter dieser grundsätzlichen politischen Leitlinie kam es zu einem administrativen Gerangel um die „Lösung der Judenfrage". In Berlin konkurrierte die SS mit den Zivilbehörden des Generalgouvernements in Krakau. Geheime Schreiben wanderten zwischen beiden Hauptstädten hin und her und es wurden immer neue Direktiven ausgegeben. Obwohl Reichsführer SS Heinrich Himmler und Generalgouverneur Hans Frank gleichermaßen eingefleischte Antisemiten waren, konnten sie einander nicht ausstehen. Beide wollten die „Judenfrage" in eigener Regie lösen, und beide wollten wohl möglichst viele – auch persönliche – Vorteile daraus ziehen. Es ging also um Zuständigkeiten und darum, wohin die Vermögenswerte der Verfolgten fließen sollten: nach Berlin in die Kassen der Reichsbank oder nach Krakau in die Kassen des Generalgouverneurs. Im November 1941 ging Himmler aus dem Streit als Gewinner hervor. Seit dieser Zeit hatte er das Sagen „in Sachen Juden". Dabei ging es allein im Generalgouvernement um circa zweieinhalb Millionen Menschen.

Doch schon einige Monate früher, am 18. Juli 1941, reiste Himmler nach Lublin und übertrug dem SS- und Polizeiführer des Distrikts, SS-Brigadeführer Odilo Globocnik, und dessen Stabsführer, SS-Sturmbannführer Hermann Höfle, die Aufgabe, alle Juden im Generalgouvernement zu ermorden. Beginnen sollte Globocnik in seinem eigenen Distrikt. Das im November 1941 im Bau befindliche Vernichtungslager Bełżec lag östlich von Krakau an der Bahnstrecke zwischen Lublin und Lwów (Lemberg). Da die Umgebung so gut wie unbewohnt war, eignete sie sich hervorragend für das Vorhaben der SS. Baracken zur Unterbringung von Juden brauchte man nicht. Sofort nach der Ankunft mussten sich die Juden „zum Duschen" entkleiden. Dann leiteten SS-Leute sie in die als „Inhalier- und Baderäume" bezeichneten Gaskammern und ermordeten sie mit Kohlenmonoxid – den Abgasen von Dieselmotoren. In Bełżec wurden innerhalb von acht Monaten schätzungsweise 600 000 Juden umgebracht. In Podgórze wussten wir davon nichts.

Im Ghetto fielen mir während dieser Monate Änderungen im Aufgabenfeld der Zivilverwaltung auf. Dank meiner Arbeit als Behördenkorrespondent konnte ich das leicht feststellen. Zum Jahresanfang 1942 wurde verfügt, dass „Judenangelegenheiten" nicht mehr zum Kompetenzbereich der Zivilverwaltung gehörten. Von nun an, so hieß es, sei dafür die deutsche Sicherheitspolizei zuständig. Damit befanden wir Ghettobewohner uns nunmehr im Machtbereich der SS- und Polizeibehörden. Jeder Distrikt hatte einen eigenen SS- und Polizeiführer, der von Krakau war SS-Oberführer Julian Scherner. Sein Stabsführer war SS-Sturmbannführer Willi Haase, gegen den ich später bei seinem Prozess in Krakau aussagte.

Im Frühjahr 1942 mussten sich alle Juden, die im Ghetto wohnten, mit ihren Arbeitsdokumenten und ihrer Kennkarte am Gebäude der Sparkasse einfinden. Dort kontrollierten Mitglieder der Sicherheitspolizei die Dokumente eines jeden. Bei einigen drückten sie ein Rundsiegel der Polizeibehörde in die Kennkarte, bei anderen – vor allem Jugendlichen und alten Leuten – nicht. Das bedeutete nichts Gutes. Im Krakauer Ghetto fand am 1. Juni 1942 die erste Vernichtungsaussiedlung nach Bełżec statt. Sie wurde von Willi Haase und seinen SS-Männern durchgeführt. Wir wunderten uns, warum die Nazis bei diesen „Aussiedlungen" vor allem alte Menschen, Kranke, Frauen und Kleinkinder zum so genannten Ernteeinsatz in der Ukraine schickten, doch war für uns Bełżec als Name eines Vernichtungslagers noch kein Begriff.

Bei der zweiten Vernichtungsaussiedlung am 8. Juni wurde der Vorsitzende der Jüdischen Gemeinde, Dr. Arthur Rosenzweig, mit seiner Familie nach Bełzec geschickt. Er hatte sich angeblich eine Woche zuvor im Zuge der ersten „Aussiedlung" nicht hinreichend bemüht, noch mehr Juden aus unserem Ghetto zum Ausgangspunkt des Vernichtungstransports treiben zu lassen. Danach bestimmten die Nazis David Gutter zum kommissarischen Leiter des „Judenrats".

Meine Eltern und mein Bruder befanden sich zu dieser Zeit noch immer außerhalb des Ghettos. Ich sah es als meine dringlichste Aufgabe an, alle drei irgendwie nach Krakau zu schaffen, ins Ghetto zu bringen und ihnen Arbeit in einem „kriegswichtigen" Betrieb zu besorgen. Mir schien es – trotz allem – ratsamer, dass sie im Ghetto lebten statt irgendwo außerhalb der Stadt. Die leichtere Aufgabe war es, meine Mutter in einer Schneidereigenossenschaft mit Wehrmachtsaufträgen unterzubringen. Mein Bruder hatte schon immer gern beim Transportunternehmen meines Onkels und anderen Spediteuren ausgeholfen. Er kletterte einfach auf irgendeinen Pferdewagen und kam auf diese Weise illegal nach Krakau.

Meinem Vater zu helfen war weitaus komplizierter. Er war schon 54 und verfügte über keine handwerkliche Ausbildung. Doch für einige hundert Złoty beschaffte mir eine junge Rechtsanwältin, die beim „Judenrat" arbeitete und Verbindungen zu polnischen Justizbeamten hatte, eine fingierte Vorladung für meinen Vater als Zeuge bei einem Prozess in Krakau. Dieses Schreiben schickte ich ihm nach Wisnicz. Er begab sich damit zum örtlichen deutschen Polizeikommandanten, der das Dokument mit dem amtlichen Rundsiegel versah. Nun war mein Vater berechtigt, eine Fahrkarte zu kaufen und mit der Bahn zu reisen – ohne solche Papiere durften Juden die öffentlichen Verkehrsmittel nicht mehr benutzen. So kam er ganz legal nach Krakau.

Da meine Mutter bereits mit offiziellen Papieren versehen im Ghetto in der Großschneiderei tätig war, musste ich nun noch meinen Vater und meinen Bruder ins Ghetto bringen, denn ohne Papiere „illegal" in der Stadt zu leben war lebensgefährlich. Seit November 1941 galt ein Schießbefehl: Juden außerhalb des Ghettos waren Freiwild. Ein Zufall kam mir zu Hilfe. An einem Sonntag hatte ich im Büro zu arbeiten. Da rief mich David Gutter zu sich. „Hier ist ein Herr von der Tiefbaufirma Klug, die den Krakauer Flughafen ausbaut. Er hat eine Genehmigung vom SS- und Polizeiführer, dass eine bestimmte Anzahl von Juden auf dem Flugplatz arbeiten darf. Füllen Sie ihm den Bogen doch bitte mit

DER RETTENDE WEG 425

Krakau, 1941: Juden werden gezwungen, eine Mauer um ihr Ghetto zu errichten.

Haupteingang zum Krakauer Ghetto. Rechts der Sitz der Jüdischen Gemeinde, wo ich zeitweise arbeitete

Abschnitt des Stacheldrahtzauns, der Teile des Ghettos in Podgórze vom Rest Krakaus abtrennte

der Schreibmaschine aus." Als ich dann mit diesem Herrn, einem Volksdeutschen, allein im Zimmer saß, bekam ich den Eindruck, dass er bei der Auswahl der Arbeiter gewisse Spielräume hatte. Ich nahm all meinen Mut zusammen, und nach langem Hin und Her gestand er mir schließlich eine der überzähligen Zeilen zum Ausfüllen zu. Da ich damals nicht wusste, wen ich dadurch retten könnte, trug ich in diese Zeile den Namen PEMPER, JAKOB STEFAN ein. Entweder, so dachte ich, kann ich meinen Vater Jakob retten oder meinen Bruder Stefan. So gelang es mir, meinen Vater auf einem „kriegswichtigen" Arbeitsplatz bei der Baufirma unterzubringen. Mein Bruder erhielt später einen Arbeitsplatz bei derselben Firma.

Der dritte, wiederum euphemistisch „Aussiedlungsaktion" genannte Vernichtungstransport fand am 28. Oktober 1942 statt. Durch meine Arbeit im Büro hatte ich erkannt, wie man solche Aktionen vorhersagen konnte: wenn die Wachposten an den Ghettotoren Ausgangssperre hatten, war dies meist ein sicheres Zeichen dafür, dass sich etwas zusammenbraute. Ich sorgte mich vor allem um meinen Vater und befürchtete, er könne aufgrund seines Alters in den Vernichtungstransport eingereiht werden. Deshalb rief ich vorsorglich bei seinem Außenkommando am Flughafen an und riet ihm, an diesem Abend nicht ins Ghetto zurückzukehren. Er verbrachte die Nacht auf dem Fußboden im Hausflur eines polnischen Bekannten. So konnte ich ihn diesmal retten.

Im Zuge dieser dritten Deportation wurden mehr als die Hälfte der noch im Krakauer Ghetto verbliebenen Menschen nach Bełżec in den Tod geschickt. Der Schock und die hilflose Wut über die maßlose Brutalität der Nazis waren so groß, dass jüdische Widerstandsgruppen um die Weihnachtszeit 1942 Teile des Cafés „Cyganeria" in der Innenstadt in die Luft sprengten, das bei Wehrmachtssoldaten und der SS sehr beliebt war. Elf Deutsche kamen dabei ums Leben, dreizehn wurden verwundet. Die Anführer der Widerstandsgruppe wurden gefasst und hingerichtet.

EINES Tages Anfang November 1942 kehrte David Gutter vom täglichen Rapport beim SS- und Polizeiführer mit zwei Briefordnern unter dem Arm zurück, die je drei- bis vierhundert Blatt enthielten. Er trug mir auf, die Briefe heimlich alphabetisch nach Behörden und Firmennamen und mit Querverweisen nach Branchen zu ordnen. Ein SS-Unterscharführer, ein ziemlich primitiver Mensch, hatte das von ihm verlangt. Es handelte sich um die Korrespondenz zwischen der Dienststelle des SS- und Polizeiführers im Distrikt Krakau und verschiedenen polnischen und deutschen Firmen und Behörden. Ich machte mich also abends, nachdem die anderen Bürokräfte nach Hause gegangen waren, an diese Arbeit. In den Briefen baten die jeweiligen Firmen und Behörden um die Erlaubnis, weiterhin Juden beschäftigen zu können. Die Antwort des SS- und Polizeiführers lautete meist: Ausnahmsweise könne man für diese oder jene jüdische Arbeitskraft noch eine Genehmigung ausstellen, doch die Firma solle sich darauf einrichten, dass es im Generalgouvernement bald kaum mehr Juden geben werde, allenfalls nur noch wenige, „kaserniert in Zwangsarbeitslagern oder in Konzentrationslagern" – so wörtlich in einem der Briefe. Ich konnte kaum atmen vor Bestürzung. So also sollte unsere Zukunft aussehen: nicht das Ghetto war die Endstation, wie die meisten glaubten, sondern nur einige wenige nützliche Arbeitssklaven sollten von uns allen überleben – und zwar in Lagern.

Einige der Absender dieser Briefe setzten sich sogar ausgesprochen positiv für ihre jüdischen Arbeiter ein: Sie sprächen Deutsch oder Jiddisch, und man könne sich gut mit ihnen verständigen. Auch seien sie eingearbeitet, und es würde lange dauern, bis man so verlässliche Leute durch Polen ersetzen könne. Solche und andere Formulierungen machten mir deutlich, dass es in Zukunft für uns äußerst wichtig wäre, eine von der SS als nützlich empfundene Arbeit zu haben.

Ich bezweifle, ob sich Gutter die Briefe überhaupt anschaute. Doch mir gaben sie den Weg vor. Ich wusste jetzt, dass wir früher oder später in Lagern „kaserniert" würden.

IM FEBRUAR 1943 erschien ein hünenhafter SS-Offizier bei uns im Büro. Er war fast zwei Meter groß, während ich mit meinen 1,65 Metern von kleiner Statur bin. Das war SS-Untersturmführer Amon Göth. Er kam zu uns ins Ghetto und verlangte, im Zusammenhang mit der Errichtung des Lagers Płaszów mit einigen Ärzten den Bau des Krankenhauses und der Sanitäranlagen zu besprechen. Er wolle, so erklärte er ihnen, dass die Arbeiter gute Verpflegung und hervorragende ärztliche Versorgung erhielten. Was die Wäsche angehe, werde er eine Wäscherei errichten lassen, die Wäsche solle jede Woche gewechselt werden.

Ich sah Göth damals in den Büroräumen der Gemeinde nur kurz. Wirklich erlebt habe ich ihn dann bei der vierten Vernichtungsaktion, der Auflösung des Ghettos am 13. und 14. März 1943. Danach wurden wir überlebenden Juden ins Lager Krakau-Płaszów getrieben, das offiziell ein Zwangsarbeitslager war.

Wenige Tage vor der Auflösung des Ghettos erlitt mein Vater auf der Baustelle am Krakauer Flughafen einen schweren Unfall. Er geriet unter einen Lastwagen und zog sich einen komplizierten Unterschenkel- und Knöchelbruch am linken Bein zu, der eingegipst werden musste. Sein Bein kam nie wieder ganz in Ordnung, und er humpelte seitdem ein wenig. Zunächst aber lag er, kaum fähig, sich zu bewegen, im Ghettokrankenhaus, später in unserem elenden Quartier. Ich wusste, die SS konnte ihn jederzeit deportieren. Dass die Auflösung des Ghettos unmittelbar bevorstand, wurde mir klar, als mich Gutter beauftragte, Bescheinigungen für die Vorstandsmitglieder der Gemeinde auszustellen, die diese an ihren Wohnungstüren befestigen sollten. Der Text lautete dem Sinn nach: „Diese Wohnung wird von dem und dem bewohnt und darf deshalb nicht geräumt werden." Ich stellte etwa ein Dutzend solcher Schutzbriefe aus, versehen mit dem Rundsiegel des SS- und Polizeiführers. Keinen Schutzbrief an der Tür zu haben, bedeutete nach meiner Überzeugung Abtransport ins Lager oder Tod.

Ich entfernte darum kurzerhand mit einem Messer ein Stück des Gipsverbandes meines Vaters oberhalb des Knies und hob ihn auf den Bock eines von Pferden gezogenen Brauereiwagens. Den Eigentümer des Fuhrunternehmens kannte ich. Bereits seit Monaten war der Fahrer, Herr Klinger, regelmäßig mit seinem Fuhrwerk zwischen Ghetto und Płaszów unterwegs, um verschiedene Güter zu transportieren. Ich gab ihm den Auftrag, meinen Vater direkt ins Lager zu schaffen. „Ich nehme ihn gern mit. Wenn jedoch", meinte er besorgt, „eine Kiste vom Wagen fällt und ein Polizist deinen Vater auffordert, sie aufzuheben, wird rauskommen, dass er nicht laufen kann. Was dann?" Ich ließ mich nicht beirren und bestand auf meiner Bitte. „Dieses Risiko muss ich auf mich nehmen." Es ist kleiner als die Gewissheit, dass er morgen nicht mehr lebt, dachte ich.

Meine Mutter war bereits ohne größere Probleme vom Ghetto ins Lager Płaszów übergesiedelt. Sie arbeitete jetzt in den Schneider- und Reparaturwerkstätten von Julius Madritsch, einem Wiener Bekleidungsfabrikanten, der seinen Betrieb schon einige Wochen zuvor vom Ghetto ins Lagergebiet verlegt hatte. Madritsch und Oskar Schindler beschäftigten damals Hunderte von jüdischen Arbeitern in ihren Betrieben. Auch mein Bruder hatte es längst geschafft, ins Lager zu gelangen. Er hatte sich wiederum kurzerhand einem der vielen Fuhrkommandos angeschlossen, die seit Wochen die Habseligkeiten der Menschen aus dem Ghetto in das Barackenlager am Stadtrand transportierten.

Nach der Liquidierung des Krakauer Ghettos, März 1943

Das Massaker und die Schrecken bei der Auflösung des Krakauer Ghettos am 13. und 14. März 1943 überlebten nur etwa achttausend Menschen. Gutter hielt mich bis zur letzten Minute für eventuelle Schreibaufgaben im Ghetto zurück. Am Nachmittag des 14. März gehörte ich zu den Letzten, die nach Płaszów unterwegs waren. Noch wussten wir nicht, dass sich unser Status mit dem Verlassen des Ghettos grundlegend verschlechtert hatte.

Der Lagerkommandant, SS-Untersturmführer Amon Göth, war erst wenige Wochen zuvor von Lublin nach Krakau versetzt worden. Er hatte sich bei der Auflösung von Ghettos im Distrikt Lublin einen gefürchteten Ruf erworben. Das wussten wir allerdings damals noch nicht.

Aber nach den schockierenden Erlebnissen an den letzten beiden Tagen im Krakauer Ghetto verbanden wir bald mit dem Namen Göth das Bild eines grausamen Mörders, der kein Mitleid zu kennen schien. Vorher kursierte ein anders lautendes Gerücht, wie es Henryk Mandel, ein ehemaliger Häftling, 1946 in seiner Zeugenaussage beim Prozess gegen Göth bestätigte: „Es wurde die Nachricht verbreitet, dass der neue Kommandant ein Wiener sei und dass sich die Verhältnisse im Lager nun verbessern würden. Schon nach zwei Tagen konnten wir uns überzeugen, wie die Verbesserung aussah. Der Angeklagte rief alle Arbeitsleiter zu sich und hielt eine Rede. Er erklärte, er übernehme das Lager in Krakau-Płaszów und erwarte von allen eine exakte Ausführung seiner Befehle. Als Beweis dafür, dass er es ernst meinte, ließ er jedem von ihnen noch eine Anzahl Schläge verpassen."

Amon Göth und Oskar Schindler – das Lager Krakau-Płaszów

In der dritten Märzwoche erkundigte sich Göth bei den Schreibkräften, die bereits seit einiger Zeit im Lager arbeiteten, wer in der Jüdischen Gemeinde die Briefe geschrieben habe. Die Leute nannten ihm zwei Namen: Heinz Dresslers und meinen. Heinz ging als Erster zum Probediktat in Göths Büro. Er war weitaus besser qualifiziert als ich, denn er hatte in Dresden eine Wirtschaftsoberschule besucht und beherrschte die deutsche Stenografie perfekt. Doch schon nach wenigen Minuten kehrte er zurück. Jetzt war ich an der Reihe. Als ich in das Büro trat, eröffnete Göth mir, dass er auch einen Dolmetscher suche, und da Heinz kaum Polnisch sprach, entschied sich Göth für mich. So wurde ich unfreiwillig sein Schreiber, sein persönlicher Stenograf. In den ersten Monaten meiner Lagerhaft war ich sogar die einzige Kraft in seinem Kommandanturbüro. Ich wusste, dass Göth die Leute in seiner unmittelbaren Umgebung malträtierte. Einige folterte er grausam, andere erschoss er. Nun hatte ich es also tagaus, tagein mit einem Massenmörder zu tun. Es gab keine Möglichkeit, mich von meiner mir befohlenen Arbeit zu befreien. Meine Überlebenschancen waren äußerst gering.

Die Häftlinge, die in der Kommandanturbaracke arbeiteten oder in anderen Büros regelmäßig mit deutschem Personal in Berührung kamen, wurden separat untergebracht. Die SS-Leute hatten eine höllische Angst vor ansteckenden Krankheiten. Sie glaubten, sich so vor immer wieder grassierenden Infektionen schützen zu können. Meine Freunde, die Brüder Izak und Natan Stern, waren ebenfalls in Büros tätig. So teilten wir uns in der Wohnbaracke für „Schreiber und Buchhalter" eine Dreierpritsche. Im Morgengrauen verabschiedete ich mich von den Sterns jedes Mal so, als begäbe ich mich auf eine gefährliche Reise, nicht wissend, ob an deren Ende die äußerlich unversehrte Heimkehr, schwerste Verletzungen oder der Tod stünden. Dabei ging ich nur ein paar Hundert Meter die hügelige Strecke hinunter zum Büro der Kommandantur direkt neben dem Lagertor. Jeden Tag verbrachte ich mehrere Stunden mit Göth.

Nachdem ich dessen Diktate bereits einige Tage lang aufgenommen hatte, sagte ich eines Abends zu Izak und Natan: „Stellt euch vor, wir sind Häftlinge. Ich habe heute einen Brief an die Außenhandelskammer in Krakau geschrieben, in dem steht, dass der Jude Soundso dort nicht zu einem Termin erscheinen kann, weil er ein Häftling des ‚Jüdischen Zwangsarbeitslagers des SS- und Polizeiführers im Distrikt Krakau' ist. Wir sind also nicht mehr Ghettobewohner mit Außenstelle Jerozolimskastraße in Krakau, wie sie uns gesagt haben, sondern Häftlinge eines Zwangsarbeitslagers." Wir waren nun vollkommen rechtlos.

Unter diesen veränderten Bedingungen musste ich zuallererst meinem Vater helfen. Er brauchte dringend eine Beschäftigung, bei der er sitzen konnte und nicht zum täglichen Appell antreten musste. Seine kleine Gehschwäche nach dem Unfall auf dem Flughafen durfte unter keinen Umständen auffallen. Im Frühsommer 1943 erschien ein SS-Mann im Vorzimmer des Kommandanten. Göth und sein Adjutant waren, wie so häufig, irgendwo im Lager oder in der Stadt unterwegs. Damals hatten wir noch keine Häftlingsuniformen, und ich trug ein einfaches Hemd und eine Strickjacke aus der Zeit des Ghettos. Der junge Mann sagte, er sei SS-Rottenführer Müller von der Amtsgruppe D Konzentrationslager des Wirtschaftsverwaltungshauptamtes und mit der Einrichtung der Lagerbäckerei beauftragt. Ich begann daraufhin ein Gespräch mit ihm. Wir fachsimpelten: wie viel Kilo Brot man aus hundert Kilo Mehl machen könne, wie viel Wasser man dazugeben müsse und wie sich die Wassermenge ändere, je nachdem, ob man ein sechzigprozentiges Mehl aus dem ersten Mahlverfahren verwende oder ein siebzigprozentiges. Schließlich erkundigte sich Müller, woher ich das alles wisse, und ich erzählte ihm von meinem Vater. „Hm", meinte er, „Ihr Vater kann doch dann bei uns als Bäcker ..." – „Nein, Bäcker ist er nicht. Er ist Mehl- und Getreidefachmann. Er könnte vielleicht als ..." – „Also gut, er kann Lagerverwalter werden." Damit hatte mein Vater fortan einen verhältnismäßig sicheren Arbeitsplatz, der ihn vor den Schikanen der SS-Leute schützte. Das Kommando Bäckerei war zudem von der Pflicht befreit, auf dem Appellplatz zu stehen.

Während der Lagerhaft sah ich meine Familie selten. Ich ahnte – und später wurde mir das bestätigt –, dass Göth mir nachspionieren ließ. Er wollte feststellen, ob ich mit anderen über meine Arbeit redete, doch ich wusste, dass jedes Gespräch darüber, was in der Kommandantur vor sich ging, mich und meine Familie in Todesgefahr hätte bringen können. Deshalb vermied ich allzu häufige Kontakte zu meinen Eltern und schwieg über die Arbeit in der Kommandantur. Über Freunde und Bekannte konnten wir als Familie die Verbindung diskret aufrechterhalten und Nachrichten austauschen. Ein großer Vorteil war auch, dass meine

Mutter, mein Bruder und ich von meinem Vater von Zeit zu Zeit zusätzliche Brotrationen erhielten. Im Lager herrschte schrecklicher Hunger.

Wir vermuteten, dass Göth und seine SS-Mannschaft die für uns Häftlinge bestimmten Nahrungsmittel unterschlugen und auf dem Schwarzmarkt verkauften. Der Arzt Dr. Aleksander Biberstein bestätigte unsere Vermutung nach dem Krieg in seiner Zeugenaussage beim Prozess gegen Göth: „Die Verpflegung eines Häftlings bestand aus höchstens 900 Kalorien pro Tag. Es hätten aber um die 2200 sein sollen. Um die schlechte Versorgung der Kranken zu verbessern, habe ich zu dem mir persönlich noch aus der Zeit vor dem Krieg bekannten Magazinverwalter Kontakt aufgenommen und erhielt so Zugang zu den Lagerräumen. Dort sah ich unglaubliche Mengen von Lebensmitteln aller Art, die aus der Stadt hierhergebracht wurden. Es gab darunter Graupen, sehr teure Liköre und verschiedene Sorten Wodka. Außerdem teilte ein mir bekannter Patient mit, ein Metzger namens Feig, dass in das Lager erstklassiges Fleisch in großen Mengen geliefert wurde. Auch war bekannt, dass der Angeklagte fast jeden Tag in seiner Wohnung Saufgelage zu organisieren pflegte, zu denen er seine guten Bekannten aus der Gestapo und SS-Männer höheren Rangs einlud."

DIE BESCHÄFTIGUNG so vieler Menschen in den Lagerbetrieben führte zu einem großen Verwaltungsaufwand, einem ständigen Hin und Her von Aufträgen, Bestätigungen, Mitteilungen, Reparaturanforderungen. Wohl gab es in der Kommandantur, allen Werkstätten und deren Büros ein Telefon, doch der so genannte Papierkram innerhalb des Lagers wurde ausschließlich durch Boten erledigt. Diese jungen Leute gingen ihrer Arbeit sehr widerwillig nach, weil sie Angst vor der Willkür der SS-Leute hatten, denen sie bei ihren Gängen fortwährend begegneten. Einige fürchteten sich sogar davor, Göth nur aus der Ferne zu sehen, denn selbst das war unter Umständen schon mit einem Risiko verbunden. Moshe Bejski, der nach dem Krieg zu einem der Obersten Richter in Israel aufstieg, sagte in einem Fernsehinterview: „Wenn Göth von seiner Villa zur Schreibstube hinunterging, hat er ziemlich oft auf dem Weg ein oder zwei Menschen einfach umgelegt." Deshalb versteckten sich die Häftlinge oft, änderten, wenn es möglich war, die Gehrichtung oder wichen unauffällig aus. Unter keinen Umständen wollten sie Göth begegnen. Ich bin darum sicher, dass mich keiner meiner Mithäftlinge um meine Arbeit in Göths Schreibstube beneidete. Besonders deutlich wurde das, als ich einige meiner ehemaligen Kollegen aus der Jüdischen Gemeinde dazu bewegen wollte, mir im Büro zu helfen. „Was?", riefen sie erschrocken. „Fordere uns nur ja nicht an!" Sie baten sogar meine Eltern um Fürsprache *für sich*! (Nicht für mich.) Sie hatten Angst, in Göths Nähe sein zu müssen, und schon gar nicht wollten sie für ihn arbeiten.

Ob Göth nun vor der Verwaltungsbaracke stand oder bei der SS-Kaserne – wenn er mich brauchte, ließ er auch mich durch Boten rufen, und ich musste sofort erscheinen. Stehend nahm ich dann Stenogramme auf und ging danach ins Büro zurück, um die entsprechenden Telefonate zu erledigen, Dinge zu besorgen und die aufgetragene Korrespondenz zu tippen. Ich musste täglich mit Göth zusammen sein.

Seine jüdischen Hausmädchen, sein Masseur, der Pferdeknecht und die anderen Häftlinge, die in seiner unmittelbaren Nähe arbeiten mussten, fürchteten seine Unberechenbarkeit und Willkür. Er ließ sich jeden Tag rasieren – in seiner Villa, hin und wieder auch im Büro. Dabei schrie er bisweilen den Friseur dermaßen an, dass der arme Mann zitterte, was bei der Rasur mit einem scharfen Rasiermesser nicht gerade hilfreich ist. Leider habe ich den Namen des Friseurs vergessen, ich weiß nur noch, dass er sich eine Verletzung an der rechten Hand zufügte, um Göth nicht mehr rasieren zu müssen. Mir stand ein solcher Ausweg nicht offen. Ich hatte Göth jeden Tag, egal zu welcher Stunde, egal wie lange, zur Verfügung zu stehen.

Ich sitze in der Kommandanturbaracke beim Diktat. Während er spricht, sieht er in den Außenspiegel an seinem Fenster, mit dessen Hilfe er das Gelände vor der Baracke überblicken kann. Plötzlich steht er auf, nimmt eines der Gewehre von der Wand, öffnet rasch das Fenster. Ich höre einige Schüsse, dann nur Schreie. Als hätte nur ein Telefonat das Diktat unterbrochen, kommt Göth zum Schreibtisch zurück und fragt: „Wo waren wir stehen geblieben?" Dieselben neutralen Worte in demselben ruhigen Ton, wie ich sie in meinem Leben so oft zuvor und auch danach gehört habe. Und die in mir selbst nach über sechzig Jahren jede Einzelheit von damals ungemildert wachrufen.

Göth, ein Nachtmensch, befahl mich nicht nur häufig spät am Abend in die Kommandantur oder seine Villa zum Diktat, auch die schiere Menge der Schreibarbeiten war so groß, dass sie für mindestens zwei Bürokräfte genug gewesen wäre. Da, wie erwähnt, keiner meiner dafür fachlich geeigneten Mithäftlinge auch nur in die Nähe von Göth kommen wollte, versagte ich es mir, um eine Hilfskraft zu bitten. Was, wenn ein von mir angeforderter Mithäftling nach einem Fehler tatsächlich von Göth misshandelt oder gar in dessen aufwallendem Jähzorn getötet worden wäre? Auf meine Veranlassung hin sollte kein zweiter Häftling in diese tägliche unmittelbare Todesgefahr gebracht werden, in der ich ausharren musste. Lieber erledigte ich die liegen gebliebene Arbeit nachts, wenn Göth nicht da war.

Einmal bin ich kurz nach Mitternacht wieder allein in der Kommandantur. Plötzlich wird die Tür aufgerissen, und Göth steht da, zurückgekehrt von irgendeinem Gelage in der Stadt. Er schaut sich forschend um. Als er nur mich sieht, wie ich auf zwei zusammengeschobenen Schreibtischen die Ablage erledige, entspannt sich sein Körper, und er wirkt fast ein wenig enttäuscht. Vielleicht hat er geglaubt, er könne mich bei einer verbotenen Tätigkeit ertappen. „Warum machen Sie das jetzt?" – „Am Tag gibt es so viel zu tun, da habe ich keine Zeit für die Ablage." – „Dann holen Sie sich doch jemanden zu Hilfe." – „Vielen Dank, Herr Kommandeur, aber ich muss doch selber wissen, wo bestimmte Sachen abgelegt sind. Wenn das ein anderer für mich erledigt, finde ich vielleicht bestimmte Akten nicht." Göth setzt sich an einen der beiden Schreibtische und verfasst eine Notiz an den SS-Chef der Verwaltung: *Mein Schreiber Pemper arbeitet oft noch in der Nacht, darum soll er zusätzliche Lebensmittel erhalten.* Dabei nuschelt er, als ob er sich den Text selbst diktierte: „Soundso viel Fett und soundso viel Marmelade pro Woche." Ein fragender Blick. „Und wie viel Brot?" Ich erwidere wahrheitsgemäß: „Danke, aber ich brauche kein Brot. Mein Vater ist Lagerverwalter in der Bäckerei, und die Mitarbeiter bekommen eine zusätzliche Ration. Davon gibt er mir etwas ab." Göth schaut mich erstaunt an und lehnt sich dabei im Stuhl weit zurück. (Ich sehe die Szene noch heute vor mir, als wäre sie gestern passiert.) Dann schüttelt er ungläubig den Kopf. „Pemper, Sie sind kein Jude! Ein Jude hätte das alles angenommen und danach gegen etwas anderes getauscht."

DIE ÜBERSETZUNGEN von Deutsch in Polnisch oder umgekehrt, die ich für Göth zu erledigen hatte, ähnelten zum größten Teil denen, die ich für die Jüdische Gemeinde angefertigt hatte. Doch einmal forderte Göth mich auf, ihn zu einem Verhör eines Mithäftlings zu begleiten. Ich sollte für ihn die Aussagen des Mannes übersetzen. Mein Schrecken und meine Bestürzung über die grausamen Methoden der SS brachten mich dermaßen aus der Fassung, dass ich, statt zu übersetzen, nur die in Schmerz ausgestoßenen Wortfetzen des Gequälten wortwörtlich in

Polnisch wiederholte. Göth war ungehalten. Doch statt mich zu bestrafen, schickte er mich zurück ins Büro. Danach nahm er andere, um bei Folterungen zu dolmetschen.

Ich wusste, dass sich Göth, nachdem er jemanden erschossen oder zu Tode gefoltert hatte, aus der Lagerkartei die Namen und Häftlingsnummern von dessen ganzer Familie geben ließ, um diese ebenfalls umzubringen. Bei einer Gelegenheit bemerkte er: „Ich möchte keine Unzufriedenen im Lager haben." Was für eine absurde Vorstellung! Als ob wir anderen im Lager zufrieden gewesen wären! Doch seit dieser Äußerung war mir klar, dass ich keinen noch so kleinen Fehler machen durfte, denn wenn er mich erschösse, dachte ich, tötete er anschließend auch meine Familie. Das durfte nicht passieren. Diese Verantwortung lag schwer auf mir, doch sie bewirkte, dass ich mir nie den Gedanken erlaubte aufzugeben. Helen Jonas-Rosenzweig, eine der beiden Haushaltshilfen Göths, berichtete in einem Interview, auch sie habe vorrangig stets Sorge um ihre Familie gehabt: „Göth trug ständig eine kleine Waffe bei sich. Ich habe nie Angst vor dem Tod gehabt. Ich hatte vielmehr Angst, Zeugin zu sein, wenn er meine Mutter oder Schwester ermordet."

Göth wurde auf seinen Rundgängen durch das Lager und auch sonst meist von seinen Hunden begleitet, einer mächtigen Dogge und einem Mischling. Es war angeblich eine Mischung aus einem Deutschen Schäferhund und einem sibirischen Wolf; jedenfalls war dieses Tier extrem aggressiv. Die Hunde liefen frei mit Göth durchs Gelände und waren seine wohl grausamste Waffe. Sie waren darauf abgerichtet, Menschen auf Kommando – oder wenn sich jemand von hinten im Laufschritt auf ihren Herrn zubewegte – anzufallen. Nicht nur theoretisch waren die beiden in der Lage, einen Menschen bei lebendigem Leib zu zerfleischen, sie stellten diese Fähigkeit auch an einigen bedauernswerten Mithäftlingen unter Beweis.

Wenige Wochen nach Beginn meiner Arbeit in der Kommandantur steht Göth eines Tages mit einigen SS-Männern in der Nähe des Lagertors. Bevor er in die Stadt zu einer Besprechung fährt, will er noch einige Briefe unterschreiben. Ich nähere mich ihm mit der Unterschriftenmappe. Er gibt mir Zeichen, ich solle mich beeilen, dreht sich dann aber wieder um und spricht weiter mit den SS-Leuten. Ich laufe jetzt also von hinten auf Göth zu. Sofort stürmen mir die beiden Hunde entgegen und fallen mich an. Ich bremse meinen Lauf und kann mich gerade noch an eine Hauswand lehnen. So reißen mich die Hunde nicht sofort zu Boden. Der Biss der Dogge dringt durch meine dicke Strickjacke, das Hemd, Haut und Muskeln bis zum Knochen meines rechten Oberarms.

In diesem Moment blickt Göth sich suchend nach seinen Hunden um, sieht, was geschehen ist, und stoppt die Hunde mit einem Kommando. Sie lassen von mir ab, und in dem Wissen, dass der nächste Biss wohl tödlich gewesen wäre, hebe ich die Mappe auf, gehe zu Göth und überreiche sie ihm.

Die Wunde konnte im Lagerhospital nur geklammert werden, gegen eine drohende Infektion gab es ebenso wenig Medikamente wie gegen die starken Schmerzen, die nach dem Abklingen des Schocks einsetzten. Gleich nach der Wundversorgung ging ich zu meiner Arbeit zurück. Da ich den rechten Arm nun nicht mehr abwinkeln konnte, war ich gezwungen, stehend mit gestrecktem Arm zu arbeiten. Göth fragte mich daraufhin einmal, warum ich beim Schreiben stünde. Meine Auskunft, das liege noch an den Folgen des Hundebisses, nahm er ohne weitere Kommentare zur Kenntnis.

Auch bei einer zweiten Verletzung handelte es sich eher um ein Missverständnis. Im Frühjahr 1944 erhielt Göth, wohl auch durch Beziehungen bei der Bewirtschaftungsstelle für Metalle, eine große Menge Eisenmarken zugeteilt. Metall war rar, und entsprechend wertvoll waren diese Marken, die für den deutschen Werkstattleiter Bigell bestimmt waren. Doch dieser beauftragte mich, sie dem Häftling zu überbringen, der mit der Abrechnung des Metallverbrauchs befasst war. Bigell antwortete dann später auf Göths Frage, was mit den Marken passiert sei, nur vage: „Der Pemper hat die weitergegeben." Göth ließ mich sofort rufen. „Wo sind die Eisenmarken?", brüllte er mich an. „Die habe ich auf Anweisung von Herrn Bigell weitergegeben." Noch bevor ich den

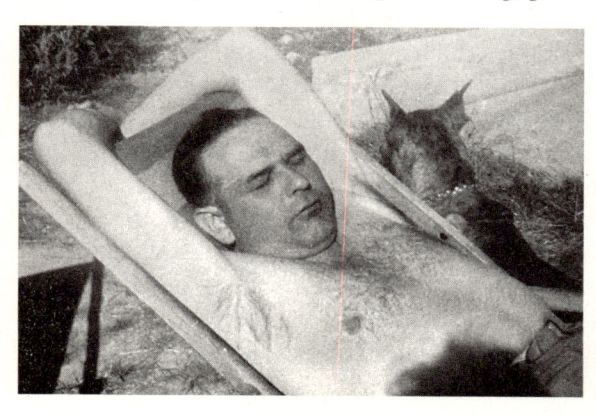

Amon Göth mit seiner Dogge bei seiner Villa auf dem Gelände des Lagers Płaszów

Satz beenden konnte, um zu sagen, an wen, versetzte mir Göth – nach dem alten Prinzip „Man schlägt den Sack, meint aber den Esel" – mit seiner Reitpeitsche einen Schlag ins Gesicht. Er hatte angenommen, Bigell habe die Marken veruntreut.

ALS GÖTHS Schreiber erfuhr ich schnell vieles über seine Person und seine Karriere bei der SS. Amon Leopold Göth wurde am 4. Dezember 1908 in Wien geboren. Er besuchte die Volks- und anschließend die Realschule (oder ein Realgymnasium). Schon um 1930 trat er in Wien der NSDAP und der SS bei und musste 1933, als die Partei in Österreich verboten war, nach München fliehen. Am 9. März 1940 wurde er als SS-Oberscharführer und Verwaltungsführer nach Katowice geschickt. Seit November 1941 war er als SS-Untersturmführer S (Sonderführer SS- und Polizeiwesen) eingesetzt und wurde am 10. August 1942 zum Sonderführer der Waffen-SS ernannt. Göth nahm als Führer eines Sonderkommandos an Aktionen im Ghetto von Lublin unter Leitung des örtlichen SS- und Polizeiführers Odilo Globocnik teil, wo er sich in den Augen seiner SS-Vorgesetzten so hervorragend bewährte, dass er im Rahmen seiner neuen Tätigkeit in Krakau auch die Liquidierung des Krakauer Ghettos am 13. und 14. März 1943 leitete.

In jenem Sommer, also drei bis vier Monate nach der Auflösung des Ghettos, nahm General Friedrich-Wilhelm Krüger, der bis November 1943 der Höhere SS- und Polizeiführer Ost war, in Płaszów eine Inspektion vor. Ich sah dabei zum ersten Mal einen deutschen SS-General aus der Nähe. Krüger wurde von SS-Leuten mit Karabinern im Anschlag begleitet – links einer, rechts einer –, die sofort geschossen hätten, wäre ihm jemand zu nahe gekommen. Vor der Inspektion musste Tag und Nacht gearbeitet werden, um das Lager „auf Vordermann" zu bringen. Die Lagerstraßen wurden gekehrt, alles musste picobello aussehen. Als Krüger durchs Lager ging, durften sich die Häftlinge natürlich nicht zeigen. Auch ich machte mich möglichst unsichtbar.

Am 28. Juli 1943 wurde Göth gleich um zwei Dienstgrade zum SS-Hauptsturmführer F (Fachleiter SS- und Polizeiwesen) befördert. Er erhielt seine Ernennungsurkunde auf Veranlassung von General Krüger und unter Befürwortung von Julian Scherner, dem SS- und Polizeiführer des Distrikts Krakau. Schließlich gelang es ihm, seine Übernahme als Reserveführer der SS zum 20. April 1944 zu erreichen. Dieser Antrag war zuvor abgelehnt worden, weil Göth nicht gedient hatte und über keinerlei Kriegserfahrung verfügte. Etwa im Juni 1944 wurde er zum Hauptsturmführer. Göth zeigte die entsprechende Urkunde gern herum. Er war so stolz und aufgeräumt, wie ich ihn vorher noch nie gesehen hatte. Er zeigte die Urkunde selbst mir. Man konnte kaum glauben, dass dies derselbe Göth war, der Häftlinge folterte und seine Hunde auf Menschen hetzte.

Die Zwangsarbeitslager im Generalgouvernement unterstanden 1943 offiziell dem örtlichen SS- und Polizeiführer. Doch Göth besaß die Autorität, eigenmächtig zu handeln. Es gab damals kaum einheitliche Richtlinien zur Leitung eines Zwangsarbeitslagers und zur Behandlung der Häftlinge. Erst ab 1944, als Płaszów zum KZ wurde, galten feste Vorschriften. Dass Göth schon als Untersturmführer in die Position eines Lagerkommandanten aufrücken konnte, hing wohl mit dem großen Personalmangel und dem Fiasko an der Ostfront zusammen.

IN DER Schreibstube erledigte ich die mir aufgetragene Post, ordnete Akten und führte eine Zeit lang – wenigstens anfangs – sogar die Listen über den Munitionsverbrauch der SS-Wachsoldaten. Mithilfe dieser Abrechnungen konnte ich in einem bestimmten Zeitraum die Zahl der im Lager Erschossenen ermitteln. Aus einer Beurteilung, die ich in den Personalakten lesen konnte, erfuhr ich, dass ein SS-Mann aus Lettland bei den Erschießungen als besonders „einsatzfreudig" galt. Etwa bis Ende 1943 hatte ich auch Zugang zu den Personalakten der SS-Leute. Mit der Umstellung des Zwangsarbeits- in ein Konzentrationslager im Januar 1944 musste Göth für diese Arbeiten allerdings einen besonderen SS-Personalreferenten bestimmen. In den Monaten davor erfuhr ich durch Göths Diktate, wer von seinen Wachleuten belohnt oder gemaßregelt, wem der Heimaturlaub gekürzt oder verlängert wurde und wer eventuell fürs Wochenende Ausgangssperre hatte.

Ich tippte sogar Göths Privatbriefe an seine Freunde in der SS, vor allem aus seiner Zeit in Lublin, und an seinen Vater in Wien. Göth erkundigte sich, ob der Vater wieder seinen Heuschnupfen habe und wie er jetzt im Geschäft zurechtkomme. Amon Franz Göth betrieb eine Druckerei, der ein kleiner Verlag für „Militär- und Fachliteratur" angeschlossen war, und sein Sohn machte sich ganz konkrete Gedanken über alltägliche Geschäftsabläufe. Er schlug eine Postkartenserie mit Alpenlandschaften vor, von der er sich einen Verkaufserfolg versprach. Bei einem Buchprojekt riet er seinem Vater, er solle einen bestimmten General um ein Vorwort bitten. Diese Briefe waren ganz normal und deuteten nicht im Geringsten darauf hin, was für ein gewalttätiger

Mensch Göth sein konnte. Ich erinnere mich auch an einen Brief an seine in Innsbruck lebende Frau. Sie hatte ihm wohl mitgeteilt, dass der Sohn Werner seine kleine Schwester Inge schlage. Nicht ohne arroganten, männlichen Stolz diktierte Göth mir dann den Satz: „Das Schlagen, das hat der Werner wohl von mir."

GÖTH begann seine Karriere etwa 1940/41 bei der „VoMi", der Volksdeutschen Mittelstelle in Katowice. Dort beschäftigte er sich mit der Eingliederung von Russlanddeutschen. Nach seiner Versetzung in das Büro des berüchtigten SS- und Polizeiführers von Lublin, Odilo Globocnik, erhielt Göth den Auftrag, verschiedene Ghettos zu liquidieren. Er bekam selbst in Płaszów noch Schreiben zu diesen Vorgängen. Einer dieser Briefe betraf Bełżec. Göth hatte wohl bei einem Vernichtungstransport eine größere Menge gegerbter Felle beschlagnahmt und dann unterschlagen. Irgendetwas musste dabei aber schiefgegangen sein, denn es gingen in dieser Angelegenheit mehrere Briefe hin und her. Durch Zufall sah ich, dass Göth auch eine Vollmacht von Globocnik zur Besichtigung „geheimer Baumaßnahmen des Reiches" besaß. Dabei fiel mir der Name „Wirth" auf. Erst nach dem Krieg erfuhr ich, dass Christian Wirth für einige Zeit der Kommandant oder Lagerleiter von Bełżec gewesen war. Göth dürfte also im Auftrag von Globocnik die Vernichtungslager Treblinka, Sobibor und Bełżec inspiziert haben.

Allerdings verstand sich Göth nicht gut mit Hermann Höfle, der in seiner Funktion als Globocniks Stabsführer im Mai die Liquidierung des Warschauer Ghettos geleitet hatte. Für Höfle war Göth zu selbstständig. Dieser hatte stets Schwierigkeiten, sich unterzuordnen, und befand sich in ständigem Konflikt mit seinen unmittelbaren Vorgesetzten. Er wollte sein eigener Herr sein und sein eigenes Lager haben. Irgendein Außenlager zu befehligen, das war ihm nicht genug. Er wollte „sein eigener Kommandeur" (wie er es nannte) sein. Stets verwendete er die französische Form, obgleich die offizielle SS-Bezeichnung „Kommandant" lautete. In den Briefen an seinen Vater und seine früheren Genossen aus Lublin unterstrich er immer wieder: „Jetzt bin ich endlich mein eigener Kommandeur."

MIT DER Wannseekonferenz vom Januar 1942 galt für die Nazis die schnellstmögliche Ermordung aller Juden im deutschen Herrschaftsbereich als beschlossene Sache. „Der Jude muss aus Europa heraus. Ich sage nur, er muss weg. Wenn er dabei kaputtgeht, da kann ich nicht helfen", erklärte Hitler seinem Reichsführer SS Himmler am 25. Januar. Gleichzeitig gab es allerdings eine gegenläufige Strategie, die uns vormals im Ghetto und jetzt im Zwangsarbeitslager von Nutzen war. Bereits einen Tag nach Hitlers oben zitiertem Ausspruch erging eine Anordnung Himmlers an General Richard Glücks, den damaligen Inspekteur der KZs, er habe in den nächsten Wochen 100 000 Juden und 50 000 Jüdinnen in seine Lager aufzunehmen. Damit rückte Himmler keineswegs von seiner Absicht ab, alle Juden zu ermorden, doch die für die Nazis fatale Entwicklung an der Ostfront bedeutete einen akuten Arbeitskräftemangel im Deutschen Reich. Der nicht günstig verlaufende Krieg zwang Himmler zu einer neuen Politik. In den drei Monaten von November 1941 bis Januar 1942 starben allein eine halbe Million russische Kriegsgefangene in deutschen Lagern. Diese Menschen fehlten der deutschen Industrie jetzt als Arbeitskräfte. Generalleutnant Maximilian Schindler, Chef der Rüstungsinspektion des Generalgouvernements mit Sitz in Krakau, meinte gegenüber Generalgouverneur Frank, es sei unklug, der Wirtschaft und der Industrie die jüdischen Arbeitskräfte zu entziehen. Zwar sei er grundsätzlich für die „Aussiedlung" (sprich: Vernichtung), doch empfehle er, die Juden „für die Dauer des Krieges arbeitsmäßig" zu erhalten. Nach seiner Rückkehr von einer Unterredung mit Himmler in Berlin vertrat Schindler im Mai 1943 sogar die Ansicht, der „Wunsch des Reichsführers SS" werde wohl „im Endeffekt nicht erfüllt werden" können. Vielmehr müsse Himmler von „der Wegnahme dieser jüdischen Arbeitskräfte Abstand" nehmen. Das war genau vier Monate nach der Kapitulation vor Stalingrad.

In der Kommandantur konnte ich, wenn ich allein und unbeobachtet war, drei deutsche Zeitungen lesen: den *Völkischen Beobachter* aus Berlin, die *Krakauer Zeitung* und die anspruchsvolle Wochenzeitschrift *Das Reich*. Diese Zeitungen waren abonniert und lagen in Göths Vorzimmer. Als aufmerksamem Beobachter und kritischem Leser dieser Zeitungen wurde mir im Frühsommer 1943 klar, wie es um Deutschland an der Ostfront stand. Es sickerten zudem eine Menge unzensierter Nachrichten durch. Die entnahm ich den Gesprächen der SS-Leute, die sich häufig im Vorzimmer des Kommandanten trafen. Dort stand nicht nur mein Schreibtisch, sondern auch der von Göths Adjutanten. Die SS-Leute hatten Kameraden an der Front und erzählten von den täglich in Krakau eintreffenden Krankentransporten mit Schwerverwundeten aus Russland. In diesem Zimmer befand sich auch ein großer Schrank mit Fächern, in die ich die gesamte Post der SS-Leute einsortierte. Mit einigen dieser Männer hatte ich vereinbart, ihnen ein Zeichen zu geben, sollte Heimatpost für sie da sein. So konnten sie auf dem Weg ins Büro schon ein wenig die Vorfreude genießen. Die meisten von ihnen waren biedere ältere Leute, die nicht alle freiwillig der SS angehörten. Wenn sie dann noch im Vorzimmer ihre Briefe lasen, erzählten sie hin und wieder von Deutschland oder der Lage an der Front. Der Umgang mit diesen Männern war oft einfacher als mit den zur Gewalttätigkeit neigenden, häufig alkoholisierten Wachsoldaten aus der Ukraine, Litauen, Lettland oder Russland, ehemaligen Kriegsgefangenen, die man als Wachpersonal ausgebildet hatte.

Da es kaum einheitliche Richtlinien zur Leitung eines Zwangsarbeitslagers und zur Behandlung der Häftlinge gab, spielten sich die meisten SS-Leute als Herren über Leben und Tod auf. Entsprechend lebten wir in ständiger Verunsicherung und Todesangst. Wenn die Außenkommandos abends zurückkehrten und wissen wollten, was sich tagsüber im Lager abgespielt hatte, riefen die anderen Häftlinge ihnen etwas zu, das wie das Ergebnis eines Fußballspiels klang: „drei zu null" oder „vier zu null". Tatsächlich bedeutete es, dass Göth heute bereits drei oder vier Häftlinge erschossen hatte. So erfuhren alle im Lager in Kurzform, wie der Tag bisher gelaufen war.

Göth verhängte schon für leichte Vergehen fast immer die härtesten Strafen. Im so genannten Grauen Haus, das noch heute auf dem ehemaligen Gelände des Lagers steht, wohnten die Unteroffiziere im Hochparterre und im ersten Stock. Im Keller gab es Gefängniszellen und auch mehrere Stehbunker. Das waren winzige, gemauerte Zellen, in denen man weder liegen noch aufrecht stehen konnte. Selbst Sitzen war kaum möglich. Es war eine besonders harte Bestrafung, die Nacht dort verbringen und dann am nächsten Tag normal arbeiten zu müssen.

In den Briefen an seinen Vater erwähnte Göth mehrmals, dass er mit dem Ausbau des Lagers beschäftigt sei und dabei Spaß an der Architektur gefunden habe. Er spielte offenbar mit dem Gedanken, nach dem Krieg zu studieren und Architekt zu werden. Zugleich war ihm klar, dass dies in fortgeschrittenem Alter nicht einfach wäre. Zudem hatte er tagtäglich einen Mann vor Augen – den jüdischen Ingenieur und Lagerarchitekten Zygmunt Grünberg –, an dessen enormes Können er niemals heranreichen würde. Grünberg wusste Rat in allen schwierigen bautechnischen Fragen. Wo andere aufgaben, fand er immer noch eine Lösung. Göth war davon sichtlich beeindruckt. Er muss Grünberg beneidet haben, und dafür hasste er ihn. Ständig schlug er ihn und quälte ihn erbarmungslos. Ich war anwesend, als Göth eine Häuserreihe unmittelbar an der Grenze zum Lager abreißen ließ und von Grünberg wissen wollte, wie viele Ziegelsteine dabei anfielen. Grünberg begann sofort mit der Kalkulation, überschlug die Zahlen im Kopf. Doch Göth wollte, dass er die Antwort sofort parat hatte. „Schneller, schneller!", schrie er und schlug dabei rücksichtslos auf Grünberg ein. Als der Staatsanwalt Göth beim Prozess im Jahr 1946 fragte: „Hatte der Angeklagte das Recht, Ingenieur Grünberg zu prügeln?", antwortete er ohne jegliches Anzeichen von Reue: „Ich hatte das Recht." Göth versuchte seine grausamen Methoden mit akutem Personalmangel zu begründen. Wie erwähnt, waren die meisten Angehörigen der Wachmannschaften ehemalige Kriegsgefangene, die eine kurze Schulung durchlaufen hatten. Sie seien, erklärte Göth, nicht so zuverlässig gewesen wie das deutsche Personal. Deshalb habe er ein „hartes Regime" führen müssen.

EINER der ersten Briefe, die ich Ende März 1943 als der neue Schreiber des Lagerkommandanten tippte, war ein Schreiben des SS-Hauptscharführers Albert Hujer an Oskar Schindler. Hujer hatte ich gerade bei der Auflösung des Ghettos am 13. und 14. März erlebt. Wie im Blutrausch war er durch die Straßen gerannt und hatte wahllos um sich geschossen. Nun diktierte er mir einen Brief an Schindler, den Direktor der Deutschen Emaillewarenfabrik in der Lipowastraße.

> Laut Anordnung des SS- und Polizeiführers haben die Bedarfsträger jüdischer Arbeitskräfte die Juden von und zur Arbeitsstätte durch bewaffnete Personen bzw. Posten zu begleiten. Diese Anordnung ist eine rein sicherheitspolizeiliche Maßnahme, die von Ihnen in keiner Weise berücksichtigt wird.
> Bei einer von mir selbst durchgeführten Überprüfung am 28.3.1943 habe ich feststellen müssen, dass die begleitende Zivilperson der Juden nicht im Besitze einer Schusswaffe war.
> Ich setze Sie davon in Kenntnis, dass die Ihnen zugeteilten jüdischen Arbeitskräfte ab sofort nicht mehr zu Ihrer Arbeitsstelle ausrücken.

Das Dokument trägt Göths Unterschrift, doch das Diktatzeichen „Hu" bezieht sich auf Hujer.

Zu diesem Zeitpunkt kannte Göth den gleichaltrigen Schindler offensichtlich noch nicht persönlich. Doch dieser, durch und durch Kontaktmensch, nahm sofort Verbindung zu Göth auf. Nach außen hin freundete er sich sogar mit ihm an, und nach ganz kurzer Zeit duzten sich die beiden. Von nun an ging Schindler in Płaszów ein und aus. Er war groß, kräftig und trinkfest. Er versorgte Göth mit teurem Cognac, feierte mit den SS-Leuten und spendierte ihnen Schnaps und Zigaretten. Allein schon Schindlers Anwesenheit flößte uns Mut ein, obwohl er in entsprechender Uniform wie ein perfekter Nazi ausgesehen hätte. Stets trug er maßgeschneiderte Anzüge und kam federnden Schrittes daher. „Schindler war ein gut aussehender Mann", sagte später Göths ehemaliges Hausmädchen. „Er roch wundervoll. Wir hörten seine Schuhe, die so ein besonderes Geräusch machten. Er hatte eine Einstellung wie ‚Hoppla, hier komm ich!' Er wollte bekannt sein, er wollte bewundert werden. Er besaß ein unheimliches Selbstbewusstsein und war mit sich selbst zufrieden – aber auf eine angenehme Art und Weise."

Schindler war schon seit 1940 mit meinem Freund Izak Stern bekannt. Vor dem Krieg war Stern in der zionistischen Jugendarbeit aktiv gewesen. Er arbeitete damals als Büroleiter in einem jüdischen Textilbetrieb, in dem es einen deutschen Treuhänder gab. Schindler wollte ebenfalls eine jüdische Textilfirma als Treuhänder übernehmen, und so kam der Kontakt zu Stern zustande. Es wurde nichts aus Schindlers Plänen – zum Glück, denn seit Sommer/Herbst 1943 galten Textilbetriebe, auch wenn sie für die Wehrmacht produzierten, zwar als „kriegswichtig", nicht aber als „siegentscheidend" und konnten aufgelöst werden. Hätte Schindler nicht den metallverarbeitenden Betrieb gekauft, wäre „Schindlers Liste" nicht möglich geworden.

Stern erzählte mir später, dass es bei diesen Geschäftsbesuchen in der Textilfirma zu Gesprächen über jüdische Philosophie gekommen sei. Schindler habe dabei mit den Brocken seines Wissens brilliert. Stern sagte mir bereits wenige Wochen, nachdem wir im Lager waren: „Oskar Schindler ist ein ganz besonderer Mensch, mit dem kannst du offen reden. Er will uns helfen. Er sieht nur aus wie ein hundertprozentiger Nazi. Das ist er aber in Wirklichkeit nicht. Er ist sehr menschlich und nicht mit Voreingenommenheit gegen uns Juden behaftet."

Stern und Schindler verband schon damals eine Art Freundschaft, die auch nach dem Krieg nicht abbrach. Durch Stern kam ich sehr schnell mit Schindler in Verbindung. Stern leitete im Lager das Büro für Werkstattabrechnungen. In Schindlers Fabrik arbeitete er nie. Es ist allerdings möglich, dass er Schindler einige Male in der Lipowastraße treffen konnte. Zu Göth hatte Stern so gut wie keinen Kontakt. Vielleicht auch deshalb trat er 1946 beim Prozess gegen Göth nicht als Zeuge auf.

In all den finsteren Jahren bin ich keinem zweiten Menschen begegnet, der wie Oskar Schindler über so lange Zeit so mutig und entschieden eine so große Rettungsaktion organisierte. Dabei war er keineswegs ein Heiliger, sondern sehr menschlich und oftmals leichtsinnig. Aber wir jüdischen Häftlinge konnten uns auf ihn verlassen. Er ließ uns niemals im Stich.

BEIM Prozess im Herbst 1946 beschrieben einige Zeugen Göth als Hünen mit auffallend weichen und sanften Gesichtszügen. Doch der äußere Eindruck täuschte. Er konnte sich innerhalb eines Augenblicks in eine rasende Bestie verwandeln. Ich musste sehr schnell lernen, seine Wutausbrüche vorauszuahnen und durch Ablenkung zu verhindern. Göth nahm mich anfangs manchmal mit zu seinen Inspektionsgängen durch das Lager. Meine Kameraden sagten mir daraufhin, ich solle versuchen, Göth öfter bei diesen Rundgängen zu begleiten. Diese Bemerkung machte mich stutzig, und ich fragte, was sie zu bedeuten habe. „Nun", sagten meine Mithäftlinge, „wenn Göth dich dabeihat, dann passiert es eben nicht, dass er einfach die Pistole zieht und jemanden abknallt." Wenn Göth sonst eine Inspektion vornahm oder unerwartet irgendwo auftauchte, kam es nicht selten vor, dass er einen Häftling mit oder ohne Grund einfach erschoss. Diese Äußerung machte mir bewusst, was ich bis dahin eher unbewusst getan hatte. Gezwungenermaßen hatte ich schnell gelernt, an Göths Gesichtsausdruck einen Anstieg seiner inneren Anspannung, seiner Erregung abzulesen und einzuschätzen. So konnte ich erkennen, wann ein Ausbruch unmittelbar bevorstand, der das Leben eines unschuldigen Häftlings kosten konnte. In diesen Situationen gelang es mir, Göth mit einer Bemerkung abzulenken. Ich erinnerte ihn dann vorsichtig daran, dass es heute noch in der Stadt eine Unterredung in der SS-Dienststelle gebe, ein Telefonat zu erledigen sei oder ein Brief beantwortet werden müsse. Alsdann beruhigte er sich. Göth war wie eine geöffnete Sodawasserflasche – im wörtlichen Sinne „aufbrausend". Das zeigte mir, dass ich auf keinen Fall seinen Zorn auf mich ziehen durfte, denn wer sollte ihn dann ablenken? Wer sollte, vielleicht im letzten Moment, eine Erschießung verhindern?

Göth war enorm ehrgeizig. In seinem Drang nach oben überging er gern die jeweiligen Stellvertreter seiner Vorgesetzten, und die nahmen ihm das sehr übel. Göth versuchte sich mit seinen schrecklichen Gewaltexzessen zu profilieren und erhoffte sich dadurch eine schnellere Beförderung. Teilweise gelang ihm das auch. So konnte er zum Beispiel, wie erwähnt, den Rang eines Obersturmführers überspringen und war bis zu seiner Verhaftung durch die SS auf dem besten Weg, Karriere zu machen. Doch schon in Lublin handelte er sich durch seine rücksichtslose Art Feinde ein und provozierte seinen unmittelbaren Vorgesetzten, SS-Sturmbannführer Hermann Höfle. Wahrscheinlich deshalb – und um weitere Auseinandersetzungen zu vermeiden – wurde Göth nach Krakau versetzt. Dort war es SS-Sturmbannführer Willi Haase, den Göth am liebsten sofort zur Seite geschoben hätte. Er umging ihn bei jeder Gelegenheit und suchte stattdessen den direkten Kontakt zu Haases Chef Julian Scherner. Dieser nahm an Gelagen in Göths Villa teil, wo im Jagdzimmer der Spruch hing: WER ZUERST SCHIESST, HAT MEHR VOM LEBEN. Ich sah diesen Spruch, als ich dort nach Göths Verhaftung auf meine Vernehmung warten musste. Solche Sprüche waren Göths Art von Humor. Als ich einmal neben ihm stand und er Häftlinge überwachte, wie sie für die Fundamente einer neuen Baracke je einen riesigen Stein vom Steinbruch an der Straße nach oben ins Lager schleppten, wandte er sich an die anwesenden SS-Offiziere und sagte lachend: „Das ist meine neue ‚Einstein-Theorie'." Es war Göth wichtig, dass man über seine Witze lachte, dass keiner ihm widersprach und er uneingeschränkte Macht über die Menschen in seiner Umgebung besaß. Ein hohes Maß an krimineller Energie und seine verbrecherische Intelligenz waren eine gefährliche Sprengstoffmischung.

SEIT März 1943 tat Schindler so, als wäre Göth sein echter Freund und Gesinnungsgenosse. In Wirklichkeit aber nutzte er den Kontakt zu Göth, um seine jüdischen Arbeiter zu beschützen. Diesen Schein wahrte er noch nach Göths Verhaftung im Herbst 1944. Schindler wollte nicht riskieren, dass Göth noch in letzter Minute seinen Leuten schaden konnte. Göth hingegen glaubte noch 1946, in Schindler einen Freund zu haben, denn er bat das Gericht in Krakau, Schindler als Entlastungszeugen zu laden. Im Herbst 1944 erklärte sich Schindler sogar aus taktischen Gründen dazu bereit, Göths gesamte Privatsachen – Maßschuhe, Anzüge, Möbel, Teppiche und Kunstgegenstände – von Krakau nach Brünnlitz zu schaffen. Das war ein großes Entgegenkommen, denn die Züge wurden für Truppen- und Verwundetentransporte und natürlich auch für die Deportation der Juden und Regimegegner benötigt. Dass Schindler in dieser Zeit einen größeren Transport auf der Schiene für private Zwecke organisieren konnte, zeigt deutlich seine Talente.

Als die Ostfront beständig näher rückte und Schindler die Erlaubnis erhielt, seine Rüstungsabteilung von Krakau nach Brünnlitz, in die Nähe seiner sudetendeutschen Geburtsstadt Zwittau, zu verlegen, bekam er eine Menge Waggons zugeteilt, von denen er allein zwei brauchte, um Göths Raubgut zu transportieren. Göth kam dann tatsächlich noch im Frühjahr 1945, kurz vor der deutschen Kapitulation, in Brünnlitz vorbei, um seine Beute Richtung Österreich weiterzuschicken. Als beim Prozess 1946 der Vorsitzende Schindlers Magazinverwalter Elsner als Zeugen vernahm und fragte: „Wie viele Sachen waren denn das?", schaute sich Elsner in dem riesigen, zwei Stockwerke hohen Gerichtssaal um und sagte: „Ja, so der halbe Saal." Diese Antwort rief unter den Zuschauern ungläubiges Kopfschütteln und sogar Gelächter hervor.

IM JUNI 1943 gab es im Generalgouvernement nur noch 120 000 Juden, verteilt auf fünfzig bis sechzig Zwangsarbeitslager. Mehr als zwei Millionen Juden waren bereits ermordet worden. Płaszów gehörte mit seinen damals 12 000 Häftlingen zu den größten Lagern. Als in dieser Zeit andere mit reiner Textilfertigung aufgelöst wurden, war mir klar, dass die Nazis mit solchen Liquidierungen auf die immer enger werdende Frontlage im Osten reagierten. Ganz offensichtlich konzentrierten sie ihr Interesse auf „kriegswichtige" Betriebe.

In Schindlers Deutscher Emaillewarenfabrik in der Lipowastraße wurden Kessel, Schüsseln, Töpfe und Pfannen für die Großküchen der Wehrmacht produziert. Schindler verdiente aber das meiste Geld mit Schwarzmarktgeschäften. Dieses Geld investierte er auch in Bestechungsgelder und Geschenke und nutzte es, um die Ausgaben für „seine Juden" zu bestreiten und später seine Rettungsaktion zu ermöglichen. Seine damalige Sekretärin in Krakau, Elisabeth Tont, erzählte 1996 in einem Interview mit der *Frankfurter Rundschau* von Schindlers Geschäftspraktiken: „Er hat die brachliegende Fabrik in Krakau zusammen mit einem Meister übernommen; sie haben mit der Produktion von Geschirr angefangen, es wurde schwarz verkauft. Ich bin nach Tschenstochau gefahren und habe das viele Schwarzgeld in Zeitungspapier eingewickelt zu Schindler rübergebracht. Er hat auch etwas regulär verkauft. Seine Freundin hatte ein Geschäft in Krakau."

Anfangs versuchte Göth, Schindler zu zwingen, seine bedeutende Fabrik in das neue Industriegelände von Płaszów zu verlegen. Das hätte Göths Machtstellung gefestigt und sein Renommee bei seinen Vorgesetzten gesteigert. Er drohte Schindler sogar mit dem Entzug seiner jüdischen Arbeitskräfte, falls er sich weigern sollte umzuziehen. Doch

Weibliche Gefangene werden in Płaszów zur Arbeit getrieben.

Schindler ließ sich nicht beeindrucken. Er besaß ein unerschütterliches Selbstvertrauen und erwiderte Göths Einschüchterungsversuch mit dem Scherz: „Ich kann doch meine schweren Emailleöfen nicht auf Rädern ins Lager ziehen." Irgendwann war das Thema erledigt.

Der Weg vom Ghetto zu Schindlers Fabrik war nicht sehr weit gewesen, während die Häftlinge von Płaszów aus einige Kilometer Fußmarsch auf sich nehmen mussten. Allein die Arbeitszeit betrug zwölf Stunden. Schindler hatte Mitleid mit den Menschen. Er sah, wie entkräftet sie waren, und wusste, dass sie, kaum im Hauptlager angekommen, eventuell noch einige Stunden auf dem Appellplatz stehen mussten, bevor sie ihre Baracken betreten durften. Schindler benutzte die Abgezehrtheit der Häftlinge gegenüber Göth als Argument für die Errichtung eines eigenen Barackenlagers auf seinem Fabrikgelände. Mithilfe von Göths Fürsprache bei SS- und Polizeiführer Scherner vollbrachte Schindler ein enormes Kunststück: er erwirkte die Genehmigung, auf seinem Firmengelände gemeinsam mit ein paar anderen deutschen Fabriken ein separates kleines Außenlager einzurichten. Es war eingezäunt und wurde von SS-Leuten bewacht. Im Vergleich zu den gefährlichen und schlechten Lebensbedingungen im Hauptlager Płaszów waren die Verhältnisse im Außenlager der Fabrik wesentlich besser. Ich weiß nicht, wie viele Kisten französischen Cognac Schindler das zusätzlich gekostet haben mag. Auf jeden Fall bekam er die Sondergenehmigung. Jetzt konnten die Leute bei ihm arbeiten und dort auch schlafen und waren somit weitgehend vor der Willkür Göths und seiner Leute geschützt. Doch von alldem weiß ich nur vom Hörensagen. Denn weder ich noch meine Familie haben jemals in der Lipowastraße gearbeitet oder die Fabrik auch nur einmal betreten.

Seitdem diese offiziell ein Außenlager von Płaszów war, fuhr Schindlers Wagen öfter durchs Lagertor und vorbei an der Kommandantur. Er brauchte Werkzeuge für seine Arbeiter und ließ sich in der Werkzeugmacherei Ersatzteile und Formen für seine Maschinen anfertigen. Wenn Göth zu Inspektionen in Außenlagern unterwegs war, ließ Schindler mir Bescheid geben, und wir trafen uns im Hauptlager auf den Fluren der Lagerverwaltung, niemals jedoch in Göths Vorzimmer. Dabei konnten wir uns immer für kurze Zeit ungestört unterhalten. Schindler wollte dann von mir wissen, was im Lager passiere, wie er seine Arbeiter schützen könne oder ob für sie irgendwo eine neue Gefahr drohe. Er interessierte sich auch für die Lage der jüdischen Arbeiter in den anderen Außenlagern. Ich wusste damals nichts von seinen eigenen Kontakten in der Stadt, doch offensichtlich waren sie ihm nicht verlässlich genug im Hinblick auf die Gefährdung seiner Arbeiter in der Lipowastraße. Niemand sonst machte sich um seine Arbeiter Sorgen. Niemand außer ihm fragte mich je: „Was kann ich tun, um meine jüdischen Arbeiter zu retten?" Er war stets neugierig, aber er konnte mich eben nur treffen, wenn Göth nicht im Büro war und ich Gelegenheit hatte, die Kommandantur für kurze Zeit zu verlassen.

Schindler begrüßte mich stets mit Händedruck, was zwischen einem Deutschen und einem jüdischen Häftling unüblich, vielleicht sogar strafbar war. Im ersten Moment wirkte seine Körpergröße einschüchternd. Aber aus seiner ganzen weichen Art wurde ersichtlich, dass er uns für bemitleidenswerte Geschöpfe hielt. Er verhielt sich mir gegenüber niemals schroff oder barsch. Ich wusste damals noch nicht, dass Schindler, der ja aus einer sudetendeutschen Familie stammte, vor 1939 einige Jahre beim achten Generalkommando der deutschen Spionageabwehr in Breslau unter Admiral Wilhelm Canaris als Spion gearbeitet hatte. Schindler war zwar deutscher Patriot, doch mir begegnete er vor allem als Mann, der uns ohne Vorurteile betrachtete und nicht für Untermenschen hielt. Vielleicht war es dem Einfluss seiner religiösen Erziehung, vielleicht der Erfahrung mit jüdischen Jugendfreunden aus der Nachbarschaft zu verdanken, dass er ein anderes Verhältnis zu uns geschundenen Kreaturen bekam. Jedenfalls sah ich im Sommer 1943 in Schindler den rettenden Weg, nach dem ich seit Kriegsbeginn gesucht hatte. Mit seiner Hilfe, dachte ich, müsste man versuchen, unsere Rettung zu organisieren. Niemand außer Schindler zeigte Interesse an unserem Schicksal. Sein Mut gab mir das Vertrauen in die Menschheit zurück. Wenn ich ihn im Lager traf, wusste ich: es gibt eine andere Welt, für die es sich lohnt zu leben.

BIS HERBST 1944 hatte das Zwangsarbeits-, später Konzentrationslager Płaszów einige Außenlager. In dem in der Lipowastraße waren die Arbeiter von Schindlers Emaillewarenfabrik, die der Neuen Kühler- und Flugzeugfabrik und die eines für die Wehrmacht produzierenden Barackenwerks untergebracht. In einem anderen lebten zum Beispiel die Arbeiter einer großen polnischen Kabelfabrik, zwei weitere Außenlager befanden sich in Wieliczka und Zakopane. Alle unterstanden Göth und damit der SS. Die Vergrößerung von Płaszów, das im Sommer 1944 den Höchststand von mehr als 24000 jüdischen und relativ wenigen polnischen Häftlingen erreichte, brachte einen erheblichen Verwaltungsaufwand mit sich. Göth war aber kein Büromensch und verbrachte seine Zeit lieber bei Kontrollgängen im Lager. Deshalb überließ er viele Bürotätigkeiten seinen Adjutanten, und diese wiederum wälzten ihre Arbeit auf mich ab. Nach der Niederlage bei Stalingrad waren allerdings alle noch belastbaren deutschen Männer an die Kriegsfronten berufen worden, und in den Büros und Verwaltungseinheiten sowohl des Reichs als auch im Generalgouvernement herrschte Mangel an qualifizierten Kräften. Man besetzte darum die Planstellen fast immer um ein, zwei Dienstgrade niedriger, weil keine entsprechend ausgebildeten Leute zur Verfügung standen. Die Planstelle eines KZ-Kommandanten entsprach dem Dienstrang eines Obersten (SS-Standartenführers). Göth war 1943 erst SS-Untersturmführer und wurde noch im selben Jahr zum SS-Hauptsturmführer befördert. Auch die Adjutanten, die öfter wechselten, waren nach den SS-internen Richtlinien eher unterqualifiziert für ihre Aufgaben. Im Gegensatz zu ihnen fiel mir das Verfassen komplizierterer Briefe leicht. So vertrauten sie mir Aufgaben an, die sie mir offiziell nicht hätten übertragen dürfen. Dabei bekam ich Einblick in Geheiminformationen, die die Zukunft des Lagers und der Häftlinge betrafen.

Einer dieser Adjutanten war SS-Hauptscharführer Gerhard Grabow aus Hamburg. Wir saßen uns im Vorzimmer an zwei Schreibtischen gegenüber. Er behandelte mich immer zuvorkommend und bot mir sogar manchmal etwas zu essen an, was wirklich ungewöhnlich für einen SS-Mann war. Grabow war ein typischer Norddeutscher – blond, nicht dick, aber sehr kräftig. Er war Werftarbeiter gewesen und sagte mir, nachdem wir uns ein wenig kennen gelernt hatten: „Ja, was sollte ich tun? Ich bin arbeitslos geworden, und dann kamen die von der SS und haben mir hier Arbeit angeboten." Grabow schien zum ersten Mal in Płaszów mit Juden in Berührung zu kommen. Als er einmal vom

Appellplatz zurückkehrte, wohin er aus Neugierde gegangen war, sagte er anschließend sehr erstaunt: „Mensch, Pemper, so viele Juden auf einmal habe ich noch nie in meinem Leben gesehen!" Grabow war ein schlichter, anständiger Kerl. Er hatte nur die Volksschule besucht und kam arg ins Schwitzen, wenn Göth ihm auftrug, bestimmte Briefe nach Stichwörtern zu verfassen. Grabow war dann recht eingeschüchtert, sagte aber bei jeder Anweisung Göths immer ganz laut: „Jawoll!" Sobald Göth das Büro verlassen hatte, kam Grabow zu mir. „Wir müssen jetzt einen Brief schreiben. Aber niemand darf das wissen, denn die Sache ist geheim." Woraufhin ich erwiderte: „Der Brief hängt aber mit der und der früheren Korrespondenz zusammen, die ich nicht kenne." – „Ja, hm", murmelte er, „der Brief ist sehr geheim." Dann erklärte ich ihm, dass ich den Brief aufgrund von Göths Vorgaben schon schreiben könne, nur müsse ich über die gesamten Vorgänge informiert sein. Grabow überdachte das kurz, nickte dann zustimmend und verriegelte erst einmal alle Türen zum Kommandanturbüro. Dann schloss er den Panzerschrank auf. Dort lagen die Ordner mit der Geheimkorrespondenz des Lagers. Ich blätterte langsam darin und prägte mir dabei den Inhalt der Briefe so gut wie möglich ein. Grabow wiederholte zwischendurch immer wieder: „Das darf aber niemand erfahren!" Ich beruhigte ihn: „Aber nein. Natürlich nicht!" Auf diese Weise bekam ich Einblick in die Geheimunterlagen des Lagers. Göth ahnte davon nichts.

IM FRÜHJAHR 1944, als das Zwangsarbeitslager bereits vom SS-Wirtschaftsverwaltungshauptamt (SS-WSVH) in Berlin-Oranienburg als KZ übernommen worden war, bemerkte wohl ein Inspektor des Amtes, dass wichtige Arbeiten im Vorzimmer des Kommandanten nicht unter der Regie eines kompetenten SS-Mannes abliefen, sondern von einem Häftling, noch schlimmer: einem jüdischen Häftling erledigt wurden. Dieser Umstand wurde natürlich kritisiert, was Göth nicht ignorieren konnte.

Jetzt, da Płaszów ein KZ war, galten neue Vorschriften. So war es zum Beispiel verboten, Häftlinge zu Arbeiten heranzuziehen, bei denen sie möglicherweise Einblick in vertrauliche oder gar geheime Unterlagen hätten erhalten können.

Deshalb tauchte eines Tages eine junge Frau im Vorzimmer auf, etwa im gleichen Alter wie ich. Göth schien sie von früher her zu kennen, aus Katowice, denn sie duzten einander. Ursula Kochmann arbeitete nur drei Stunden vormittags im Büro. Sie war eine sehr freundliche, mitleidvolle Frau. Einmal musste Göth zu einer wichtigen Besprechung in die Stadt. Er war ungeduldig, wartete auf einen Brief, den er noch unterschreiben musste, lief im Vorzimmer auf und ab und schaute ständig auf die Uhr. Seine Hektik machte Frau Kochmann dermaßen nervös, dass sie zu zittern begann. Dabei passierte ihr ein Missgeschick: Sie legte das Kohlepapier falsch ein. Göth beschimpfte sie mit dröhnender Stimme. Frau Kochmann war den Tränen nahe, während sie den Brief noch einmal tippte. Als Göth endlich fort war, beruhigte ich sie. „Ich schlage vor, ich bereite Ihnen in Zukunft fertige Schreibsätze mit Büroklammern vor, damit so etwas wie heute nie mehr passieren kann." Sie war sofort einverstanden. Ich sagte ihr allerdings nicht, dass ich bei diesen Schreibsätzen jedes Mal neues Kohlepapier nahm. So konnte ich, wenn ich dann allein im Büro war, den Abdruck auf dem Kohlepapier und somit die Geheimkorrespondenz spiegelverkehrt lesen. Ich möchte mich heute noch bei Ursula Kochmann dafür entschuldigen, dass ich sie all die Monate hinters Licht führte und ihr gegenüber unehrlich war.

Der Trick mit den Produktionstabellen

Generell war die Ermordung der Juden in Europa beschlossene Sache. Doch bis zum „Endsieg" sollte die Arbeitskraft der billigen Sklaven noch ausgebeutet werden. Warum aber wurden im Generalgouvernement zwischen Herbst 1943 und Frühjahr 1944 einige Ghettos und Lager aufgelöst? Warum blieben andere erhalten? Der Historiker Dr. Dieter Pohl vermutet zu Recht: „Entscheidend dürfte wohl die ‚Kriegswichtigkeit' der einzelnen Betriebe gewesen sein."

Nachdem ich mir Zugang zu den Geheimunterlagen hatte verschaffen können, reifte in mir im Sommer 1943 der Plan, Płaszów so lange wie möglich vor einer Auflösung zu bewahren – in der Hoffnung, dass möglichst viele von uns das Kriegsende ohne Verschickung in andere Lager erlebten. Eine Möglichkeit schien mir darin zu bestehen, unsere „Kriegswichtigkeit" zu betonen. Ich konnte diesen Plan aber nur mit der überwältigend großen Hilfe von Oskar Schindler verfolgen. Erst im Nachhinein kann man vielleicht von Strategie sprechen. Damals jedoch wäre diese Bezeichnung übertrieben gewesen. Denn es gab kaum Zeit, Geschehnisse entsprechend abzuwägen und zu vergleichen. Nur im Rückblick sieht es wie eine Strategie aus, damals jedoch wäre es unrealistisch gewesen, strategisch handeln zu wollen. Glücklicherweise fügte sich aber ein Mosaiksteinchen zum anderen. Wir waren selbst bis zur letzten Minute des Krieges nicht sicher, ob wir überleben würden oder nicht.

Ich will und muss betonen – und darf nicht missverstanden werden: Ohne Schindlers Mut und ohne seinen kontinuierlichen Einsatz für uns Juden in Płaszów, später in Brünnlitz und auch anderswo hätten wir nicht überleben können. Schindler gab mir den Mut zum Widerstand, denn er half, wo immer er konnte. Ich hatte die geheimen Informationen und zog meine Schlüsse daraus. Vieles besprach ich mit ihm, allerdings immer nur in Andeutungen. Schindler besaß die Kontakte zur Rüstungsinspektion und zur Wehrmacht. Auch hatte er das nötige Geld, um mit wertvollen Geschenken die erwünschten Entscheidungen von den zuständigen Personen zu erwirken. Er zeigte in allen Situationen entschlossene Tatkraft und tiefe Menschlichkeit, die darin ihren Ausdruck fand, dass er „seinen Juden" um jeden Preis helfen und sie am Leben erhalten wollte.

Es ist heute unmöglich zu ermessen, was Schindler jahrelang täglich auf sich nahm, um uns zu helfen. So haben er und ich, jeder im Rahmen seiner sehr unterschiedlichen Möglichkeiten, etwas schier Unmögliches erreicht: das Zwangsarbeitslager Płaszów, in dem etwa achtzig Prozent der Betriebe Schneiderei- und Textilproduktionen waren, wurde Ende 1943 nicht frühzeitig aufgelöst, sondern blieb erhalten. Im Spätherbst 1944 vollbrachte Schindler dann das einzigartige Meisterstück, seinen gesamten schweren Maschinenpark und tausend seiner jüdischen Arbeitskräfte nach Brünnlitz zu verlegen. Dort stießen noch zusätzliche Juden aus anderen Lagern und Gefängnissen zu uns, die Schindler ebenfalls aufnahm. Bei jedem Zugang musste die Liste der Häftlinge durch Zusatzblätter ergänzt werden. Sie bekam dann das jeweils aktuelle Datum und ging an das Konzentrationsstammlager Groß-Rosen weiter. Nach dieser Liste wurden die Tagessätze fakturiert, die Schindler für jeden der angegebenen Arbeiter an das SS-WVHA zu bezahlen hatte. Schindler schützte und rettete nicht nur die Juden aus Płaszów, sondern auch jene, die im Winter 1944/1945 in Brünnlitz auftauchten und ohne ihn umgekommen wären. So ergab sich am Ende die Zahl von etwa 1200 Häftlingen.

Die gesamte Rettungsaktion wurde als „Schindlers Liste" bekannt, obwohl nicht von einer einzigen Liste die Rede sein kann. Es gab mehrere sich aufeinander beziehende Listen. Schindlers Fabrik in Brünnlitz, die vom Herbst 1944 bis zum Mai 1945 existierte, war ein Außenlager des KZ Groß-Rosen. Schindlers ständige Bemühungen während der vorangegangenen Jahre waren entscheidend für diesen allerletzten Kraftakt seiner Rettungsaktion. Er kämpfte bis zum Schluss für unser Wohlergehen und unser Leben.

IN DER Kommandanturbaracke, im Flügel mit Büros für die Betriebe, erschienen regelmäßig die Leiter der Werkstätten und Betriebe, um ihre wöchentlichen Rapporte abzuliefern. Bevor ich diese Berichte Göth auf den Schreibtisch legte, las ich sie selbst, um festzustellen, welche Lagerwerkstätten gut produzierten, wo Engpässe herrschten und wo es an Arbeitsaufträgen fehlte. Notizen konnte ich mir nicht machen, doch ich verfüge seit meiner Kindheit über ein sehr gutes visuelles Gedächtnis, darauf konnte ich mich auch während der Lagerjahre verlassen. Bis zum Sommer 1943 bot jede Form der betrieblichen Arbeit einen gewissen Schutz vor Selektionen. „Arbeit" war seit den Anfängen der deutschen Besatzung gleichbedeutend mit „Überleben" – auch wenn die Arbeit oft schlimm war und weit über die Kräfte der Häftlinge hinausging. Ende Juli 1943 stieß ich bei der Durchsicht der Geheimdokumente auf etwas Unerwartetes. Es machte mir eines deutlich: ich musste sofort handeln, wollte ich unseren offensichtlich beschlossenen Untergang hinauszögern.

Nach der Kapitulation von Stalingrad Ende Januar/Anfang Februar 1943 hatte die russische Gegenoffensive begonnen. Im Sommer 1943 war die Rote Armee bereits in die Nähe der Vorkriegsgrenze Polens vorgedrungen. Ich las von großen Veränderungen im Großraum Lublin und Warschau, wo jüdische Arbeitslager aufgelöst wurden, die nur über Schneidereien und Textilproduktion verfügten. Überdies bemerkte ich, dass sich Göth immer weniger für die Arbeitsberichte und Produktionszahlen unserer Bekleidungsbetriebe, Strickereien und Glaswerkstätten interessierte. Hingegen las er besonders aufmerksam die Berichte der Metallbetriebe wie Klempnerei und Schlosserei. Göths spezifische Reaktion auf diese Werkstattberichte bestätigte meine düsteren Vermutungen. In Anbetracht der sich zuspitzenden militärischen und wirtschaftlichen Lage zählten für das Dritte Reich nun ausschließlich die „kriegswichtigen" Produktionsbereiche. Ich wusste, dass wir im Lager – abgesehen von den Großschneidereien, die für die Wehrmacht arbeiteten – kaum Güter herstellten, die sich für den direkten Bedarf an der Front eigneten.

Bei meinem nächsten Gespräch mit Schindler bat ich ihn, ohne ihm im Detail die Hintergründe zu eröffnen, um die technischen Datenblätter seiner Metallbearbeitungsmaschinen. Ich neutralisierte die Papiere, damit niemand sehen konnte, für welchen Betrieb sie galten und woher sie stammten. Diese neuen Datenblätter zeigte ich unseren Vorarbeitern aus den Metallwerkstätten und bat sie zu überlegen, was sie mit ihren Maschinen für den direkten Kriegsbedarf herstellen könnten. Ich wollte genaue Einzelheiten erfahren: wie viel Stück pro Arbeitstag, vorausgesetzt, wir beschafften die Aufträge und das notwendige Material. Stets war meine Frage: „Was bringen die Maschinen an Kapazität?" Ich bat auch Schindler um eine entsprechende Aufstellung. Wenn mich die Vorarbeiter nach dem Grund dieser Listen fragten, antwortete ich: „Die Kommandantur verhandelt wegen Aufträgen, die für uns wichtig sind." Danach stellten die Vorarbeiter keine weiteren Fragen. Sie kannten mich und vertrauten mir. Ich arbeitete im Alleingang und war mir des Risikos durchaus bewusst. Als ohnehin Todgeweihter hatte ich nichts zu verlieren. Hätte Göth mich zur Rede gestellt, wieso ich es wagte, ohne sein Wissen Informationen von den Vorarbeitern einzuholen, hätte ich ihn an den nicht lange zurückliegenden Fall unseres Papierverarbeitungsbetriebes erinnern können, der ihm bekannt war.

Dort war ein Bekannter meines Vaters, Benjamin Geizhals, technischer Leiter. Eines Tages wandte er sich ziemlich verzweifelt an mich. Er wisse sich nicht mehr zu helfen. Seine ganze Abteilung habe keine Aufträge mehr. Sie stelle unter anderem Büroordner her und bekomme jetzt die metallenen Hebelmechaniken nicht mehr geliefert. Bei Schließung seiner Abteilung stünde das Leben seiner Arbeiter auf dem Spiel. Nachdem mir Herr Geizhals die Lage erklärt hatte, besorgte ich mir über die Außenhandelskammer des Generalgouvernements die Adressen einschlägiger Herstellerfirmen und schrieb diese mit der Bitte um Kostenvoranschläge für solche Hebelmechaniken an. Alles lief offiziell auf Bögen mit dem Briefkopf Zwangsarbeitslager Krakau-Płaszów des SS- und Polizeiführers, und selbstverständlich waren sie unterschrieben von Göth. Meine Briefe führten tatsächlich dazu, dass uns einige Firmen Hebelmechaniken anboten und die Buchbinderei wieder genügend Aufträge hatte. Seit dieser erfolgreichen Intervention waren die Werkstattleiter und Vorarbeiter von meiner Initiative überzeugt, sie fertigten darum anstandslos die von mir geforderten Aufstellungen über die Maschinenkapazitäten an. Als ich dann die Vorarbeiter um eine weitere Aufstellung bat und wissen wollte, welche Produkte sie herstellen könnten, die für die Wehrmacht von Interesse wären, machten sie mir auch hierzu verschiedene Vorschläge aus ihrer Branche.

AUFGRUND mancher Briefe, die Göth mir aus Bequemlichkeit abends in seiner Villa diktierte, erfuhr ich mehr über die Pläne der Nazis. Inzwischen rückte – es war Sommer 1943 – die russische Front immer näher, was bedeutete, dass auch Göths Tage als Kommandant gezählt waren. Gleichzeitig wuchs meine Gefährdung, denn ich wusste ja, dass Göth bereits einige nicht genehme Zeugen und Mitwisser seiner Verbrechen aus dem Weg geräumt hatte. Ich war nach wie vor fest davon überzeugt, nie mehr ein Leben in Freiheit genießen zu können, denn Göth würde mich kurz vor einer möglichen Befreiung des Lagers erschießen. Später in Brünnlitz und auch nach dem Krieg bestätigte mir Schindler in Gesprächen meine Befürchtung: „Göth hätte es nie zugelassen, dass du jemandem außerhalb des Lagers erzählen könntest, was du alles bei ihm gesehen hast."

Im Büro verhielt ich mich so unauffällig wie möglich. Wenn Göth Besuch von seinen Vorgesetzten aus Krakau oder gar aus Berlin bekam, hielt ich zwar Augen und Ohren offen, doch machte ich mich möglichst „unsichtbar". Dabei half mir, dass ich stets darauf bestand, die einfache, gestreifte Häftlingsuniform zu tragen. Ich wollte weder nach außen hin noch vor mir selbst als „privilegiert" gelten. Trotzdem versuchten einige meiner Mithäftlinge, mich zum Tragen der Ordnungsdienstuniform zu überreden. Sie dachten vielleicht, wenn ich wie sie ein „OD-Mann" wäre, gäbe ich ihnen Auskunft über geheime Vorgänge im Büro. Das tat ich nie. Stets hielt ich mich zurück und machte das, was ich dort sah und hörte, mit mir selbst aus. Manche so genannte Lagerpolizisten rissen sich regelrecht darum, eine besondere OD-Uniform zu tragen. Sie ließen sich ihre Häftlingskleidung sogar maßschneidern. Sie hielten sich für etwas Besseres, obwohl wir uns doch alle in derselben miserablen Lage befanden. Dieser Hochmut und diese Arroganz einiger weniger waren erschreckend.

Leider gab es im schrecklichen Lageralltag auch jüdische Häftlinge, die sich gegenseitig schadeten, weil sie in der Gunst der SS-Leute ganz oben stehen wollten. Diese jüdischen Konfidenten in den SS-Lagern sind ein schwieriges Thema. Fast alle wurden früher oder später von der SS als lästige Mitwisser umgebracht. Dabei waren sie fest davon überzeugt, als Einzige der Häftlinge den Krieg zu überleben. Doch viele von ihnen überlebten ihn eben nicht.

Der jüdische Lagerälteste Wilek Chilowicz war Göth geradezu hörig. Er und seine Ordnungsdienstmänner waren sich auch sicher, dass ihnen nichts geschähe. Doch sie irrten sich. Chilowicz versuchte mehrmals, mich in seinen Zuständigkeitsbereich zu ziehen, und trug mir die OD-Uniform an. Ich wehrte mich, denn ich war ja überzeugt, eines Tages von Göth erschossen zu werden. Wenn es so sein musste, wollte ich als anständiger Mensch in Erinnerung bleiben. Ich kämpfte regelrecht darum, diese Uniform nicht tragen zu müssen. Aber Chilowicz drängte mich beharrlich und ließ mir die Uniformjacke samt Polizeimütze immer wieder auf meine Pritsche legen.

Schließlich erhielt ich von Göth die Genehmigung, weiter bei meinem Häftlingsanzug zu bleiben. Zwar erreichte ich das nur durch einen kleinen Trick, doch danach war ich den lästigen Chilowicz los. Ich sagte Göth nämlich, ich sei doch oft allein im Vorzimmer. Wenn dann ein fremder SS-Führer komme, der meine Uniform nicht als die eines Häftlings erkenne, weil er davon ausgehe, im Vorzimmer des Kommandanten arbeiteten keine Gefangenen, und mir die Hand geben wolle, bringe ihn das nur in Verlegenheit. Göth sah mich daraufhin ein wenig skeptisch an. Er war keineswegs dumm, und ich befürchtete bereits, dass er mich diesmal durchschauen könnte. Doch er murmelte nur: „Na ja, an sich schon …" Ich nahm es als Zustimmung. „Gut", meinte ich, „dann kann ich Chilowicz sagen, ich habe Ihre Erlaubnis, bei meinem blaugrau gestreiften Anzug zu bleiben." Andere im Lager hielten mich vielleicht für einen Trottel, weil ich das „Privileg" einer OD-Uniform vehement ablehnte, aber ich habe mich dadurch nie kompromittiert.

GÖTH wusste von meinen Vorarbeiten nicht das Geringste. Als ich schließlich sicher war, dass man unbedingt irgendeine Art von Rüstungsgütern in das Produktionsprogramm aufnehmen musste, berichtete ich Schindler von den Liquidierungen der Textilschneidereien in anderen Teilen des Generalgouvernements. Er reagierte beschwichtigend: „Meinen Leuten droht das nicht. Ich bin ja nicht in der Konfektions-, sondern in der Metallbranche." Aber ich war mir meiner Sache gewiss. Bei jedem weiteren Durchblättern der Dienstkorrespondenz stieß ich auf neue Informationen. Die Ereignisse überschlugen sich. Mich trieb die Überzeugung, dass Eile geboten war. Ich las Berichte über Besprechungen beim Höheren SS- und Polizeiführer Ost in Krakau, bei denen es unter anderem darum ging, ob und welche jüdischen Arbeitslager weiterbestehen und, je nach der Lage an der Ostfront, Richtung Westen verlegt werden sollten. Dabei wurde bekannt gegeben, der oberste Chef des gesamten Wirtschaftsbereiches der SS, General Oswald Pohl vom SS-WVHA, habe verfügt, dass nur die jüdischen

Arbeitslager zu erhalten seien, die eine „siegentscheidende" Produktion nachweisen könnten. „Siegentscheidend", das Wort ließ mich aufhorchen. Es war mir bisher in all den Briefen, Fernschreiben und Aktennotizen noch nie begegnet. Ich verstand es als eine Steigerung von „kriegswichtig". „Kriegswichtig" war auch die Herstellung von Uniformen und Stiefeln für die Wehrmacht. „Kriegswichtig" waren sogar die Briefumschläge, die wir im Lager für die SS klebten. Doch „siegentscheidend" war einzig und allein die Rüstungsproduktion.

Daraufhin führte ich das entscheidende Gespräch mit Schindler. Aus Gründen der Vorsicht wollte ich ihm nicht sagen, dass ich diese Informationen selbst gelesen hatte. Schindler war manchmal ein wenig leichtsinnig und vertrauensselig. So teilte ich ihm nur mit, ich sei aufgrund verschiedener Gesprächsfetzen fast sicher, dass es für den Fortbestand auch der jüdischen Arbeitskommandos in seiner Fabrik unbedingt notwendig sei, neben der Emaille- eine reine Rüstungsproduktion aufzubauen. Schindler murmelte daraufhin wieder etwas von „Metallbranche". Da rutschte mir eine saloppe Bemerkung heraus: „Herr Direktor, mit Emailletöpfen allein kann man keinen Krieg gewinnen. Es wäre schön, wenn Sie in Ihrer Fabrik eine richtige Rüstungsabteilung hätten, damit Ihre Leute sicher sind." Ich vermute, das war im Grunde nichts Neues für Schindler. Auf jeden Fall baute er jetzt die Rüstungsproduktion in seiner Fabrik verstärkt aus, vor allem die Herstellung von Granatenteilen. Die liefen unter der Tarnbezeichnung „MU" für „Mundlochbuchse" – wobei ich bis heute nicht weiß, worum es sich dabei genau handelte.

Als dann etwa ein Jahr später, im Sommer 1944, die Verlagerung wichtiger Betriebe ins Reichsgebiet zur Diskussion stand, entschied das SS-WVHA, dass nur der Teil von Schindlers Fabrik ins Sudetenland verlegt werden sollte, der die Granatenteile herstellte. Deshalb kamen fast ausschließlich die Leute von der Abteilung „MU" auf die Liste und nicht diejenigen, die bei der Emaillewarenfertigung eingesetzt waren. Hätte Schindler damals nicht mit der Produktion der Granatenteile begonnen, gäbe es das ganze Phänomen und die Rettungsaktion „Schindlers Liste" nicht. Denn Emaillewaren galten zwar als „kriegswichtig", aber nicht als „siegentscheidend".

Schindler agierte zielstrebig. Die Produktion der „MU" lief an. Doch jetzt ging es um die Erhaltung des Lagers. Das Vorhaben musste gelingen. Ich durfte natürlich selbst meinen Freunden Izak und Natan Stern nicht sagen, welche Briefe, Fernschreiben und Geheimdokumente ich gelesen hatte. Wir wussten ja nie, wann wer von uns gefoltert werden könnte. So deutete ich ihnen nur einige Informationen an. Ich sprach von den Folgen von Stalingrad. Die seien viel weitreichender, als wir es uns vorstellen könnten. Unser Lager stehe möglicherweise vor der Auflösung. „Ich glaube", beendete ich meinen kleinen Vortrag, „der einzige Weg wäre, in irgendeiner Form an ein KL angeschlossen zu werden. Denn die Konzentrationslager werden mit Sicherheit bis zum Ende des Krieges bestehen bleiben." Die beiden Sterns waren sprachlos. Sie schauten mich ungläubig an, fast besorgt, dachten bestimmt: Der Arme, jetzt hat er den Verstand verloren. Die Sterns wussten natürlich nicht, dass für mich inzwischen die Abkürzung „KL" (wie die KZs damals im SS-Jargon hießen) auch zu einem strukturellen Ordnungsbegriff geworden war. Ich wusste aus der Dienstkorrespondenz, dass innerhalb des deutschen Lagersystems die etwa zwanzig Konzentrationslager höchste Priorität besaßen, was die Versorgung und ihre Erhaltung betraf. Sollte es gelingen, überlegte ich, unser Zwangsarbeitslager als ein solches KL zu erhalten, hätten wir vielleicht die Chance, länger am Leben zu bleiben. Meine Vermutung erwies sich als zutreffend.

Ich gab nicht auf, denn mir war mittlerweile noch etwas anderes klar geworden: die Erhaltung unseres Lagers hatte nicht nur für uns jüdische Häftlinge, sondern auch für Göth eine entscheidende Bedeutung. Er litt inzwischen, bei einem Gewicht von etwa 120 Kilo, an schwerem Diabetes. Göth wusste um sein Dilemma: In seinem Lager wurden hauptsächlich Bürsten, Glaswaren, Textilien und Schuhe hergestellt – das war offensichtlich keine „siegentscheidende" Produktion. Die Schließung des Lagers hätte für ihn den Verlust seiner Privilegien bedeutet, den Verzicht auf Luxus und Schwelgerei, eventuell sogar noch den Fronteinsatz, während ihm die Erhaltung des Lagers weiterhin ermöglichte, sein „eigener Kommandeur" zu bleiben. Unsere Interessen als Häftlinge stimmten hier auf paradoxe Weise mit denen des SS-Lagerkommandanten überein.

Als Göth im Spätsommer – etwa August – 1943 von mir eine Aufstellung darüber anforderte, was unsere Metallbetriebe produzieren oder bei Bedarf herstellen könnten, sah ich darin meine Vermutung bestätigt, dass er den Metallbranchen im Lager eine besonders wichtige Rolle zumaß. Göth wollte nicht wissen, wie viele Schuhe, Strickwaren oder Uniformen wir herstellen konnten. Die Rede war ausdrücklich von Metallwaren. Ich ahnte, dass es sich um etwas enorm Wichtiges handelte.

Göth hatte mir schon mehrmals Aufgaben aufgetragen, ohne mir genau mitzuteilen, wie ich sie bewerkstelligen solle. Auch diesmal gab er mir keine genauen Anweisungen. Ihn interessierte nur das Resultat. Da ich aber, wie geschildert, dank gewisser Geheiminformationen einige Einblicke in die Pläne der Nazis besaß, beschaffte ich mir von Schindler die Datenblätter zu seinen Maschinen und bat die technischen Betriebsleiter unserer Werkstätten, mir Beispiele für Produkte zu nennen, die ihre Maschinen bei entsprechender Bestückung und Einrichtung herstellen könnten. Dabei legte ich Wert darauf, dass mir die Betriebsleiter nicht einfach nur die Namen der jeweiligen Produkte nannten, sondern auch Angaben über Materialarten, Formate und Ausstattungsvarianten lieferten. Ich forderte diese vielfältigen Daten ganz bewusst an, damit ich bei der Aufstellung eines jeden Produkts eine ganze Zeile im DIN-A4-Querformat ausfüllen konnte. Durch eine derartige Informationsfülle und Detailgenauigkeit wollte ich Aufmerksamkeit erregen und beeindrucken. Das gelang mir letztlich auch.

Jede Zeile begann mit dem Namen des jeweiligen Produkts und der monatlich herzustellenden Stückzahl und endete mit der Abkürzung „od.". Dann ging es weiter mit der nächsten Zeile. Wieder alle Details. Und dann am Ende stets ein „od.", Zeile für Zeile. Ich erstellte die Produktionslisten vorwiegend abends und sogar nachts, damit niemand sah, was ich da eigentlich schrieb. Bis in die Nacht hinein zu arbeiten war für mich nichts Ungewöhnliches. Ich hatte ja stets ein großes Arbeitspensum. Darum wunderte sich auch niemand, in der Schreibstube der Kommandantur noch so spät Licht zu sehen.

Als ich Göth nach wenigen Tagen die Tabellen zeigte, reagierte er zunächst ungeduldig: „Das können wir doch gar nicht produzieren." Woraufhin ich entgegnete: „Ich habe aber für alles Unterlagen." Jetzt wurde er sogar etwas unwirsch. „Das sind doch viel zu große Mengen." – „Das schon", antwortete ich, „aber es sind Alternativen." Nun zeigte Göth plötzlich Interesse. „Wieso Alternativen?" – „Ja, das ist hier angegeben am Ende der Zeilen mit dem ‚od.'. Das ist aus dem Duden, denn ‚od.' steht für ‚oder'." Ich zeigte Göth die entsprechende Stelle im Duden, als wäre dies das Wichtigste. Der Trick funktionierte. Göth ließ sich von den Daten und dem Hinweis auf den Duden beeindrucken. Das hatte ich vorausgesehen, denn inzwischen kannte ich sein Verhalten in solchen Dingen recht gut. Göth saß ein paar Sekunden lang still da und sagte nichts, doch er sah mich forschend an. Die Zeit schien stillzustehen. Plötzlich schoss mir ein beängstigender Gedanke durch den Kopf:

Jetzt zieht er entweder die Pistole, weil er meint, du willst ihn mit einer Fleißarbeit für dumm verkaufen, oder er denkt sich, der Pemper weiß etwas, was er eigentlich nicht wissen kann, nämlich dass diese Tabellen genau das sind, was ich brauche. Göth konnte mir natürlich nicht sagen, ich solle ihm gefälschte Angaben liefern, denn dann hätte er sich erpressbar gemacht. Doch er erkannte sofort den Wert dieser Tabellen für sich und das Lager. Hier war ein Plan, der es ihm ermöglichte, „Kommandeur" zu bleiben – und nur daran war ihm gelegen. Göth fragte mich dann nur noch ganz kurz: „Wie viele Exemplare haben Sie davon?" Ich zeigte ihm daraufhin das Original und zwei Kopien. Er nickte und steckte die Tabellen in die Tasche. Ohne ein weiteres Wort zu verlieren, begab er sich mit ihnen in die Stadt. Er ahnte vielleicht, dass es sich um einen Trick handelte. Aber er hatte die Listen erst einmal an sich genommen, und damit war der erste Schritt geschafft. Ich hatte Folgendes überlegt: Sollte Göth meine geschönten Produktionstabellen bei seinen Vorgesetzten vorlegen, würden sie genauso reagieren wie er: sie wären von dem Zahlenwust im Querformat beeindruckt, und kaum jemand würde unnötige Fragen stellen oder das kleine „od." entdecken.

Auch in anderen Zusammenhängen fiel mir stets auf, dass bei den Nazis zwar vieles perfekt war, aber es dennoch gewisse Widersprüche und Ungereimtheiten gab. Selbst in diesem teuflischen System der Vernichtung existierten bestimmte Lücken und Löcher – wir mussten sie nur finden.

MEINE Hoffnungen erfüllten sich. Göth fuhr tatsächlich mit den frisierten Produktionstabellen zu Gesprächen in die Stadt. Zeitlich fiel nämlich die Erstellung dieser Listen über die angeblichen Rüstungskapazitäten unseres Lagers mit den Besprechungen beim Höheren SS- und Polizeiführer Ost zusammen. Obwohl Göth nicht in der Position war, an diesen Gesprächen teilzunehmen, vermute ich, dass er die Produktionslisten den maßgeblichen Verantwortlichen direkt vorlegte oder ihnen über die Adjutanten zukommen ließ, um die Bedeutung des Lagers für die Kriegswirtschaft zu belegen und dessen Auflösung zu verhindern. Was sich bei den anschließenden Treffen auf höherer Ebene beim SS-WVHA abspielte, weiß ich natürlich nicht. Ich habe auch die sorgsam erstellten Produktionstabellen nie mehr gesehen, obgleich ich nach 1945 intensiv nach ihnen suchte. Ich weiß auch nicht, ob sie bei Kriegsende vernichtet wurden oder noch in irgendeinem Archiv lagern.

Im Nachhinein zeigte sich, dass in der Tat am 3. September 1943 in Krakau und am 7. September in Oranienburg entscheidende Gespräche stattfanden, bei denen beschlossen wurde, welche Lager erhalten bleiben und welche aufgelöst werden sollten. Die ohne „siegentscheidende" Produktion, vor allem kleinere, wurden liquidiert. Für die Häftlinge bedeutete das den sicheren Tod, denn es gab ja noch Vernichtungslager, zum Beispiel Sobibor, das bis zum Oktober 1943 existierte, oder Auschwitz, wo bis zum November 1944 Menschen ermordet wurden. Doch Płaszów blieb bestehen, und somit erhielten fast 20 000 jüdische und polnische Häftlinge eine Chance, weiter am Leben zu bleiben. Ohne die fingierten Produktionslisten vom Spätsommer 1943 hätte jedem von uns der Tod gedroht, auch wäre es wohl nicht mehr zu der Rettungsaktion von Schindler im Oktober 1944 gekommen. Dass viele Häftlinge aus Płaszów dann im Zuge der Auflösung des Lagers im Juli und August 1944 in die KZs Mauthausen und Stutthof deportiert wurden, ist ein anderes Drama.

Płaszów wird zum Konzentrationslager

Am 22. Oktober 1943 hatte General Pohl, der Chef des SS-WVHA, angeordnet, dass unter anderem Płaszów als Konzentrationslager übernommen werden solle. Göth wusste davon zwei oder drei Tage später. In meiner Erinnerung hing die folgende Begebenheit zeitlich mit diesem für Göth erfreulichen Beschluss zusammen. Sie hatte vielleicht auch mit der Ankunft seines Wiener Duzfreundes SS-Untersturmführer Josef Neuschel zu tun, der zum Leiter der Lagerbetriebe und Werkstätten ernannt worden war. An Neuschels Ankunftstag war Göth jedenfalls bester Laune. Das kam selten vor, und darum blieb mir die folgende Episode so gut in Erinnerung. Er wollte seinem Freund wohl besonders eindrucksvoll mit seiner bislang noch uneingeschränkten Macht imponieren. Darum führte er in den Verwaltungsbüros der Kommandanturbaracke eine Inspektion durch. Dabei fand man in den Schreibtischschubladen einiger jüdischer Bürokräfte, die für die Lagerwerkstätten zuständig waren, etwas Wurst. Die hatten sie wohl von deutschen Auftraggebern bekommen, die ihnen, wenn sie ins Lager kamen, hier und da mal etwas zusteckten. Die Deutschen schätzten nämlich die Reparaturwerkstätten im Lager, denn sie leisteten gute Arbeit für wenig Geld. Wir Häftlinge waren wiederum für jeden Auftrag dankbar. Bei dieser

Lagerhauptstraße von Płaszów mit Kommandanturbaracke (linker Bildrand) und Grauem Haus (rechts). Das dritte Haus von links im Hintergrund ist Göths Villa.

Inspektion kam auch eine defekte Pistole zum Vorschein. Sie war vorschriftsmäßig mit einem Reparaturauftrag samt Quittung versehen, darauf vermerkt auch der Name des Auftraggebers. Doch Göth wollte einen großen Auftritt, eine Demonstration seiner Macht. Er ließ die etwa fünfzehn jüdischen Häftlinge aus diesen Büros antreten. Zehn von ihnen wurden zum Erschießen abgeführt. Ferdinand Glaser, ein Zugwachtmeister der Schutzpolizei, sollte die Exekutionen vornehmen.

Unter den zehn befand sich auch die Freundin eines ehemaligen Klassenkameraden aus der Volksschule. Da ich bei dieser Schubladenkontrolle nicht anwesend gewesen war, informierte mich mein Freund in aller Eile, dass seine Freundin in Gefahr sei, zusammen mit einigen anderen erschossen zu werden. Da ich gern helfen wollte, suchte ich nach einem Vorwand, Göth in diesem Moment zu stören. Er stand mit Neuschel und einigen Untergebenen in der Nähe der Kommandantur. Ich konnte ihm von wichtigen Telefonaten erzählen, die alle erfreulich für ihn waren. Darum fragte ich Göth, ob ich eine persönliche Bitte anschließen dürfe. Als er meine Frage bejahte, sagte ich, die Frau aus der Abteilung Werkstatt-Abrechnungen habe aus diesem und jenem Grund nicht das Geringste mit dem Pistolenfund zu tun. Zu meiner Überraschung erwiderte Göth: „Also gut, dann holen Sie sie zurück." Die Gruppe der zur Erschießung Abgeführten war aber bereits fast zweihundert Meter von uns entfernt. Ich nahm deshalb all meinen Mut zusammen und sprach Göth nochmals an: „Entschuldigen Sie, Herr Kommandeur. Aber Zugwachtmeister Glaser wird mir doch nicht glauben, wenn ich ihm sage, die Frau sei auszusondern." Daraufhin meldete sich unaufgefordert der junge, etwas gehbehinderte SS-Mann Ruge, der meine Bemerkung mit angehört hatte. Er könne schnell zu der Gruppe laufen, schlug er vor, und die Entscheidung von Göth übermitteln. Er wollte mir einen Gefallen tun, denn seit vielen Wochen hatte er seinen Schreibtisch im selben Raum der Kommandantur wie ich, und wir verstanden uns gut. Er eilte also zu der Gruppe und holte die Frau zurück. Die anderen wurden von Glaser erschossen. Wäre ich der Abteilung hinterhergelaufen, hätte mich Glaser wahrscheinlich in die Gruppe der Todeskandidaten eingereiht. Durch seine spontane Hilfsbereitschaft trug Ruge zur Rettung der Frau bei. (Sie zog nach dem Krieg nach Israel, wo sie 2004 starb.) Dass Göth mir die Bitte gewährte, wenigstens einen Menschen zu retten, hing nun eben möglicherweise mit der gerade eingegangenen Nachricht vom Fortbestand des Lagers zusammen, die für ihn bedeutete, dass er im Herbst 1943 nicht mit einem Fronteinsatz rechnen musste und sein „eigener Kommandeur" bleiben konnte.

VIELE der aus Deutschland stammenden SS-Männer hatten, bevor sie nach Polen gekommen waren, nie Juden gesehen, weil Anfang der Vierzigerjahre bereits ganze Landstriche in Deutschland „judenfrei" waren. Für mich ist es darum leicht verständlich, dass bei diesen jungen Menschen die allgegenwärtige Propaganda und die antisemitischen Schulungsbriefe auf so viel Resonanz stießen. Ich bin der Meinung, die wirklichen Verbrecher waren nicht nur jene, die Menschen erschossen, sondern auch die Autoren derartiger Propaganda, die das antisemitische Gift in die Köpfe junger Leute träufelte. Mir ist es bis heute wichtig, immer wieder den SS-Mann Dworschak zu erwähnen. Er war etwa 1,80 Meter groß, blond, blauäugig, Sudetendeutscher und rein äußerlich das Bild des idealen SS-Mannes. Vielleicht gerade aus diesem Grund war er bei der SS-Leibstandarte Adolf Hitler.

Frühsommer 1943. Göth will wie so oft zu einer Besprechung in die Stadt fahren. Sein BMW steht bereits vor dem noch verschlossenen Lagertor, und er diktiert mir noch schnell einen Brief. Zudem gibt er mir in knappen Worten Anweisungen, was während seiner Abwesenheit zu erledigen sei. Da kommt Dworschak als Wachhabender auf Göth zu und macht Meldung. Die Polizei habe gerade während einer Überprüfung in der Krakauer Innenstadt eine Frau mit gefälschten polnischen Papieren entdeckt und ins Lager gebracht. Sie sei Jüdin. Die Frau steht mit einem Kind im Arm vielleicht 150 Meter von uns entfernt. „Erschießen Sie sie!" sagt Göth, ohne auch nur einen Blick auf die beiden zu werfen. Dworschak schießt das Blut ins Gesicht, dann erwidert er leise, aber deutlich: „Das kann ich nicht." Göth verschlägt es einen Moment lang die Sprache. Dann brüllt er Dworschak an und droht ihm mit allen Strafen der Hölle. Auch mir stockt beinahe der Atem. Das kann als Befehlsverweigerung gelten! Und das bei einem Vorgesetzten, der sich als Herr über Leben und Tod gefällt, für den ein Menschenleben nichts gilt! Dworschak stammelt nur immer wieder: „Das kann ich nicht … das kann ich nicht …" Schließlich lässt Göth ihn wegtreten.

Mir diktierte Göth eine Personalnotiz, an deren Inhalt ich mich noch nach über sechzig Jahren erinnere. Der Wachhabende Dworschak solle wegen „Belügen eines Vorgesetzten" bestraft werden. Über diese Formulierung habe ich lange nachgedacht. Alle Strafen im Lager benötigten eine Begründung, die in den Personalakten vermerkt wurde. Doch „Belügen eines Vorgesetzten" war mir neu. Ich vermute, Göth dachte folgendermaßen: Dworschak hat mich angelogen. Denn es stimmt nicht, dass er die Frau nicht erschießen *konnte*. Er *wollte* sie nur nicht erschießen.

Dworschak bekam für einige Monate Beförderungs- und einige Wochen Ausgangssperre. Mehr passierte ihm nicht. Es war also keineswegs so, wie man es nach dem Krieg immer wieder von ehemaligen Soldaten oder SS-Leuten zu hören bekam: „Wenn ich den Befehl nicht befolgt hätte, wäre ich selbst im KZ gelandet." Ich kenne Dworschaks Motive nicht, sich dem Befehl des Lagerkommandanten zu widersetzen. Ich weiß nur, Dworschak führte den Befehl nicht aus. Er erschoss die Frau und das Kind nicht.

Die beiden wurden dennoch am selben Nachmittag getötet, und zwar von Polizeioberwachtmeister Wenzel. Er hatte die ganze Szene aus einiger Entfernung beobachten können und wusste, dass auch ich Zeuge des Geschehens war. Vielleicht verspürte er deshalb am nächsten Morgen einen gewissen Rechtfertigungsdrang. Als er wie immer die Post für seine Kompanie im Vorzimmer der Kommandantur abholte, sagte er ungefragt, in fast weinerlichem Ton: „Was sollte ich denn machen? Das war doch ein Befehl." Ich erwiderte darauf nichts, denn für den jungen Dworschak war es auch ein Befehl gewesen – sogar ein sehr strikter.

Ich weiß, dass sich die SS-Leute nicht scharenweise zu den Exekutionskommandos meldeten, obwohl es dafür zusätzlich Schnaps und Zigaretten gab. Vielmehr waren dazu fast immer dieselben zehn, zwanzig Männer bereit, die dann die zum Tode verurteilten Lagerinsassen oder aufgegriffene polnische Widerstandskämpfer meist auf dem so genannten Erschießungshügel im Lager töteten.

BEREITS am 30. April 1942 hatte General Pohl vom SS-WVHA dem Chef seiner Amtsgruppe D Konzentrationslager, General Richard Glücks, sowie allen damaligen KZ-Kommandanten, Werkleitern und den Beauftragten der „W-Ämter" (in denen die Wirtschaftsunternehmungen der SS, nach Branchen strukturiert, verwaltet wurden) die neuen Bestimmungen für Lagerkommandanten mitgeteilt. Unter Punkt vier schrieb Pohl:

> Der Lagerkommandant allein ist verantwortlich für den *Einsatz der Arbeitskräfte*. Dieser Einsatz muss im wahren Sinn des Wortes *erschöpfend* sein, um ein Höchstmaß an Leistung zu erreichen.

Weiterhin legte Pohl auch die Aufteilung der Kompetenzen zwischen den Lagern und der Amtsgruppe D fest:

> Die *Zuteilung von Arbeiten* erfolgt nur zentral durch den Chef der Amtsgruppe D. Die Lagerkommandanten selbst dürfen eigenmächtig keine Arbeiten von dritter Seite annehmen noch Verhandlungen hierüber führen.

Unter Punkt acht, dem letzten Punkt, kam Pohl auf die Qualifikation der KZ-Kommandanten zu sprechen:

> Die Durchführung dieses Befehls stellt an jeden Lagerkommandanten erheblich höhere Anforderungen als bisher. Weil kaum ein Lager dem anderen gleich ist, wird von gleichmachenden Vorschriften abgesehen. Dafür wird die gesamte Initiative auf den Lagerkommandanten verlagert. Er muss klares fachliches Wissen in militärischen und wirtschaftlichen Dingen verbinden mit kluger und weiser Führung der Menschengruppen, die er zu einem hohen Leistungspotenzial zusammenfassen soll.

Schon einen Monat zuvor hatte Pohl den KZ-Kommandanten mitgeteilt:

> Die gesamte Organisation des Inspekteurs der Konzentrationslager wird daher mit dem 16. März 1942 als Amtsgruppe D in das SS-Wirtschaftsverwaltungshauptamt eingebaut.

Diese Befehle waren im Januar 1944, als Płaszów zum KZ wurde, in anderen Konzentrationslagern längst bekannt. Doch für Göth, nunmehr Kommandant des „KL Płaszów", waren diese Bestimmungen noch ganz neu, und es gab für ihn in administrativen Dingen einiges aufzuholen. Darum besichtigte er gern andere KZs und kehrte stets mit neuen Ideen und Vorschlägen zurück.

Von einer Reise brachte Göth die Überlegung mit, im Lager ein Bordell zu errichten. Häftlingen, die sich besonders auszeichneten, wollte er zur Belohnung einen Bordellbesuch zukommen lassen. Während er von seinem neuen Entschluss erzählte, konnte ich die Ungeheuerlichkeit dieses Gedankens kaum fassen: Ein Bordell? Hier im Lager? Wo so großer Hunger herrscht und sich unsere Leute vor Schwäche kaum auf den Beinen halten können? Widersprechen durfte man Göths Ideen auf keinen Fall. Vorsichtig fragte ich, ob ich dazu etwas sagen dürfe. „Jaja", sagte er. „Bordelle gibt es wohl in anderen Konzentrationslagern, weil das Lager sind, deren Häftlinge einzeln eingewiesen wurden. Unser Lager ist aber eine Fortsetzung des Ghettos. Wir haben ganze Familien hier. Ich glaube, wenn Sie ein Prämiensystem für gute Arbeit einführen möchten, dann würden sich unsere Leute über etwas mehr Brot oder Suppe freuen. Davon können sie dann auch ihren Familien etwas abgeben. Das ist für die Häftlinge wichtiger als ein Bordellbesuch."

Ein anderes Mal ging es darum, dass die Płaszów-Häftlinge tätowiert werden sollten. Nachdem Göth von einer Besichtigungsreise zum KZ Mauthausen zurückgekehrt war, gab er mir den Auftrag, Ziffernstempel aus Metall in unserer Lagerwerkstätte zu bestellen: für jede Zahl, null bis neun, einen Stempel. Um Zeit zu sparen, sollte den Häftlingen mit einem einzigen Druck dieses Nadelstempels eine Zahl eintätowiert werden. Drei bis fünf Einzelzahlenstempel, aufgereiht in einem Metallrahmen, sollten die Häftlingsnummer ergeben. Vom Arbeitssklaven zum Nutztier – das ganze Leben lang für jeden sichtbar gebrandmarkt, schoss es mir durch den Kopf. Auch diesmal fragte ich Göth, ob ich dazu etwas sagen dürfe, und legte ihm meine Vorbehalte gegen das Tätowieren mit dieser Art von Stempeln dar. Gereizt fragte er: „Warum sollte das nicht möglich sein, tätowiert wird in allen Lagern, und mit solchen Stempeln geht es schneller als mit einzelnen Stichen." Vorsichtig erwiderte ich: „Die Kunst der indischen Fakire besteht gerade darin, dass sie sich auf ein Nagelbrett legen können, ohne sich die Haut zu verletzen. Sie tun es dermaßen vorsichtig und gleichmäßig, dass auch nicht eine Nadel die Haut durchbohrt." Göth schaute mich ungläubig an.

Göth war Herr über
Leben und Tod
und inszenierte sich
auch so.

„Der Widerstand der Haut wird zu groß sein", sagte ich, „um mit solchen Stempeln tätowieren zu können." Göth erwiderte nur: „Das gibt es doch nicht. Da muss man eben einfach fester drücken." Meine Bemerkung muss ihm allerdings doch zu denken gegeben haben, er befragte offenbar den deutschen Lagerarzt Dr. Max Blancke, und der scheint ihm meine Vermutung bestätigt zu haben. Als sich Göth später erkundigte, ob ich die Metallstempel bereits bestellt hätte, und ich das bejahte, sagte er nur: „Dann bestellen Sie die Stempel eben ab. Es wird nicht tätowiert."

HELENA HIRSCH, eine ehemalige Hausangestellte in der Lagervilla, erzählte 1946 als Zeugin vor Gericht von Göths Hybris: Wenn er einen Befehl erteile, dann sei das heilig, habe er ihr mehr als einmal erklärt. Göth gefiel sich in seiner Allmacht und schüchterte Menschen gern ein. Die Häftlinge, die ihm hätten gefährlich werden können, ließ er kurzerhand liquidieren. Er empfand sich als der „ungekrönte König" von Płaszów und erwartete bedingungslosen Gehorsam.

Diese Arroganz war typisch für viele SS-Leute. Sie spielten ihre Macht nicht nur den Lagerhäftlingen gegenüber aus, sondern versuchten auch, sich gegenseitig auszustechen oder einander zu übertrumpfen. SS-Sturmbannführer Willi Haase, als Stabsführer der Stellvertreter des SS- und Polizeiführers im Distrikt Krakau, kam eines Tages mit seinen beiden Töchtern in die Kommandantur und verlangte nach einem Friseur, um den Kindern die Haare schneiden zu lassen. Göth war gerade nicht im Lager. Er und Haase konnten einander nicht ausstehen. Haase bestand nun darauf, seine Mädchen nur in Göths privatem Büro frisieren zu lassen, das mit einem rot eingefärbten Langhaarschaffell ausgelegt war. Ich hatte eine Heidenangst, dass eventuell Haare auf diesem Fell sichtbar liegen bleiben könnten. Denn hätte Göth erfahren, dass Haase sein Arbeitszimmer als Friseursalon für seine Kinder benutzt hatte, wäre es zu einem großen Skandal gekommen. So ließ ich den Boden sorgfältig mit Handtüchern abdecken, die ich später gründlich ausschütteln konnte.

Mir war aufgrund der Korrespondenz und der Fernschreiben, die ich für Göth vorsortierte und ihm auf den Schreibtisch legte, eines sehr schnell klar: Wer ihm gefiel, blieb am Leben, wer nicht, ging in den Tod. Dem Kommandanten von Auschwitz, Rudolf Höß, der die ganze Mordmaschinerie auf Befehl Himmlers organisiert hatte, konnte man bei seinem Prozess später nicht nachweisen, dass er persönlich einen Häftling gefoltert, geschlagen oder erschossen hatte. Das aber hat Göth erwiesenermaßen getan. So betrachtet, war er schlimmer als Höß. Er verhielt sich extremer, brutaler als andere Kommandanten. Beim Prozess gegen Göth fragte ihn der Vorsitzende, ob er für jedes Todesurteil eine individuelle Dienstanweisung seiner Vorgesetzten besessen habe. Nicht in jedem Fall, antwortete Göth. Vielmehr sei es die allgemeine Richtlinie gewesen, streng vorzugehen. Er habe zudem zu wenig zuverlässiges deutsches Personal gehabt.

Für mich war Göth ein Beispiel dafür, wie viel ein Mensch von dem spezifisch Humanen, nämlich Gewissen und Selbstkontrolle, verlieren kann – ganz zu schweigen von Mitgefühl. Ich kenne die Motive nicht, die einen Menschen zum Mörder werden lassen. Göth führte nicht nur die Befehle seiner Vorgesetzten aus. Er ließ sich darüber hinaus immer etwas Neues einfallen, um noch grausamer und gnadenloser vorzugehen. Göths Verhalten erschien mir wie das negative Spiegelbild meiner eigenen ethischen Überzeugungen.

Ab Januar 1944 musste Göth allerdings seine gewalttätigen Ausbrüche etwas im Zaum halten, denn seine harten Strafen und ständigen Misshandlungen beeinträchtigten die Produktivität der Häftlinge und schmälerten den Profit der SS. Als „siegentscheidende" Rüstungsarbeiter stieg unser Wert, und wir waren vor den willkürlichen Folter- und Erschießungsaktionen Göths etwas besser geschützt. Von nun an organisierte das Amt D II die Arbeitseinsätze der Lagerhäftlinge. Wie sich das konkret äußerte, betonte ich in einer eidesstattlichen Aussage beim Untersuchungsverfahren vom Februar 1950, das dem Prozess gegen SS-Standartenführer Gerhard Maurer vorausging:

> „Anträge, unterstützt durch Bescheinigungen der Behörden und Ämter (über die Notwendigkeit der Erfüllung des Produktionsprogramms des antragstellenden Betriebes, den Mangel an zivilen Arbeitskräften und Ähnliches), leitete das Lager an das Amt D II des SS-WVHA in Berlin-Oranienburg weiter und benutzte dafür entsprechende Vordrucke mit einigen Durchschlägen. Die Anträge bestätigte und unterzeichnete eigenhändig der Chef des Amtes D II, Gerhard Maurer. Manchmal, besonders wenn es um eine geringe Zahl von Häftlingen ging, erledigte das Maurers Stellvertreter ... Der Arbeitseinsatzführer des Lagers – im Konzentrationslager Płaszów war das SS-Hauptscharführer Franz Müller – organisierte die Arbeitsbrigaden, teilte die Häftlinge für die Ausführung von Arbeiten zu, erhielt von den Arbeitgebern tägliche Bescheinigungen über die Anzahl der Häftlinge, die an den Arbeitsplatz gebracht wurden, führte Kontrollen der Arbeitsstellen durch und prüfte, ob die Häftlinge effektiv arbeiten, ob sie bei den Arbeiten eingesetzt sind, die in dem Antrag bezeichnet wurden, ob der Betrieb die Anordnungen zur Verhinderung einer Flucht der Häftlinge befolgt, ob das Begleitkommando die Häftlinge richtig beaufsichtigt und zur Arbeit antreibt."

Das Amt D II bearbeitete, begutachtete, erledigte demnach beinahe alle die Häftlinge betreffenden Angelegenheiten. Das geschah vor allem deshalb, weil 1944 alle KZ-Häftlinge in das größere Produktionssystem für den Kriegsbedarf eingebunden waren. Es ist schwer für mich, den gesamten Kompetenzbereich des Amtes D II genau anzugeben, denn er war sehr groß. Im Februar 1950 sagte ich weiter aus:

> „Praktisch teilte das Amt D die Häftlinge zur Arbeit ein. Lediglich in Einzelfällen, zum Beispiel bei Eilanträgen, kurzfristigen und nur eine geringe Häftlingszahl betreffenden Anforderungen, hatte der Lagerkommandant die Befugnis, Arbeitskommandos selbst abzustellen. Die vom interessierten Bedarfsträger gestellten Anträge wurden im Lager bearbeitet, das auch die Sicherheitsbedingungen zu prüfen hatte – darunter verstand man allerdings nicht die Sicherheit des Arbeitsplatzes oder die Sicherheit vor Unfällen am Arbeitsplatz. Vielmehr verstand man darunter die Absicherung vor Fluchtversuchen der Häftlinge, Überfällen von außen zur Befreiung der Häftlinge, die Möglichkeit der Trennung der Häftlinge von so genannten Zivilarbeitern des betreffenden Betriebes, die Absicherung gegen möglichen Kontakt mit der Außenwelt."

AM 18. MÄRZ 1944 erlitt meine Mutter in Płaszów einen Schlaganfall, danach war sie halbseitig gelähmt. Man konnte ihr damals kaum helfen, fortan musste sie sich mithilfe eines Stocks fortbewegen. Ich hatte zu dieser Zeit in der Kommandantur sehr viel zu tun und arbeitete oft bis spät in die Nacht. Eines Abends wartete ich einen günstigen Moment ab und ließ Göth wissen, wie wichtig es für mich sei, mit meiner Mutter so lange wie möglich zusammenzubleiben. Göth gab mir auf meine Andeutung keine klare Antwort. Deshalb entschloss ich mich, selbst etwas zu unternehmen und den deutschen Lagerarzt Dr. Blancke direkt anzusprechen. Ich teilte ihm mit, Göth sei damit einverstanden, dass meine Mutter so lange im Lager bleiben solle, wie auch ich da sei. Blancke kannte mich natürlich als Stenograf des Kommandanten, und so zweifelte er nicht daran, dass ich ihm die Wahrheit erzählte. Darauf hatte ich vertraut – was sich im Nachhinein als richtig erwies. Blancke und Göth waren ranggleich (SS-Hauptsturmführer). Deshalb, so spekulierte ich, würde sich Blancke nicht beim Kommandanten erkundigen, ob ihn ein Häftling belüge oder nicht. Hätte er allerdings Göth gefragt, wäre ich heute ein toter Mann. Doch das musste ich eben riskieren. Meine Mutter wurde deshalb im Mai 1944 bei dem so genannten Gesundheitsappell trotz ihrer eingeschränkten Gehfähigkeit nicht selektiert und nach Auschwitz geschickt.

Am Samstag, dem 6. Mai 1944, sitze ich wie schon oft noch spät im Büro der Kommandantur, um unerledigte Vorgänge aufzuarbeiten. Für den nächsten Tag ist ein „Gesundheitsappell" angekündigt. Als Göth lange nach der offiziellen Arbeitszeit noch einmal vorbeikommt, frage ich ihn: „Herr Kommandeur, ich habe hier im Büro noch eine Menge zu tun. Muss ich da morgen zu diesem Appell antreten?" Göth sieht mich ungewöhnlich lange an, schließlich sagt er: „Nein, eigentlich geht es nur darum, dass die Leute je nach ihren körperlichen Möglichkeiten eingesetzt werden sollen. Sie sind ja hier im Büro, darum besteht gar keine Notwendigkeit..." Der Satz bleibt unvollendet, was mir zu denken gibt. Spätabends in der Baracke erzähle ich Izak und Natan Stern von meinem Gespräch mit Göth: „Das kann doch nicht sein, dass sich die Herren von der SS nach allem, was sie uns bisher angetan haben, darüber Gedanken machen, wie sie uns nach unseren körperlichen Möglichkeiten einsetzen können. Ich traue dem Braten nicht."

Am nächsten Tag mussten alle Häftlinge an einer Kommission vorbeigehen. Sie bestand aus Dr. Blancke und einem SS-Sanitätsdienstgrad. Jeder Häftling bekam einen Vermerk. Doch niemand von uns kannte den Zweck dieser Eintragungen. „Was soll das? Was haben die mit uns vor?", bestürmten mich einige meiner Bekannten. Doch ich konnte dazu nichts sagen.

Erst zwei Wochen später ergab sich für mich die Möglichkeit, die zu diesem Ereignis gehörenden Unterlagen – natürlich verbotenerweise – einzusehen. Gerhard Maurer hatte bei allen ihm unterstellten KZ-Kommandanten angefragt, wie viele ungarische Juden sie vorübergehend aufnehmen könnten, bis bei den Rüstungsbetrieben, die sie als Arbeiter benötigten, entsprechende Barackenlager fertiggestellt seien. Göth antwortete, er könne sechstausend aufnehmen, allerdings nur unter der Bedingung, dass er die nicht voll arbeitsfähigen Häftlinge seines Lagers zur „Sonderbehandlung" nach Auschwitz schicken dürfe. Umgehend kam Maurers Zustimmung: die Kommandantur in Auschwitz bekomme Anweisung, den Transport aus dem KL Płaszów entgegenzunehmen. Das Resultat dieser Abmachung war der „Gesundheitsappell" vom 7. Mai 1944.

Der Transport vom 14. Mai bestand vor allem aus kleinen Kindern und ganz alten Menschen. Häftlinge aus dem Krankenrevier wurden ihm hinzugefügt.

DIE WACHMANNSCHAFTEN im Lager gehörten zum SS-Wachbataillon. Sie setzten sich aus denselben SS-Leuten und Polizisten zusammen wie in der Zeit, als Płaszów noch kein KZ gewesen war, denn das SS-WVHA verfügte über keine eigenen Wachmannschaften. Es gab auch so genannte fremdvölkische Truppen unter diesen Mannschaften, die aus dem SS-Ausbildungslager Trawniki bei Lublin kamen. Die meisten von ihnen waren russische, litauische, lettische und ukrainische Kriegsgefangene. Sie trugen schwarze Uniformen, und wir Häftlinge fürchteten sie, weil sie besonders brutal waren. Sie drangsalierten uns mit Gewehren und Lederpeitschen. Bei ihnen gab es einen fließenden Übergang von strenger Behandlung zu rücksichtsloser Tötung. Die Bewachung in Schindlers Fabrik in der Lipowastraße bestand ebenfalls aus solchen Leuten. Doch Schindler „schmierte" sie mit Schnaps und Zigaretten. So konnten die Arbeiter und vor allem die Frauen in seinem Fabriklager nachts etwas ruhiger schlafen.

In Anbetracht der sich für Deutschland stetig verschlechternden Kriegslage an beiden Fronten übergab Heinrich Himmler am 17. Juni 1944 die „militärische Sicherung der Konzentrationslager und der in ihrem Bereich liegenden Arbeitslager" ausdrücklich dem Höheren SS- und

Polizeiführer. Damit war der Höhere SS- und Polizeiführer Ost, General Wilhelm Koppe (der Nachfolger von General Krüger), zugleich der oberste Sicherheitsbeauftragte im Generalgouvernement. Im Ernstfall konnte er ohne vorherige Absprache mit dem SS-WVHA sofort eingreifen. Ich vermute, dass er es war, der Mitte Juni 1944 Göth befahl, einen Sicherheitsplan für Płaszów auszuarbeiten. Die SS machte sich Sorgen wegen eines möglichen Partisanenüberfalls oder eines Aufstands der Häftlinge. Denn am 6. Juni waren die Alliierten in der Normandie gelandet, und am 20. Juli wurde das Attentat auf Hitler verübt. Von diesen Ereignissen wusste ich aus den Zeitungen, die ich in der Kommandantur las, wenn ich unbeobachtet war.

Wenn Göth mich nachts zum Diktat bestellte, bemerkte ich, dass er gegen eine bleierne Müdigkeit ankämpfte. Von einem der jüdischen Lagerärzte hatte ich einmal gehört, neben Göths Diabetes sei auch seine Leber nicht in Ordnung. Ich weiß nicht, ob er es wegen seiner krankheitsbedingten Erschöpfung oder einfach aus Bequemlichkeit tat, auf jeden Fall betraute mich Göth weiterhin mit einigen SS-internen Vorgängen, obwohl das gegen die offiziellen Regeln verstieß. Im Juni 1944 verhielt er sich geradezu fahrlässig. Eines Abends gab er mir mit der Bemerkung, das dürfe aber wirklich niemand wissen, die „Alarm- und Verteidigungspläne" von zwei oder drei anderen KZs. Er beauftragte mich, diese Pläne auf unser Lager zu übertragen. Dabei ging es vor allem darum festzuhalten, wie viele Wachtürme wir hatten, wie viele Minuten man für eine Wachablösung brauchte, wo sich die Telefonleitungen befanden, wie ein Alarm sicher und rasch weitergegeben werden konnte, wer im Ernstfall zu benachrichtigen wäre und wo sich das Lagertor und die anderen Ausgänge befanden. Für die SS galten die „Alarm- und Verteidigungspläne" als das „Geheimste vom Geheimen". Da saß ich nun und sollte etwas tun, von dem ich nicht die geringste Ahnung hatte. Erst nach Göths Verhaftung im September 1944 wurde mir klar, in welche Schwierigkeiten mich dieser Vorgang bringen sollte. Ich als jüdischer Lagerhäftling hatte Pläne eingesehen und sogar erstellt, die unter höchster Geheimhaltungsstufe rangierten.

WÄHREND der ersten Monate im Zwangsarbeitslager hatte im Frühjahr und Sommer 1943 absolute Willkür geherrscht. Göth erschoss oder folterte Leute, ließ Häftlinge aufhängen oder auspeitschen, ohne seinem SS-Vorgesetzten in Krakau dafür Rechenschaft schuldig zu sein. Dabei war ein Schuss aus seinem Revolver ein komfortabler Tod, verglichen mit dem Zerrissenwerden durch seine Hunde. Als Kommandant eines KZ musste Göth jedoch von Januar 1944 an für Häftlingsbestrafungen eine offizielle Genehmigung aus Berlin einholen. Im Vordruck wurde die beantragte Anzahl der Peitschenhiebe auf das entblößte Gesäß genannt. Auch war dort die Zahl der Nächte angegeben, die der Bestrafte nach der Arbeit im Stehbunker verbringen musste, bevor er am nächsten Morgen wieder zur normalen Arbeitsschicht zu erscheinen hatte. Im Kommandanturbüro lagen entsprechende Formulare in dreifacher verschiedenfarbiger Ausfertigung. Zwei davon gingen an das Amt D II, und ein Durchschlag blieb im Lager. Die Strafe durfte erst nach Genehmigung des Antrags vollstreckt werden. Doch es ist eine Illusion anzunehmen, dass es den Häftlingen jetzt wirklich besser gegangen wäre. Wohl wurde der entsprechende Antrag nach Oranienburg geschickt, und nach ein paar Wochen kam auch eine Kopie mit der Genehmigung zurück, dem Häftling Soundso wegen dieses oder jenes Vergehens eine bestimmte Anzahl Peitschenhiebe zu verabreichen. Für den Häftling aber bedeutete dieses neue System eine doppelte Bestrafung. Denn wie bisher wurde er oft gleich an Ort und Stelle von einem SS-Mann zusammengeschlagen. Wenn dann die Strafmeldung mit der Genehmigung des Amtes D II ins Lager zurückkam – manchmal wurde das von Göth vorgeschlagene Strafmaß auf weniger oder mehr Peitschenhiebe abgeändert –, wurde der arme Mensch zum zweiten Mal bestraft. Allerdings hörten jetzt die willkürlichen Erschießungen auf.

Die aus Oranienburg zurückgeschickten Genehmigungen der Strafen trugen die Unterschrift oder das Kürzel von Gerhard Maurer. Manchmal unterschrieb auch sein Amtsvertreter. Ich sah viele dieser unterschriebenen Vordrucke in den Akten der Kommandantur.

AB JANUAR 1944 war also die Bestrafung der Häftlinge bürokratisch geregelt. Trotzdem gelang es Göth, am 13. August 1944 den jüdischen Lagerältesten Chilowicz mit vierzehn anderen Häftlingen ohne vorherige Untersuchung erschießen zu lassen.

An diesem Sonntag kommen morgens Bekannte zu mir. Sie sind in heller Aufregung, weil Göth ganz gegen seine Gewohnheit so früh am Lagertor aufgetaucht ist. Ich laufe zur Kommandantur. Göth sitzt in seinem Büro, umgeben von einigen SS-Offizieren, unter ihnen ein gewisser Richartz, im zivilen Beruf Zahnarzt in Kärnten. Jetzt fungiert er auch als SS-Gerichtsoffizier. Die Vernehmung eines Häftlings ist gerade in vollem Gange. Er wird von Wachmann Sowinski beschuldigt, mit ihm wegen der Beschaffung einer Schusswaffe verhandelt zu haben, was der Häftling vehement bestreitet. Sowinski beharrt auf seiner Aussage. Schließlich fordert Göth den Häftling auf, durch eines der Fenster im Korridor nach draußen zu steigen. Der Häftling gehorcht. Als er gerade mit den Füßen das Gras vor der Kommandantur berührt, nimmt Göth seinen Revolver und schießt ihm in den Kopf. Dann dreht er sich zu mir um: „Jetzt werden mehrere Vernehmungsprotokolle zu schreiben sein, die die Flucht der Chilowicz-Gruppe betreffen. Übrigens hat der Chilowicz gesagt, dass auch der Pemper fliehen wollte." Mir ist sofort klar: nun wird mein Todesurteil vollstreckt, und diese Behauptung wird als offizielle Begründung dienen.

Äußerlich ruhig antworte ich: „Chilowicz hat gelogen. Er wäre in seinem Maßanzug und seinen Maßstiefeln nach gelungener Flucht in der Stadt nicht weiter aufgefallen. Mich hingegen hätte man sofort als Häftling erkannt" – dabei zeige ich auf eine offene Naht am rechten Hosenbein meines abgetragenen gestreiften Häftlingsanzugs – „und zurück ins Lager gebracht." Göth lacht und sagt, ich solle mich zum Diktat bereithalten.

Am Nachmittag finden die Diktate in Göths Villa statt. Ebenfalls anwesend ist Richartz. Er segnet den Fall ab und bezeugt, dass es sich bei Göths Tat nicht um eine eigenmächtige Aktion handle, sondern um eine Maßnahme zur „Verhütung eines großen Lageraufstandes". Die Diktate von Göth, Richartz und anderen dauern einige Stunden. In aller Ausführlichkeit werden die Vorbereitungen für einen Aufstand, zum Beispiel die Beschaffung von Waffen, geschildert. Er habe für kurze Zeit die Öffnung des Lagertores ermöglichen und so einer größeren Anzahl von Häftlingen Gelegenheit zur Flucht bieten sollen. Auch Verstecke außerhalb des Lagers seien bereits organisiert gewesen.

Endlich wird das Diktat beendet, und ich mache mich auf den Weg ins Kommandanturbüro, um die langen Berichte zu tippen. Da öffnet Göth ein kleines Seitenfenster und ruft nach mir. Ich gehe ein paar Schritte zurück. „Lassen Sie auf der Namensliste zur Anlage unten noch eine Zeile frei." Mir bleibt fast das Herz stehen. Auf der Liste mit den hingerichteten „Rädelsführern des soeben verhinderten Lageraufstandes" wird in der letzten Zeile mein Name stehen! Nach Göths Bemerkung am Vormittag gibt es daran für mich keinen Zweifel. Jetzt muss ich auch noch den Bericht zu meiner eigenen Hinrichtung tippen!

Ich gehe also zurück ins Büro, es ist inzwischen später Nachmittag, ich habe noch gut zwei Stunden Schreibarbeit vor mir, und am Abend soll die Post, in der dann auch meine Hinrichtung vermerkt sein wird, noch per Kurier mit dem Nachtzug nach Berlin weitergeleitet werden. Unterwegs pöbelt mich ein Wachmann an. Er erinnert sich offenbar nicht daran, dass ich mich im Lager frei bewegen darf, denn er ist sturzbetrunken. Mein Gott, wenn der mich jetzt umlegt, denke ich, dann bräuchte ich wenigstens diesen Bericht nicht mehr zu tippen! Aber ich liefere meine Arbeit rechtzeitig ab, wie gewünscht mit frei gelassener letzter Zeile. Dann warte ich ...

Es ist klar: Göth will unliebsame Mitwisser seiner Schwarzmarktgeschäfte beseitigen und belastende Spuren verwischen. Er will auch mich erschießen, damit kein Zeuge seiner willkürlichen Morde und brutalen Taten am Leben bleibt, der seine Stellung gefährden könnte.

WILEK CHILOWICZ, ein einfacher Kürschnergeselle, war Göth geradezu hörig und tat alles für ihn. Hätte er den Krieg überlebt, wäre auch er vor Gericht gestellt worden. Ob er die Todesstrafe bekommen hätte, weiß ich nicht. Immerhin half er auch einer Reihe Mitgefangener. Andererseits schadete er vielen anderen Häftlingen. Er war fest davon überzeugt, dass er und seine Familie den Krieg überleben würden. Seine Selbstüberschätzung war zuweilen grenzenlos. Er führte bedenkenlos alle Befehle aus. Im Lager wurde gemunkelt, auf Anordnung von Göth hätte er sogar seine eigene Mutter aufgehängt. Zum Glück lebte sie damals nicht mehr.

Wie raffiniert Göth die Ermordung von Chilowicz eingefädelt hatte, erfuhr ich eine Woche danach, als mich SS-Hauptscharführer Grabow wieder einmal aufforderte, ihm bei einem schwierigen Brief zu helfen. Beim Durchblättern der Ordner stieß ich auf den genauen Sachverhalt der Tat.

Göth hatte sich Anfang August 1944 beim Höheren SS- und Polizeiführer Ost, General Koppe, nunmehr auch Sicherheitsbeauftragter für das Generalgouvernement, zu einem Gespräch angemeldet. Dabei teilte er ihm mit, im Lager werde ein Aufstand vorbereitet. Den könne er allerdings verhindern, vorausgesetzt, er dürfe das in einer Blitzaktion tun, und zwar sofort – ohne vorherige Benachrichtigung nach Oranienburg, ohne anschließende Vernehmung und vor allem ohne Gerichtsverhandlung. Die Rädelsführer seien bekannt. Daraufhin erteilte Koppe Göth die schriftliche Genehmigung. Nun spannte Göth Wachmann Sowinski ein, der sich an Chilowicz heranmachte und mit ihm Fluchtpläne entwickelte. Dabei gab er vor, ihm bereits eine sichere Unterkunft in

Krakau organisiert zu haben. Doch Chilowicz wurde misstrauisch und verlangte als Vertrauensbeweis eine Pistole. Sowinski besorgte sie. Nach Absprache mit Göth wurde allerdings am Schlagbolzen etwas abgefeilt. So sah sie zwar wie eine funktionsfähige Waffe aus, doch man hätte mit ihr nicht schießen können. Chilowicz ahnte nichts davon, denn ausprobieren konnte er die Pistole im Lager natürlich nicht.

An jenem 13. August wollten er und seine Frau mit einigen anderen frühmorgens in einem umgebauten Holzgaslastwagen versteckt das Lager verlassen. Göth war von Sowinski in diese Pläne eingeweiht worden. Während er sonst an Wochenenden nie vor zehn Uhr auftauchte, stand er an diesem Tag schon um sieben am Haupttor und ließ den Lastwagen kontrollieren. Dabei wurde, wie erwartet, die Chilowicz-Gruppe entdeckt. Man fand auch Brillanten, mit denen Chilowicz seine weitere Flucht hatte finanzieren wollen. Mich erstaunte, dass es noch derartige Wertgegenstände im Lager gab. Um Brillanten tauschen zu können, musste man in Schwarzmarktgeschäfte verwickelt gewesen sein, denn die normale Währung im Lager bestand aus Brot und Zigaretten. Göth befahl, die Leute aus der Gruppe Chilowicz noch am selben Nachmittag zu „liquidieren". Er übergab jedem seiner SS-Offiziere einige Personen zur Erschießung, um die ganze Führungsmannschaft in diese Mordaktion zu verwickeln und sie so zum Stillschweigen zu bringen. Auch ging es ihm wohl darum, bei seinen Vorgesetzten in Berlin den Eindruck zu erwecken, alle SS-Offiziere hätten gemeinsam durch ihr sofortiges Handeln einen geplanten Lageraufstand verhindert.

Ein wenig später erfuhr ich auch, was es mit dem fehlenden Namen auf der Liste auf sich hatte. Einer aus der Gruppe um Chilowicz hieß Alexander Spanlang. Er war der jüdische Fachleiter der Tischlerei- und Schreinerwerkstatt. Als er bereits entkleidet auf dem Erschießungshügel stand, verriet er SS-Untersturmführer Anton Scheidt, er habe einige Reitpferde und eine große Anzahl wertvoller Wandfliesen bei einem polnischen Bauern außerhalb von Krakau versteckt. Solche Fliesen waren bei den Deutschen sehr begehrt.

Spanlang versprach, die Pferde und die Fliesen herzugeben, wenn Scheidt ihn nur nicht erschieße. Scheid informierte daraufhin Göth, und zunächst ließen sie Spanlang am Leben, denn an diesem Sonntag konnte man aus mir unbekannten Gründen nicht zu dem Bauern fahren. Göth setzte darum Spanlangs Namen erst ein, nachdem er den von mir getippten Bericht zur Unterschrift bekommen hatte. Vermutlich wollte er durch diese Vorsichtsmaßnahme verhindern, dass ich Spanlang noch warnte und dieser dann das Versteck seiner Reichtümer nicht preisgäbe.

Am nächsten Tag fuhren SS-Leute mit Spanlang zu dem Bauern, kassierten alle Fliesen ein und holten die Pferde ab. Als Scheidt Spanlang dann trotzdem erschoss, war dessen Name schon längst unterwegs nach Berlin. Auch beim Höheren SS- und Polizeiführer in Krakau stand der Name bereits in den Akten. Göth verfügte über eine ungeheure Schläue und verbrecherische Fantasie, die auch vor Kollaborateuren wie Chilowicz nicht haltmachte. Göths krimineller Energie waren selbst Opportunisten nicht gewachsen.

Man musste es schon geschickt einfädeln, wollte man Göth für seine eigenen Ziele benutzen. Im Herbst 1943 hatte die Erhaltung des Lagers – Ironie der Geschichte – auch in seinem Interesse gelegen. Darum hatte mir die Aktion mit den fingierten Produktionstabellen gelingen können. Doch Göth konnte mich jederzeit beseitigen. Lediglich Oskar Schindler war zu unserem Glück seinem Schein-Freund nicht nur gewachsen, sondern auch charakterlich und moralisch haushoch überlegen.

Kontraste: ein Massenmörder und ein Lebensretter

Schindlers Rettungsaktion wurde vor allem durch Steven Spielbergs Film bekannt. Nach Angaben der Shoah Foundation, der von Spielberg ins Leben gerufenen Holocaust-Stiftung, haben seit 1993 weltweit über 250 Millionen Zuschauer „Schindlers Liste" gesehen. Dieser Film ist das Werk eines jüdischen Regisseurs, gedacht als eine Hommage an seine Mutter, die als Jüdin in einem Lager im Osten den Krieg überlebte. Spielberg wurde 1947 in Amerika geboren. Die besondere Dramaturgie des Films besteht darin, dass er mit Göth und Schindler zwei Gestalten gegenüberstellt, die wie Teufel und Engel zueinander standen: der eine ein Massenmörder, der andere ein Lebensretter. Ich erlebte beide aus nächster Nähe – ein seltenes und bemerkenswertes Phänomen. Dass es in der Dunkelheit der Hölle noch wahre Menschen wie Schindler gab, war für mich ein beglückendes Geschenk.

Wie Göth wurde auch Schindler 1908 geboren. Im Gegensatz zu Göth war er nie streitsüchtig oder aggressiv und besaß eine warme Ausstrahlung, die ihm viele Türen öffnete. Er stammte aus Zwittau im Sudetenland, das seit dem Ende des Ersten Weltkriegs zur Tschechoslowakei gehörte. Schon als junger Mann fühlte er sich als deutscher

Patriot. Doch seine ungezügelte Lebensfreude, sein Freiheitswille und seine schnelle Intelligenz ließen ihn nach dem 1. September 1939 rasch an Sinn und Wahrheit der deutschen Politik zweifeln. Mitte der Fünfzigerjahre schrieb er an die Historikerin Ball-Kaduri in Jerusalem:

> Als ich im Protektorat und in Polen die Praxis der deutschen Okkupanten einige Monate erlebte, war mir restlos klar, dass ich, wie Millionen anderer Nicht-Reichsdeutscher, der so überzeugenden Auslandspropaganda ... gründlich aufgesessen bin, nur um einer Gruppe sadistischer Mörder und heuchlerischer Betrüger, die sich die Regierung eines starken Volkes erschlichen hatten, untertan zu sein.

Schindler sprach ein auffallend schönes Deutsch, und die erhaltenen Briefe belegen die ihm eigene Güte und Freundlichkeit. In Gesprächen mit mir benutzte er oft die Wehrmachtsränge statt der neu erfundenen SS-Dienstgrade. In politischen Fragen war er eher konservativ. Er verfügte über gefestigte ethische Prinzipien. Das formulierte er einmal so:

> Die politische Problematik der Kriegsjahre hat mich in meinem Zwiespalt manchem seelischen Druck ausgesetzt, bis ich mich durchgerungen hatte, das rein erziehungsmäßige Gefühl des Gehorsams, respektive die Achtung vor Gesetzen und Befehlen restlos zu unterdrücken, nichts mehr kritiklos hinzunehmen, nur noch dem Gefühl der eigenen Urteilsfähigkeit, der Menschlichkeit und dem Mitleid Platz zu geben. Gleichdenkende Freunde und das täglich vor Augen stehende große Leiden der Verfolgten halfen solche Konflikte überwinden.

Göth und Schindler waren wie zwei entgegengesetzte Pole. Beide verfügten über bestimmte Privilegien innerhalb der deutschen Wehrmacht und Nazibürokratie, doch sie benutzten jeweils die ihnen zugestandenen Spielräume auf ihre Weise. Göth ließ sich, wie erwähnt, die Häftlingsnummern der Angehörigen der von ihm Ermordeten aus der Kartei geben, um dann auch diese Menschen zu erschießen. Schindler bestand stets darauf, seine Arbeiter mit Vor- und Nachnamen anzufordern – und nicht nur mit Nummern. Und bei der Umsiedlung seiner Fabrik nach Brünnlitz legte er Wert darauf, die Familien seiner Mitarbeiter mitzunehmen.

Für uns, „seine Juden", wurde Schindler zu einer Art Vaterfigur. Sein moralischer Wandel vollzog sich nicht plötzlich von heute auf morgen. Vielmehr wuchs er Schritt für Schritt in diese neue Rolle hinein. Er kam mit Sicherheit nicht als Lebensretter, sondern als Geschäftsmann nach Krakau. Als er aber sah, was sich in Polen abspielte und wie die Besatzer uns Juden behandelten, beschloss er, etwas zu tun. Von vormals billigen Arbeitskräften wurden wir im Lauf der Jahre zu Menschen, um die er sich sorgte. Vielen von uns war Schindler sogar freundschaftlich verbunden. Ich merkte später in Brünnlitz, als ich enger mit ihm zusammenarbeitete, dass er sich in der Rolle des Lebensretters sichtlich wohlfühlte.

Die übernommene Verantwortung war enorm. Doch nun blickten Hunderte von Augenpaaren zu ihm auf und erwarteten Hilfe. In seiner sorgfältig formulierten Abschiedsrede am 8. Mai 1945 beschwor er unseren Freundschaftsbund: „Ich wende mich an euch alle, die ihr viele, sehr schwere Jahre mit mir zusammen wart und mit mir gebangt habt, den heutigen Tag zu erleben." Danach hielt er uns zu Ruhe und Disziplin an.

Unvorstellbar, welche Besonnenheit und emotionale Kraft er selbst zu diesem späten Zeitpunkt noch besaß. Schindler machte sich Gedanken über die Nachkriegszeit und hoffte, in die Tschechoslowakei zurückkehren zu können. Er hatte sich sogar vorgestellt, dass einige von uns bei ihm bleiben und ihm helfen würden, nach dem Krieg der große Maschinenfabrikant zu werden, der sein Vater hatte sein wollen, aber nie gewesen war.

EMILIE SCHINDLER, die Oskar 1928 in Zwittau geheiratet hatte, begleitete ihn anfangs nach Krakau, kehrte jedoch bald in ihre sudetendeutsche Heimat zurück. Als ihr Mann allerdings im Oktober 1944 mit seiner Fabrik und „seinen Juden" nach Brünnlitz umzog, kam sie ins Lager und half, wo sie nur konnte. Sie besaß in der Gegend gute Kontakte, auch zu Bauern und Mühlenbesitzern, und kümmerte sich unermüdlich um zusätzliche Lebensmittel für uns, denn unsere Essensvorräte waren äußerst knapp – trotz der offiziellen Lebensmittelkarten. Emilie Schindler unternahm auch riskante Fahrten in die weitere Umgebung von Brünnlitz, um Arzneien und Verbandstoffe für das improvisierte Lagerspital zu beschaffen.

Schindler hatte zuerst große Schwierigkeiten, einen entsprechenden Standort für seine Fabrik zu finden. Die Leute in den umliegenden

Dörfern wollten keine Rüstungsindustrie in ihrer Nähe – und schon gar keine Juden. Hier setzte Emilie Schindler ihre Überredungskünste ein, und die Genehmigung, eine leer stehende Spinnerei als neue Fabrik nutzen zu können, war auch ihren Beziehungen zu verdanken – so hieß es jedenfalls später.

Schindler war stolz auf seine couragierte Frau und sprach von ihr auch nach dem Krieg voller Respekt: „Sie hatte den Mut, SS-Führer wie Hausdiener zu behandeln." Hingegen mokierte er sich über seine ehemaligen Nachbarn, die Fabrikanten in Krakau: „Ich kenne einige ‚ganz Anständige', die heute wohl weit besser leben als ich, die aber im kritischen Augenblick versagten." Obgleich sie ihre jüdischen Arbeiter ein Jahr vor Ende des Krieges ihrem Schicksal überlassen hätten, „schreiten diese ‚ganz Anständigen' stolz erhobenen Hauptes durchs Leben ... und machen wieder Kabel und Flugzeugkühler ... Ob wohl eine der Gattinnen dieser Herren mit einem für einen Mann zu schweren Koffer voll Schnaps in dieser strengen Kälte dreihundert Kilometer gefahren wäre, um dafür Medikamente für jüdische Skelette zu tauschen, denen die deutsche Barbarei den letzten Lebensfunken genommen hatte? Für meine Frau war diese Hilfsbereitschaft eine Selbstverständlichkeit. Wenn es galt, Menschen in größter Not zu helfen, kümmerte sie sich einen Teufel um Gefahr."

Schindlers trotz allem opulenter Lebensstil war für uns im Lager kein Geheimnis. Er war selbstkritisch genug, es nicht zu verschweigen: „Weit entfernt davon bin ich, ein Heiliger zu sein, habe als maßloser Mensch viel mehr Fehler als der große Durchschnitt derer, die so sehr gesittet durchs Leben schreiten." Doch seine große Leistung bestand darin, dass er buchstäblich sein ganzes Vermögen in die Rettungsaktion von über 1100 Menschen gesteckt hatte.

IM HERBST 1946 erfuhren wir, dass Schindler und seine Frau in Süddeutschland lebten. Er bat uns, ihm auf irgendwelchen Wegen eine Auswanderung zu ermöglichen. Damals befanden sich noch relativ viele Überlebende in Krakau. Wir intervenierten bei diversen jüdischen Organisationen, und die Schindlers wurden vom „Joint", der Dachorganisation jüdischer Wohlfahrtsinstitutionen, nach Paris eingeladen. Dort erkundigte man sich, was man für die beiden tun könne. Schindler wollte in Argentinien eine Nutriafarm aufbauen und Pelztiere züchten. Die Leute vom „Joint" schauten sich daraufhin bestimmt erst einmal erstaunt an. Jüdische Frauenorganisationen aus England kauften in

Argentinien einen Bungalow, um die Schindlers von Wohnungssorgen zu entlasten. Dass das Farmunternehmen nach kurzer Zeit scheiterte, war mir unverständlich. Schindler war zwar ausgesprochen wagemutig, er war aber auch ein großer Unternehmer, der meines Erachtens rechnen konnte. Später ging auch die Ehe der Schindlers in die Brüche, die beiden trennten sich. Im Jahr 1957 kehrte Schindler allein und mittellos nach Deutschland zurück, um seine Lastenausgleichsansprüche in der Bundesrepublik durchzusetzen. Ich half ihm dabei, so gut ich konnte. Das war das wenigste, was ich für ihn tun konnte. Denn für mich galt schon immer der Grundsatz: Geld kann man haben, Geld kann man verlieren. Nur unsere Taten für andere behalten ihren Wert für immer. Und Oskar Schindler rettete Menschenleben.

Oskar Schindler, Anfang der Sechzigerjahre

Er wuchs während des Krieges über sich hinaus, doch danach verglühte seine Kraft rasch. Seine Glanzzeit waren diese sechs Jahre des Krieges. Weder vor 1939 noch nach 1945 vollbrachte Schindler etwas Besonderes. Er war ein außergewöhnlicher Mann, aber nur für außergewöhnliche Zeiten. Im normalen Alltag scheiterte er, und nach Kriegsende kam er leider nie wieder richtig auf die Beine. Auch erhielt er in Deutschland zu seinen Lebzeiten nie die öffentliche Anerkennung, die er verdient hätte. Das unterstrich Elisabeth Tont, seine ehemalige Sekretärin, selbst noch 1994: „Ich spreche über meine Erinnerungen Oskar Schindler zuliebe, weil unsere sudetendeutschen Landsleute seine Taten nicht genügend gewürdigt haben. Das hat mich immer gekränkt, weil ich wusste, dass er den Juden aus reinstem Herzen geholfen hat. Da würde ich mich jetzt am liebsten noch im Nachhinein mit ihnen streiten. Sie haben das bis heute nicht anerkannt."

In Israel wurde Schindler geehrt, und er pflanzte dort 1967 in der „Allee der Gerechten" einen Baum. In Deutschland erhielt er das Große

Bundesverdienstkreuz, doch echte Wertschätzung blieb aus. In seinen letzten Lebensjahren verfiel er rapide. Vorher hatten wir geglaubt, er werde hundert Jahre alt. Schindler starb 1974 krank und vereinsamt in Hildesheim. Erst anlässlich Emilie Schindlers Tod im Oktober 2001 bekundeten Menschen aus aller Welt ihr Beileid. Selbst Staatsoberhäupter sandten Kondolenzschreiben. Der Brief des amerikanischen Präsidenten an Schindlers Nichte zeigt, dass selbst heute noch die Rettungsaktion von Oskar und Emilie Schindler im Ausland oft mehr geschätzt wird als in Deutschland.

Nach dem Krieg hörte ich bei verschiedenen Gelegenheiten, Schindler habe uns hauptsächlich aus Verpflichtung gegenüber seinen ehemaligen jüdischen Klassenkameraden und Freunden geholfen. Nach meinen Gesprächen mit Schindler sehe ich seine Beweggründe eher als eine Motivmischung, wobei sich die Gewichtung im Lauf des Krieges veränderte. Anfangs war Schindler ausschließlich der Geschäftsmann, der das schnelle Geld verdienen wollte. Als er aber sah, wie erbärmlich wir im Ghetto leben mussten, begann seine Hilfsbereitschaft zu wachsen. Im Lager hatte sich seine Entschlossenheit, uns zur Seite zu stehen, bereits derart gefestigt, dass er Risiken für uns einging und Opfer auf sich nahm. Und dann kam der wirklich große, der einzigartige Schub seiner Rettungsaktion: die Liste, der Umzug nach Brünnlitz und das Durchhalten bis zur Befreiung im Mai 1945.

Sein Verhalten passte so gar nicht in das Bild eines Nazifabrikanten in einem KZ-Außenlager. Ich bin der Meinung, man sollte nur über seine guten Seiten sprechen. Wenn man mich bei meinen Vorträgen fragt, ob es denn stimme, dass Schindler so viele Frauenbekanntschaften gehabt habe, sage ich nur: „Schauen Sie, wir Ertrinkenden entdeckten am Ufer einen Mann, der bereits die Jacke ausgezogen hatte, um ins Wasser zu springen. Meinen Sie wirklich, wir sollten diesen mutigen Menschen erst noch fragen: ‚Entschuldigen Sie, sind Sie Ihrer Frau auch treu? Denn wenn nicht, dürfen Sie uns nicht aus dem Wasser fischen.'"

Es war ein Glücksfall, dass Schindler so war, wie er war: so leichtsinnig, so beherzt, so mutig, so trinkfest, so unerschrocken. Er führte zusammen mit seiner Frau eine Rettungsaktion durch, der heute, verstreut über die ganze Welt, mit Lebenspartnern, Kindern und Enkelkindern über sechstausend Menschen direkt oder indirekt ihr Leben verdanken. Das ist das Wesentliche. Alles andere ist unwichtig.

Schindlers Liste – die unbekannte Vorgeschichte

Rückblickend kann man feststellen, dass sich zweierlei nicht bestätigte: meine Annahme, Göth werde mich früher oder später erschießen, und Göths Hoffnung, bis zum siegreichen Ende des Krieges Kommandant zu bleiben. Monatelang wartete ich wie ein Todeskandidat auf die Vollstreckung des Urteils, ohne jede Aussicht, an der Situation etwas ändern zu können. Doch dann passierte das Unvorhersehbare: Göth wurde während seines Urlaubs in Wien von dem SS-Untersuchungsrichter Dr. Konrad Morgen verhaftet. Das war eine unerwartete positive Wendung. Ich verdanke mein Leben somit auch einem SS-Untersuchungsrichter aus Stettin. Morgen war für die Aufklärung von Veruntreuungen zuständig und ließ auch andere SS-Leute festnehmen. Göth verfügte über hervorragende Beziehungen in Krakau, die er bestimmt hätte spielen lassen, um seiner Verhaftung zuvorzukommen. Doch in Wien besaß er diese Vernetzung nicht. Sein Pech war mein Glück.

Göths Verhaftung am 13. September 1944 erschien uns Gefangenen genauso unwahrscheinlich wie etwa die Verhaftung des englischen Königs, weil er bei einem diplomatischen Empfang silberne Löffel gestohlen haben sollte. Göth wurde wegen „Amtsanmaßung" angeklagt. Er hatte sich während der Liquidierung der Ghettos in Krakau und Tarnów hemmungslos an den Wertsachen der Juden bereichert, Möbelstücke und Kunstgegenstände geraubt und die für uns Häftlinge bestimmten Lebensmittel auf dem Schwarzmarkt verkauft. Schließlich wurde er auch noch wegen Gefangenenmisshandlung angezeigt. Im Jahr 2000 sah ich im Bundesarchiv in Berlin ein Fernschreiben von Himmlers Hauptquartier an den Höheren SS- und Polizeiführer Ost. Die Frage lautete: Wo ist Göth? General Koppe antwortete, Göth sei in Krakau, inhaftiert wegen Amtsanmaßung; wegen eventueller anderer Vergehen laufe ein Verfahren gegen ihn.

Beim Kriegsverbrecherprozess gegen Göth im Herbst 1946 sagte ich aus: „Angezeigt haben ihn seine Untergebenen." Der selbstherrliche Kommandant fasste nämlich auch seine Leute sehr hart an. Sie beneideten und sie fürchteten ihn. Auch waren ihnen seine offen betriebenen Schwarzmarktgeschäfte ein Dorn im Auge. Göth stellte die SS-Leute selbst wegen kleinster Vergehen vor ein SS- und Polizeigericht. Ich schrieb einige solcher Anklageschriften. Die Strafen sollten die Männer dann nach Kriegsende verbüßen. Einer sagte in fast weinerlichem Ton: „Wenn ihr nach dem Krieg alle feiert, muss ich in den Knast." Einmal schickte Göth den jüdischen Automechaniker Warenhaupt in die Stadt, um Ersatzteile für seinen privaten BMW zu besorgen. Als Bewacher begleitete ihn SS-Rottenführer Krupatz – ein behäbiger, älterer Mann. Bei einem Haus mit zwei Eingängen meinte Warenhaupt: „Hier wohnt der Pole, der die Ersatzteile hat. Der gibt sie aber nur her, wenn ich allein reingehe. Warten Sie hier auf mich." Krupatz fiel auf den Trick herein und kehrte ohne Warenhaupt ins Lager zurück. Wie zu erwarten, zeigte Göth Krupatz wegen „fahrlässiger Gefangenenbefreiung" und „Fluchtbegünstigung" an. Den Vorschriften zufolge sollten eigentlich immer zwei SS-Leute einen Häftling in die Stadt begleiten.

Da es einige solcher Vorfälle gab, entlud sich schließlich die Wut der SS-Männer. Sie taten sich zusammen und verfassten eine Anzeige, die ungefähr auf Folgendes hinauslief: „Göth lebt wie ein Pascha, während unsere Soldaten im Osten sterben." Diese Anzeige landete dann auf dem Schreibtisch von Dr. Morgen, dessen Vernehmungsprotokolle in anderen Verfahren später selbst vom Nürnberger Militärtribunal ausgewertet wurden. Göths SS-Karriere war damit zu Ende.

IM LAGER wussten wir zunächst allerdings nichts von diesen Ereignissen. Auch nicht, dass wir einen gefährlichen Gegner weniger zu fürchten hatten. Erst als am 13. September 1944 uniformierte SS-Juristen in Płaszów erschienen, um Mitarbeiter des Lagerkommandanten zu verhören, ahnten wir, dass etwas Außergewöhnliches vorgefallen sein musste. Sie befragten alle, die irgendwie mit Göth zu tun gehabt hatten. Besonders lange sprachen sie mit dem jüdischen Lagerarzt Dr. Leo Groß, dem Architekten Zygmunt Grünberg und mir. Die Häftlinge, die in anderen Büros der Kommandantur arbeiteten, wurden nach ihrer Vernehmung rasch wieder ins Lager entlassen. Jetzt stellte sich heraus, dass der Schutzhaftlagerführer Landstorfer einem der SS-Juristen mitgeteilt hatte, ich hätte Göths besonderes Vertrauen besessen. Landstorfer war ein einfacher Mensch, der aus einem Dorf in Bayern stammte. Er bewunderte Göth und glaubte, mir mit seiner Andeutung helfen zu können. Doch seine Bemerkung brachte mich in eine gefährliche Lage.

Der SS-Vernehmungsoffizier hat sich im großen Wohnzimmer von Göths Villa eingerichtet. Ich warte links davon, direkt neben der Treppe, in dem mit Geweihen und Sprüchen dekorierten so genannten Jagdzimmer. Endlich ruft er mich zu sich. „Sie haben mir doch vorhin erzählt, dass Sie für Göth nur unbedeutende Schreibarbeiten erledigt haben. Von Landstorfer weiß ich aber, Sie haben sogar den geheimen Alarm- und Verteidigungsplan des Lagers geschrieben."

Ich bin wie vom Blitz getroffen: Der streng geheime Plan – das bedeutet meinen Tod! Landstorfer hat mich tatsächlich einmal dabei beobachtet – keine Chance, es abzustreiten.

Ich versuche, die Angelegenheit herunterzuspielen. „Ich habe Verschiedenes geschrieben. Es mag sein, dass auch ein Verteidigungsplan dabei war. Aber da ging es doch nur um die Anzahl der Wachtürme. Und die kann jeder sehen. Dann sollten im Alarmfall die Bewachungsmannschaften verstärkt werden. Auch das ist für uns Lagerhäftlinge nichts Besonderes. Allerdings weiß ich natürlich nicht, mit welchem offiziellen Stempel das fertige Dokument anschließend versehen wurde."

Die Dauer des Verhörs und der Ton, in dem es geführt wurde, zeigten mir, für wie gefährlich man es hielt, mich mit diesem Wissen herumlaufen zu lassen – und sei es nur innerhalb des Lagers. Meine verharmlosende Antwort entkräftete die Besorgnis des Untersuchungsrichters keineswegs. Ich durfte nicht ins Lager zurück. Die nun folgenden Haftbedingungen bestärkten mich in meinen schlimmsten Befürchtungen. Ich kam in isolierte Einzelhaft. Niemand durfte mit mir sprechen. Wenn man mir das Essen brachte, war stets ein SS-Mann dabei, um zu verhindern, dass sich eventuell ein Gespräch anbahnte. Meine Gefängniszelle befand sich im Keller des Grauen Hauses. Sie hatte nur ein vergittertes, halb unter Tage liegendes Fensterchen. Stellte ich mich auf einen Stuhl, konnte ich die Beine der Häftlinge sehen, wenn diese zur Arbeit gingen. Darin bestand meine einzige Verbindung zur Außenwelt. Und wie man unliebsame Geheimnisträger, zumal einen jüdischen Häftling, endgültig zum Schweigen bringt, wusste nicht nur ich. (Schindler erzählte mir später, normalerweise habe die SS vermeintliche Geheimnisträger nach Dachau geschickt, um sie dort zu liquidieren.)

Nach zwei Wochen wurde ich ein weiteres Mal vernommen. Der Jurist, der mir die Fragen stellte, war ein älterer SS-Offizier, ruhig und beherrscht. Eine Sekretärin stenografierte das längere Verhör mit. Wieder ging es um meine Arbeit für Göth und darum, was ich dabei möglicherweise an Dienstgeheimnissen erfahren hatte. Ich versuchte auch diesem SS-Juristen klarzumachen, dass manches, über das Berichte geschrieben würden, nach außen hin zwar als „geheim" gelte, für die Lagerinsassen aber völlig offensichtlich sei. Die Bezeichnung „geheim" sei eben nur für den Instanzenweg wichtig. Der Jurist hörte meiner Begründung interessiert zu, doch ließ er sich davon nicht überzeugen. Er forderte mich auf, ihm genauer zu erklären, was ich meinte.

Die Vernehmung fand Ende September 1944 statt. Im Juli und August hatten Transporte mit Tausenden von Häftlingen in andere KZs stattgefunden. Deshalb wurden jetzt einige der Baracken demontiert und in andere Lager verschickt. Die Barackenteile wurden zunächst mit Kipploren auf weitverzweigten Schienensträngen vom Inneren des Lagers zur Kommandantur gebracht. Mit Tauen wie Pferde eingeschirrt, mussten Frauen diese Loren ziehen. Entlang der Kommandanturbaracke verlief auf dem Vorplatz ein Bahngleis. Hier wurden die Dach- oder Seitenteile dann in normale Eisenbahnwaggons verladen. Der Weitertransport erfolgte unter der Aufsicht des SS-WVHA, Amtsgruppe D. Die Empfänger waren die jeweiligen Kommandanturen der anderen KZs. Die amtlichen Transportmeldungen – Angaben zu Anzahl und Form der Bauelemente – erhielten den Stempel GEHEIM. Deshalb erklärte ich dem SS-Juristen: „Vor unserem Lager stehen Eisenbahnwaggons. Darin befinden sich Barackenteile. Sie werden abtransportiert. Für uns im Lager ist das offensichtlich. Doch auf den Transportpapieren steht GEHEIM. Was also nach außen als geheim gilt, ist von innen her gesehen jedem bekannt." Der Jurist überlegte einen Moment lang. „Hm, ist an sich ja klar", meinte er. Meine Erklärung gefiel ihm wohl auch deshalb, weil ich einige lateinische Ausdrücke hatte einfließen lassen. Ich hatte gesagt, es komme mir vor wie ein Beispiel für die Unterscheidung, etwas sei *pro foro externo* geheim, aber eben nicht *ad usum internum*. Meine Ausführungen schienen gewirkt zu haben, denn jetzt zeigte er sogar ein gewisses persönliches Interesse. „Wie lange müssen Sie noch im Lager bleiben?", fragte er. „Was für ein richterliches Urteil haben Sie?"

Gab es das? Ein Richter, der im Jahr 1944 noch nicht wusste, was für eine Häftlingspolitik in seinem Lande betrieben wurde? Der nicht wusste, dass es bei Juden keines juristischen Urteils bedurfte, um sie in den Tod zu schicken?! Er wollte dann noch wissen, ob ich je einem Außenkommando zugeteilt werden könne. Anscheinend befürchtete er, ich könnte Informationen nach außen tragen. Ich versicherte ihm wahrheitsgemäß, ich sei noch nie außerhalb des Lagers eingesetzt worden. Dies wurde ihm von einem SS-Mann bestätigt.

Ich war erleichtert, als der Jurist sich dann nur noch nach Göths persönlichen Machenschaften und Privatgeschäften erkundigte. Göth hatte wirklich beabsichtigt, ein Landgut und ein Bankhaus zu erwerben. Er hatte einmal von mir verlangt, ihm einen Fragenkatalog für die Kaufver-

Weibliche Häftlinge ziehen in Płaszów eine Kipplore.

handlungen bei solchen Objekten zu erstellen. Auch mit seinem Vater hatte er dieses Thema erörtert. Nachdem ich dem Juristen die Korrespondenzordner mit den Unterlagen zu Göths Kaufabsichten gezeigt hatte, konnte ich endlich ins Lager zurückkehren.

Zunächst hatte ich von der SS-Justiz wohl nichts mehr zu befürchten. Trotzdem hing das Damoklesschwert noch bis zum Frühjahr 1945 über mir, denn in Brünnlitz wurde ich ein weiteres Mal verhört. Als Lagerleiter Leipold „SS- und Polizeigericht für Sonderangelegenheiten" hörte, sagte er, ich müsse mich darauf einstellen, mitgenommen zu werden. Aber auch diesmal konnte ich den Verdacht des SS-Juristen zerstreuen. Bald danach war zum Glück der Krieg zu Ende.

IM SEPTEMBER 1944 befand sich Schindler in intensiven Verhandlungen mit den zuständigen Behörden, um eine möglichst große Anzahl von Arbeitern von Płaszów in sein neues Außenlager nach Brünnlitz mitnehmen zu dürfen. Nach meiner Entlassung aus der Einzelhaft wollte er sofort mit mir sprechen. Er war voller Freude über meine Freilassung und gab sofort die Anweisung: „Pemper kommt mit seiner ganzen Familie auf die Liste." Das war sein ausdrücklicher Wunsch. Weder meine Eltern noch mein Bruder hatten je in der Emaillewarenfabrik gearbeitet. Schindler wusste aber die Geheiminformationen, die ich ihm gegeben hatte, zu schätzen, und er wusste, dass er sich auf mich verlassen konnte. Auch mit Izak Stern verband ihn ein besonderes Vertrauensverhältnis, und so kamen Sterns Mutter, sein Bruder Natan und dessen Frau ebenfalls auf die Liste. In den zwei Wochen zwischen meiner Haftentlassung und unserem Abtransport über Groß-Rosen nach Brünnlitz war ich in der Dienststelle des Arbeitseinsatzführers tätig. Es gab zu diesem Zeitpunkt keine Kommandantur im alten Sinne mehr. Es war deutlich zu erkennen, dass sich das KZ Płaszów in Auflösung befand. Nach den großen Transporten vom Hochsommer 1944 nach Auschwitz, Mauthausen und Stutthof lebten nun nur noch etwa 7000 Häftlinge im Lager. Unter den Tausenden Abtransportierten hatten sich auch einige Hundert Arbeiter aus Schindlers Fabrik befunden. Selbst Schindler war außerstande gewesen, das zu verhindern. Die meisten dieser gequälten Menschen blieben nicht am Leben.

Die heute berühmte Liste entstand im Büro des Arbeitseinsatzführers, SS-Hauptscharführer Franz Müller. 1993 bezeichnete der Kulturchef des *Spiegel* – ich hatte bei den Dreharbeiten zu Spielbergs Film in Krakau mit ihm gesprochen – mich als den Mann, „der Schindlers Liste geschrieben hat". Doch die Liste ist nicht von mir allein, sondern von mehreren Lagerinsassen im Büro dieser Dienststelle getippt worden. Auf der Liste musste jede Angabe akkurat sein: laufende Nummer, Häftlingsnummer, Vor- und Nachname, Geburtsdatum und Berufsbezeichnung. Fehler durften nicht vorkommen. Einige Seiten wurden mehrmals umgeschrieben. Ich selbst habe einige Seiten neu getippt.

Doch das Entscheidende war weniger, die Liste zu erstellen, als vielmehr die kontinuierlich gesetzten „Mosaiksteinchen" der vielfältigen Widerstandsleistungen, die sie erst möglich machten. Vom Frühjahr 1943 bis zum Herbst 1944 arbeitete ich eng mit Schindler zusammen. Dass mir das möglich war, lag an meiner einzigartigen Position, die Göth mir aufgezwungen hatte. Ohne meine exklusiven Informationen aus dem Büro der Lagerkommandantur wäre vieles anders verlaufen. So aber schafften Schindler und ich es im Rahmen unserer doch sehr unterschiedlichen Möglichkeiten, Płaszów vor der frühzeitigen Schließung zu bewahren. Als KZ existierte es noch bis Herbst/Winter 1944, einer von mehreren glücklichen Umständen, denen viele, auch ich, ihr Überleben verdanken. „Schindlers Liste" ist das krönende Resultat dieser langen Vorarbeit zur Erhaltung des Lagers und der vielen mutigen Einzelaktionen, deren Erfolg niemand hatte voraussehen können.

ES WAR nicht genau so, wie es Spielbergs Film darstellt, in dem Schindler die Namen der Leute für seine Liste Izak Stern in die Maschine diktiert. Die Liste wurde weder persönlich von Schindler diktiert noch von Stern getippt. Dabei ist zu betonen, dass Listen zum Lageralltag gehörten. Bei der „Überstellung von Häftlingen", so der offizielle Ausdruck,

DER RETTENDE WEG

von einem KZ in ein anderes wurden immer Listen als Begleitdokument („Frachtbrief") angefertigt. Doch dabei ging es meist um eine gewisse Anzahl von Leuten mit bestimmten Berufen: zum Beispiel forderte Dachau fünfzig Schlosser an, Buchenwald fünfzig Tischler oder hundert Schneiderinnen. Schindler forderte seine Arbeiter von vornherein mit genauer Namensangabe an.

Für die „Überstellung" war eine Genehmigung der Amtsgruppe D im SS-WVHA nötig. Sie entschied, ob Häftlinge von einem Lager in ein anderes geschickt werden konnten oder nicht. Das zu genehmigen, lag demnach nicht im Ermessen eines Lagerkommandanten. Ich kenne nicht die Einzelheiten, doch nach dem, was ich über den Kompetenzbereich der Amtsgruppe D weiß, muss sich Schindler mit den Leuten in Oranienburg direkt in Verbindung gesetzt haben. Dort wird er die entsprechenden SS-Führer aufgesucht und vielleicht durch wertvolle Geschenke davon überzeugt haben, dass er eben nicht irgendwelche Häftlinge mit nach Brünnlitz nehmen könne. Wahrscheinlich waren bei dieser Überzeugungsarbeit auch seine Kontakte aus seiner früheren Spionagetätigkeit hilfreich. In Anbetracht der schwierigen Kriegslage, so wird er argumentiert haben, sei die Zeit zu kostbar, um Häftlinge erst anzulernen. Zudem seien seine Maschinen zu teuer und in dieser Phase des Krieges unersetzlich, um sie von unqualifizierten Arbeitern bedient zu wissen. Ohne seine eigenen, eingearbeiteten Leute verzögere sich auch der Beginn der „siegentscheidenden" Produktion der Granatenteile.

Schindler setzte seine Pläne schließlich nach langem Ringen mit zäher Beharrlichkeit durch, Oranienburg zeichnete die Liste mit den Namen von 300 Frauen und 700 Männern ab. In den Fünfzigerjahren betonte Schindler:

> Kein Außenstehender kann ermessen, wie groß die Arbeit war, von dem gefassten Entschluss an, meine Juden nach Westen mitzunehmen, bis zur durchgeführten Tatsache, wo ich über tausend Menschen an einem neuen Ort in Sicherheit hatte. Chaos und Bürokratie, Neid und Böswilligkeit waren Hindernisse, die die Verlagerung illusorisch erscheinen ließen und mich an den Rand der Verzweiflung brachten. Nur der eiserne Wille, meine Juden, in deren Reihen ich im Laufe der sechs Jahre aufrichtige Freunde gefunden hatte, nicht einem Krematorium in Auschwitz oder sonst wo zu überlassen, nachdem ich diese jahrelang unter aufreibendem persönlichem Einsatz den Krallen der SS vorenthalten hatte, half mir, mein Ziel zu erreichen.

Im August und September 1944 rückte die Ostfront immer näher. Die Zeit zum Umzug nach Brünnlitz drängte, und die SS-Führer in Berlin und Krakau wussten, dass mit jeder willkürlichen Verschleppung der Entscheidung der Wert der ihnen von Schindler angebotenen Geschenke stiege.

Schindler wiederum musste aufpassen, sich nicht dem Vorwurf der Beamtenbestechung auszusetzen. Er hätte ja seine Fabrik samt den schweren Maschinen und dem wertvollen Inventar mühelos ins Rheinland oder in die Nähe des Semmering verlagern können. Doch dafür hätte er „seine Juden" im Stich lassen müssen. Um sie allerdings mitnehmen zu können, war er verpflichtet, seine Fabrik als Arbeitslager einem anderen KZ anzuschließen. Weil die Schindlers im Sudetenland über gute Beziehungen verfügten, wurde Brünnlitz der Standort von Schindlers letzter Fabrikstation. Das neue Lager war eines von rund hundert Außenlagern des KZ Groß-Rosen, etwa sechzig Kilometer südwestlich von Breslau.

Die eindrucksvollen Szenen in Spielbergs Film zeigen auch, dass man in diesem Medium gewisse Abweichungen von der Wirklichkeit in Kauf nehmen muss, um bestimmte Handlungsstränge zu betonen und für den Kinobesucher einprägsamer zu gestalten. Es war aber nicht so, wie der Film es zeigt, dass Schindler einfach bei Göth mit einem Koffer voller Banknoten erschien und „seine Leute" freikaufte. Es gab wohl auch kein Pokerspiel um Helena Hirsch. Ein Lagerkommandant, selbst ein so einflussreicher wie Göth, konnte nicht einfach tausend Häftlinge von seinem in ein anderes Lager „überstellen". Vielmehr erfolgte die ganze Prozedur offiziell und nach schriftlicher Genehmigung der für Konzentrationslager zuständigen Amtsgruppe D, und die Unterlagen waren höchstwahrscheinlich von SS-Standartenführer Gerhard Maurer oder General Richard Glücks persönlich unterzeichnet. Notwendig war auch die Befürwortung durch die Rüstungsinspektion im Generalgouvernement. Eintausend Menschen konnten ohne die entsprechenden amtlichen Verfügungen aus Oranienburg und Krakau nicht einfach Płaszów in Richtung Groß-Rosen und schließlich Brünnlitz verlassen. Diese Bürokratie erwies sich aber letztlich auch als Vorteil, denn nur sie ermöglichte es Schindler im November 1944, „seine" dreihundert in Auschwitz auf den Weitertransport wartenden Arbeiterinnen nach Brünnlitz zu schaffen. Mit Diamanten allein wäre das nicht möglich gewesen.

BEI DER Erstellung der Liste wirkten demnach mehrere Personen mit. Ich bin sicher, dass für einen Platz auf der Liste hier und da Geld oder andere Geschenke gefordert und auch angeboten wurden. Das entnehme ich den Schilderungen einiger Betroffener. Dabei taucht immer wieder der Name Marcel Goldberg auf, der als so genannter Häftlingsschreiber bei Arbeitseinsatzführer Franz Müller tätig war. Letztlich hatte jedoch Schindler die Federführung. Er gab die Anweisung, dass natürlich „seine Leute", das heißt sein jüdisches Arbeitskommando in der Emaillewarenfabrik, auf die Liste kommen sollten. Zu ihnen gehörten auch jene, die der Fertigung der Granatenteile zugeteilt waren: die Leute aus der Abteilung „MU". Dann bestimmte er, Ehepaare nicht auseinanderzureißen. Wenn eine Frau in der Fabrik arbeitete, ihr Mann dagegen im Hauptlager beschäftigt war, sollte dieser ebenfalls auf die Liste kommen. So verhielt es sich auch oft bei Geschwistern oder anderen direkten Familienangehörigen.

„Schindlers Koffer", ein 1999 auf einem Dachboden in Stuttgart entdeckter Koffer, der Tausende Schriftstücke und Fotos aus dem Nachlass Schindlers beinhaltete und sich nun in Jerusalem im Archiv befindet, enthielt auch eine Liste, die seit dem Fund als „Schindlers Liste" gilt. Sie trägt das Datum 18. April 1945. Bei der durchlaufenden Nummerierung der männlichen Lagerinsassen gibt es einige Lücken, und die Gesamtzahl der Häftlinge beläuft sich auf rund 800. Diese Zahl schließt die im Januar 1945 zu uns gestoßenen Häftlinge aus Golleschau (Goleszów) sowie einige andere Leute ein, die Schindler zusätzlich in Brünnlitz aufgenommen hatte. Im Archiv und Museum „Auschwitz-Birkenau w Oświęcimiu" fand sich eine Namensliste der männlichen Häftlinge „KL Groß-Rosen – AL Brünnlitz", datiert vom 21. Oktober 1944. Sie umfasst genau 700 Namen. Meiner befindet sich auf der letzten Seite unter der laufenden Nummer 668. Bei diesem Dokument handelt es sich um die im KZ Groß-Rosen erstellte Liste, denn die Häftlingsnummer 69514, die ich bis zu meiner Befreiung im Mai 1945 behielt, war die aus Groß-Rosen und nicht die aus Płaszów. Die von uns in Płaszów getippte Liste muss, dem Direktor des Archivs zufolge, als verschollen gelten. Jedenfalls ist ihm keine Häftlingsliste von Mitte Oktober 1944 aus Płaszów bekannt. Diese war höchstwahrscheinlich „KL Płaszów – KL Groß-Rosen" betitelt.

Vergleicht man die beiden Fassungen, das heißt die Liste vom April 1945 und die vom Herbst 1944, fallen zwei Dinge auf: es gibt keine ganz alten und keine ganz jungen Menschen. Zudem haben fast alle

Häftlinge einen handwerklichen Beruf. In Kenntnis der Selektionskriterien der Nazis ordneten wir eigenmächtig fast jedem auf der Liste einen handwerklichen Beruf zu. Wir wussten, dass uns der Transport zu Schindlers neuer Fabrik über Zwischenstationen führen würde, doch hatten wir keine Kenntnis davon, über welche. Wir wollten aber verhindern, dass gleich bei einer flüchtigen Kontrolle jemand allein aufgrund seines Berufs beliebig ausselektiert werden konnte. Auch machten wir die Kinder und Jugendlichen etwas älter, die ganz Alten um ein paar Jahre jünger. Bei diesen Fälschungen ging es uns vornehmlich darum, Menschen so gut wie nur möglich zu schützen. Meinen Vater verjüngten wir um zehn Jahre, indem wir sein Geburtsjahr von 1888 auf 1898 verlegten; meinen Bruder Stefan machten wir um zwei Jahre älter.

Im Zusammenhang mit dem Tod von Emilie Schindler im Herbst 2001 erwähnte ein ehemaliger Schindler-Jude in einem Interview, er sei „angestellter" Mechaniker gewesen. Zwar verwendeten wir vor bestimmten Berufsbezeichnungen die Abkürzung „ang.", doch das bedeutete nicht „angestellt", sondern „angelernt". Bei den wirklichen Fachleuten taten wir das nicht. Die Abkürzung „ang." erschien vor allem vor den handwerklichen Berufen für die Intellektuellen und Akademiker unter uns. Hätten die Nazis nämlich deren Qualifizierung als voll ausgebildete Schreiner, Lackierer, Schlosser, Klempner oder Maurer überprüft, wäre unser Schwindel sofort aufgeflogen. Doch als nur „angelernte" Metallarbeiter waren diese Leute besser geschützt, denn die korrekte Angabe ihrer Berufe – Lehrer, Rabbiner, Handelsvertreter oder selbstständige Kaufleute – hätte sie als Anwärter für die Position einer Fachkraft in der Rüstungsindustrie verdächtig gemacht. Nur die Ärzte unter uns listeten wir als solche. Da wir unsere Fälschungen natürlich nicht in die Welt hinausposaunen konnten, wussten oft nicht einmal die Betreffenden selbst, mit welcher Berufsbezeichnung sie auf der Liste standen. Alles war lebensgefährlich, und selbst dieser kleine Beitrag zu einer Rettungsaktion war für uns Beteiligte äußerst riskant.

DIE ZAHL der von der Amtsgruppe D bewilligten Häftlinge – 700 Männer und 300 Frauen – war höher als die der Ende September 1944 in Schindlers Fabrik verbliebenen jüdischen Arbeiter. Es gab also noch freie Stellen auf der Liste. Wer jetzt noch auf sie gesetzt wurde, hatte vielleicht eine Chance zu überleben, wer nicht, ging mehr oder weniger sicher dem Tod entgegen. Doch beim Eintragen zusätzlicher Namen gab es keinen großen Spielraum. Wir konnten also nicht eigenmächtig die

Namen von Familienangehörigen oder Freunden hinzufügen. Leider spielten trotzdem egoistische Interessen eine Rolle. Vor allem Marcel Goldberg sorgte dafür, dass einige seiner eigenen Protektionskinder auf die Liste kamen. Er lebt nicht mehr, und ich möchte nichts Schlechtes über einen Verstorbenen sagen. Aber nach dem Krieg musste sich Goldberg verstecken, weil sogar der israelische Geheimdienst nach ihm suchte. Man warf ihm vor, einige Menschen aufgrund von nicht unbeachtlichen Gegenleistungen auf die Liste gesetzt zu haben. Dieser Vorwurf allein wäre schon schlimm. Doch angeblich strich er dafür andere, die bereits auf der Liste standen. Für diese Juden bedeutete Goldbergs Eigenmächtigkeit oft das Todesurteil.

Unmittelbar nach Göths Verhaftung muss der Textilfabrikant Julius Madritsch Schindler gebeten haben, seine etwa zwanzig Vorarbeiter, denen er zu besonderem Dank verpflichtet war, in die Liste aufzunehmen. Schindler stimmte zu. Doch selbst nach diesem Zuwachs war das Kontingent noch nicht erreicht. Zusätzlich wurden nun, selbst ohne vorherige Absprache mit Schindler, auch Häftlinge aus dem Hauptlager auf die Liste gesetzt. Mein Freund Heinz Dressler fragte mich nach dem Krieg, ob er es mir zu verdanken habe, dass er und seine Familie (Eltern und Schwester) auf Schindlers Liste standen. Ich kann mich leider an die Einzelheiten nicht mehr erinnern. Ich weiß nur noch, dass ich etwas für Heinz unternommen habe. Alles musste äußerst diskret vonstattengehen, denn schließlich handelte es sich offiziell um die Verlagerung eines wichtigen Rüstungsbetriebs und nicht darum, jüdische Menschen zu retten. Das bedeutete für Schindler, dass er der SS gegenüber sehr geschickt lavieren musste.

Ich besaß keine Entscheidungsbefugnis und hielt mich an die Vorgaben Schindlers. Vielleicht war das falsch. Bis heute habe ich das Gefühl, nicht genug für einige meiner entfernteren Angehörigen getan zu haben. Der Name Pemper klingt weder besonders jüdisch noch polnisch, er ist eher selten und musste damals einem Deutschen – auch wegen der Kürze – ins Auge springen. Wie schon beschrieben, hatte diese Liste verschiedene Stationen zu passieren, die wir nicht alle kannten. Aber es war die Liste von Facharbeitern in „siegentscheidender" Produktion. Sollte nun an irgendeiner Stelle irgendeinem SS-Mann die gehäufte Nennung des Namens Pemper auffallen, so konnte das neuerliche Nachfragen und Kontrollen provozieren. Auch eine willkürliche Streichung einiger derselben Nachnamen wäre denkbar gewesen. Mein Cousin, nur ein paar Jahre jünger als ich, überlebte nicht. Auf der anderen Seite weiß ich gar nicht, wie ich ihn hätte retten können, denn Goldberg manipulierte dermaßen viel, dass ich jeden Tag froh sein konnte, wenn er meinen Vater, meine Mutter, meinen Bruder oder mich nicht plötzlich gestrichen hatte. Das Perfide bei allen Entscheidungen im Lager war, dass man nie mit Sicherheit ihre Konsequenzen voraussehen konnte.

In dieser Zeit, im wortwörtlich letzten Moment, redete Schindler auf Madritsch ein, auch dessen Leute zu retten. Doch daran schien Madritsch nicht interessiert zu sein. Er verlegte seine Fabrik in die Nähe des Bodensees und überließ seine fast achthundert jüdischen Arbeiter und Arbeiterinnen ihrem Schicksal. Schindler unternahm einen letzten Versuch und erstellte mithilfe des Werkleiters der Firma Madritsch aus dem Stegreif eine Liste von sechzig Leuten, die er kurzerhand als seine „Werkschneider" deklarierte und auf die Liste setzte. Auf Schindlers erneute Bitte, sich die vorgeschlagene Rettungsaktion für seine Arbeiter noch einmal durch den Kopf gehen zu lassen, soll Madritsch geantwortet haben: „Lieber Oskar, spar dir deine Worte, das ist eine verlorene Sache, dafür investiere ich keinen Groschen mehr."

ZWEI Wochen nach meiner Entlassung aus der Einzelhaft im Lagergefängnis durfte ich mich tatsächlich in den Transport der „Schindler-Juden" einreihen. Ob allein jenes zweite Verhör den Ausschlag für meine Entlassung in das Lager gegeben hatte, ob die Untersuchungen im Fall Göth damit – soweit sie mich betrafen – abgeschlossen waren, ob ich noch immer von irgendeiner SS-Stelle als unliebsamer Geheimnisträger betrachtet wurde – ich wusste es nicht.

Am 15. Oktober 1944 verließ ein Transport mit circa 4500 männlichen Häftlingen Płaszów. Man hatte uns in Viehwaggons zusammengepfercht, ohne Wasser und hygienische Vorkehrungen. Etwa einen Tag später kamen wir in Groß-Rosen an. Ohne Schindlers Gegenwart fühlten wir uns schutzlos und verlassen. Dass wir 700 „Schindler-Juden" separat von den übrigen Häftlingen in den ersten sieben Waggons untergebracht waren, änderte daran auch nichts. Wer würde sich für uns einsetzen, sollte irgendetwas nicht nach Plan verlaufen? Auch wusste niemand von uns, ob Groß-Rosen nicht etwa doch die Endstation unserer Reise wäre.

Unterwegs geschieht etwas Unerwartetes. In der Nacht, irgendwo auf freiem Gelände, bleibt der Zug plötzlich stehen. Einige von uns meinen, wir befänden uns in der Nähe von Gleiwitz. Doch niemand kann sich erklären, warum der Zug gerade hier anhält. Wir warten. „Pemper,

Pemper!" Mein Name wird ausgerufen. Die SS-Bewacher laufen an den Waggons entlang. „Pemper!" Mein einziger Gedanke: SS-Polizeigericht! Jetzt holen sie mich doch noch. Ich dränge mich bis zur Waggontür und melde mich durch Klopfen. Die Tür wird geöffnet, ich springe auf den Schotter des abschüssigen Bahndamms. Ein stechender Schmerz schießt in meinen Knöchel. Mühsam rapple ich mich hoch und humple mit zusammengebissenen Zähnen hinter einem SS-Bewacher her, ein zweiter folgt mir. So gelangen wir zum Dienstabteil des Transportführers. Zitternd vor Kälte, Angst und unterdrücktem Schmerz stehe ich da.

Lorenz Landstorfer, der seinem Herrn in grenzenloser Bewunderung dient, verlässt sein Abteil. „Der Kommandant hat doch Anfang Dezember Geburtstag." Er spricht von Göth, der im Gefängnis sitzt. „Wissen Sie, wann er Geburtstag hat?" – „Ja." Ich denke mir: Ich kenne sogar die Geburtstage seiner Frau und seiner Kinder. Aber warum will er das gerade jetzt von mir wissen? Hat er deshalb, mitten in der Nacht und auf freier Strecke, einen ganzen Zug mit fünfzig Waggons anhalten lassen? Ich stehe neben dem Zug im Scheinwerferlicht eines Wachsoldaten und schwitze. Jetzt bittet Landstorfer mich doch wahrhaftig, ein Gratulationstelegramm für Göth zu entwerfen. Ich bin fassungslos. Plötzlich verfliegt meine Angst und macht meinem Humor Platz. „Ja, Herr Hauptscharführer", antworte ich, „eigentlich müsste ich zwei Telegramme aufsetzen." – „Wieso zwei?" Landstorfer ist perplex. „Das eine für den Fall, dass der Herr Kommandant bis zu seinem Geburtstag freikommt. Und das andere für den Fall, dass er noch nicht frei ist." Landstorfer leuchtet das sofort ein. Begeistert erwidert er: „Pemper, Sie haben Recht! Schreiben Sie also zwei Telegramme." Dann murmelt er noch, wie klug es doch von ihm gewesen sei, mich gerufen zu haben. Da stehe ich also, ein jüdischer Häftling irgendwo in Schlesien auf dem Weg zwischen zwei KZs, und formuliere unter SS-Bewachung und bei Scheinwerferbeleuchtung Gratulationstelegramm A und Gratulationstelegramm B für einen Massenmörder.

Als ich nach diesem grotesken Zwischenfall in meinen Waggon zurückgebracht wurde, untersuchte der Chirurg Dr. Ferdynand Lewkowicz meinen lädierten Fuß. Sein Befund: verstaucht, aber zum Glück nicht gebrochen. Er riet mir, nach unserer Ankunft in Groß-Rosen unter keinen Umständen ins Krankenrevier zu gehen, weil es dann nicht sicher sei, ob ich rechtzeitig zum Weitertransport wieder herauskäme.

Unser Aufenthalt im KZ Groß-Rosen dauerte sieben Tage. Doch bevor man uns weiterreisen ließ, wurden wir einem strengen Regime unterworfen. Es begann mit einer totalen Entkleidung. Alles, was wir bei uns hatten, mussten wir abgeben und dann die Nacht vom 16. auf den 17. Oktober nackt auf dem Appellplatz verbringen. Wir standen unter einer Zeltplane, die allerdings nicht allen Platz bot. So wärmten wir uns gegenseitig, indem die Leute an der Außenseite jeweils nach einer bestimmten Zeit nach innen aufrückten. Als der Morgen dämmerte, trieb man uns in die Desinfektionsanstalt. Dort rasierten uns ukrainische Kapos alle Haare vom Körper und hatten dabei offensichtlich Freude daran, uns zu verletzen. Manche von uns litten noch Monate später an den Wunden dieser Prozedur. Erst danach erhielten wir die übliche gestreifte Kleidung. Die nächste Woche forderte unsere ganze Kraft. Zwar wurden wir 700 Männer separat gehalten, doch wir wussten bis zum letzten Moment nicht, ob wir auf der Liste bleiben konnten und ob sie überhaupt Überleben bedeutete.

Kurz nach unserer Ankunft in Groß-Rosen wurde Landstorfer nach Płaszów zurückbeordert. Zuvor nannte er seinen SS-Kollegen zwei Häftlinge als Kontaktpersonen: Marcel Goldberg und mich. Wenn die Lager-SS dann etwas von uns wollte, wurden stets er und ich gerufen. Da ich mich aber wegen meines verstauchten Fußes nur sehr eingeschränkt bewegen konnte, meldete sich Goldberg jedes Mal, wenn die SS uns beide aufrief, und drängte sich auf diese Weise vor. Er muss das als seine Chance betrachtet haben und ging auch mehrmals allein zum Rapportführer. Wie ich später hörte, tauschte er selbst in Groß-Rosen noch gegen Schmuck und andere Wertsachen Menschen auf der Liste aus. Ich weiß nicht, wie er es begründete, diesen oder jenen zu streichen und andere aufzunehmen. Da die in Płaszów erstellte Liste nicht mehr zu existieren scheint, wissen wir nicht, wie viele der 700 Männer, die schließlich Brünnlitz erreichten, in letzter Minute ausgetauscht worden waren. Einer dieser Ausgetauschten war der Vater von Roman Polanski. Wir trafen uns nach dem Krieg in Krakau, und so erfuhr ich von seinem Schicksal. Dr. med. Aleksander Biberstein wurde noch auf dem Appellplatz auf die rettende Liste gesetzt. Sein Neffe – er hatte bei Schindler gearbeitet und war herzkrank – stand bereits darauf. Er hätte sonst sicherlich nicht überlebt.

Goldberg strich unter anderen auch Noah Stockmann, einen ehemaligen polnischen Unteroffizier aus dem Lager Budzyn in der Nähe von Lublin. Er war dort der jüdische Lagerälteste gewesen, eine Position, die ihm SS-Untersturmführer Josef Leipold, der neue Lagerleiter von Brünnlitz, wahrscheinlich ebenfalls zuerkannt hätte. Goldberg spekulierte wohl darauf, er selbst könne zum jüdischen Lagerältesten aufsteigen, wenn Stockmann nicht in Brünnlitz ankam. Doch gerade nach diesem Mann erkundigte sich Leipold bei unserer Ankunft in Brünnlitz. Er verzieh Goldberg diese Manipulation nicht. Noah Stockmann überlebte den Krieg nicht.

Während unseres Aufenthalts in Groß-Rosen wurden wir zum SS-Zahnarztrevier geschickt, wo man akribisch unsere Goldfüllungen und Brücken auf Karteikarten erfasste. Das war ein harter Schlag. „Braucht ihr jetzt noch einen weiteren Beweis dafür, dass die Nazis uns einfach abknallen werden?", meinten einige. „Wenn sie uns danach die Zähne ausbrechen, wissen sie bereits, mit wie viel Gold sie rechnen können."

Wir versuchten, den anderen Mut zu machen. „Ihr dürft jetzt nicht aufgeben. Schindler wird uns nicht im Stich lassen."

Wir kamen schließlich am 22. Oktober in Brünnlitz an, wo inzwischen eine stillgelegte jüdische Spinnerei nach den Vorschriften der SS mit Wachtürmen, Stacheldraht, einer Küche, einer Krankenabteilung und separaten Schlaflagern für 700 Männer und 300 Frauen ausgerüstet worden war. In der Werkhalle standen bereits die schweren Maschinen aus Schindlers Fabrik in Krakau, mit denen nun die Granatenteile produziert werden sollten. Die Wachmannschaften bestanden größtenteils aus älteren, frontuntauglichen SS-Männern. Sie legten keinen großen Eifer an den Tag. Zudem hielt sie Schindler von Anfang an mit Geschenken und Alkohol bei Laune.

DOCH wo waren die Frauen? Der Transport mit den weiblichen Häftlingen hatte am 22. Oktober, dem Tag unserer Ankunft in Brünnlitz, Płaszów verlassen und war am 23. Oktober in Auschwitz-Birkenau angekommen. Oft werde ich bei Vorträgen gefragt, ob die Frauen versehentlich nach Auschwitz statt nach Groß-Rosen gekommen seien. Es war aber kein Versehen. Schindlers Rüstungsfabrik in Brünnlitz war ein Außenlager des KZ Groß-Rosen. Darum mussten alle Häftlinge aus Płaszów offiziell in Groß-Rosen registriert werden. Zudem existierte die Vorschrift, dass Insassen bei einer Einlieferung in ein Lager im Reichsgebiet am ganzen Körper, auch an den Genitalien, rasiert werden mussten. Diese Rasur durften bei Männern nur Männer und bei Frauen nur Frauen vornehmen. In Groß-Rosen gab es aber zu dieser Zeit kein Frauenlager mehr. Deshalb mussten die 300 weiblichen Gefangenen über das nächstgelegene KZ geleitet werden, und das war Auschwitz. Erst danach konnte man sie nach Brünnlitz bringen. Sie erreichten das Arbeitslager Mitte November 1944. Zuvor hatten sie drei Wochen lang unter erbärmlichen Umständen gelebt. In Auschwitz wurde die Gruppe auseinandergerissen und auf verschiedene Baracken verteilt. Es kostete viel Mühe, für den Transport nach Brünnlitz wieder exakt die Frauen von Schindlers Liste zu finden. In Auschwitz herrschte damals erhebliche Überfüllung und entsprechende Desorganisation. Doch da die Liste offiziell von der Amtsgruppe D bewilligt worden war, galt sie als verbindlich. Trotzdem musste Schindler seine Kontakte bemühen, um zu verhindern, dass nicht doch noch einige „seiner" Frauen durch andere ersetzt wurden. Die Aufseherinnen in Auschwitz mussten die „Schindler-Frauen" aus den vielen Baracken auf dem riesigen Lagergelände einzeln aussortieren. Schindler bestand auch diesmal darauf, nur die Frauen auf der Liste und selbst die Jugendlichen unter ihnen in Brünnlitz aufzunehmen: die jungen Mädchen hätten schlanke Finger, mit denen sie ins Innere der Granatenteile reichen könnten, um Unebenheiten für das spätere Entgraten zu bestimmen (denn wenn man zwei Metallteile zusammenfügt, entsteht eine Narbe, die entgratet, das heißt glatt gefeilt werden muss). Für den Abtransport nach Brünnlitz wurden die Frauen tatsächlich namentlich aufgerufen, was sonst nie geschah, denn in Auschwitz zählte nur die Nummer.

„Die Fahrt zu Schindlers Fabrik in Brünnlitz dauerte zwei Tage", erinnerte sich Stella Müller-Madej in einem Fernsehinterview. Schindler nahm die Frauen dort in Empfang. „Wir stanken unheimlich, denn es gab noch nicht einmal einen Eimer. Was der arme Schindler riechen musste, muss entsetzlich gewesen sein. Die Frauen, die ihn bereits aus der Emaillewarenfabrik kannten, bekamen bei seinem Anblick hysterische Anfälle. Er lächelte subtil, und dort, wo in der Nähe keiner von den Deutschen war, gelang es ihm, uns zuzuflüstern, dass wir jetzt in Sicherheit wären. Von diesem Augenblick an glaubte ich an Oskar Schindler, an seinen wahren Willen, uns zu retten."

In Brünnlitz kamen 300 Frauen an, doch zwei von ihnen, die in Płaszów auf der Liste gestanden hatten, waren nicht mehr dabei: die Mutter von Izak und Natan Stern, die sich in Auschwitz mit Typhus infiziert hatte und dort gestorben war, und meine Mutter. Sie war wegen ihrer Gehbehinderung am 3. November 1944 ausselektiert worden. Anstelle dieser beiden erreichten zwei andere Frauen Brünnlitz. Die Liste der weiblichen Häftlinge vom November 1944 ist alphabetisch geordnet, mit laufenden Häftlingsnummern von 76201 bis 76500. Auch bei diesen Nummern handelt es sich nicht um die aus Płaszów. Es gibt auch keinerlei Hinweise darauf, dass die zwei Frauen, die ursprünglich auf der Liste gestanden hatten, nicht in Brünnlitz angekommen waren. Im Gegensatz zu den männlichen Häftlingen gab es bei den Frauen in Brünnlitz keine Zugänge aus anderen Lagern. Vergleicht man darum die Liste vom November 1944 mit der vom 18. April 1945, so ist zu erkennen, dass bis auf Elisabeth Chotiner, Janina Feigenbaum und Anna Laufer 297 der in Brünnlitz angekommenen 300 Frauen die Befreiung erlebt haben.

Meine Mutter kam in Auschwitz in eine internationale Baracke für nicht voll arbeitsfähige Frauen. Zu dieser Zeit fanden keine Selektionen für Massentötungen mehr statt. Dies dürfte eine „Geste des guten Willens" gewesen sein, die Himmler den Alliierten gegenüber zeigte, um seine eigene Verhandlungsposition als „Nachfolger Hitlers" zu stärken.

Am 27. Januar 1945 befreiten russische und polnische Soldaten das KZ Auschwitz I und Auschwitz-Birkenau. Meine Mutter wurde wenige Tage später nach Krakau gebracht. Später erzählte sie, kurz vor dem 27. Januar sei ein älterer, uniformierter Mann in der Baracke erschienen. Meine Mutter konnte sich nicht mehr erinnern, ob er eine Wehrmachts- oder SS-Uniform getragen hatte. Er hatte zwei schwarze, wie Arzttaschen aussehende Koffer bei sich, in denen sich wahrscheinlich Sprengsätze befanden. Schon vorher gab es überall auf dem Lagergelände Detonationen, denn die Nazis sprengten in letzter Minute Teile Birkenaus in die Luft. Meine Mutter erzählte, der Uniformierte habe sich in der dämmrigen Baracke fragend umgeschaut, nur ältere Frauen gesehen und dann kopfschüttelnd mit seinen Koffern die Baracke verlassen.

Meine Mutter konnte noch acht Jahre mit uns leben.

Die Befreiung in Brünnlitz

Der Kommandant von Brünnlitz, Josef Leipold, bestimmte mich zum Verbindungsmann zwischen Lager- und Fabrikleitung. Leipold war im Sommer 1943 für kurze Zeit Göths Adjutant gewesen und hatte mich in dieser Eigenschaft schon in Płaszów kennen gelernt. Als wir in Brünnlitz ankamen, Noah Stockmann jedoch fehlte, war ich wohl der Einzige, an den sich Leipold erinnern konnte. Er war Sudetendeutscher und sprach kein Wort Polnisch. Von Beruf Friseur, besaß er ein gepflegtes Äußeres. Doch er war ein einfacher, obrigkeitshöriger Mensch und überzeugter Nazi (nach dem Krieg wurde er in Lublin zum Tode verurteilt). Er wählte mich auch aufgrund meiner Sprachkenntnisse und meiner Bürofertigkeiten als seinen Verbindungsmann. Ich war in Brünnlitz unter anderem für den Arbeitseinsatz zuständig. Goldberg, der diese Funktion in Płaszów innegehabt hatte, war unter den Häftlingen dermaßen verhasst, dass auch Schindler darauf bestand, ich solle diese Position übernehmen. Goldberg war nun isoliert, denn niemand wollte etwas mit ihm zu tun haben.

Ich schrieb jetzt auch die Rapporte zur Fakturierung des täglichen Arbeitslohns, den Schindler an die SS entrichten musste. Schon allein deshalb entschied er sich für mich als Zuständigen. Er gab mir auch von Zeit zu Zeit Anweisungen, wen ich mit welcher Arbeit betrauen solle, weil derjenige vielleicht schon länger bei ihm tätig war oder weil er dessen Vater noch von Krakau her kannte. Meine Tätigkeit war keineswegs angenehm. Ich entschied auch, wer zum Außendienst eingeteilt wurde und wer seine Arbeit in der warmen Maschinenhalle verrichten durfte. Im Winter 1944/45 herrschte eine schreckliche Kälte, und niemand wollte freiwillig draußen arbeiten. Ich ließ deshalb die Ärzte diese Entscheidungen treffen. Wenn jemand gesundheitlich ernsthaft angegriffen war, setzte ich ihn natürlich für Arbeiten in der Werkhalle ein, während die jungen und noch kräftigen Häftlinge den Außendienst verrichteten. Mit dieser Abmachung handelte ich mir bei meinen Mithäftlingen keine weiteren Probleme ein.

Da ich mit der Arbeitseinteilung beauftragt war, konnte ich auch meinem leicht gehbehinderten Vater eine Arbeit zuweisen, bei der er nicht ständig stehen musste. Zusammen mit zwei anderen kümmerte er sich fortan um die Werkzeugausgabe. Das Magazin war ein riesengroßer Schrank mit teuren Vidiastahl-Spezialwerkzeugen, die nur gegen Einzelquittung ausgegeben wurden. Die drei Männer saßen friedlich beisammen, diskutierten und sprachen wahrscheinlich auch Gebete, denn viel zu tun gab es bei dieser Arbeit nicht.

ANFANG 1945 tauchte unvermittelt Göth in Brünnlitz auf. Aus gesundheitlichen Gründen war er wohl vorübergehend aus dem Militärgefängnis in Wien entlassen worden. Was für ein Schock für uns alle! Doch Schindler beruhigte uns: „Das ist nicht der gleiche Göth, er kann euch nichts mehr antun. Er kommt nur hierher, um seine Sachen abzuholen."

Göth hatte inzwischen auch erfahren, dass ich von SS-Juristen verhört worden war. Er wollte mich nach Einzelheiten ausfragen. Schindler stellte uns einen Raum zur Verfügung, und da er bereits vorher angedeutet hatte, dass Göth nun keine Macht mehr habe, ging ich ziemlich gelassen zu dieser Unterredung. Ich erzählte ihm dieses und jenes von dem Verhör, allerdings ohne auf bestimmte Einzelheiten einzugehen. Ich erlaubte mir sogar den Spaß, Göth auf sein Drängen, was man mich denn alles so gefragt habe, zu erwidern: „Dazu darf ich mich nicht äußern." Göth war sprachlos. Obgleich er an sich ein fröhlicher Mensch war – zumindest hörte ich ihn oft lachen –, besaß er keinen Funken Humor. Unser Gespräch dauerte nicht lange. Göth verließ dann sehr bald das Lager. Das nächste Mal sah ich ihn etwa eineinhalb Jahre später, im Herbst 1946, in Krakau auf der Anklagebank.

ENDE Januar 1945 erhielt Schindler einen Anruf des Stationsvorstehers von Brüsau, der ihm mitteilte, auf „seinem" Bahnhof stünden zwei verplombte Viehwaggons. Aus dem „Frachtbrief" gehe hervor, dass es sich um jüdische Arbeitskräfte handle. Ob Schindler etwas davon wisse. Geistesgegenwärtig, wie er war, erwiderte dieser wie aus der Pistole geschossen: „Endlich, das sind die Leute, die ich längst angefordert hatte. Ich habe bereits mit Berlin telefoniert und nachgefragt, wo die denn bleiben. Schieben Sie die Waggons auf mein Fabrikgleis." Es stellte sich später heraus, dass die 86 ausgemergelten Menschen aus dem Lager Golleschau, einem Nebenlager von Auschwitz, auf Todesfahrt geschickt worden waren. Himmler hatte angeordnet, den Alliierten dürfe kein KZ-Häftling in die Hände fallen.

Wir konnten die zugefrorenen Schiebetüren der beiden Waggons nur mit Schweißbrennern öffnen. Dem „Frachtbrief" zufolge waren diese Menschen seit über einer Woche unterwegs – ohne Essen und Trinken, ohne Decken. Wir fanden zwölf Leichen. Am besten hatten es die Männer gehabt, die direkt an den Türen saßen. Sie hatten die Eiszapfen abbrechen und so ein wenig Flüssigkeit zu sich nehmen können. Ich war dann auch dabei, als man die 74 Überlebenden wog und ihre Personalien aufnahm. Zum ersten Mal in meinem Leben sah ich Erwachsene, die dreißig Kilo wogen. Seitdem benutze ich den Ausdruck „Haut und Knochen" nicht mehr, denn er erinnert mich sofort an damals.

Die Menschen aus Golleschau waren dermaßen abgemagert, dass sie das normale Lageressen nicht vertragen konnten. Nur mit Grieß, meinten unsere Ärzte, könne man sie aufpäppeln. Emilie Schindler ließ daraufhin kübelweise Grieß kochen. Wir fragten uns, wie sie im Februar und März 1945 eine derartige Kostbarkeit auftreiben konnte. Doch sie besaß persönliche Kontakte zu einer Adligen, der Eigentümerin der Mühle Daubek. Von dort bekam sie Grieß, der damals selbst mit den großzügigsten Schmiergeldern kaum mehr zu beschaffen war. Emilie Schindler kümmerte sich rührend um unsere Kranken und die nicht voll Arbeitsfähigen. Vier der Überlebenden starben trotz bestmöglicher ärztlicher Pflege. Die anderen siebzig blieben am Leben. Im Lauf der nächsten Wochen strandeten weitere verstreute Grüppchen von Häftlingen in Brünnlitz, sie stammten aus aufgelösten kleineren Nebenlagern. Am Ende des Krieges war die Zahl der „Schindler-Juden" von ursprünglich tausend auf etwa 1200 angestiegen. Schindler machte auch den neu Hinzugekommenen das Überleben möglich.

Für ihn waren die Monate in Brünnlitz der allergrößte Kraftakt seiner gesamten Rettungsaktion. Der immense Druck, der schon seit Płaszów auf ihm lastete, steigerte sich noch einmal gewaltig. Trotzdem merkte man ihm diesen Druck kaum an, und in seinen Bemühungen, uns zu retten, ließ er bis zum letzten Moment nicht nach.

Im März 1945 meldete sich ein Inspektor vom Berliner Rüstungsministerium in Brünnlitz an. Ich sollte an der Besprechung teilnehmen und Schindler in Anwesenheit des hohen Besuchs an zwei Maschinen erinnern, die zwar bestellt, aber noch nicht angekommen seien. Aus Interesse fragte ich Schindler, warum er denn nicht seiner Sekretärin den Besprechungsbericht diktieren wolle. „Schau", antwortete er schmunzelnd, „wenn die Frau Hoffmann all die Lügenmärchen hört, die ich dem Mann auftischen werde, dann kann sie mich morgen bei der Gestapo verpfeifen."

Der Inspektor kam. Schindler überhäufte ihn mit Geschenken, die damals Raritäten waren: Gänseleberpastete, Wein, Likör – nur vom Feinsten. Danach hörte er sich beinahe ohne Einwände den betrieblichen Rechenschaftsbericht an. Schindler war ganz in seinem Element. Er erzählte begeistert von der noch nicht voll ausgelasteten Produktionskapazität seiner Fabrik. Wie verabredet, erinnerte ich ihn an die beiden Maschinen, auf die er warte, und bezifferte die durch sie erreichbare Produktionssteigerung. Alles lief hervorragend, und der Inspektor verließ Brünnlitz im festen Glauben, eine gut funktionierende Rüstungsfabrik eines begeisterten Nationalsozialisten inspiziert zu haben. Schindler klopfte mir anschließend anerkennend auf die Schulter und sagte: „Siehst du, so sind wir den auch losgeworden."

„Komm, ich zeig dir etwas!", meinte er ein andermal und nahm mich mit zur Energiezentrale des Lagers. Ich sah, dass die Stromverbrauchskurve zwanzig Minuten vor Schichtwechsel rapide sank – offensichtlich schalteten die Arbeiter ihre Maschinen aus. Schindler schaute mich besorgt an. „Stell dir vor, Leipold sieht das! Dann quasselt der sofort was von ‚Sabotage', macht eine Meldung nach Berlin, und dann ist der Teufel los." Ich versprach Schindler, die Sache zu regeln. Nach ein paar Tagen fragte er mich verblüfft: „Wie hast du das hingekriegt? Die Kurve fällt jetzt bei Schichtwechsel kaum noch ab." Ich erklärte ihm, dass die Leute wenige Minuten vor Schichtwechsel kein neues Werkstück mehr einlegten, weil sie es nicht fertigstellen könnten. So hatte ich ihnen geraten, wenigstens die Maschinen laufen zu lassen. „Aber das ist doch Energieverschwendung", wandten sie ein. „Schon, aber Leipold darf anhand der abfallenden Kurve nicht behaupten können, ihr sabotiert die Arbeit, denn das wäre die weitaus größere Gefahr."

Lagerleiter Leipold war ein 150-prozentiger Nazi, und wir fürchteten, er könne uns auf irgendeinen Befehl hin noch gefährlich werden. Schindler verließ die Fabrik nur sehr selten. Er und seine Frau lebten in einer bescheidenen, kleinen Wohnung auf dem Firmengelände. Doch manchmal musste er wegfahren, um Waren einzukaufen und Schwarzmarktgeschäfte zu erledigen. Dann, aber auch nur dann, kam es manchmal zu Übergriffen seitens des Wachpersonals. Hielt sich Schindler dagegen im Lager auf, wagten es weder die SS-Männer noch die Aufseherinnen, uns Häftlinge zu malträtieren. Zudem unterstrich Schindler gegenüber dem autoritätsgläubigen Leipold, dass das Reich unsere Arbeitskraft benötige und er deshalb keine Gewalttaten dulde. Die Arbeiter fingen an zu zittern, wenn sie Uniformierte in der Werkshalle sähen. Dadurch könnten seine wertvollen Maschinen beschädigt werden. Und dann müsse er den verantwortlichen Herrn Lagerleiter leider, leider bei der SS anzeigen! Schindlers unverhüllte Drohungen, verbunden mit seinen klaren Argumenten, beeindruckten Leipold. Die SS-Leute durften sich weder in den Werkstätten noch in der Produktionshalle zeigen.

IN DER letzten Kriegsphase, wohl Anfang 1945, kam der Lagerkommandant von Groß-Rosen, SS-Sturmbannführer Johannes Hassebroek, zu einer Inspektion nach Brünnlitz. Den Hauptgrund des „hohen Besuchs" erfuhr ich erst später: Hassebroek und Leipold ließen in einem Waldstück in der Nähe des Lagers einige Stellen markieren. Im Fall einer Evakuierung des Lagers vor den anrückenden sowjetischen Truppen sollten die marschfähigen Insassen in Richtung Westen abrücken. Zuvor sollten ältere und entkräftete Häftlinge erschossen und im Wald verscharrt werden.

Als Schindler mich fragte, ob Leipold diesen Plan der SS wohl ausführen werde, konnte ich ihm dies aufgrund meiner Erfahrungen mit Leipold in Płaszów leider nur bestätigen. Er habe als überzeugter Nazi keine Skrupel, jeden Befehl zu befolgen. Daraufhin meinte Schindler, dass wir Leipold anders loswerden müssten. Seine Idee war verblüffend und erwies sich als wirksam.

Er lud die Amtsträger aus Brünnlitz und andere Offizielle aus der Umgebung zu einem Empfang ein und hielt vor der versammelten Gruppe aus Militärs und SS eine flammend patriotische Ansprache: „Deutschland braucht jetzt jeden Mann an der Front. Deutschland braucht Leute wie euch. Jeden, der sich jetzt freiwillig zum Frontdienst meldet, werde ich persönlich in meinem Horch zur Meldestelle fahren." Wie erhofft, meldete sich Leipold. Schindler hielt sein Wort und kutschierte mit ihm auf dem Beifahrersitz durchs Lagertor. Stella Müller-Madej beschreibt Schindlers Reaktion nach seiner Rückkehr. Er kam in die Fabrikhalle, setzte sich auf ein Maschinenteil und „lachte wie verrückt".

Dennoch mussten wir bis zum letzten Kriegstag auf der Hut sein. Von vielen Seiten drohte uns Todesgefahr. Dazu gehörte, dass eine versprengte SS-Einheit auf unser Lager stoßen und uns mit Maschinengewehren niedermähen könnte. Zu unserer Sicherheit hielten sich deshalb immer zwei, drei Männer außerhalb der Werkhalle auf, um die Bewegungen auf der etwas oberhalb des Geländes gelegenen Landstraße zu beobachten. Selbst Schindler war damals besorgt. Gleichzeitig bewies er unerschöpflichen Ideenreichtum, wenn es darum ging, die Lager-SS weiterhin auszutricksen. Seine Methoden waren stets originell, manchmal auch waghalsig. Sie vollzogen sich jedoch meistens hinter den Kulissen und nur selten, wie bei Leipold, vor unseren Augen.

WIR WUSSTEN vom stetigen Näherrücken der Front, doch wir konnten nicht abschätzen, wie sich die Rote Armee uns, vor allem aber Schindler gegenüber, verhalten würde. Aus vereinzelten Gesprächen mit ortsansässigen Tschechen, die ihrerseits Kontakte zu Partisanen unterhielten, konnten wir uns aber ein Bild machen. Wir könnten den Sowjets nicht erklären, wie viel er für uns getan hatte. Er würde als Fabrikant und Parteimitglied sofort an die Wand gestellt und erschossen werden.

Davor hätten ihn auch unsere Schilderungen seiner Rettungsaktionen nicht bewahren können. Wir drängten ihn deshalb, das Lager mit seiner Frau vor dem Eintreffen der Russen in Richtung Westen zu verlassen. Doch davon wollte Schindler nichts wissen. Er wollte uns nicht im Stich lassen. Er glaubte wohl auch, in uns den besten Schutz zu haben. Es war also nicht einfach, ihn zur Flucht zu überreden. Wir wiederum wollten unter keinen Umständen den Eindruck erwecken, dass uns daran gelegen war, ihn loszuwerden. Wir gingen behutsam vor. Uns war vollauf bewusst, wie prekär unsere Lage ohne seine Anwesenheit und Autorität wäre.

Endlich entschloss sich Schindler, das Lager zu verlassen. Gemeinsam mit seiner Frau wollte er sich auf den Weg gen Westen machen, begleitet von einigen von uns, die bereits die traurige Gewissheit hatten, dass eine Suche nach überlebenden Angehörigen für sie sinnlos war. Zunächst aber wollte er noch mit uns am 28. April seinen Geburtstag feiern. An diesem Tag überreichten wir Schindler feierlich einen in drei Sprachen abgefassten Schutzbrief – auf Hebräisch, Englisch und Russisch. „Mietek Pemper kam mit einem riesigen Bogen Papier, der so lang war wie ein Handtuch", schreibt Stella Müller-Madej in ihren Aufzeichnungen. „Jeder setzte seine Unterschrift darunter, auch ich, was mich fast glücklich machte."

Wir wussten nicht, mit wem er beim Überschreiten der Grenze ins Reichsgebiet zusammenträfe, und waren uns auch nicht sicher, wie sich die Amerikaner verhielten, wenn sie auf einen Deutschen, einen ehemaligen Nazi, stießen. So wurden wir, deren Beschützer Schindler so lange Zeit gewesen war, nun, am Ende dieses Krieges, zu *seinen* Beschützern. Ein weiterer Schutzbrief für ihn, vom 8. Mai 1945 und in polnischer Sprache, wurde von sechs führenden Vertretern der vormaligen Jüdischen Gemeinde in Krakau unterzeichnet, darunter Natan und Izak Stern sowie Abraham Bankier, der vor 1939 Mitinhaber der Emaillewarenfabrik gewesen war, die Schindler später übernommen hatte.

AM TAG seiner Abfahrt hielt Schindler eine Abschiedsrede. Wir, „seine Juden", waren vollzählig versammelt – mehr als eintausend Männer, Frauen und einige Kinder. Schindler umriss noch einmal in groben Zügen seine Anstrengungen während der vergangenen fünf Jahre: „War es schon schwer, dem polnischen Arbeiter seine geringen Rechte zu verteidigen, ihn im Betrieb zu behalten, ihn vor der Zwangsverschickung ins

Reich zu bewahren ... so erschienen die Schwierigkeiten im Kampf um die Verteidigung der jüdischen Arbeitskräfte oft unüberwindlich. Ihr, die ihr von Anfang, all die Jahre mit mir zusammengearbeitet habt, wisst, wie nach der Auflösung des Ghettos ich unzählige Male persönlich intervenieren musste, für euch Bittgänge zur Lagerleitung machte, um euch vor Aussiedlung und Liquidierung zu bewahren."

Schindler sprach etwa eine Stunde lang. Er war in guter Form, und was er zu sagen hatte, zeugte von einer tief verwurzelten Humanität. Mich wunderte, wie ein Mann, der vor dem Scherbenhaufen seiner Existenz stand, eine so durchdachte Rede halten konnte. Er las sie nicht vom Blatt ab, sondern hielt sie frei, wodurch sie eine besondere Dynamik und Anschaulichkeit erhielt. Zwei Schreibkräfte von uns stenografierten mit. Später fand sich ein Schreibmaschinenmanuskript; Schindler hatte sich also gut vorbereitet. (Das Original der Rede befindet sich heute in der Holocaust-Gedenkstätte Yad Vashem in Jerusalem.)

Schindler erwähnte auch die SS-Wachleute. Er wollte vermeiden, dass wir unsere Wut an diesen „älteren Familienvätern" ausließen, und ermahnte uns, sie friedlich ihres Weges ziehen zu lassen. Sie hatten uns weder gefoltert noch geschlagen – wobei wir nicht abschätzen konnten, ob sie sich auch ohne den von Schindler spendierten Alkohol so ruhig verhalten hätten. Er beschwor uns, menschlich und gerecht zu handeln. „Überlasst das Richten und Rächen denjenigen, die dazu befugt sind. Wenn Ihr gegen jemanden Anklage zu erheben habt, so tut dies bei den berechtigten Stellen, denn es werden sich im neuen Europa Richter, unbestechliche Richter finden, die sich Eurer annehmen werden."

Schließlich dankte er einigen von uns, bei seiner Rettungsaktion mitgeholfen zu haben. „Für Euer Überleben dankt nicht mir, dankt Euren Leuten, die Tag und Nacht arbeiteten, um Euch vor der Vernichtung zu retten. Dankt Euren unerschrockenen Stern und Pemper und einigen anderen, die bei ihrer Aufgabe für Euch, vor allem in Krakau, jeden Moment dem Tode ins Auge geschaut haben, die an Alle dachten und für Alle sorgten." Im Zusammenhang mit mir meinte er wohl die Geheiminformationen, die er von mir erhalten hatte, und das „Husarenstück" mit den geschönten Produktionstabellen im Spätsommer 1943. Zum Schluss bat er um ein dreiminütiges Schweigen im Gedenken an die Opfer aus unseren Reihen.

In der Nacht zum 9. Mai 1945 verließ Schindler das Lager in Begleitung seiner Frau und einiger unserer Leute. Wir gaben ihm eine blaue Garagenmeisteruniform und kleideten auch seine Frau entsprechend

Oskar Schindler (rechts) und Izak Stern in Paris, 1949

ein. Dann setzte sich die Kolonne von einigen Autos Richtung bayerische Grenze in Bewegung. Am 13. Mai 1945 fand unsere offizielle Befreiung durch die Rote Armee statt.

Rückkehr in ein Krakau ohne Juden

Im Sommer 1945 kamen viele der von Schindler geretteten Juden nach Krakau zurück. Die Stadt war aber nicht mehr jenes Krakau, das die Deutschen 1939 besetzt hatten. Von den rund 56 000 Krakauer Juden der Vorkriegszeit kehrten nur ungefähr 4000 heim. Fast alle meiner etwa siebzig Verwandten waren ermordet worden. Die meisten der Zurückgekehrten blieben zudem nur vorübergehend, um auf ihre Ausreise nach Kanada, Südamerika, Australien, in die USA oder nach Palästina zu warten. Sie wollten weit fort von den Stätten ihres Leidens. Heute leben nur noch knapp 200 jüdische Menschen in der Stadt. Wir gingen zunächst nach Krakau zurück, von wo aus mein Bruder sich auf den Weg nach Deutschland machte. Er wurde zuerst in Augsburg und später in Hamburg sesshaft, wo er 1978 starb.

Nach der Befreiung in Brünnlitz konnte man nicht ohne Weiteres nach Krakau reisen, denn die Sowjets hatten als Besatzungsmacht die Bahngleise für den Kohletransport aus dem polnischen, ehemals oberschlesischen Kohlerevier zur Stahlgewinnung in die Ukraine auf die in Russland üblichen breiten Gleise umgestellt. Deshalb war die Bahnlinie Katowice–Krakau–Lwów für den Personenverkehr gesperrt. Während wir ungeduldig auf die nächste Transportmöglichkeit warteten, erhielten wir die wunderbare Nachricht, dass meine Mutter noch lebte. Das war eine Sensation. Polnische und russische Soldaten hatten sie bereits gemeinsam mit anderen Kranken aus dem befreiten Auschwitz nach Krakau gebracht. Dort erwartete sie uns in einem Krankenhaus. Sie war bettlägerig und sollte sich nie mehr vollständig erholen.

Wir kamen mittellos in Krakau an und überlegten, wie wir in Zukunft unseren Lebensunterhalt bestreiten sollten. Mein Vater versuchte, seine alten Geschäftsbeziehungen in der Mehlbranche wiederzubeleben. Doch Polen war zerstört, und die Menschen hatten kein Geld. Deshalb sorgte ich für den Unterhalt meiner Familie. Mir war jede Arbeit recht. Gleichzeitig nahm ich mein Betriebswirtschaftsstudium an der Hochschule für Ökonomie wieder auf. So konnte ich keiner Vollzeitarbeit nachgehen. Ich verdiente mir auch als Dolmetscher bei etlichen NS-Prozessen ein kleines Zubrot. Diese Tätigkeit wurde schlecht bezahlt, doch ich erfuhr auf diese Weise, was sich in anderen Lagern zugetragen hatte. 1948 schrieb ich meine Magisterarbeit, und kurz nach dem Abschluss des Studiums wurde ich Assistent am Lehrstuhl für Rechnungswesen und Bilanzanalyse an der Hochschule für Ökonomie. Ich bekam für kurze Zeit einen Lehrauftrag und war eine Art Privatdozent. Auf Empfehlung meines Professors für Betriebswirtschaft erhielt ich dann die Stelle des Abteilungsleiters im Büro zur Organisation des Rechnungswesens staatlicher Betriebe, einer Institution des Finanzministeriums.

IN UNSERE alte Wohnung in der Parkowastraße konnten wir nicht einziehen. Dort wohnten inzwischen polnische Mieter, die man ja nicht einfach auf die Straße setzen konnte. Die ersten Monate in Krakau waren auch insofern entmutigend, als es auf dem Lande, wo heimkehrende Juden ihr Besitztum von den Polen zurückforderten, zu Ausschreitungen kam. Im Juli 1945 gab es in Krakau sogar eine Art Pogrom, wenn auch bei Weitem nicht so schrecklich wie ein Jahr später in Kielce, wo im Frühjahr 1946 einige Dutzend zurückgekehrte Juden einem Massaker zum Opfer fielen.

Statt in der Parkowastraße kamen wir bei Verwandten unter. Ein Cousin mütterlicherseits und seine Verlobte hatten den Krieg mit falschen „arischen" Papieren überlebt und besaßen in der Innenstadt eine kleine Wohnung. Dort bezogen meine Mutter, mein Vater und ich ein Zimmer. Sobald ich etwas Geld verdient hatte, zogen wir in eine Mietwohnung.

Meine Mutter lebte noch acht Jahre. Sie liegt in Krakau begraben. Nach ihrem Tod bemühte ich mich um meine und meines Vaters Auswanderung. Wir kamen 1958 im Rahmen der Familienzusammenführung nach Augsburg. Ich hätte auch in die USA auswandern können, aber mein durch die entbehrungsreichen Lagerjahre sehr geschwächter Vater war nach wie vor auf mich angewiesen. Er starb Anfang 1963 in Augsburg – fast genau zehn Jahre nach meiner Mutter.

Mörder ohne Reue

Bereits im Winter 1944/45, noch vor dem offiziellen Ende des Krieges, ernannte die polnische Regierung eine Sonderkommission zur Untersuchung der Naziverbrechen. Sie bestand aus angesehenen Richtern und Staatsanwälten. Eines ihrer führenden Mitglieder war der aus einer alteingesessenen polnischen Familie stammende Dr. Jan Sehn, der vor dem Krieg als Untersuchungsrichter tätig gewesen war und perfekt Deutsch sprach. Er gehörte zu den Ersten, die in das am 27. Januar 1945 befreite Auschwitz kamen, um dort den Massenmord zu dokumentieren. Die Kommission begab sich auch nach Płaszów, wo ich vor Ort von meiner mir aufgezwungenen besonderen Position in der Kommandantur berichtete. Sehn schrieb mir daraufhin im Sommer 1945 und bat mich, meine Erinnerungen aufzuzeichnen. Er war mit den Vorbereitungen des Verfahrens gegen Göth beschäftigt und suchte nach Zeugen und Unterlagen. Er hatte bereits Kontakte zu den alliierten Anklägern in Nürnberg aufgenommen; inzwischen galt es als sicher, dass die Amerikaner Göth an Polen ausliefern würden.

Das 1944 eingeleitete Verfahren der SS-Justiz gegen Göth hatte sich durch das Kriegsende erledigt. Im Sommer 1945 befand er sich in einem Auffanglager für deutsche Kriegsteilnehmer auf dem Gelände des ehemaligen KZ Dachau. Dort gab er sich den Amerikanern gegenüber als Kriegsheimkehrer aus. Nachdem man ihn aber trotz seiner einfachen Wehrmachtsuniform als SS-Angehörigen identifiziert hatte, wurde er zusammen mit Rudolf Höß, dem ehemaligen Kommandanten von Auschwitz, an Polen ausgeliefert. Die beiden kamen am 30. Juli 1946 auf dem Krakauer Hauptbahnhof an. Dabei soll es zu einem turbulenten Auflauf gekommen sein, und Göth musste wüste Beschimpfungen ehemaliger Häftlinge über sich ergehen lassen. Er war aufgrund seiner enormen Körpergröße in jeder Menschenmenge leicht zu erkennen.

Sehn präsentierte Göth in der Untersuchungshaft die Anklageschrift, die weitgehend auf meinen Aussagen basierte.

Sehn erzählte mir später von Göths Reaktion. Der sah sich die Anklageschrift gar nicht genau an, sondern blätterte gleich zu den letzten Seiten, auf denen die Belastungszeugen aufgelistet waren. Als er die vielen Namen sah, rief er, so Sehn, wörtlich aus: „Was? So viele Juden? Und uns hat man immer gesagt, da wird kein Schwanz übrig bleiben." Diese ordinäre Formulierung wird mir unvergesslich bleiben, gibt sie doch in meinen Augen einen Hinweis darauf, warum Göth und andere so hemmungslos brutal handelten. Sie taten es in der Gewissheit, mangels überlebender Zeugen niemals zur Rechenschaft gezogen zu werden.

Absurd wirkte im Verlauf der Vorbereitungen zur Hauptverhandlung Göths Antrag, seinen Freund Oskar Schindler, den jüdischen Arzt Dr. Aleksander Biberstein, den ehemaligen jüdischen Lagerarzt Dr. Leo Groß und auch mich als Entlastungszeugen vorzuladen. Man informierte ihn: Dr. Groß sitze ebenfalls im Gefängnis und stehe unter der Anklage der Kollaboration, während Dr. Biberstein und Mietek Pemper bereits Zeugen der Anklage seien. Oskar Schindler halte sich irgendwo im zerstörten Deutschland auf und sei für die polnische Justiz nicht erreichbar. Dass er damals in Regensburg lebte, erfuhren wir erst, nachdem er im Herbst 1946 von der Vollstreckung des Todesurteils in der Zeitung gelesen hatte und mit mir Kontakt aufnahm.

BEI DER ersten Vernehmung durch einen amerikanischen Untersuchungsrichter in Dachau behauptete Göth, Kommandant eines Gefangenenlagers gewesen zu sein, das unter anderem Güter für die im Osten kämpfenden deutschen Divisionen produziert habe. Die Wörter „Zwangsarbeitslager" oder „Konzentrationslager" fielen dabei nicht. Doch dann erkannten ihn ehemalige Häftlinge aus Płaszów und bezeugten, wer er wirklich war. Damit fiel das Kartenhaus aus Göths Lügen jäh in sich zusammen.

Bei den Voruntersuchungen in Krakau behauptete er dann, er habe nur die Befehle seiner Vorgesetzten ausgeführt. Ich legte dem Gericht die organisatorischen Zusammenhänge und Befehlsmechanismen dar, die mir aus der Arbeit in der Lagerkommandantur hinreichend bekannt waren. Im Gegensatz zu allen anderen erreichbaren Zeugen besaß ich diesen Gesamtüberblick.

Der Prozess gegen Göth war das erste große Verfahren dieser Art in Polen. Die Ermittlungen und der Prozessverlauf entsprachen den Statuten des Internationalen Militärgerichtshofs in Nürnberg. Göth hatte zwei Pflichtverteidiger und einen Dolmetscher. Die Anklageschrift lag auch in deutscher Übersetzung vor. Göth durfte während des Verfahrens Fragen stellen, Gegendarstellungen vorbringen und sogar die Zeugen ins Kreuzverhör nehmen. Er durfte ein Gnadengesuch schreiben, was er auch tat. Darin bat er, man möge die Todesstrafe in eine Gefängnisstrafe umändern. Er wolle beweisen, dass er ein nützliches Mitglied der menschlichen Gemeinschaft sein könne.

Ich bin der Meinung, Göth wurde fair behandelt und bekam keineswegs, wie später gelegentlich behauptet wurde, ein Schnellverfahren. Der Prozess an sich dauerte nach umfänglichen Voruntersuchungen und sorgfältiger Beweisaufnahme eine Woche, vom 27. August bis zum 5. September 1946. Auf die Bekanntmachung des Todesurteils reagierte die Krakauer Öffentlichkeit mit Erleichterung. Große Plakate verkündeten am 13. September 1946 an den Litfaßsäulen in der Innenstadt die Vollstreckung des Urteils durch den Strang.

DER PROZESS fand in der Senacka-Straße statt, im größten Schwurgerichtssaal des polnischen Woiwodschaftsgerichts, was etwa einem Oberlandesgericht entspricht. Der Saal bot mehreren Hundert Zuschauern Platz, und man riss sich geradezu um die Eintrittskarten. Das allgemeine Interesse am Prozess war deshalb so groß, weil viele Göth auch als gnadenlosen Peiniger und Mörder nichtjüdischer Polen hassten. Man übertrug den Prozessverlauf schließlich sogar mittels einer Lautsprecheranlage. Hunderte von Zuhörern versammelten sich in den Grünanlagen schräg gegenüber dem Gerichtsgebäude.

Der Anklageschrift zufolge war Göth allein im Lager Płaszów für die Ermordung von 8000 Menschen verantwortlich und mitschuldig am Tod von weiteren 2000 bei der Liquidierung des Krakauer Ghettos am 13. und 14. März 1943. Hinzu kamen noch Hunderte von Morden bei der Auflösung der Ghettos in Tarnów und Szebnie im Herbst 1943. Göth hatte den größten Teil der erbeuteten Wertgegenstände – vor allem Schmuck und Diamanten – unterschlagen. Das Verlesen der Anklageschrift nahm fast den gesamten Vormittag des ersten Prozesstages in Anspruch. Der Vorsitzende fragte den Angeklagten, ob er sich schuldig bekenne. Göth antwortete mit einem lauten „Nein".

Danach kam als Sachverständiger Dr. Ludwig Ehrlich, Professor für Internationales Recht an der Jagiellonen-Universität, zu Wort. Er charakterisierte Göths Taten als „Verbrechen gegen die Menschlichkeit".

Diese Formulierung war damals neu und entsprach den völkerrechtlichen Überlegungen der Alliierten, die die Untaten der Nazis von militärischen Handlungen einerseits und Alltagsdelikten andererseits absetzen wollten. Göth erhielt danach die Möglichkeit, zur Anklageschrift Stellung zu nehmen. Er unterstrich wiederholt, er habe nur den Befehlen seiner Vorgesetzten gehorcht.

Später kam ich an die Reihe. Ich vermied während meiner Zeugenaussage jeglichen Augenkontakt mit Göth. Ich wollte unbefangen sein und nicht abgelenkt, verwirrt oder anderweitig verunsichert werden. Freunde von mir, die den Prozess im Gerichtssaal verfolgten, sagten mir später während der Pausen: „Er sitzt zwischen zwei Polizisten. Außerdem befinden wir uns in einiger Entfernung von ihm, und er kann uns nichts mehr tun. Und trotzdem haben wir Angst. Wir haben einfach Angst. Wir verstehen nicht, wie du das all die Monate hast aushalten können bei ihm im Büro." Unser Mithäftling Leopold Pfefferberg pflegte zu sagen: „Wer Göth sah, hat den Tod gesehen."

Beim Prozess ging mir immer wieder der Gedanke durch den Kopf: Göth verfügt über zwei Pflichtverteidiger, einen Dolmetscher, im Nebenraum warten Sanitäter für den Fall, dass er sie braucht. Solche Bedingungen hat er seinen Opfern nie zugestanden. Ich betrachtete den Prozess deshalb als einen Akt der Gerechtigkeit angesichts dessen, was er uns Unschuldigen angetan hatte. Wir wurden ausschließlich wegen unserer Zugehörigkeit zur jüdischen „Rasse", die es genau genommen gar nicht gibt, systematisch verfolgt, gedemütigt, gefoltert und schließlich ermordet. Als Überlebender betrachtete ich meine Aussagen als meine Pflicht.

Ich wählte meine Worte mit Bedacht. Viele Häftlinge hatten gesehen, wie Göth Menschen folterte oder auf sie schoss, doch das gesamte Netz seiner Zuständigkeiten und Befugnisse konnte nur ich genau beschreiben. Während ich sprach, war es vollkommen still im Saal. Viele verstanden zum ersten Mal die Hintergründe der Ermordung oder Deportation ihrer Eltern, Kinder, Ehepartner, Verwandten. Als ich mit meiner fast zweistündigen Aussage fertig war, beraumte der Vorsitzende die nächste Sitzung für den folgenden Tag an. Zuvor wandte er sich an den Angeklagten: „Haben Sie noch Fragen?" Ich erinnere mich genau an Göths Antwort: „Ja, mehrere!" Diese Antwort ließ mir keine Ruhe. Wie mag er morgen versuchen, sich herauszureden?, dachte ich. In dieser Nacht schlief ich kaum.

Der zweite Verhandlungstag begann mit einigen Detailfragen des

DER RETTENDE WEG 513

Einer meiner Auftritte als Zeuge beim Prozess gegen Göth, August/September 1946

Der in Haft deutlich abgemagerte Göth (Zweiter von links) während seines Prozesses mit polnischen Wachen

Staatsanwalts und des Richters. Im anschließenden Kreuzverhör überschüttete Göth mich geradezu mit seinen Fragen. Es dauerte mindestens anderthalb Stunden. Ihn interessierte nur eines: „Woher weiß der Zeuge all das, was er hier vor Gericht erzählt?" Es war Göth ein Rätsel, woher ich die ganze Hintergrundinformation nahm. Zunächst hielt ich mich mit meinen Erklärungen noch zurück, denn ich registrierte mit einem gewissen Interesse, wie Göth immer wieder versuchte, Aussagen zu entkräften oder zu widerlegen.

Er bewies bei seinen Fragen ein gutes räumliches Gedächtnis, das er einzusetzen versuchte, um andere Zeugen eventueller Ungenauigkeiten zu überführen. Seine Einwände liefen in der Regel auf Folgendes hinaus:

„Wie konnte der Zeuge dieses oder jenes beobachten, wo er doch in dieser oder jener Baracke arbeitete? Von dort aus gab es keinen Einblick in diesen oder jenen Teil des Lagers." Wenn ein Zeuge erzählte, er habe gesehen, wie der Angeklagte vor der Kommandantur einen anderen Häftling gefoltert habe, fragte Göth: „Wo im Lager war denn der Zeuge beschäftigt?" Und wenn es dann hieß, in der Kürschnerei oder der Schneiderwerkstatt Soundso, konterte Göth: „Es kann sich bei dieser Aussage nicht um einen Augenzeugenbericht handeln, denn der Kommandanturbereich war von diesem Teil des Lagers aus nicht einsehbar." Erst wenn der Zeuge dann etwa beteuerte, er sei mit dem täglichen Produktionsbericht zur Verwaltung geschickt worden und habe auf dem Weg dorthin die besagte Misshandlung beobachten können, gab Göth klein bei. Er war zweifellos im Vollbesitz seiner geistigen Kräfte und seines Erinnerungsvermögens. Die Müdigkeit und die Lethargie, die ich ihm im Lager so oft angemerkt hatte, waren verflogen. Er verfolgte den Prozessverlauf aufmerksam und machte sich ausführlich Notizen.

Meine nächste Zeugenaussage bezog sich auf die Hintergründe des „Gesundheitsappells" vom Mai 1944 und das abgekartete Spiel bei der Ermordung des jüdischen Lagerältesten Chilowicz. Jetzt erzählte ich von Frau Kochmann und dem Trick mit dem Kohlepapier. Auch schilderte ich, wie ich dank des Adjutanten Grabow Einblick in die Geheimkorrespondenz im Panzerschrank der Kommandantur erhalten hatte. Da ich, wie erwähnt, bei meinen Aussagen den Blickkontakt mit Göth mied, nahm ich seinen Gesichtsausdruck nicht wahr, als plötzlich Wörter wie „Panzerschrank", „Geheimkorrespondenz" oder „Kohlepapier" fielen. Ich kann mir aber lebhaft vorstellen, dass er wie vom Donner gerührt auf seiner Anklagebank saß. Im Lager hatte er ein derartiges Schreckensregime geführt, dass es ihm nie in den Sinn gekommen wäre, jemand könne es wagen – gar ein jüdischer Häftling! –, hinter seinem Rücken die geheime Lagerkorrespondenz, die an ihn gerichteten Fernschreiben und die amtlichen Aktennotizen zu lesen. Er hätte mich sofort erschossen, hätte er damals auch nur das Geringste davon geahnt.

Von nun an hinterfragte er zwar noch bestimmte Details, ließ weiterhin hier und da eine Bemerkung fallen, doch abstreiten konnte er jetzt nichts mehr. Ich hatte sogar den Eindruck, dass er sich auch nicht mehr bemühte. Er schätzte seine Lage wohl realistisch ein: Sein Spiel war verloren.

NACH dem Göth-Prozess boten mir die Krakauer Justizbehörden wegen meiner Zweisprachigkeit an, bei weiteren NS-Prozessen als Dolmetscher zu arbeiten. Sie taten das auch, weil mir die Fachausdrücke der NS-Zeit und die SS-Dienstgrade vertraut waren. Die meisten Vorkriegsdolmetscher standen Wörtern wie „Aussiedlung" oder „Sonderbehandlung" völlig hilflos gegenüber. So dolmetschte ich 1947 beim großen Auschwitz-Prozess in Krakau. Als Zeuge sagte ich auch bei den Prozessen gegen die „zweite Garde" der SS aus: gegen Lorenz Landstorfer, etwa zehn andere SS-Männer aus Płaszów und auch Arnold Büscher, den Nachfolger von Göth. Er hatte seine Funktion nicht lange ausgeübt und sich in der kurzen Zeit nichts Besonderes zuschulden kommen lassen. Später in Deutschland sagte ich noch bei NS-Prozessen in Hannover und Kiel aus.

Der Prozess gegen den Kommandanten von Auschwitz fand in Warschau statt. Rudolf Höß galt als das Symbol für die Verfolgung und Ermordung der Juden und der Polen. Deshalb der separate Prozess in der Hauptstadt des Landes. Höß erhielt am 2. April 1947 die Todesstrafe. Das Urteil wurde auf dem Gelände des ehemaligen KZ Auschwitz vollstreckt. Für die Voruntersuchungen war auch diesmal Dr. Sehn in Krakau zuständig. Er zog mich als Berater hinzu, damit ich stenografische Notizen von Höß und auch von Maria Mandel, der berüchtigten Oberaufseherin des Frauenlagers von Auschwitz-Birkenau, entzifferte. Nicht viele in Polen beherrschten damals die neueste deutsche Einheitskurzschrift aus dem Jahr 1936, die ich mir im Krieg im Selbststudium angeeignet hatte. Ich bekam Höß nur ein einziges Mal im Krakauer Büro von Dr. Sehn zu Gesicht. An seinem Prozess nahm ich nicht teil.

Dagegen sagte ich bei Prozessen gegen einige seiner Untergebenen als Zeuge aus, in anderen war ich Dolmetscher. Im großen Auschwitz-Prozess 1947 standen vierzig Angeklagte vor Gericht, unter ihnen Maria Mandel und Artur Liebehenschel, der neue Kommandant von Auschwitz, nachdem Höß zum Chef des Amtes D I in Oranienburg aufgestiegen war. Der Auschwitz-Prozess in Krakau war der größte Prozess gegen Naziverbrecher in Polen. Wiederum führte Sehn die Voruntersuchungen durch. Er legte die erste systematische Darstellung der schrecklichen Vorgänge in Auschwitz vor.

Als Zeuge sagte ich auch beim Prozess gegen Willi Haase aus, der als Stabsführer des SS- und Polizeiführers im Distrikt Krakau Göths direkter Vorgesetzter gewesen war. In der Anklageschrift hatten einige Zeugen den Namen des SS-Führers als „Wilhelm von Haase" angegeben.

Die erste Frage, die man mir als Zeugen stellte, lautete: „Kennen Sie den Angeklagten?" – „Selbstverständlich. Das ist Willi Haase." – „Der Angeklagte behauptet aber, das sei er nicht, und andere Zeugen meinen, er heiße Wilhelm von Haase." Sofort wurde mir klar, worum es hier ging. Ich kannte Haase von seinen Besuchen in der Kommandantur in Płaszów. Ich kannte auch seine Unterschrift und sein Diktatzeichen. Die anderen Zeugen hingegen kannten ihn nur vom Hörensagen. Wenn sie also von den „Aussiedlungsaktionen" im Ghetto vom Juni 1942 sprachen, die „von Haase" und seinen Leuten befehligt worden waren, hatten sie vielleicht geglaubt, der Mann sei adlig, und in einem zweiten Schritt aus dem „Willi" noch einen „Wilhelm" gemacht.

Haase nutzte diese Verwirrung und behauptete, es handle sich um eine Verwechslung, er sei zu Unrecht angeklagt. Der Prozess gegen ihn kam und kam nicht voran. Ich machte für das Gericht die Unterschrift des Angeklagten und sein Diktatzeichen nach. „Nein", insistierte er, „ich bin nicht der Mann, den Sie suchen."

Daraufhin wandte ich mich direkt an den Angeklagten und erinnerte ihn daran, wie er einmal während Göths Abwesenheit mit seinen kleinen Töchtern in der Lagerkommandantur erschienen war und darauf bestanden hatte, den beiden Mädchen die Haare schneiden zu lassen, und zwar unbedingt in Göths Arbeitszimmer. Ich beschrieb die hellblonden Mädchen sehr genau und sah Haase dabei unverwandt fest in die Augen.

Endlich senkte er den Blick und sagte: „Ja, das stimmt."

Willi Haase wurde wegen seiner Verbrechen bei der Auflösung der Ghettos zum Tode verurteilt.

Viele Überlebende der Konzentrationslager wollten oder konnten lange Zeit nicht über ihre Erlebnisse während der nationalsozialistischen Besatzung sprechen. Mir dagegen war wichtig, meine Kenntnisse über die Hintergründe der Judenverfolgung in Krakau und die Geschichte des Lagers Płaszów bei Gericht zur Verfügung zu stellen und die Verbrecher ihrer gerechten Bestrafung zugeführt zu wissen. Persönlich war es mir außerdem wichtig zu dokumentieren, dass ich mir in den mehr als 540 Tagen als Göths Stenograf nichts hatte zuschulden kommen lassen.

Bei den Prozessen, an denen ich als Zeuge oder Dolmetscher teilnahm, hörte ich nie ein Wort des Bedauerns, und keiner der Angeklagten zeigte ehrliche Reue. Niemand erklärte: Jetzt sehe ich, wie falsch ich gehandelt habe. Ich hätte die ungerechten Befehle nicht befolgen sollen. Kein Angeklagter nutzte sein letztes Wort, um zum Beispiel zu erklären: Ich stand unter dem Eindruck einer falschen Propaganda. Ich habe damals nicht gewusst, was ich heute weiß. Ich wundere mich selbst, wie ich so habe handeln können. Ich bedaure das. Nichts von dem passierte. Kein Bekenntnis der Trauer um den Tod der vielen unschuldigen Opfer, keine Entschuldigung, keine Abbitte, keine Reue.

Warum wir uns erinnern müssen

Als ich 1958 nach Deutschland kam und gegenüber einigen meiner nichtjüdischen Bekannten und Gesprächspartner verlauten ließ, dass ich in einem KZ gewesen sei, stieß ich oft auf betretenes Schweigen. Man stellte mir kaum Fragen und zeigte wenig Interesse an meinem Schicksal. Vielmehr hörte ich oft eine Reihe von Rechtfertigungsversuchen – vor allem, wie vielen Juden man selbst damals geholfen habe. Doch die Zahl derer, die ihr Leben tatsächlich in Gefahr brachten, um Juden vor den Nazis zu schützen, war klein. So sprach ich nach meiner Ankunft in der Bundesrepublik wenig von meinen Lagererlebnissen. Ich konzentrierte mich darauf, meinen und meines Vaters Lebensunterhalt zu sichern.

Nach meiner Rückkehr nach Krakau riet mir Prof. Dr. Eugeniusz Brzezicki, Neurologe und Psychiater, Ordinarius an der Jagiellonen-Universität, der selbst KZ-„Erfahrung" hatte: „Sie müssen sich durch viel Beschäftigung vom Grübeln über das Erlebte ablenken, um sich so vor einer Depression zu schützen. Studieren Sie, arbeiten Sie, sinnieren Sie nicht!" Ich bin diesem Arzt sehr dankbar und hielt mich weitgehend an seinen Rat. Doch die Erinnerungen blieben. Obwohl ich nach außen hin ruhig und gefasst wirke und mich bemühe, über die Zeit von damals nicht allzu viel nachzugrübeln, sehe ich bis heute manche Szenen aus der Zeit des Ghettos und des Lagers lebhaft vor meinem inneren Auge. Die Erinnerung an einige andere Szenen versuche ich durch Ablenkung zu unterdrücken, sobald sie sich, durch ein Datum, einen Jahrestag oder irgendeine Bemerkung ausgelöst, anbahnt.

Natürlich sprachen wir im engeren Familienkreis über Płaszów. Es gab zudem stets Kontakte zu anderen Überlebenden – sei es in Deutschland, den USA oder Israel. Auch mit Oskar Schindler, dem ich in den Sechzigerjahren bei der Beantragung und Begründung seiner Lastenausgleichsansprüche half, sprach ich oft über Krakau und Brünnlitz.

In der Öffentlichkeit dagegen mied ich das Thema. Das änderte sich erst nach den Dreharbeiten zu „Schindlers Liste", zu denen mich Steven Spielberg im April 1993 nach Krakau einlud. Seitdem werde ich häufig zu Zeitzeugenveranstaltungen eingeladen, beispielsweise an den Universitäten in Augsburg, München und Regensburg, an Volkshochschulen, Schulen, im Fernsehen und Rundfunk. Ferner hielt ich Vorträge vor der Deutsch-Israelischen Gesellschaft, der Gesellschaft für christlich-jüdische Zusammenarbeit und anderen Organisationen. Meine Honorare dafür gehen sämtlich an wohltätige Stiftungen.

Besonders wichtig sind mir die Gespräche mit Jugendlichen. Zum einen, weil ich dabei immer wieder erfahre, dass eine neue Generation herangewachsen ist, die unvoreingenommen wissen will, wie es damals war. Zum anderen, weil es auf diese Menschen in der Zukunft ankommen wird, soll verhindert werden, dass sich dieses wohl dunkelste Kapitel der deutschen Geschichte so oder ähnlich wiederholen kann.

Die heutigen Jugendlichen können sich kaum vorstellen, dass ihre Großeltern in einer solchen Zeit der Barbarei gelebt haben. Immer wieder höre ich Fragen wie „Was kann man tun, um eine Wiederholung zu verhindern?" oder „Wie konnte es dazu kommen?" Eine andere, mir hin und wieder gestellte Frage zeugt von einer besonderen Feinfühligkeit und Empathie unter vielen der Jugendlichen: „Wie konnten Sie das psychisch verkraften, so lange in Göths unmittelbarer Nähe zu arbeiten?" Doch selbst die mehr sensationslüsterne Frage „Haben Sie je Hitler getroffen?" zeigt mir, was anderen jungen Menschen durch den Kopf geht und sie interessiert. Manche Fragen geben mir auch die Möglichkeit, indirekt auf Vorurteile gegenüber Juden einzugehen. Dazu gehört die Annahme, sie hätten sich anscheinend wie „Schafe zur Schlachtbank" führen lassen. Aus diesem Grund unterstreiche ich in meinen Vorträgen die folgende Tatsache: Wir waren Opfer einer von langer Hand vorbereiteten Propaganda- und Täuschungsaktion, die die Voraussetzung lieferte für den perfekten Mord an Millionen von Menschen. Unbewaffnet waren wir der damals stärksten Militärmacht Europas ausgeliefert.

Obgleich ich dies erläutere, stellen meine jungen Zuhörer mir häufig die Frage: „Warum haben Sie Göth nicht einfach umgebracht?" Abgesehen von der Tatsache, dass Göth als erfahrener Ringkämpfer mit seinen 120 Kilo Körpergewicht damals mehr als zweimal so viel wog wie ich und mich um einen Kopf überragte, hätte seine Ermordung nichts Positives für uns Häftlinge bewirkt. Im Gegenteil. Ein Attentat auf Göth hätte ein unvorstellbares Blutbad ausgelöst.

Mit Gymnasiasten
bei einer Veranstaltung,
März 2000

Ich bin immer wieder erstaunt, mit welcher Intensität und Ernsthaftigkeit junge Menschen mir zuhören. Wenn ich deren Lehrer um eine Erklärung dafür bitte, höre ich oft, das liege wohl an meiner sachlichen, präzisen und teilweise humorvollen Erzählweise. Auch werde für die Schüler aufgrund meiner Präsenz im Klassenzimmer das Unterrichtsfach Geschichte plötzlich lebendig. Ich gäbe den Statistiken über den Holocaust sozusagen ein „Gesicht". Wohl scheint es für Interesse und Empathie förderlich zu wirken, dass ich bei meiner Befreiung vor sechzig Jahren nur wenige Jahre älter war als die meisten meiner Zuhörer heute. Als junger Mensch von knapp 23 Jahren hatte ich es fertiggebracht, Göth und die SS „auszutricksen" und dazu beizutragen, Płaszów vor der Liquidierung zu bewahren. Das scheint den jungen Leuten zu imponieren und gibt ihnen offenbar auch zu denken. „Intelligenten Widerstand" nannte eine Journalistin Schindlers Liste und alles, was damit zusammenhängt. Mir gefällt diese Formulierung, fasst sie doch zusammen, was mir zeit meines Lebens wichtig war.

Ich vermeide bei meinen Vorträgen pauschale Urteile und hüte mich vor Schwarz-Weiß-Malerei. Darum erwähne ich stets den jungen SS-Mann Dworschak, der sich weigerte, einen menschenfeindlichen Befehl auszuführen. Zwar konnte seine Reaktion das Leben der jungen Frau und des Kindes nicht retten, doch sie bedeutete trotzdem einen Unterschied. Sie gab mir, dem Gefangenen, Mut, da immerhin einer die Unmenschlichkeit des Erschießungsbefehls erkannte und daraus mutig seine Konsequenzen zog. Und sie verunsicherte jenen SS-Mann, der den Befehl schließlich noch am selben Tag ausführte, aber danach das Gefühl hatte, sich vor mir, dem jüdischen Häftling, rechtfertigen zu müssen.

Es gibt eben häufig auch in den scheinbar ausweglosen Situationen eine – oft genug nur minimale – Wahlmöglichkeit, die verantwortungsvoll genutzt sein will, auch wenn man zunächst glaubt, es spiele für das Ergebnis keine Rolle. Stets wird es ganz still im Klassenzimmer, wenn ich betone, man solle Menschen danach einschätzen, wie sie sich in schwierigen Lebenssituationen verhalten, ob sie sich für andere einsetzen, anderen helfen oder nicht.

Ich war stets gegen Verallgemeinerungen, habe ich doch seit meiner Jugend darunter gelitten, dass ich kollektiv für alles Mögliche verantwortlich gemacht wurde – den verlorenen Ersten Weltkrieg, die Wirtschaftskrise der Zwanzigerjahre, die Armut der polnischen Landbevölkerung. Die mir hin und wieder gestellte Frage „Hassen Sie die Deutschen?" kann ich nur mit einem klaren „Nein" beantworten. Hass bringt uns nicht weiter und fördert keine Versöhnung. Ich musste im Lager erleben, dass wir schlimmer als Tiere behandelt wurden. Gleichzeitig traf ich inmitten dieser inhumanen Welt mitleidvolle Menschen, die sich den Aufforderungen zu Aggression, Rohheit und Gewalt widersetzten. Das damalige System verleitete viele, Straftaten zu begehen, die sie unter anderen Bedingungen wahrscheinlich nicht begangen hätten. Für diese Schuld müssen sich die jeweils Einzelnen verantworten. Für mich gibt es keine „Kollektivschuld", ich kann keine Nation, keine Religion, kein Volk insgesamt verurteilen. Doch erfüllt es mich mit großer Sorge, dass sich so viele so leicht manipulieren ließen. Was damals passierte, darf um der Zukunft willen nicht vergessen werden. Wir können aus der Geschichte nicht aussteigen. Die Menschen werden sich erst dann höher entwickeln, wenn das Prinzip der individuellen Verantwortung Schule macht. Dazu gehört meines Erachtens, den „anderen" in unserer Gesellschaft, den „Fremden" in unserer Mitte zu akzeptieren.

Das vergangene Jahrhundert kann mit Recht als *saeculum horribile* bezeichnet werden, in des Wortes *horribilis* doppelter Bedeutung, zugleich übersetzbar als „schrecklich" und „staunenswert, erstaunlich". Ich habe beide Bedeutungen an zwei Menschen erfahren, dem Massenmörder Amon Göth und dem Lebensretter Oskar Schindler.

Es gab nach dem Krieg eine Zeit, die mich optimistisch, fast euphorisch stimmte. Der Anlass war die Verleihung des Friedensnobelpreises an Ralph Johnson Bunche 1950. Er stand in den späten Vierzigerjahren als internationaler Berater im Dienste des Friedens – vor allem zwischen dem neu gegründeten Staat Israel und dessen Gegnern Jordanien, Syrien, Libanon und Ägypten. Als stellvertretender UN-Generalsekretär wurde er unter dem Namen *Mr Peacekeeping* bekannt. Damals dachte ich mir: Wenn ein Schwarzer, ein Afroamerikaner, der Enkel eines Sklaven stellvertretender Generalsekretär der Vereinten Nationen werden kann und eine so hohe Auszeichnung in Oslo bekommt, dann haben wir, Gott sei Dank, eine Phase erreicht, in der wir gut nebeneinander und miteinander leben können. Aus heutiger Sicht war mein Optimismus vielleicht naiv, bestimmt verfrüht. Doch das sollte uns nicht davon abhalten, weiterhin unermüdlich zur politischen und menschlichen Sensibilisierung beizutragen und in einer Welt der Inhumanität deutliche Zeichen der Mitmenschlichkeit und Versöhnung zu setzen.

ÜBER DIE AUTOREN

Alles, was der am 3. April 1961 geborene **Angelo d'Arrigo** über das Fliegen in extremer Höhe wusste, hatte er von Zugvögeln gelernt. Er profitierte von den Instinkten der Vögel und ihrem Gespür für Thermik, perfektionierte seine eigenen Flugkünste und schrieb so ein neues Kapitel in der Geschichte des Flugsports. Silvester 2005 imitierte er in den Anden den Flug des Kondors und stellte dabei mit 9100 Metern einen neuen Höhenweltrekord für Hängegleiter auf.

Am 26. März 2006 nahm Angelo d'Arrigo als Passagier eines Kleinst-Motorseglers an einer Flugschau auf Sizilien teil und verunglückte dabei tödlich: das Flugzeug stürzte aus 150 Meter Höhe in einen Olivenhain. Posthum wurde dem Ausnahmesportler in Barcelona der Laureus Sports Award verliehen.

Der wütende Protest internationaler Organisationen machte aus dem Fall **Mukhtar Mai** eine pakistanische Staatsaffäre – und aus dieser mutigen Frau eine der meistgehörten Stimmen ihres Landes. Mukhtar Mai kämpft gegen eiserne Tradition, gegen die Mächtigen, gegen ihre eigene Scham – und für ihre Ehre, für ihr Leben und das der Frauen in Pakistan. Ihre erschütternde Geschichte schrieb sie zusammen mit **Marie-Thérèse Cuny** auf, die als Koautorin bereits andere Frauen wie Souad, Leila und Phoolan Devi beim Verfassen ihrer Lebensberichte unterstützt hatte. „Für Mukhtar Mai ist es eine Waffe, möglichst viel Aufmerksamkeit in der Öffentlichkeit zu erregen", erklärt Marie-Thérèse Cuny. „Das Interesse der Medien schützt sie. Wer sich still in seine Ecke verkriecht, wie so viele Frauen in Pakistan, dem bleibt nur eine Lösung: der Selbstmord."

James Last wurde 1929 als Hans Last in Bremen geboren. Nachdem er sich in den Fünfzigerjahren als Arrangeur unter anderem für Freddy Quinn, Caterina Valente und Helmut Zacharias einen Namen gemacht hatte, traf er Mitte der Sechziger mit seinen *Non Stop Dancing*-Platten den Nerv der Zeit und wurde in zahlreichen Ländern zum umjubelten Star. Mit über achtzig Millionen verkauften Platten und unzähligen Auszeichnungen avancierte er zum erfolgreichsten Bandleader der Welt.

Thomas Macho, der österreichische Koautor dieser Autobiografie, ist als Fernsehregisseur und -produzent tätig und lernte James Last bei den Dreharbeiten zu einer Fernsehdokumentation kennen.

Im Jahr 2001 wurde **Mietek (Mieczysław) Pemper** an der Augsburger Universität die Ehrenbürgerwürde seiner neuen Heimat verliehen. Sechzig Jahre nach den schrecklichen Erlebnissen zieht er ein berührendes Resümee seines Lebens: „Am Ende meiner Fahrt sage ich mir: Es hätte schlimmer kommen können." Und er fügt hinzu: „Ich bin dem Schicksal dankbar, dass ich zufällig an einer Stelle war, wo ich Gutes tun konnte. Das ist das Einzige, was bleibt. Alles andere ist unwichtig."

Bei der Niederschrift seines Buches unterstützten ihn **Viktoria Hertling**, die als Professorin für Holocaust- und Exilforschung das Holocaust-Center an der Universität von Nevada leitet, sowie **Marie Elisabeth Müller**, die Philosophie, Literatur- und Medienwissenschaft studierte und als Autorin und Universitätslektorin in Nairobi tätig ist.

DAS GEHEIMNIS DER ADLER. WIE ICH LERNTE, DIE LÜFTE ZU BEHERRSCHEN
Titel der Originalausgabe: „In volo sopra il mondo", erschienen bei Arnoldo Mondadori Editore S.p.A., Milano. Nach der Übersetzung von Monika Eingrieber, Kerstin Finco und Claudia Fröhlich. © für die deutschsprachige Ausgabe: Piper Verlag GmbH, München 2005. © für die Fotos: S. 6: Bourbon/Spin360, S. 6/7: Andrea Brambilla/Spin360; S. 19: Ferrer; S. 33: Ferrer (oben), Puglisi (unten); S. 41: Puglisi; S. 72: Genkin; S. 83: Pustovit; S. 99: d´Arrigo; S. 120 und 126: Bourbon/Spin360; S. 142: Spin360; S. 147: Bourbon/Spin360.

DIE SCHULD, EINE FRAU ZU SEIN
Titel der Originalausgabe: „Déshonorée", erschienen bei Oh! Éditions, Paris. Nach der Übersetzung von Eléonore Delair, Eliane Hagedorn und Bettina Runge. © für die deutschsprachige Ausgabe: Droemer Verlag. Ein Unternehmen der Droemerschen Verlagsanstalt Th. Knaur Nachf. GmbH & Co. KG, München, 2006. © für die Fotos: S. 152/153: AP (das Foto wurde von Oh! Éditions verändert); S. 223: getty images/AFP (unten). Der Abdruck aller übrigen Abbildungen erfolgte mit freundlicher Genehmigung des Droemer Verlags.

MEIN LEBEN. DIE AUTOBIOGRAFIE
© 2006 by Wilhelm Heyne Verlag, München, in der Verlagsgruppe Random House GmbH. © für die Fotos: S. 250: Fotex/Herbert Kühn; S. 254: hgm-press; S. 287 und 291: Wolfram J. Mehl; S. 310: Peter Bischoff; S. 322: Wolfram J. Mehl; S. 329: Polydor; S. 351 und 358: Gerd Tratz; S. 378 und 383: Wolfram J. Mehl; S. 386: Peter Boosey; alle weiteren Fotos: Privatarchiv James Last. Der Rechteinhaber des Fotos auf S. 329 war nicht ausfindig zu machen, wir bitten diesen, sich gegebenenfalls an den Verlag zu wenden.

DER RETTENDE WEG. SCHINDLERS LISTE – DIE WAHRE GESCHICHTE
© 2005 by Hoffmann und Campe Verlag, Hamburg. © für die Fotos: S. 404/405: USHMM (Lager) + Yad Vashem (Liste); S. 410: privat; S. 413: USHMM; S. 414: privat; S. 416: USHMM; S. 425: USHMM (oben und unten), USHMM mit Genehmigung des bpk (Mitte); S. 429 und 436: USHMM; S. 447: USHMM mit Genehmigung des Yad-Vashem-Archivs; S. 462 und 467: USHMM; S. 481: bpk; S. 487: USHMM; S. 507: Herbert Steinhouse; S. 513: privat (oben), USHMM (unten); S. 519: Hermann Sautter, Förderverein „Freunde des Schickhardt-Gymnasiums Herrenberg". Der Abdruck sämtlicher Abbildungen erfolgte mit freundlicher Genehmigung des Hoffmann und Campe Verlags.

© für die Autorenfotos: S. 522: picture-alliance/dpa (oben), mit freundlicher Genehmigung des Droemer Verlags (unten); S. 523: Fotex/Rainer Drechsler (oben), privat (unten).

Umschlaggestaltung Hardcover: Reader's Digest Deutschland: Verlag Das Beste, Stuttgart, unter Verwendung der im Folgenden aufgeführten Fotos: Angelo d´Arrigo im Flug: Andrea Brambilla/Spin360 (oben); Lager/Liste: USHMM + Yad Vashem, beide Abbildungen mit freundlicher Genehmigung des Hoffmann und Campe Verlags (Mitte links); Mukhtar Mai: AP (das Foto wurde von Oh! Éditions bearbeitet) (unten links); James Last: Fotex/Herbert Kühn (unten rechts).

Umschlaggestaltung Softcover: Reader's Digest Deutschland: Verlag Das Beste, Stuttgart, unter Verwendung der im Folgenden aufgeführten Fotos (von oben nach unten): 1) Angelo d´Arrigo im Flug: Andrea Brambilla/Spin360; 2) Mukhtar Mai: AP (das Foto wurde von Oh! Éditions bearbeitet); 3) James Last: Fotex/Rainer Drechsler; 4) Lager/Liste: USHMM + Yad Vashem, beide Abbildungen mit freundlicher Genehmigung des Hoffmann und Campe Verlags.

Die ungekürzten Ausgaben von „Das Geheimnis der Adler", „Die Schuld, eine Frau zu sein", „Mein Leben" und „Der rettende Weg" sind im Buchhandel erhältlich.